經學研究論叢

◆第十三輯◆

林慶彰主編

張穩蘋 編輯
黃智明

臺灣  印行

編者序

　　本期文稿有特別需要說明者，賴欣陽先生的大作〈論朱熹詮《詩》態度與觀點的轉變〉，本來應刊於第十二期，但該期稿件太多，篇幅達五百多頁，為符合每期四百多頁的規定，付印前抽掉了數篇文章，其中一篇是賴先生的大作，由於太匆促，該期序文卻來不及作相應的修改，謹向賴先生致最深的歉意。

　　葉高樹教授是臺灣師範大學歷史學博士。通滿文，專研清史，博士論文《清初的文化政策》，頗受學界好評。撰有滿文儒家經典問題研究論文多篇，為經學研究另闢蹊徑。數年前，擔任葉博士論文口試委員時曾向葉博士邀稿，不久，即賜下〈滿漢合璧《欽定繙譯五經四書》的文化意涵〉一文，至為感謝。

　　季旭昇教授研究《孔子詩論》的論文〈孔子詩論新詮〉，篇幅多達五萬多字，數種刊物皆嫌文稿太長，編者以為好文章不嫌長，全文在本期刊出。梁啟超早年在湖南時務學堂講學，曾講《孟子》，惜並無專書出版。多年前，李建將梁啟超《孟子》遺稿，影印送給湯志鈞教授一份。湯教授和公子湯仁澤教授合作整理這份遺稿，對研究梁氏的孟子學大有助益。整理稿承湯先生賜寄本刊發表，特誌謝忱。

　　由於上一期累積下來的著作和這一兩年出版的新書，合計有新書資訊一百三十多篇，分別由東吳大學、佛光大學、臺灣師範大學、成功大學等校碩博士生來撰稿，謹致謝忱。湯志鈞、季旭昇、葉高樹、賴欣陽等先生之賜稿，謹再度申謝。

二〇〇六年三月 **林慶彰** 誌於
中央研究院中國文哲研究所

經學研究論叢 第十三輯

目　次

【學術會議】

【出版資訊】

【附　　錄】

經 學 研 究 論 叢
第 十 三 輯　　頁1～42
臺灣學生書局　2006年3月

滿漢合璧《欽定繙譯五經四書》的文化意涵：

從「因國書以通經義」到「因經義以通國書」

葉高樹*

一、前　言

　　自漢武帝「罷黜百家，獨尊儒術」以來，儒家思想遂為中國學術的主流，也指導著漢民族的行為準則與價值取向。特別的是，在非漢民族統治中國期間，對於儒家學說亦多所留意，並將經典繙譯成該民族的文字，例如：北魏孝文帝在位期間（471－499），曾命侯伏侯可悉陵以鮮卑字繙寫《孝經》，名曰《國語孝經》❶；金世宗大定二十三年（1183），以女直字譯出《易經》、《書經》、《論語》、《孟子》諸經，「欲女直人知仁義道德所在」❷；元文宗天曆二年（1329），特置

本文獲國科會專題計畫（NSC91-2411-H-003-060）補助，謹申謝忱。

*　葉高樹，臺灣師範大學歷史學系副教授。

❶　《隋書》（臺北：鼎文書局，1987年），卷32，〈經籍志一·經〉，頁935。

❷　《金史·世宗本紀下》曰：「譯經所進所譯《易》、《書》、《論語》、《孟子》、《老子》、《揚子》、《文中子》、《劉子》及《新唐書》。上謂宰臣曰：『朕所以令譯《五經》者，正欲女直人知仁義道德所在耳。』」（臺北：鼎文書局，1985年），卷8，頁184－185。早在大定四年（1164年），金世宗即「詔以女直字譯書籍。五年，翰林侍講學士徒單子溫進所譯《貞觀政要》、《白氏策林》書。六年，復進《史記》、《西漢書》」，見同書，卷99，〈徒單鎰傳〉，頁2185。

「藝文監」，「專以國語（蒙古字）敷譯儒書，及儒書之合校讎者俾兼治之」。❸至於被認為是因統治者採行有系統的漢化政策，而成為中國歷史上最成功的「征服王朝」（dynasties of conquest）的清朝❹，亦將儒家典籍譯成滿文❺；而乾隆年間纂修《四庫全書》時，更集結成《欽定繙譯五經四書》，並以滿漢合璧的形式刊行。

　　關於《欽定繙譯五經四書》的體例與內容，《四庫全書簡明目錄》曰：「是編仿北魏《國語孝經》之例，以國語詳譯諸經，並推闡語意，毫釐曲肖，不煩箋釋其字句，而微言大義，觸吻耀然。允為詁經之明訓，不但同文之盛軌也。」❻由於漢文古文經轉譯為滿文之後，近似白話文體，是以此舉雖係沿襲舊例，於闡明經書的義理仍有化繁為簡、淺顯易懂的作用。《四庫全書總目》則對該書的繙譯過程、內容特色以及文化意涵，作了較為深入的論述。據館臣的論述：從事《四書》、《五經》的繙譯，是因開國以來諸帝「表章經學」，自乾隆二十年（1755）譯成《四書》始，陸續繙寫《易》、《書》、《詩》、《春秋》、《禮記》諸經，至乾隆四十七年（1782），「而聖賢典籍譯以國書者，燦然備焉」；其選譯的先後，「先譯《四書》，示初學之津梁。至於《五經》，《易》則略象數之迹，示其吉凶；

---

❸　《元史》（臺北：鼎文書局，1986 年），卷 88，〈百官志四・藝文監〉，頁 2223。附帶一提，遼在遼興宗重熙年間（1032－1055），亦曾下令以契丹字繙譯漢文典籍，惟以史書為限，據《遼史・文學上・蕭韓家奴》曰：「詔譯諸書，（蕭）韓家奴欲帝知古今成敗，譯《通曆》、《貞觀政要》、《五代史》。」（臺北：鼎文書局，1984 年），卷 103，頁 1450。

❹　Ping-Ti Ho, "The Significance of the Ch'ing Period in Chinese History." *The Journal of Asian Studies*, 26:2(1967), pp. 191-193.

❺　參見葉高樹：〈滿文繙譯儒家典籍的探討〉，《輔仁歷史學報》，第 10 期（1999 年 6 月），頁 158－159。除《五經》、《四書》外，清朝官方譯印的儒家典籍另有：順治朝，阿什坦譯《孝經》（*hiyoo ging bithe*）；康熙朝，福達禮等譯《大學衍義》（*amba tacin i jurgan be badarambuha bithe*）、和素譯《孝經》（*hiyoo ging bithe*）；雍正朝，雍正皇帝釐定《孝經集注》（*hiyoo ging be acabufi suhe bithe*）、雍正皇帝敕譯《孝經》（*hiyoošungga nomun*）、古巴岱譯《小學合解》（*ajige tacikū be acabufi suhe bithe*）、古巴岱譯《小學》（*ajige tacin bithe*）；咸豐朝，孟保譯《大學衍義》（*amba tacin i jurgan be badarambuha bithe*）等書。

❻　永瑢等：《四庫全書簡明目錄》（臺北：洪氏出版社，1982 年），卷 3，〈經部七・五經總義類・欽定繙譯五經五十八卷四書二十九卷〉，頁 129。

《書》則疏佶屈之詞，歸於顯易；《詩》則曲摹其咏嘆，而句外之寄託可想；《春秋》則細核其異同，而一字之勸懲畢見；《禮記》則名物度數考訂必詳，精理名言推求必當，尤足破講家之聚訟」，實有循序漸進地建構知識體系的脈絡可尋。在經義的解析方面，傳統學者「多株守其文，故拘泥而鮮通」，如今「則疏通其意，故明白而無誤。不立箋傳之名，不用註疏之體，而唇吻輕重之間，自然契刪述之微旨」，兼具融會貫通與深入淺出的優點。因此，「學者守是一編，或因經義以通國書，而同文之聖化被於四方；或因國書以通經義，而明道之遺編彰於萬世」，對滿、漢文化的溝通與學術教化的宣揚，助益甚大。❼

　　根據《四庫全書總目》的說明，《欽定繙譯五經四書》的問世，是乾隆時代有計畫地推動文化事業的重要成就。然若稍加細究，則又不難發現：這項大規模繙譯經典的工作，在乾隆朝之前已有一段演進的過程，也奠定了相當的基礎。其次，經典經過轉譯之後，雖說「不立箋傳之名，不用註疏之體」，仍能充分地傳達聖賢的精義，但是關鍵則在於漢文文本的擇定，以及因此而衍生出的教育政策與學術取向的統合問題。此外，館臣刻意標舉繙譯經典的「因經義以通國書」與「因國書以通經義」雙重作用，惟這兩種文化意涵之間的發展脈絡、因果關係，乃至於其間的轉折如何等等，都有必要加以釐清。

二、滿文繙譯《五經》、《四書》的由來

　　明萬曆二十七年（1599），努爾哈齊為了文移往來、記注政事的需要，令巴克什（baksi，意即「儒者」、「學者」，或謂係漢語「博士」的借音）額爾德尼、扎爾固齊（jargūci，意即「審事官」、「都堂」，此字係借自蒙古語）噶蓋參照蒙古字母拼寫女真語音，創製滿文❽，並賦予繙譯漢字書籍的任務。❾據清朝官書記

---

❼ 清高宗敕撰：《四庫全書總目》（臺北：藝文印書館，1989 年），卷 33，〈經部三十三・五經總義類・欽定繙譯五經五十八卷四書二十九卷〉，頁 29－30。

❽ 《清實錄・太祖高皇帝實錄》（北京：中華書局，1986 年），卷 3，「己亥年二月辛亥條」，頁 2。

❾ 王鍾翰點校：〈大臣畫一傳檔正編一・達海〉曰：「太祖高皇帝召直文館，凡國家與明及蒙古、朝鮮詞命，悉出其手。有詔旨應兼漢文者，亦承命傳宣，悉當上意。凡奉命譯《明會

載，最早奉命從事滿文繙譯漢文典籍者，為天命、天聰時期的巴克什達海，曰：

> 其平日所譯漢書，有《刑部會典》、《素書》、《三略》、《萬寶全書》，
> 俱成帙。（天聰六年）時方譯《通鑑》、《六韜》、《孟子》、《三國志
> （通俗演義）》及《大乘經》，未竣而卒。初，我國未深諳典故，諸事皆以
> 意創行，達海始用滿文譯歷代史書，頒行國中，人盡通曉。❿

是項工作對滿族知識的拓展，產生莫大的影響。⓫其中，屬於《四書》的《孟

典》及《素書》、《三略》。」見《清史列傳》（北京：中華書局，1987 年），卷 4，頁
187。

❿ 《清實錄·太宗文皇帝實錄》，卷 12，「天聰六年七月庚戌條」，頁 10。《實錄》共列出九
種，然清代傳記資料的記載略有出入，例如：鄂爾泰等修，李洵等點校，《八旗通志·初
集》（長春：東北師範大學出版社，1989 年），卷 236，〈儒林傳上·大海巴克什〉，頁
5325，曰：「旋奉（太祖高皇帝）命繙譯漢書，如明朝《刑部會典》及《素書》、《三略》
等書」，只有三種；《清史列傳》，卷 4，〈大臣畫一傳檔正編一·達海〉，頁 187－189，
曰：「旋奉命譯《明會典》、《素書》、《三略》。……時方譯《通鑑》、《六韜》、《孟
子》、《三國志》、《大乘經》，未竣而卒」，則有八種，其中《刑部會典》改為《明會
典》，缺《萬寶全書》。吳忠匡總校訂，《滿漢名臣傳·滿洲名臣傳》（哈爾濱：黑龍江人
民出版社，1991 年），卷 3，〈達海列傳〉，頁 56－58；趙爾巽等撰，《清史稿》（北京：
中華書局，1986 年），卷 228，〈達海傳〉，頁 9256－9257，所載與《清史列傳》同。另據
《清史列傳》，《明會典》、《素書》、《三略》諸書，於天聰四年（1630 年）譯成。又有
關《會典》的繙譯，《實錄》、《八旗通志》的記載與他書不同，如就清高宗敕纂《八旗滿
洲氏族通譜》（瀋陽：遼瀋書社，1989 年），卷 44，〈索佳氏·阿哈圖〉，頁 10，曰：
「阿哈圖，鑲白旗人，……次子伊成額（宜成格），當太宗文皇帝時，……將《太祖高皇帝
實錄》滿文譯漢，又繙朝鮮所奏表章，及《禮部會典》諸書」，則達海所譯者，當以《刑部
會典》的可能性較高。

⓫ 〔清〕昭槤著，何芳英點校：《嘯亭雜錄·續錄》（北京：中華書局，1997 年），卷 1，
〈繙書房〉，頁 397，曰：「崇德初，文皇帝患國人不識漢字，罔知政體，乃命達文成公海
繙譯《國語》、《四書》及《三國志》各一部，頒賜耆舊，以為臨政規範。」文中略謂崇德
初年命達海譯書，然達海卒於天聰六年（1632 年），其他官方文獻也未見提及其曾繙譯《國
語》一書，至於《四書》則當指《孟子》而言，此段記載顯然有誤。惟「頒賜耆舊，以為臨
政規範」，頗能反映出繙譯漢籍的作用。

子》，雖已部分譯出，但未見流傳。

在達海去世之後，一批追隨皇太極的漢官，仍繼續奏陳譯書的重要性，例如：王文奎認為，「帝王治平之道，微妙者載在《四書》，顯明者詳諸史籍」，「宜於八固山（gūsa，即八旗之「旗」）讀書之筆帖式（bithesi，衙署中掌繙譯及各種文移事務的官員）內，選一、二伶俐通文者，更於秀才內選一、二老成明察者，講解繙寫，日進《四書》兩段，《通鑑》一章，汗於聽政之暇，觀覽默會」，「更可造練人才，以需後用」⓬；寧完我強調，「如要知正心、修身、齊家、治國的道理，則有《孝經》、《學》、《庸》、《論》、《孟》等書，如要益聰明智識，選練戰功的機權，則有《三略》、《六韜》、《孫吳》、《素書》等書。如要知古來興廢的事蹟，則有《通鑑》一書。此等書實為最緊要大有益知書，汗與貝勒及國中大人所當習聞明知，身體而力行者也」⓭；仇震也建議「選漢人通經、史者二、三人，金人知字法者三、四人，將各經、史、《通鑑》，擇其經要有裨君道者，集為一部，日日講明」。⓮滿洲統治階層便在繙譯、日講中，開始接觸、學習漢文化；從皇太極派遣秘書院大學士范文程致祭至聖先師孔子⓯、將《大學》尊為「聖經」來看⓰，《四書》講論修、齊、治、平的道理，已對滿洲政權產生潛移默化的影響。

在關外時期，繙譯漢籍的工作雖已展開，但直至順治元年（1644）三月為止，成書者，只有達海的《刑部會典》、《素書》、《三略》，鑲白旗滿洲舉人宜成格（伊成額）的《禮部會典》⓱，以及由弘文院大學士希福主持的《遼史》、《金

⓬ 羅振玉編：〈王文奎條陳時宜奏〉，天聰六年九月，收入李鴻彬等編：《清入關前史料選輯》（北京：中國人民大學出版社，1989 年），第 2 輯，頁 24－25。

⓭ 《天聰朝臣工奏議》，〈寧完我請譯《四書》、《武經》、《通鑑》奏〉，天聰七年九月，頁 71。

⓮ 《天聰朝臣工奏議》，〈仇震條陳五事奏〉，天聰九年三月二十一日，頁 115。

⓯ 《清實錄·太宗文皇帝實錄》，卷 30，「崇德元年八月丁丑」條，頁 7。

⓰ 《清實錄·太宗文皇帝實錄》，卷 34，「崇德二年四月丁酉」條，頁 24－25。

⓱ 《八旗滿洲氏族通譜》，卷 44，〈索佳氏·阿哈圖〉，頁 10。宜成格的功名，係參加天聰八年（1634 年）禮部舉辦的通滿洲、蒙古、漢書文義者考試，這次共取中十六人，俱賜為舉人，而宜成格是唯一通過「漢人習滿書者」，見《清實錄·太宗文皇帝實錄》，卷 18，「天聰八年四月辛巳」條，頁 12。又張晉藩、郭成康：《清入關前國家法律制度史》（瀋陽：遼

史》、《元史》等。❸及滿洲入關之初，「滿漢人文漸盛，凡公事兼用滿漢文」，時任內院六品他赤哈哈番（taciha hafan，各部院執掌文書辦稿等事的官員；「hafan」即「官」）的正黃旗滿洲阿什坦，則譯出《大學》、《中庸》、《孝經》、《通鑑總論》、《太公家教》等書，皆刊行之，「當時繙譯者，咸奉為準則，即止通滿文者，亦得藉為考古資」❸，遂帶動了繙譯漢文典籍的風氣。

　　沖幼即位的順治皇帝，史稱「六齡即嗜觀書史」❹，惟在多爾袞攝政時期，他的閱讀能力似僅限於滿文，迨順治八年（1651）親政之後，始發憤勤學漢文❹，是以漢籍滿文譯本對順治皇帝知識基礎的奠定，也產生重要的影響。其次，「篤好儒術，手不釋卷」的順治皇帝❷，於主政初期即接納漢官召見儒臣、講聖學、開綱紀，「凡《四書》、《六經》及《通鑑》中，有裨身心要務、治平大道者，內則朝

寧人民出版社，1988年），頁89-90，認為宜成格原為漢人，但入旗甚早，已經是滿洲化的漢人，至乾隆朝修《八旗滿洲氏族通譜》時，遂將他列為滿洲籍。

❸　《遼》、《金》、《元》三史的繙譯，始於崇德元年（1636年）五月，竣於崇德四年（1639年）六月，惟繕寫成書進呈時，已遲至順治元年（1644年）三月，見《清實錄‧世祖章皇帝實錄》（北京：中華書局，1985年），卷3，「順治元年三月甲寅」條，頁16。

❸　《八旗通志‧初集》，卷237，〈儒林傳下‧阿什坦〉，頁5339。

❹　《清實錄‧世祖章皇帝實錄》，卷1，頁1。

❹　《清實錄‧世祖章皇帝實錄》，卷15，「順治二年三月乙未」條，頁3-4，曰：「大學士馮銓、洪承疇等奏言：『上古帝王，奠安天下，必以修德勤學為首務，故金世宗、元世祖皆博綜典籍，勤於文學，今猶稱頌不衰。皇上承太祖、太宗之大統，聰明天縱，前代未有，今滿書俱已熟習，但帝王修身治人之道，盡備於《六經》，一日之間，萬機待理，必習漢文、曉漢語，始上意得達，而下情易通。』」可知此時的順治皇帝似僅熟知滿文，所謂「六齡即嗜觀書史」，應已滿文譯本為限。又陳垣：〈湯若望與木陳忞〉，《輔仁學誌》，第7卷第1、2期（1938年12月），頁25，引木陳忞《北游集》記順治十六年（1659年）順治皇帝對木陳忞所言，曰：「年至十四，九王薨，方始親政，閱諸臣章奏，茫然不解。由是發憤讀書，每晨牌至午，理軍國大事外，即讀至晚。」則順治皇帝通曉漢文，博覽群書，當為親政以後的事。另參見周遠廉：《清帝列傳‧順治帝》（長春：吉林文史出版社，1993年），頁444-446。

❷　吳振棫著，鮑正鵠點校：《養吉齋叢錄‧餘錄》（北京：北京古籍出版社，1983年），卷3，頁298。

夕討論，外則經筵進講」等建議㉓，進而確立了滿漢文並陳的經筵、日講之制。㉔在儒學環境的薰陶之下，順治皇帝更宣示「崇儒重道」的大政方針㉕，期能據以「興文教、崇經術，以開太平」。㉖與此同時，阿什坦鑑於「滿洲譯書內，多有小說穢言，非惟無益，恐流行漸染，則人心易致於邪慝」，特建請敕諭八旗讀書人等，「凡關聖賢義理，古今治亂之書，仍許繙譯，此外雜書穢言，概為禁飭，不許繙譯」，始得「助揚教化，長養人才」；在他的鼓吹之下，「於是滿洲人知崇正學，尚經術，而邪說不得行」。㉗由於滿文譯本係順治皇帝習得知識的來源，對滿洲統治階層及八旗子弟自然是具有相同的作用；為落實經筵、日講的舉行，有編撰講章的實際需求；為體現「崇儒重道」的施政理念，也有將經典推廣普及的必要，在諸多因素結合之下，乃促成了《五經》的繙譯。

㉓ 《清實錄・世祖章皇帝實錄》，卷 69，「順至九年十月庚申」條，頁 10，編修曹本榮奏言。相關的奏疏，另見同書，卷 71，「順治十年正月戊寅」條，頁 7－8，工科給事中朱允顯奏言；同書，卷 78，「順治十年十月戊辰」條，頁 7，兵刻給事中張璿奏言；同書，卷 88，「順治十二年正月壬子」條，頁 18－19，大理寺少卿霍達奏言。

㉔ 關於「經筵」，據《養吉齋叢錄》，卷 5，頁 52，曰：「順治十年，以內院非經筵日講之地，命工部造文華殿，以講求古訓。此文華殿經筵之始。十四年，殿工未竣，於保和殿開講，定春、秋二仲舉行。」又崑岡等奉敕撰：《欽定大清會典事例（光緒朝）》（臺北：啟文出版社，1963 年），卷 1047，〈翰林院・典禮・經筵〉，頁 1，曰：「經筵，每歲春、秋二仲舉行，由院列講官名奏請欽定，滿、漢各二。直講官同掌院學士會擬所講經書奏定，撰講張，繕清、漢文進呈欽定後，繕正、副本，恭候御論發出，繙清文進呈。屆期駕御文華殿，講官同諸臣赴階下行禮畢，入殿，講官出班至講案前，行一跪三叩禮，起立進講。講畢，恭聽御論。禮成，本院官恭進御論及講章正本。」關於「日講」，《清實錄・世祖章皇帝實錄》，卷 91，「順治十二年三月癸丑條」，頁 16，諭曰：「……日講深有裨益，刻不宜緩，……選擇滿、漢詞臣，學問淹博者八員，以原銜充日講官。」又《欽定大清會典事例（光緒朝）》，卷 1047，〈翰林院・典禮・日講〉，頁 1，曰：「日講之禮，每歲自二月經筵後始，夏至日止，八月經筵後始，冬至日止，每日於部院官奏事後進講。講章繕正、副二本，以正本先期進呈，本日掌院學士率講官二人或三人，以副本進講，歲終彙錄成帙進御。」

㉕ 《清實錄・世祖章皇帝實錄》，卷 74，「順治十年四月甲寅」條，頁 9。

㉖ 《清實錄・世祖章皇帝實錄》，卷 91，「順治十二年三月壬子」條，頁 16。

㉗ 《八旗通志・初集》，卷 237，〈儒林傳下・阿什坦〉，頁 5339－5340。

關於順治朝官方正式繙譯《五經》的時間，史無明載，不得其詳，然據《清實錄・世祖章皇帝實錄》所記，順治十年（1653）二月間，順治皇帝接連兩天親臨內院披閱《繙譯五經》，嘗諭諸臣曰：「天德王道，備載於書，真萬世不易之理也」❷❽；並發現「中有訛字，御筆更正，命譯書官照更正繕寫」❷❾，則應是順治皇帝親政以後的事。現存最早的經典譯本，為順治十一年（1654）內務府滿文本《詩經（ši ging ni bithe）》，當時坊間另有滿文抄本、滿漢合璧刻本等版本流傳❸⓿，其他諸經則似未全數譯出或留存。❸❶

熱衷學術的康熙皇帝，每日聽政既畢，即於弘德殿由儒臣進講《四書》、《五經》。以《四書》為例，康熙皇帝認為「四子之書，得五經之精意而為言者也」，「天德王道之全，修己治人之要，具在《論語》一書。《學》、《庸》皆孔子之傳，而曾子、子思獨得其宗」，至於「孟子繼往聖而開來學，闢邪說以正人心，性善仁義之旨著明於天下」，「道統在是，治統亦在是矣」，故命儒臣撰為講義，「務使闡發義理，裨益政治」。❸❷康熙十六年（1677）三月，康熙皇帝面諭經筵講官起居注翰林院掌院學士教習庶吉士喇沙里等，將按日進講、年終彙呈的《四書講章》加以刪潤刊刻，以垂永久❸❸；是年年底書成，滿文本、漢文本同時進呈，題為《日講四書解義（inenggidari giyangnaha s'yšu i jurgan be suhe bithe）》。附帶一提的是，早在康熙十二年（1673），學士傅達禮等人即奉旨將宋儒真德秀《大學衍義（amba tacin i jurgan be badarambuha bithe）》譯出❸❹；這項工作甚得孝莊太皇太

---

❷❽　《清實錄・世祖章皇帝實錄》，卷72，「順治十年二月壬戌」條，頁9。

❷❾　《清實錄・世祖章皇帝實錄》，卷72，「順治十年二月癸亥」條，頁11。

❸⓿　參見黃潤華、屈六生編：《全國滿文圖書資料聯合目錄》（北京：書目文獻出版社，1991年），「詩經」條，頁134。

❸❶　據《全國滿文圖書資料聯合目錄》所載，刊行於順治年間的諸經滿文譯本，除《詩經》之外，只有非官方刊刻的《書經》滿漢合璧精寫本，見該書，「書經」條，頁160。

❸❷　乾隆：〈御製日講四書解義序〉，載喇沙里等奉敕編：《日講四書解義》（臺北：臺灣商務印書館，1986年，景印《文淵閣四庫全書》本），第208冊，頁1。

❸❸　《日講四書解義》，〈日講四書解義進呈疏〉，頁2。

❸❹　《大學衍義》在順治朝已有大臣提出繙譯的構想，見《清實錄・世祖章皇帝實錄》，卷61，「順治八年十月丁未」條，頁1，秘書院檢討徐必遠奏言：「古今帝王必留心聖學，乃能興起太平。臣自八月入署見所繙譯《通鑑》漸次將成，雖治亂之跡可稽，而聖學精微尤期純

后嘉許，並令頒賜諸臣❸❺，也為繙譯儒家經典指引了可行的途徑。此後，在喇沙里、庫勒納、牛鈕等人的主持下，依編譯《日講四書解義》的模式，陸續完成《日講書經解義（*inenggidari giyangnaha šu ging ni jurgan be suhe bithe*）》、《日講易經解義（*inenggidari giyangnaha i ging ni jurgan be suhe bithe*）》、《日講春秋解義（*inenggidari giyangnaha cūn cio i jurgan be suhe bithe*）》、《日講禮記解義》、《日講詩經解義》；而纂修《解義》所根據的《講章》，滿文部分至今仍有《四書講章（*s'y šu giyang jang*）》、《書經講章（*šu ging giyang jang*）》、《易經講章（*i ging giyang jang*）》、《詩經講章（*ši ging giyang jang*）》等四種留存。❸❻

　　然就諸經《解義》的刊行時間而言，《日講四書解義》、《日講書經解義》（康熙十九年，1680 年）、《日講易經解義》（康熙二十二年，1683 年）等，「皆裁自聖心，以為無憾者，故即時刊布」❸❼，其餘三種則有所延滯。《日講春秋解義》係因康熙晚年編纂《周易折中》、《春秋傳說彙纂》、《詩經傳說彙纂》、《書經傳說彙纂》諸書，而未及出版；雍正皇帝即位後，鑑於《日講春秋解義》以宋儒胡安國之說為宗，《春秋傳說彙纂》卻對「胡氏之說既多駁正」，「於聖心自多未洽」，乃命果親王允禮、大學士張廷玉、內閣學士方苞等詳校，遂遲至乾隆二年（1737）始告成刊印。❸❽《日講禮記解義》書成之後，以「卷帙浩繁，稿本存繙書房，久之，未竟厥業」；乾隆朝因纂修《三禮義疏》，乃取是書「參校異同，歸於一是，並命繙譯授梓，以備《五經》之全」❸❾，於乾隆十二年（1747）校刊頒

備，惟宋臣真德秀《大學衍義》於天命人情、身心家國，咸撮要領，伏乞敕諭儒臣譯呈睿覽，必能廣格心之益，而觀道化之成報聞」。

❸❺ 中國第一歷史檔案館整理：《康熙起居注》（北京：中華書局，1984 年），「康熙十二年二月十九日己未」條，頁 82。

❸❻ 參見《全國滿文圖書資料聯合目錄》，「四書講章」條，頁 6；「易經講章」條，頁 8；「詩經講章」條，頁 135；「書經講章」條，頁 161。

❸❼ 乾隆：〈御製日講春秋解義序〉，載庫勒納等奉敕撰：《日講春秋解義》（臺北：臺灣商務印書館，1986 年景印《文淵閣四庫全書》本），第 172 冊，頁 2－3。

❸❽ 同前註，頁 3。

❸❾ 乾隆：〈御製日講禮記解義序〉，載張廷玉等奉敕校：《日講禮記解義》（臺北：臺灣商務印書館，1986 年景印《文淵閣四庫全書》本），第 123 冊，頁 1。

行，惟滿文本並未刊出。至於康熙皇帝欲「四海臣民謹思貞度，以揚風雅之學，諧進於溫厚和平之教」的《日講詩經解義》❹，則始終未予付梓。

　　《五經》、《四書》蘊含著聖人的微言要旨，經文本身如日月經天、江河行地，是不容變易的，而千百年來學者們對經典的詮釋，卻是各家爭鳴，甚或莫衷一是。其間，雖經東漢鄭玄、唐初孔穎達等人的整理，到了理學興起之後，宋儒解經的成果，又形成一股新的學術風潮，也開啟了儒學發展的漢、宋兩大支柱爭勝的局面。❹降及清朝前期，又歷經順、康、雍三朝的「漢宋不分」，乃至乾、嘉時期的「漢宋對立」的階段性轉變。❹是以在從事滿文繙譯經典的過程中，如何在聚訟紛紜的注疏中，充分掌握經典的本義，端繫乎漢文文本的擇定；繼之而來的是，如何在語文隔閡的情況下，準確闡釋原文的精神，則有賴繙譯人才的培養，此二者實為推動繙譯工作時的重要課題。

　　在漢文文本的擇定方面，順治朝的內府滿文本《詩經》，是現存滿文譯本中最具特色者，內文字體分大、中、小三種，經文用大字，就朱熹《詩集傳》與孔穎達《毛詩正義》引鄭玄箋傳之說，互相參照；中字大體上是根據《詩集傳》逐字譯出，而以鄭玄之說加以訂正；小字則博採漢、晉以來各家注疏。❹康熙朝的諸經

---

❹　玄燁：〈日講詩經解義序〉，《康熙帝御製文集·第二集》，收入吳相湘主編：《中國史學叢書》（臺北：臺灣學生書局，1966 年）第 41 輯，卷 31，頁 3。

❹　《四庫全書總目》，卷 1，〈經部總敘〉，頁 1－2，曰：「自漢京以後，垂二千年，儒者沿波，……要其歸宿，則不過漢學、宋學兩家，互為勝負」。

❹　清朝儒學發展過程中的漢、宋關係，可劃分為：順、康、雍時期的「漢宋不分」，乾、嘉年間的「漢宋對立」，以及道、咸以降的「漢宋調和」等三個主要階段。參見王家儉：〈清代「漢宋之爭」的再檢討——試論漢學派的目的與極限〉，收入中央研究院編：《中央研究院國際漢學會議論文集·歷史考古組》（臺北：中央研究院歷史語言研究所，1981 年），頁 517－518、頁 529－531。

❹　以《詩經·召南·騶虞》為例，曰：「彼茁者葭，壹發五豝，于嗟乎騶虞。彼茁者蓬，壹發五豵，于嗟乎騶虞。」首章經文，據《詩經（ši ging ni bithe）》，清順治十一年內府刊滿文本（臺北：國立故宮博物院藏），滿文音譯作：「tere deserekengge ulhū. emgeri gabtaci sunja sakda. ai, dzeo ioi dere.」中字音譯如下：「desereke serengge, banjihangge etuhun fīsin i arbun. emgeri gabtaha de sunja sakda serengge goici urunakū ikiri sehe gisun. dzeo ioi, gurgu i gebu. sahaliyan bederi šanggiyan tasha ergengge jaka be jeterakū. julergi gurun i goloi beise, wen wang ni wen be dahame. beye be dasame. boo be teksilefi, gurun be dasahabi. terei irgen be gosiha fulu kesi. geli eiten jaka de isinahabi. tuttu ofi niyengniyeri aba de orho moo luku, gasha guru ambula ojoro jakade. ši bithei niyalma tere weile be maktame arahabi. geli nasame terei gosin mujilen ini cihai hacihiyara kicere haran akū. yargiyan i dzeo ioi kai sehengge.」其意為：「所謂 desereke（蔓延），生長壯實稠密貌。所謂 emgeri gabtaha de sunja sakda（一次射了五頭母野豬），猶言必定連中。dzeo ioi（騶虞），獸名，黑紋白虎，不食生物。南國諸侯因文王教化，修身齊家治國，其愛民餘恩，又及於諸物。是故春季畋獵時，草木茂密，鳥獸眾多，至於如此。詩人稱讚其事而記之，又歎其仁心任意而不由勉強，真騶虞也云。」另據朱熹《詩集傳》（板橋：藝文印書館，1974 年），卷 1，頁 27，曰：「茁，生出壯盛貌。葭，蘆也，亦名葦。發，發矢。豝，牡豕也。一發五豝，猶言中必疊雙也。騶虞，獸名，白虎黑文，不食生物者也。南國諸侯承文王之化，修身齊家以治其國，而其仁民之餘恩，又有以及於庶類。故其春田之際，草木之茂，禽獸之多，至於如此。而詩人述其事以美之，且歎之曰：『此其仁心自然不由勉強，是即真所謂騶虞矣。』」二者的差異在於對「豝」的解釋，朱熹解作「牡豕」，滿文本《詩經》則譯為母野豬（sakda），係據鄭玄「豕北曰豝」之說，見孔穎達：《毛詩正義》（臺北：藍燈文化公司，影印嘉慶二十年江西南昌府學刊《十三經注疏》本），卷 1 之 5，〈召南・騶虞〉，頁 14。又小字音譯如下：「lu ši hendume, dzeo ioi uncehen beye ci golmin. ergengge jaka be jeterakū. tucire orho be fehurakū.」其意為：「陸詩曰：騶虞尾比身長，不食生物，不踩生草。」此段引自陸璣，《毛詩草木鳥獸蟲魚疏》（臺北：臺灣商務印書館，1977 年），卷下，頁 49－50，「騶虞」條，曰：「騶虞，白虎黑文，尾長於驅，不食生物，不履生草，君王有德，則見應德而至者也。」次章經文，滿文音譯作：「tere deserekengge suku, emgeri gabtaci sunja nuhen, ai, dzeo ioi dere.」中字音譯如下：「suku serengge, orho i gebu. emu aniya ohongge be nuhen sembi. ineku ajigen ulgiyan be. wen wang ni wen, guwan jioi fiyelen de deribufi, lin j'y fiyelen de isinaci, terei wen niyalma de dosikangge šumin kai. ciyo coo fiyelen de tucibume. dzeo ioi fiyelen de isibuci, terei kesi ai jaka de isikangge amban kai. ainci gūnin teng mujilen tob oho, gung aldasi akū goidaci, yume hafume badarame selgiyeme, ini cihai ilibuci ojorakū ombi. mergen hūsun i hamime mutere ba waka kai. tuttu ofi sioi de dzeo ioi fiyelen be. ciyo coo fiyelen i acabun sehebi. wang ni doro mutehe be tuwaci, urunakū ulaha ba bikai. kungdz be ioi baru hendume. ši, jeo nan, šoo nan i ši be sambio. niyalma jeo nan, šoo nan i ši be sarkū oci, fajiran i ishun forome iliha adali dere sehebi.」其意為：「所謂 suku（蓬蒿），草名。一歲者曰 nuhen（一歲野豬），亦是小豬。文王教化，始於〈關雎〉章，至於〈麟趾〉章，其化人深也；顯於〈鵲巢〉章，及於〈騶虞〉章，其恩及於諸物廣也。約莫意堅心正使然，功無半途而誤，浸透擴散，其不能任意而止，將非智力所能及也。是故序於〈騶虞〉章，應以〈鵲巢〉章云，而能見王道必定傳也。孔子謂伯魚曰，汝知〈周南〉、〈召南〉之詩手？人若不知〈周南〉、〈召南〉之詩，猶如向面牆而立矣。」此段則源自《詩集傳》，卷 1，

《解義》，從各書的〈御製序〉的內容來看，除了《日講四書解義》、《日講禮記解義》未言明立論的依據之外，《日講書經解義》乃「取漢、宋以來諸家之說，薈萃折衷」❹；《日講易經解義》為「參考諸儒註疏傳義」❺；《日講春秋解義》大約以胡安國《春秋傳》為本，「而去其論之太甚者，無傳經文，則博採諸儒論注以補之」，康熙皇帝本人「亦時有所折衷，期歸於一」❻；至於《日講詩經解義》，則「立說一準於考亭（朱熹），而旁蒐義蘊，兼及註疏，博綜名物，亦兼及《爾雅》」。❼此外，《四庫全書總目》也指出，《日講禮記解義》係「集一百四十四家之說，鎔鑄剪裁，一一薈其精要」。❽由此可知，順、康兩朝《五經》、《四書》滿文譯本的內容，不以一家一派為限，而是反映出兼攝漢、宋兩派的學術取向，正與清初儒學發展所呈現的「漢宋不分」的學風相合；即便是學術興趣極度傾向於朱熹理學的康熙皇帝❾，在文本的選擇上，仍能兼顧經學家的論述。

頁 27－28，曰：「蓬，草名。一歲曰縱，亦小豕也。文王之化，始於〈關雎〉，而至於〈麟趾〉，則其化之入人者深矣；形於〈鵲巢〉，而及於〈騶虞〉，則其澤之及物者廣矣。蓋意誠心正之功不息，而久則其薰烝透徹徵融液周遍，自有不能已者，非智力之私所能及也。故序以〈騶虞〉，為〈鵲巢〉之應，而見王道織成，其必有所傳矣。……孔子謂伯魚曰：『女為〈周南〉、〈召南〉矣乎？人而不為〈周南〉、〈召南〉，其猶正牆面而立也與。』」

❹ 乾隆：〈御製日講書經解義序〉，載庫勒納等編：《日講書經解義》，景印《文淵閣四庫全書》本，第 65 冊，頁 2。

❺ 康熙：〈御製日講易經解義序〉，載牛鈕等撰：《日講易經解義》，景印《文淵閣四庫全書》本，第 37 冊，頁 201。

❻ 康熙：〈御製日講春秋解義序〉，《日講春秋解義》，頁 2。

❼ 康熙：〈日講詩經解義序〉，《康熙帝御製文集·第二集》，卷 31，頁 3。

❽ 《四庫全書總目》，卷 21，〈經部二十一·禮類·日講禮記解義六十四卷〉，頁 17。

❾ 康熙皇帝受理學大臣熊賜履、李光地等人的影響，一生信奉理學、崇敬朱熹，相關的言論甚多，例如：「二帝三王之治本於道，二帝三王之道本於心，辨析心性之理，而羽翼《六經》，發揮聖道者，莫詳於有宋諸儒」，見《康熙帝御製文集》，卷 19，〈序·性理大全序〉，頁 1；「（朱熹）集大成而繼千百年絕傳之學，開愚蒙而立億萬世一定之規，……朱子之道，五百年未有辯論是非，凡有血氣皆受其益」，見《康熙帝御製文集·第四集》，卷 21，〈序·朱子全書序〉，頁 10－12；康熙五十一年（1712 年），更以「孟子之後，有裨斯文者，朱子之功，最為弘鉅」，將之配享孔廟，見《清實錄·聖祖仁皇帝實錄》，卷 249，「康熙五十一年二月丁巳」條，頁 5－6。另論者以為，康熙皇帝對朱熹理學的提倡，亦有鞏

　　至於繙譯人才的培養，滿洲入關之初，雖說「綜滿洲、蒙古、漢軍，皆通國語」❺⓪，卻由於「滿、漢語言不通」，以致官員之間常有「猜疑推諉」的情事發生❺①，造成統治上的困擾。朝廷為解決此一問題，乃准國子監祭酒李若琳所請，於順治二年（1645）創設國子監八旗官學，令「滿洲官員子弟有願讀清書或讀漢書，及漢官子孫有願讀清、漢書者，俱送入國子監」。❺②此後，以滿洲貴族與八旗子弟為教育對象的各類八旗學校，相繼成立❺③，其主要的宗旨之一，即是「清、漢兼優，精通繙譯」，「可任職事」。❺④當旗人學習漢文的同時，禮科給事中姚文然在順治六年（1649）另提出於漢族年輕的新科進士中，廣選庶吉士，「俾肄習清書精熟，授以科道等官」的辦法，期能「內而召對，可省轉譯之煩；即出而巡方，亦便與滿洲鎮撫諸臣言語相通，可收同寅協恭之效」。❺⑤這項建議也獲得朝廷的認可，並付諸施行。❺⑥因此，無論是通曉滿文而出身旗學的八旗子弟，或是熟讀經書而兼習滿

　　固統治的意圖，參見黃進興：〈清初政權意識形態之探究：政治化的「道統觀」〉，《中央研究院歷史語言研究所集刊》，58 本第 1 分（1987 年 3 月），頁 105－121；宋德宣：《康熙思想研究》（北京：中國社會科學出版社，1990 年），頁 202－204；何孝榮：〈論康熙提倡程、朱理學〉，《史學集刊》，1996 年第 2 期（1996 年 5 月），頁 67－73。

❺⓪　楊鍾義：《八旗文經》（臺北：華文書局，1969 年），卷 60，〈敘錄〉，頁 1。

❺①　《多爾袞攝政日記》（臺北：廣文書局，1976 年），「順治二年閏六月初六日」，頁 5。

❺②　《清實錄·世祖章皇帝實錄》，卷 11，「順治元年十一月乙酉」條，頁 2。

❺③　清代設置的八旗學校名目繁多，以前期為例，包括：順治朝國子監八旗官學（順治二年，1645 年）、宗學（順治十年，1653 年）；康熙朝景山官學（康熙二十五年，1686 年）、八旗義學（康熙三十年，1691 年）、盛京八旗官學（康熙三十年）、黑龍江兩翼官學（康熙三十四年，1695 年）；雍正朝八旗教場官學（雍正元年，1723）、八旗蒙古官學（雍正元年）、咸安宮官學（雍正七年，1729 年）、覺羅學（雍正七年）、八旗清文學（雍正七年）、圓明園學（雍正十年，1732 年）、盛京八旗義學（雍正十年）；乾隆朝盛京宗學覺羅學（乾隆二年，1737 年）、八旗世職幼學（乾隆十七年，1752 年）、健銳營學（乾隆四十年，1775 年）等，參見葉高樹：《清朝前期的文化政策》（板橋：稻鄉出版社，2002 年），頁 357－359。

❺④　《八旗通志·初集》，卷 47，〈學校志二·國子監八旗官學〉，頁 916。

❺⑤　《清實錄·世祖章皇帝實錄》，卷 43，「順治六年四月丁未」條，頁 11。

❺⑥　這項辦法自順治十年（1653 年）起，復以考試滿文的方式，做為職務升遷的依據，見《清實錄·世祖章皇帝實錄》，卷 72，「順治十年二月丙辰」條，頁 7。嗣後，至雍正末年，大約

文的漢族進士，皆具備了滿、漢兩種語文的能力，非但化解了族群間溝通上的障礙，遇有譯書工作時，更提供了人力的來源。

　　總之，滿文繙譯《五經》、《四書》的工作，在康熙年間有了顯著的進展。雖然諸經《解義》的性質，係屬儒臣的闡經之作，仍是將原典逐字逐句譯出，猶不失繙譯經典的本意。此一業績，固然應歸功於康熙皇帝的積極推動，而順治朝以來陸續培養出的繙譯人才，其發揮的作用，亦不容忽視。此外，康熙十年（1671）前後，「內繙書房」（dorgi bithe ubaliyambure boo）的設置，成為職司繙譯的專門機構，更促使譯書活動逐漸走向專業化⑰，對於品質與效率的提昇，自當有所助益。

三、《欽定繙譯五經四書》的敕譯與刊行

　　繙譯漢文典籍的工作，在雍正朝仍持續進行著，惟在《五經》、《四書》方面，只有重刻順治朝滿文本《詩經》（雍正十一年，1733 年）⑱，其餘則未見進展。降及乾隆年間，又將《五經》、《四書》全面重譯，而除了早期繙出的《四書》為滿文本之外，其後諸經皆以滿漢合璧的形式，交付武英殿刊行。根據各譯文刊本所題的成書時間，依序為：乾隆六年（1741）《御製繙譯四書（han i araha ubaliyabuha duin bithe）》⑲，乾隆二十年《御製繙譯四書（han i araha ubaliyabuha

---

每二至三年間，從學習滿文的年輕進士中，擇優選取十餘名予以陞用；乾隆朝每次擇取的人數，約五至十人；自嘉慶朝以後，人數逐漸減少，到了道光二十年（1840 年）左右，始停止是項制度。參見李宗侗：〈清代對於年青翰林習滿文的辦法〉，《中華文化復興月刊》，5卷 11 期（1972 年 11 月），頁 89—107。

⑰　在內繙書房設置之前，清朝負責繙譯事務者，天命、天聰年間，由在「書房」（bithei boo）或「文館」行走的儒臣擔任；迨崇德改元（1636 年）前夕，成立內三院，譯書業務亦移撥至此；及入關之後，復改三院為內閣，別置翰林院，繙譯工作遂歸之掌理，可知繙譯事務長期以來均屬其他部院衙門的兼辦業務。又論者以為，由「繙書房」的名稱來看，當因繙「書」的需要而設立，所謂的「書」，主要係指漢文典籍，有關內繙書房的設立時間、人員編制、職掌演變等問題的考證，參見趙志強：〈論清代的內翻書房〉，《清史研究》，1992 年第 2 期（1992 年 6 月），頁 22—28。

⑱　參見葉高樹：〈滿文繙譯儒家典籍的探討〉，頁 158。

⑲　鄂爾泰等奉敕譯：《御製繙譯四書（han i araha ubaliyabuha duin bithe）》（臺北：國立故宮博物院藏，清乾隆六年武英殿刊滿文本）。

duin bithe）》⓺，乾隆二十五年（1760）《御製繙譯書經集傳（*han i araha ubaliyabuha dasan i nomun i isamjaha ulabun*）》⓻，乾隆三十年（1765）《御製繙譯周易（*han i araha ubaliyabuha jeo gurun i jijungge nomun*）》⓼，乾隆三十三年（1768）《御製繙譯詩經（*han i araha ubaliyabuha irgebun i nomun*）》⓽，乾隆四十八年（1783）《御製繙譯禮記（*han i araha ubaliyabuha dorolon i nomun*）》⓾，乾隆四十九年（1784）《御製繙譯春秋（*han i araha ubaliyabuha šajingga nomun*）》。⓾以上諸經的滿漢合璧本，於纂修《四庫全書》之時，再集結為《欽定繙譯五經四書》。兩者的內容並無二致，惟各經的「單行本」編入「合訂本」之後，在書名上略有差異，《御製繙譯書經集傳》改作《御製繙譯書經（*han i araha ubaliyabuha dasan i nomun*）》，《御製繙譯周易》則改為《御製繙譯易經（*han i araha ubaliyabuha jijungge nomun*）》。

就諸經譯出的時間，與《四庫全書總目》所言，「繙譯《四書》，乾隆二十年（1755）欽定，續繙譯《易》、《書》、《詩》三經，續又繙譯《春秋》、《禮記》二經，至乾隆四十七年（1782），而聖賢典籍譯以國書者，燦然備焉」作一比較，不難發現：一、《御製繙譯四書》在乾隆朝初期共繙譯兩次，《四庫全書總目》則將乾隆六年（1741）的滿文本略去不提，關於這一點，係因乾隆皇帝下令將滿文譯文重加改訂所致，容後再加以說明。二、《四書》、《書》、《易》、

⓺　清高宗敕譯：《御製繙譯四書》（臺北：國立故宮博物院藏，清乾隆二十年武英殿刊滿漢合璧本）。

⓻　清高宗敕譯：《御製繙譯書經集傳》（臺北：國立故宮博物院藏，清乾隆二十五年武英殿刊滿漢合璧本）。

⓼　清高宗敕譯：《御製繙譯周易》（臺北：國立故宮博物院藏，清乾隆三十年武英殿刊滿漢合璧本）。

⓽　清高宗敕譯：《御製繙譯詩經》（臺北：國立故宮博物院藏，清乾隆三十三年武英殿刊滿漢合璧本）。

⓾　清高宗敕譯：《御製繙譯禮記》（臺北：國立故宮博物院藏，清乾隆四十八年武英殿刊滿漢合璧本）。

⓾　清高宗敕譯：《御製繙譯春秋》（臺北：國立故宮博物院藏，清乾隆四十九年武英殿刊滿漢合璧本）。

《詩》、《禮記》、《春秋》的繙譯順序，與《四庫全書總目》所記載者不同，此雖無害於「聖賢典籍譯以國書者，燦然備焉」的重要成就與意義，卻未必能斷言是循序漸進地建構知識體系的步驟；尤其《御製繙譯詩經》與《御製繙譯禮記》的成書時間相隔十五年之久，也難以認定這是一項有計畫的工作，其中不免摻入了館臣美化的成分。三、最後完成時間為乾隆四十九年（1784），而非《四庫全書總目》所稱的乾隆四十七年（1782），兩者時間上的落差，則與《四庫全書》的纂修有關。《四庫全書》雖說在乾隆四十六年（1781）年底完成第一分，至乾隆五十二年（1787）共繕錄成七分，但在此期間及之後，仍不斷進行增訂、抽換、刪改的工作。❻❻以關係全書架構的《四庫全書總目》為例，敕撰於乾隆三十九年（1774），四十七年（1782）初成，至六十年（1795）方為定本❻❼；又如《欽定臺灣紀略》、《八旬萬壽盛典》，更分別在乾隆五十三年（1788）❻❽、五十四年（1789）始敕修❻❾，可知纂修《四庫全書》的工作是持續進行的。因此，將《欽定繙譯五經四書》的成書時間繫於乾隆四十七年（1782），或為強調其計畫性與完整性所致，且當與《四庫全書》廣收乾隆皇帝敕纂的書籍有關。❼❶值得一提的是，官方譯出的漢文典籍，其書名無論是以音譯或是意譯的方式，均有相對應的滿文，惟《欽定繙譯五經四書》獨闕；若據當時繙譯的成例，則是書或可譯作「*hesei toktobuha ubaliyabuha sunja nomun duin bithe*」。❼❶

---

❻❻　參見黃愛平：《四庫全書纂修研究》（北京：中國人民大學出版社，1989 年），頁 193－225。

❻❼　同前註，頁 311－326。

❻❽　《四庫全書總目》，卷 49，〈史部五‧紀事本末類‧欽定臺灣紀略七十卷〉，頁 26。

❻❾　《四庫全書總目》，卷 82，〈史部三十八‧政書類二‧八旬萬壽盛典一百二十卷〉，頁 28。

❼❶　乾隆時代敕纂的書籍共計一六四種，收入《四庫全書》者，多達一○二種；而未收之書，主要為實錄館、國史館編修的國史，這些史籍按例是不公佈的，除此之外，另以佛經的滿文譯本為多。參見葉高樹：〈乾隆皇帝「稽古右文」的圖書編纂事業〉，《故宮學術季刊》，21 卷 2 期（2003 年冬季），頁 67。

❼❶　「hesei toktobuha」的原形為「hesei toktobumbi」，係「欽定」之意；「ubaliyabuha」的原形是「ubaliyabumbi」，意即「繙譯」；惟滿文詞彙中，並無用以指稱「五經」、「四書」的專有名詞。「四書」在康熙朝用音譯的「s'yšu」；乾隆朝則改成意譯的「duin bithe」，意為

　　乾隆皇帝對儒家經典極為重視，並視之為「聖人傳心之要典，帝王馭世之鴻模，君天下者，將欲以優入聖域，茂登上理，舍是無由」。[72]惟《四書》、《五經》在康熙年間已全部譯出，即便當時尚未如數刊行，到了乾隆朝是否有必要耗費大量的人力、時間進行全面重譯，實須加以探究。關於乾隆皇帝敕譯諸經的動機，藉由諸譯本〈御製序〉的論述，可略窺一、二。以乾隆二十年（1755）〈御製繙譯四書序〉為例，曰：

> 國朝肇立文書，六經史籍次第繙譯，四子之書首先刊布傳習。朕於御極之初，命大學士鄂爾泰重加釐定，凡其文義之異同，意旨之淺深，語氣之輕重，稍有未協者，皆令更正之。然抑揚虛實之間，其別甚微，苟不能按節揣稱，求合於毫芒，而盡祛其疑似，於人心終有未慊然者。幾暇玩索，覆檢舊編，則文義、意旨、語氣之未能吻合者，仍不免焉。乃親指授繙譯諸臣，參考尋繹，單詞隻字，昭晰周到，無毫髮遺憾而後已。[73]

換言之，乾隆皇帝認為，無論是《日講四書解義》，或是由鄂爾泰等人針對《日講四書解義》「重加釐定」的滿文本《御製繙譯四書》，在文義、意旨、語氣等方面均未臻理想，為求譯文的精確，故而不憚其煩地加以改訂。[74]當令乾隆皇帝滿意的

　　「四種書籍」。至於「五經」的譯法，據清高宗敕譯：〈御製繙譯易經序〉，《御製繙譯易經》，收入乾隆年間欽定《欽定繙譯五經四書》，景印《文淵閣四庫全書》本，第 185 冊，頁 3，曰：「nikan bithe oci, ninggun nomun i toktoho gisun be」（漢文於六籍成言），其中「ninggun nomun」意即「六種經典」，因此「五經」當可譯作「sunja nomun」（五種經典）。

[72] 《清實錄‧高宗純皇帝實錄》（北京：中華書局，1985 年），卷 60，「乾隆三年正月癸亥」條，頁 6。

[73] 清高宗敕譯：〈御製繙譯四書序〉，《御製繙譯四書》，收入《欽定繙譯五經四書》，景印《文淵閣四庫全書》本，第 189 冊，頁 282－283。

[74] 關於康熙朝、乾隆朝《四書》滿文譯本的比較，參見莊吉發：〈清高宗敕譯《四書》的探討〉，《滿族文化》，第 9 期（1986 年 5 月），頁 1－8；Stephen Durrant, "A Comparison of the 1677 and 1756 Manchu Translations of *Lun Yu.*" *Proceedings of the Sixth East Asian Altaistic*

「無毫髮遺憾」之作告成後,「重加釐定」的版本的價值,自然隨之喪失,乃至被忽略了。同樣的,《書經》「以國書繙譯,嚮有繕本」,乾隆皇帝自稱,「幾餘披覽,務益研精,雖隻字單言,抑揚抗墜之間,蘄於比擬吻合,不留餘憾。爰命在館諸臣,於四子書訖,取是編重加參訂,每分帙進呈,丹毫塗乙,不憚往復者,積有歲時,完書始就」❼❺,也是著眼於譯文的精確。

　　另一方面,乾隆皇帝在〈御製繙譯詩經序〉中,也揭示必須重新繙譯的理由,曰:

　　　　世祖章皇帝順治十一年(1654),譯定初本,體裁已備。閱時滋久,凡《清
　　　　文鑑》所未賅晳者,參采新訂國語,俾揣務極精詳,因命分冊籤題,幾餘復
　　　　為折衷是正。❼❻

可見自順治朝至乾隆朝的百餘年間,滿文的語法與詞彙歷經了一番變革,舊譯本所使用的若干文字,與乾隆年間通行者,已有相當大的差距。究其原因,早期的滿文語法結構簡單,詞彙較少,經過一段時間的演進,始漸趨完備;加以官方長期推動譯書事業,滿文為因應實際需求,非但增添了許多新的詞彙,同時在語法、句型上,也開始走向固定化與注重完整性。❼❼尤其《詩經》述及草、木、蟲、魚、鳥、

Conference (Taipei: 1983), pp.185-202. 關於滿文《四書》各種版本的比較,參見神田信夫:
〈滿文本の《四書》と《書經》〉,收入聯合報文化基金會國學文獻館編:《第二屆中國域
外漢籍學術會議論文集》(臺北:聯合報文化基金會國學文獻館,1989年),頁781－787。

❼❺ 清高宗敕譯:〈御製繙譯書經序〉,《御製繙譯書經》,收入《欽定繙譯五經四書》,景印
《文淵閣四庫全書》本,第185冊,頁213。

❼❻ 清高宗敕譯:〈御製繙譯詩經序〉,《御製繙譯詩經》,收入《欽定繙譯五經四書》,景印
《文淵閣四庫全書》本,第185冊,頁408－409。

❼❼ 目前相關的研究成果雖甚為有限,但大體上都同意上述意見,參見莊吉發:〈清高宗敕譯
《四書》的探討〉,頁1－8;莊吉發:〈漢文古籍滿文譯本的語文資料價值〉,《滿族文
化》,第12期(1989年6月),頁22－24;莊吉發:〈《佛說四十二章經》滿文譯本研
究〉,《滿族文化》,第13期(1990年2月),頁3－13;莊吉發:〈《清文全藏經》與滿
文研究〉,收入慶祝王鍾翰先生八十壽辰學術論文集編輯委員會編:《慶祝王鍾翰先生八十

獸、器物等名稱，極其繁雜，更不乏超出滿洲生活經驗之外者，以滿文既有的詞彙，實難以應付。順治朝初譯《詩經》時，遇有無法譯出的名詞，常採取音譯的方式暫代；迨滿洲在關內居之日久，接觸的事物漸多，為因應實際的需求，至乾隆年間已衍生出若干相對應的名詞❼❽，故必須藉由重新繙譯，來解決語文文義上的落差。其實，不只是順治朝與乾隆朝的百餘年差異而已，康熙四十七年（1708）編定的《清文鑑（manju gisun i buleku bithe）》與乾隆三十八年（1773）纂成的《增訂

壽辰學術論文集》（瀋陽：遼寧大學出版社，1993 年），頁 223－228；莊吉發：〈國立故宮博物院典藏《大藏經》滿文譯本研究〉，收入莊吉發：《清史論集（三）》（臺北：文史哲出版社，1998 年），頁 27－96；Stephen Durrant, "A Comparison of the 1677 and 1756 Manchu Translations of *Lun Yu*.", pp. 185-202.；神田信夫：〈滿文本の《四書》と《書經》〉，頁 781－789；葉高樹：〈《詩經》滿文譯本比較研究——以〈周南〉、〈召南〉為例〉，《國立臺灣師範大學歷史學報》，第 20 期（1992 年 6 月），頁 219－234；山崎雅人：〈論滿文《詩經》新舊翻譯之差異〉，收入閻崇年主編：《滿學研究》，第 6 輯（北京：民族出版社，2000 年 12 月），頁 246－261。另從乾隆朝編纂《欽定新清語（hesei toktobuha manju gisun）》檔冊中，亦能反映出滿洲語文的發展，其主要的內容包括：一、將滿洲語文中的大量音譯漢語借詞，改為意譯的漢語借詞；二、指出意譯漢語中的若干問題，並予以糾正；三、諭令刊刻《對音字式》，規範滿洲語文中某些音位的對譯漢字；四、解決有聲調的漢語詞在音譯為滿語詞時出現的問題，並試圖加以解決；五、闡發滿語詞義，參見佟永功、關嘉祿：〈乾隆朝《欽定新清語》探析〉，《滿族研究》，1995 年第 2 期（1995 年 4 月），頁 66－69。

❼❽ 以植物名稱為例，〈周南・關雎〉「參差荇菜」的「荇菜」，順治朝譯作「hing tsai」，乾隆朝譯為「hinggari sogi」，「hinggari」（荇菜）的讀音，顯然是自「hing」衍生而來的新字，因可食用，故以「sogi」（蔬菜）取代原本音譯的「tsai」。再以動物名稱為例，〈周南・麟之趾〉的「麟」，順治朝譯作「kilin」，乾隆朝譯為「sabintu」。麒麟在中國的傳說中被視為瑞獸，且有雌雄之分，雄曰麒，雌曰麟，滿文也衍生出「sabitun」（麒）與「sabintu」（麟）；同樣的，〈大雅・文王之什・卷阿〉「鳳凰于飛」的「鳳凰」，也由音譯的「fung hūwang」，改為「garudai」（鳳）與「gerudei」（凰）。又如器物名稱，〈周南・關雎〉「琴瑟友之」、「鐘鼓樂之」的「琴瑟」與「鐘鼓」，順治朝分別譯作「kin še」、「jung tungken」，乾隆朝則譯為「kituhan šentuhen」、「jungken tungken」。鐘、鼓同為打擊樂器，其中「tungken」（鼓）為滿文原有的詞彙，「鐘」即以音譯的「jung」，加上鼓的字尾「ken」，成為新字「jungken」；而屬於絃樂器的琴、瑟，亦有其衍生的規則。參見葉高樹：〈《詩經》滿文譯本比較研究——以〈周南〉、〈召南〉為例〉，頁 221－224。

清文鑑（*nonggime toktobuha manju gisun i buleku bithe*），六十多年間的變化亦甚
鉅❼，這也間接說明《日講詩經解義》完成之後，卻始終未予付梓的原因。

又乾隆皇帝在〈御製繙譯易經序〉中，復指出：

> 治經者，自有不求甚解之弊，而後曲解得緣而中之，漢文類然，譯以國書則
> 異是。漢文於六籍成言，假借承用，不必深諳其意，亦可率摭其辭。其既也
> 臆說相譯，判宗離朔，馴致注疏明而經指晦，矯枉者，發焚書書存之嚆矣。
> 若國書，推闡精覈，近自片言隻句，靡弗虛實揣稱，灼見淵源，迄乎成章，
> 惟循本文雒誦一過，不注不疏，底蘊軒豁呈露，則又諸經類然，而《周易》
> 益顯。❽

簡言之，漢文解經之作，實多有各逞異說、悖離經旨的缺失；而滿文譯經，則具備
淺白易懂、直指經義的優點。乾隆皇帝更進一步批判傳統注疏之學的弊病，據〈御
製繙譯詩經序〉，曰：

> 在昔注疏之學，將以明經，而卒以晦經，其弊有二：一曰訓詁，蟲魚必箋，
> 草木必譜，掇拾餖飣，有味莫知。甚者，以文言比附俚語，而聲吻弗肖，毫
> 釐千里者，有之。一曰穿鑿，不知其人，而必求其人；不知其事，而必實以
> 事，燭籠添骨，益障其明。甚者，臆解不能，則博徵曲解，而害辭害意，至
> 不可復解者，有之。❽

滿文繙譯經典，秉持著「文依本文，義依本義」的原則，「於抑揚抗墜間，默傳其有

---

❼　乾隆三十六年（1771 年），因舊本編排未臻完善，加以已整理出新定國語五千餘句，而有
　　《增訂清文鑑》的纂修，參見清高宗御製：〈增訂清文鑑序〉，《清高宗（乾隆）御製詩文
　　全集·御製文二集》（北京：中國人民大學出版社，1993 年），卷 16，頁 8－9。
❽　〈御製繙譯易經序〉，《御製繙譯易經》，頁 3。
❽　〈御製繙譯詩經序〉，《御製繙譯詩經》，頁 407－408。

窮無盡之情狀」❽，實更能貼近經典的本義。乾隆皇帝在〈御製繙譯禮記序〉❽、
〈御製繙譯春秋序〉中❽，也不斷地傳達此一觀點。

　　然而，譯作是否能充分體現聖人的意旨，仍屬漢文文本擇定的問題。檢視《四
書》、《書經》、《易經》、《詩經》譯本的「單行本」，或集結而成的《欽定繙
譯五經四書》本，在乾隆皇帝〈御製序〉之後，另附有〈序文〉，明示了漢文文本
的依據：《四書》為朱熹《四書章句集註》❽，《書經》係蔡沉《書集傳》❽，
《易經》是程頤《易傳》❽，《詩經》則朱熹《詩集傳》❽，皆以宋儒的注疏為
本。是以所謂的「文依本文，義依本義」，不過是以理學家的詮釋為依歸，無涉於
學術上的創見。從文本的取捨標準來看，乾隆皇帝對於順、康兩朝的諸經譯本，率
皆「取漢、宋以來諸家之說，薈萃折衷」，或「參考諸儒註疏傳義」的原則，顯然
持有不同的見解。究其所以，當與朝廷功令以理學為尚有關。官方自順治二年
（1645）重開科考以來，即沿襲元、明科舉程式❽，考試定本分別為：「《四書》

---

❽　〈御製繙譯詩經序〉，《御製繙譯詩經》，頁408。

❽　清高宗敕譯：〈御製繙譯禮記序〉，《御製繙譯禮記》，收入《欽定繙譯五經四書》，景印
　　《文淵閣四庫全書》本，第186冊，頁2－3，曰：「顧注疏家篇帙浩繁，講誦者經年累月莫
　　能殫究。國書繙譯，則文因本文，義因本義，不疏不注，惟就本文雒誦，而於前代之典則，
　　聖賢之精粹，大而經邦體國、化民正俗之方，細而視聽言動、日用飲食之節，莫不犖然煥
　　然，章解句釋。初學者讀之，即可了然其義，而進而求夫精蘊」。

❽　清高宗敕譯：〈御製繙譯春秋序〉，《御製繙譯春秋》，收入《欽定繙譯五經四書》，景印
　　《文淵閣四庫全書》本，第187冊，頁2，曰：「夫《春秋》經文，不過萬有六千三百餘
　　言，其微顯闡幽，據舊史以發義訓，指行事以正褒貶，或約舉而即明，或煩稱而轉晦。蓋經
　　文之旨雖數千，而文歸質實。國書推闡精覈，片言隻義，虛實揣稱，不注不疏，惟就經文義
　　理，抑揚高下，純順自然，而於聖人公是公非之旨，軒豁呈露，昭乎如日月之明也」。

❽　〈大學章句序〉，《御製繙譯四書》，頁285－289；同書，〈中庸章句序〉，頁305－311；
　　同書，〈論語序說〉，頁340－347；同書，〈孟子序說〉，頁452－458。

❽　〈書集傳序〉，《御製繙譯書經》，頁215－218。歷來批評蔡沉《書集傳》者甚多，惟元、
　　明皆以蔡《傳》試士，致使論者莫敢趨歧，參見《四庫全書總目》，卷12，〈經部十二‧書
　　類二‧欽定書經傳說彙纂二十四卷〉，頁23。

❽　〈周易序〉，《御製繙譯易經》，頁6－8。

❽　〈詩集傳序〉，《御製繙譯詩經》，頁409－414。

❽　《元史》，卷81，〈選舉志一‧科目〉，頁2019，曰：「考試程式：蒙古、色目人，第一場

主朱子《集註》，《易》主程《傳》、朱子《（周易）本義》，《書》主蔡
《傳》，《詩》主朱子《集傳》，《春秋》主胡安國《傳》，《禮記》主陳澔
《（禮記）集說》」⑨；與《四書》、《書經》、《易經》、《詩經》諸譯本兩相
對照，實有其一致性。因此，《四庫全書總目》標舉《欽定繙譯五經四書》「不立
箋傳之名，不用註疏之體」的特色，有一部分係在科舉教育指導之下，運用政治力
使譯作達到「唇吻輕重之間，自然契刪述之微旨」而已，其實是另一種形式的「多
株守其文，故拘泥而鮮通」。

　　較晚譯出的《御製繙譯禮記》，乾隆皇帝在〈御製序〉中只表明他對繙譯經典
工作的態度，始終都是嚴謹與執著的，曰：「初敕館臣，分篇詳譯，悉心探討，依
次進呈，朕乙夜披覽，不憚諄復，歲月既積，成書始就」⑨，並未指出文本依據。
然乾隆皇帝認為，「禮」具有與時俱變的特質，曰「夫禮之不變者，敬也、和也；
其不得不從宜者，時也」；關於本朝「綱紀群倫，經緯萬事」的規範淵源，則曰
「粵稽周代禮儀三百、威儀三千，皆二帝、三王以來，精神心術之所寓，我國家所
憲章損益也」。⑨因此，欲藉由繙譯《禮記》以彰顯其時代意義，唯有不墨守宋儒
陳說，始能符合乾隆皇帝對《御製繙譯禮記》「所謂有以見天下之賾，而擬諸其形
容，象其物宜者歟；所謂有以見天下之動，而觀其會通，以行其典禮者歟」的期

經問五條，《大學》、《論語》、《孟子》、《中庸》內設問，用朱（熹）氏《章句集
註》。……漢人、南人，第一場明經經疑二問，《大學》、《論語》、《孟子》、《中庸》
內出題，並用朱氏《章句集註》，……經義一道，各治一經，《詩》以朱氏（《詩集傳》）
為主，《尚書》以蔡（沉）氏（《書集傳》）為主，《周易》以程（頤）氏（《易傳》）、
朱氏（《周易本義》）為主，已上三經，兼用古註疏，《春秋》許用《三傳》及胡（安國）
氏《（春秋）傳》，《禮記》用古註疏」。又《明史》（臺北：鼎文書局，1982 年），卷
70，〈選舉志二〉，頁 1694，曰：「……後頒科舉定式，……《四書》主朱子《集註》，
《易》主程《傳》、朱子《本義》，《書》主蔡氏《傳》及古註疏，《詩》主朱子《集
傳》，《春秋》主《左氏》、《公羊》、《穀梁》三傳及胡安國、張洽《傳》，《禮記》主
古註疏。永樂間，頒《四書五經大全》，廢註疏不用。其後，《春秋》亦不用張洽《（春秋
集）傳》，《禮記》止用陳澔《（禮記）集說》」。

⑨　《清史稿》，卷 108，〈選舉志三‧文科〉，頁 3148。

⑨　〈御製繙譯禮記序〉，《御製繙譯禮記》，頁 4。

⑨　〈御製繙譯禮記序〉，《御製繙譯禮記》，頁 2。

許。❾❸

　　至於《御製繙譯春秋》，〈御製序〉云：

> 若夫《三傳》，左氏親炙聖門，創為傳體；公羊、穀梁淵源授受，義理精
> 核。故載事，則左氏詳於公、穀；釋經，則公、穀精於左氏，《三傳》並
> 列，未可偏廢。至於胡氏《春秋傳》，列在學官，以朱子病是經之難通，而
> 教門人姑從胡安國之說。然謂其以義理穿鑿，則非義理之真，而於聖人筆削
> 之旨，未能吻合明矣。向嘗於〈日講春秋講（解）義序〉，詳著其說。是以
> 此書繙譯，專就經文，悉心探討，以蘄合乎聖人筆削維嚴之旨，而附以左氏
> 之事實，公羊、穀梁之書法。❾❹

強調必須回歸經文本身的探究，而兼採《左傳》、《公羊傳》、《穀梁傳》之長，
始能闡發《春秋》筆削褒貶之義。

　　值得注意的是，乾隆皇帝從青少年階段以迄即位初期，在學術上偏愛理學而尤
宗朱熹❾❺，即便對胡安國《春秋傳》多所批判，仍奉為科考定本。❾❻惟自乾隆十年

---

❾❸　〈御製繙譯禮記序〉，《御製繙譯禮記》，頁3。

❾❹　〈御製繙譯春秋序〉，《御製繙譯春秋》，頁3-4。

❾❺　中國第一歷史檔案館編：《乾隆朝上諭檔》（北京：檔案出版社，1998年），第1冊，頁
　　648，乾隆五年十月十二日，內閣奉上諭，曰：「經術之精微，必得宋儒參考而闡發之，然後
　　聖人之微言大義，如揭日月而行也」；《樂善堂全集定本》，卷8，〈跋‧朱子大學章句
　　跋〉，頁21，曰：「（朱子）得歷聖傳心之要，尤學者所當體驗而服膺也」。

❾❻　〈（乾隆皇帝）御製日講春秋解義序〉，《日講春秋解義》，頁2-3，曰：「嘗考《春秋》
　　經文不過萬有六千三百餘言，自《三傳》以後，群儒義疏累數萬言，而微辭隱義之難明者，
　　猶十有六、七。蓋是經乃孔子所手定也，辭約而義深。……故程、朱二子深探力索久之，皆
　　見為難明而止。至明初胡氏安國之說，遂獨列於學官，……然謂其以義理穿鑿，則非義理之
　　真，而於聖人筆削之旨未能吻合明矣。故自明以來，雖著功令科舉之士稟為程式，而終不足
　　以服學者之心。……（雍正皇帝）念《欽定春秋（傳說彙纂）》於胡氏之說既多駁正，……
　　朕反覆循覽，於胡氏穿鑿之說曠若發蒙，筆削之旨闡明者，亦過半焉」；又傅恆等奉敕撰：
　　《御纂春秋直解》（臺北：臺灣商務印書館，1986年景印《文淵閣四庫全書》本），第174
　　冊，〈御製序‧御製春秋直解序〉，頁1，曰：「……厥後依經作傳，如左氏身非私淑，號
　　為素臣，猶或詳於事而失之誣。至公羊、穀梁去聖逾遠，乃夈發墨守而起廢疾，儼然操入室

（1745）起，乾隆皇帝基於導正文風與端正士行的考量，以及學術興趣的轉移，對於經學亦多所鼓勵⑰，進而仿照康熙皇帝御纂《周易折中》（康熙五十四年，1715年），以及《春秋傳說彙纂》（康熙六十年，1721 年）、《詩經傳說彙纂》（雍

之戈。下此齦齦聚訟，人自為師，經生家大抵以胡氏安國、張氏洽為最著。及張氏廢，而胡氏直與《三傳》並行，其間傳會臆斷，往往不免，承學之士宜何所考衷也哉」。《四庫全書總目》，卷 27，〈經部二十七‧春秋類二‧春秋傳三十卷〉，頁 12－13，有較為完整的論述，曰：「顧其書作於南渡之後，故感激時事，往往借《春秋》以寓意，不必一一悉合於經旨。朱子《語錄》曰：『胡氏《春秋傳》有牽強處，然議論有開合精神，亦千古之定評也。』明初定科舉之制，大略承元舊式，宗法程、朱，而程子《春秋傳》，僅成二卷，闕略太甚，朱子亦無成書。以安國之學出於程氏，張洽之學出於朱氏，故《春秋》定用二家。蓋重其淵源，不必定以其書也。後洽《傳》漸不行用，遂獨用安國書，漸乃棄《經》不讀，惟以安國之《傳》為主。當時所謂經義者，實安國之《傳》義而已。故有明一代，《春秋》之學為最弊。馮夢龍《春秋大全‧凡例》，有曰諸儒議論，儘有勝胡氏者，然業已尊胡，自難並收以亂耳目，則風尚可知矣。述本朝敦崇經術，《欽定春秋傳說彙纂》於安國就說始多所駁正，棄瑕取瑜，擷其精粹，已足以綜括原書。第其書行世已久，亦未可竟廢，謹校而錄之，以存一家之言」。

⑰ 據《乾隆朝上諭檔》，第 2 冊，「乾隆十年四月初四日」，頁 36，內閣奉上諭，曰：「國家設制科取士，首重者在《四書》文。蓋以《六經》精微，盡於《四子書》，設非讀書窮理，篤志潛心，而欲握管揮毫，發先聖之義蘊，不大相逕庭耶。……近今士子以科名難於倖獲，或故為艱深語，或矜為俳儷詞，……彼此仿效，為奪幟爭標良技。不知文風日下，文品日卑，有關國家掄才大典，非細故也。……嗣自今其令各省督學諸臣，時時訓飭縣會考官加意區擇，凡有乖於先輩大家理法者，擯撤不錄，則詭遇之習可息，士風還醇，朕有厚望焉」；同書，第 2 冊，頁 393，乾隆十四年十一月初四日，內閣奉上諭，曰：「聖賢之學，行，本也；文，末也。而文之中，經術其根柢也，詞章其枝葉也。翰林以文學侍從，近年來因朕每試以詩賦，頗致力於詞章，而求其沉酣六籍，含英咀華，究經訓之間奧者，不少概見，豈篤志正學者鮮與？抑有其人而未之聞與？……崇尚經術，良有關世道人心，……今海宇昇平，學士大夫，舉得精研本業，其窮年矻矻，宗仰先儒者，當不乏其人，奈何令終老牖下，而詞苑中寡經術士也。內大學士、九卿，外督撫，其公舉所知，不拘進士、舉人、諸生，以及退休閒廢人員，能潛心經學者，慎重遴訪」，可知乾隆皇帝為求導正文風、端正士行，乃藉由科舉取士與保舉人才的政策調整，特意崇尚經術。又《嘯亭雜錄》，卷 1，〈重經學〉，頁 15－16，曰：「上初即位時，一時儒雅之臣，皆帖括之士，罕有通經術者。上特下詔，命大臣保薦經術之士，犖犖都下，課其學之醇疵。……又特刊《十三經註疏》頒布學宮，命方侍郎苞、任宗丞啟運等裒集《三禮》。故一時者儒風學，布列朝班，而漢學始大著，齷齪之儒，自跼足而退矣」。另關於關乾隆皇帝學術興趣的轉移，另參見皮錫瑞著，周予同注釋：《經學歷史》（臺北：學海出版社，1985 年），頁 305－306。

正五年，1727 年）、《書經傳說彙纂》（雍正八年，1730 年）博採、折衷的形式
❾❽，著成《周官義疏》、《儀禮義疏》、《禮記義疏》（合為《三禮義疏》，乾隆
十九年，1754 年）、《詩義折中》、《周易述義》（乾隆二十年，1755 年）、
《春秋直解》（乾隆二十三年，1758 年）等❾❾，遂形成以經學為主、理學為輔，
以及調和漢、宋的觀點。⓿是以乾隆二、三〇年代的滿文譯經之作，雖立基於科舉
教育，而同一時期的漢文闡經之作，卻著重於學術研究。惟在乾隆皇帝主導之下，
自乾隆朝中期以後，科舉考試亦逐漸重視經學，影響所及，「《春秋》不用胡
《傳》，以《左傳》本事為文，參用《公羊》、《穀梁》」。⓿據此，《御製繙譯
春秋》「附以左氏之事實，公羊、穀梁之書法」的立意，實與科舉教育合流。再從

---

❾❽　參見《康熙帝御製文集・第四集》，卷 22，〈序・周易折中序〉，頁 8；《康熙帝御製文
集・第四集》，卷 22，〈序・春秋傳說彙纂序〉，頁 10－11；清世宗御製，《世宗憲皇帝御
製文集》（臺北：臺灣商務印書館，1986 年景印《文淵閣四庫全書》本），第 1300 冊，卷
6，〈序・詩經傳說彙纂序〉，頁 9；《世宗憲皇帝御製文集》，卷 7，〈序・書傳說彙纂
序〉，頁 7。

❾❾　《清高宗（乾隆）御製詩文全集・御製文初集》，卷 11，〈序・欽定三禮義疏序〉，頁 5，
曰：「我皇祖聖祖仁皇帝表章群經，既御纂《周易折衷（中）》，而《詩》、《書》、《春
秋》則以分授儒臣纂輯《義疏》，頒布海內，惟《三禮》未就。……宜纂輯《三禮》，以藏
《五經》之全」；傅恆等奉敕撰：《御纂詩義折中》（臺北：臺灣商務印書館，1986 年景印
《文淵閣四庫全書》本），第 84 冊，〈御製序・御纂詩義折中序〉，頁 1－2，曰：「竊取
皇祖《周易》命名之義，命之曰《詩義折中》」。類似的說法，也見於《御纂周易述義》、
《御纂春秋直解》的〈御製序〉中。

⓿　《三禮義疏》、《詩義折中》以漢儒鄭玄箋注為本，旁採宋儒辯說補其未備；《周易述
義》、《春秋直解》則酌取漢、宋，決其是非，融其精要，見《四庫全書總目》，卷 19，
〈經部・禮類一・欽定周官義疏〉，頁 31；同書，卷 20，〈經部・禮類二・欽定儀禮義
疏〉，頁 17；同書，卷 21，〈經部・禮類三・欽定禮記義疏〉，頁 17－18；同書，卷 16，
〈經部・詩類二・欽定詩義折中〉，頁 20；同書，卷 6，〈經部・易類六・御纂周易述
義〉，頁 5－6；同書，卷 29，〈經部・春秋類四・御纂春秋直解〉，頁 4－5。

⓿　《清史稿》，卷 108，〈選舉志・文科三〉，頁 3148。考試範圍的調整，於乾隆五十七年
（1792 年）奏准，見《欽定大清會典事例（光緒朝）》，卷 332，〈禮部・貢舉四・試藝體
裁〉，頁。另參見艾爾曼（Benjanin Elman）：〈清代科舉與經學的關係〉，《故宮博物院院
刊》，1996 年第 4 期（1996 年 11 月），頁 1－12。

《御製繙譯禮記》「庶以闡揚前聖垂世立教之心，以昭我國家則古考文之盛，而於禮之以敬為體，以和為用者，其亦有所發明」的作用觀之⑩，即便科考仍主陳澔《禮記集說》，其「有所發明」之處，自已跳脫理學的框架，既能反映出「禮」的「不變」與「從宜」的特質，又與學術取向一致。此外，在《御製繙譯禮記》的篇目與《御製繙譯春秋》的卷目之後，分別附有「解題」、「綱領」⑩，其內容與《日講禮記解義》、《日講春秋解義》完全相同⑩，則說明了乾隆朝晚期繙譯經典的文本擇定，又回歸到康熙朝的原則。

四、「國書」與「經義」間的取捨與調適

繙譯書籍的工作，涉及兩種不同語文系統的音、義轉換。宋朝學者鄭樵從音韻的觀點指出，儒家經典難以廣被域外，佛教典籍卻能流傳中土，原因在於「聲音之道，有障閡耳」⑩，遂認為只要有完備的拼音法，「雖鶴唳風聲，雞鳴狗吠，雷霆驚天，蚊蚋過耳，皆可譯也」，即可使儒家學術的傳播不再受到限制，進而達到「舟車可通，則文義可及」的境地。⑩《四庫全書》館館臣則持不同的看法，曰：

> 文字之聲音，越數郡而或不同；文字之義理，則縱而引之千古上下無所異，橫而推之四海內外無所異。苟能宣其意旨，通以語言，自有契若符節者，又何聲音之能障礙乎？⑩

---

⑩　〈御製繙譯禮記序〉，《御製繙譯禮記》，頁 4。

⑩　參見《御製繙譯禮記》，卷 1，頁 9-13；《御製繙譯春秋》，〈綱領〉，頁 12-56。

⑩　參見《日講禮記解義》，卷 1，頁 10-11；《日講春秋解義》，〈日講春秋解義總說·綱領〉，頁 11-22。

⑩　鄭樵：《通志二十略》（北京：中華書局，1995 年），〈七音略第一·序〉，頁 354，曰：「今宣尼之書，自中國而東則朝鮮，西則涼夏，南則交阯，北則朔易，皆吾故封也，故封之外，其書不通。何瞿曇之書能入諸夏，而宣尼之書不能至跋提河？聲音之道，有障閡耳」。《四庫全書總目》亦引用此段論述，見《四庫全書總目》，卷 33，〈經部三十三·五經總義類·欽定繙譯五經五十八卷四書二十九卷〉，頁 29。

⑩　《通志二十略》，〈七音略第一·序〉，頁 354。

⑩　《四庫全書總目》，卷 33，〈經部三十三·五經總義類·欽定繙譯五經五十八卷四書二十九卷〉，頁 29。

復舉北魏《國語孝經》為例，因「其學其識均未窺六藝之閫奧，故能譯者，僅文句淺顯之《孝經》，而諸經則未之及耳」❿，來說明影響繙譯者，實為對經典「義理」的認知能力。館臣進一步闡述國家在推動滿文繙譯儒家經典工作的優勢，曰：

> 國家肇興東土，創作十二字頭，貫一切音；復御定《清文鑑》，聯字成語，括一切義，精微巧妙，實小學家所未有，故六書之形聲訓詁，皆可比類以通之。而列聖以來，表章經學，天下從風，莫不研究微言，講求古義，尤非前代之所及。❿

認為是新興的滿洲語文足與繁複的漢文相提並論，加以滿洲君主對學術研究的重視，故能突破音、義的障礙，而在譯書事業上取得可觀的成就。

　　清朝奉滿洲語文為「國語」、「國書」，標榜「清語為旗人根本」❿、「清語為國家根本」❿，自努爾哈齊以來的滿洲歷朝統治者，均以滿洲語文為民族共同體族群認同，乃至於多民族帝國國家認同的基礎❿，呈現出滿洲中心的價值觀。就語文構成的特徵而言，滿文為表音文字，「其字直讀，與漢文無異，但自左而右，適與漢文相反」；「其字母，共十二字頭，每頭約百餘字，然以第一頭為主要，餘則形異音差，讀之亦簡單易學。其拼音，有用二字者，有用四、五字者，極合音籟之

---

❿　《四庫全書總目》，卷 33，〈經部三十三‧五經總義類‧欽定繙譯五經五十八卷四書二十九卷〉，頁 29。

❿　《四庫全書總目》，卷 33，〈經部三十三‧五經總義類‧欽定繙譯五經五十八卷四書二十九卷〉，頁 29－30。所謂「十二字頭」，指滿文的音節形式，是由六個元音「a」、「e」、「i」、「o」、「u」、「ū」，及元音與輔音拼成的複合音，「第一字頭」有一百三十一個字，為後十一字頭的字母韻母；其他字頭分別為第一字頭內各音節與「i」、「r」、「n」、「ng」、「k」、「s」、「t」、「b」、「o」、「l」、「m」相結合構成的音節，凡十一字頭，總計「十二字頭」。

❿　《清實錄‧高宗純皇帝實錄》，卷 736，「乾隆三十年五月丁丑」條，頁 3。

❿　《嘯亭雜錄》，卷 7，〈宗室小考〉，頁 205。

❿　參見葉高樹：《清朝前期的文化政策》，頁 19－28、頁 41－46。

自然，最為正確，不在四聲賅備也」⑬，與表意的漢字明顯不同。清人福格即指出：

> 按十二字母之聲，以漢字對音書之，為阿（a）、額（e）、依（i）、倭
> （o）、烏（u）、渥（ū）、那（na）、訥（ne）、呢（ni）、諾（no）、
> 呶（nu）、娜（nū），皆作平聲讀。凡嬰兒墜地學語，莫不由此數聲而
> 先，……又按漢字造字之初，起於象形象意，故字字有義。滿文造字始於取
> 聲成書，故單寫有音無義，必聯綴成之，始能成語。字雖不多，不患雷同，
> 轉比漢文一字數解易辨也。⑭

正因「取聲成書」，用之於繙譯，「不惟漢文所到之處，滿文無不能到；即漢文所不能到之處，滿文亦能曲傳而代達之」，被認為具有「義蘊閎深，包孕富有」的優點⑮；復因「字雖不多，不患雷同」，行之於文書，自無辨明「形聲訓詁」的困擾，是以乾隆皇帝對此一「根本」推崇備至，曰：「簡而能該，用之無所不備，而音韻尤得天地之元聲」。⑯

　　然而，縱令滿洲政權如何強勢，滿洲語文如何優越，在文化上終究屬於後進，滿洲統治者藉由推動選譯漢文典籍的工作，從漢文化中汲取統治經驗與知識精華，實為便利且有效的途徑，也是統制漢族的重要手段。⑰《五經》、《四書》中的微言大義，深具明道、教化的功能，入關之後的滿洲君主多所推崇，透過滿文譯本，可使學習滿文的八旗子弟也能夠接受聖人智慧的薰陶，此即館臣所謂「因國書以通

---

⑬　《史館檔・國語志》（臺北：國立故宮博物院藏），卷首，〈奎善・滿文源流〉。

⑭　福格：《聽雨叢談》（北京：中華書局，1997 年），卷 11，〈滿洲字〉，頁 217。

⑮　《史館檔・國語志》，卷首，〈奎善・滿文源流〉。

⑯　《清實錄・高宗純皇帝實錄》，卷 365，「乾隆十五年五月辛酉」條，頁 14。

⑰　德國學者嵇穆（Martin Gimm）認為，清朝官方推動的繙譯工作，一方面視該著作在漢族教育
　　系統內所佔的地位；另一方面，則視該著作是否具有豐富的資料。早期的繙譯工作，主要以
　　瞭解與透視中國文化為目的；晚期則與考試制度與事業心思想有關。參見嵇穆：〈滿洲文學
　　述略〉，收入閻崇年編：《滿學研究》（長春：吉林文史出版社，1992 年），第 1 輯，頁
　　195－207。

經義，而明道之遺編彰於萬世」。必須釐清的是，「因國書以通經義」的前提，並非全然出自對漢文化的傾慕或提倡。早在關外時期，皇太極即已提出保持民族語文的重要性，曰：

> 國家承天創業，各有制度，不相沿襲，未有棄其國語，反習他國之語者。事不忘初，是以能垂之久遠，永世弗替也。蒙古諸貝子自棄蒙古之語，名號俱學喇嘛，卒致國運衰微。今我國官名，俱因漢文，從其舊號。夫知其善而不能從，與知其非而不能省，俱未為得也。朕纘承基業，豈可改我國之制，而聽從他國？嗣後我國官名及城邑名，俱當易以滿語，……。⓭

更以金朝「效漢人之陋習」，導致「社稷傾危，國遂滅亡」的歷史為殷鑑，告誡族人切勿「忘舊制、廢騎射，以效漢俗」。⓮順治皇帝雖「篤好儒術」，卻不鼓勵宗室子弟學習漢文，特於順治十一年（1654）諭宗人府，曰：

> 朕思習漢書、入漢俗，漸忘我滿洲舊制。前准宗人府禮部所請，設立宗學，令宗室子弟讀書其內，因派員教習滿書，其願習漢書者，各聽其便。今思既習滿書，即可將繙譯各樣漢書觀玩，著永停其習漢字諸書，專習滿書。⓯

又康熙二十六年（1687），康熙皇帝在與滿、漢臣工討論皇子教育的場合中指出，「皇太子不深通學問，即未能明達治體」，「漢人學問勝滿洲百倍，朕未嘗不知，但恐皇太子耽於漢習，所以不任漢人，朕自行誨勵」，而奉侍皇子的滿洲官員則須負起「導以滿洲禮法，勿染漢習」之責，因為「一入漢習，即大背祖父明訓，朕誓

⓭　《清實錄‧太宗文皇帝實錄》，卷18，「天聰八年四月辛酉」條，頁8−9。

⓮　《清實錄‧太宗文皇帝實錄》，卷32，「崇德元年十一月癸丑」條，頁8−9。皇太極所謂的「舊制」，是指「衣服、語言悉遵舊制」而言。

⓯　《清實錄‧世祖章皇帝實錄》，卷84，「順治十一年六月丁卯」條，頁3−4。宗學初設於順治九年（1652年），「每固山設滿洲官教習滿書，其漢書聽從其便」，見《八旗通志‧初集》，卷49，〈學校志四‧宗學〉，頁945。

不為此」。⑫此一以「效漢俗」為戒的原則，在「法祖」施政理念的指導下，為諸帝所奉行⑫；反映在順、康兩朝譯就的《五經》、《四書》，皆以滿文本的形式刊行，即是使欲通「經義」者，必先習「國書」。

理論上，「國語本應不學而能」⑬，當八旗子弟在漢地居之日久，受到物質文明與商品經濟的吸引⑭，不免「漸習漢俗，於淳樸舊制，日有更張」。⑮所謂的「漢俗」或「漢習」，略指「多以驕逸自安，罔有學勘弓馬者」，「命名如漢人者」⑯，以及「妄費濫用，競尚服飾，飲酒賭博」⑰，「沉湎梨園，遨遊博肆」等劣行⑱，尤其是「漸習漢語，竟忘滿語」⑲，「棄其應習之清語，反以漢語互相戲謔」。⑳惟滿洲入關不過百餘年的時間，統治者視之為「根本」的滿洲語文竟漸遭捨棄，究其原因，一方面是因「皇帝典學，尚知國語，餘則自王公大臣以下僉不知其為何物」㉑，在上、下認知有所差距的情況下，以致八旗人等不重子弟教育與不知謹守傳統。㉒另一方面，官方的態度亦有值得商榷之處，諸如：順治皇帝頒布

---

⑫　《康熙起居注》，「康熙二十六年六月初七日癸丑」，頁 1638−1639。

⑫　喬治忠認為，清朝「法祖」的政治原則，係起源於滿洲統治者對「漢化」的防範，其思想基礎奠定於皇太極時代，歷經順、康、雍三朝的一再確認，至乾隆朝時，更予以強化與理論化。參見喬治忠：〈清朝「敬天法祖」的政治原則〉，《清史論叢》，2002 年號（2002 年 7 月），頁 76−82。

⑬　《世宗憲皇帝上諭八旗》，卷 6，「雍正六年正月二十九日，奉上諭」，頁 173。

⑭　參見滕紹箴：《清代八旗子弟》（北京：中國華僑出版社，1989 年），頁 52−55。

⑮　《清實錄·世祖章皇帝實錄》，卷 144，「順治十八年正月丁巳」條，頁 1。

⑯　《嘯亭雜錄》，卷 1，〈不忘本〉，頁 16。

⑰　允祿等奉敕編：《世宗憲皇帝上諭八旗》（臺北：臺灣商務印書館，1986 年景印《文淵閣四庫全書》本），第 413 冊，卷 1，「雍正元年十月二十五日，詔入八旗大臣等奉上諭」，頁 16。

⑱　《世宗憲皇帝上諭八旗》，卷 2，「雍正二年二月初二日，諭八旗文武官員人等」，頁 22。

⑲　《康熙起居注》，「康熙十二年四月十二日辛亥」條，頁 93。

⑳　《清史列傳》，卷 27，〈大臣傳次編二·尹壯圖傳〉，頁 2034。

㉑　劉體仁：《異辭錄》，收入《民國筆記小說大觀》（太原：山西古籍出版社，1996 年），第 2 輯，卷 4，〈七國滅種之利器〉，頁 225。

㉒　《清實錄·世宗憲皇帝實錄》（北京：中華書局，1985 年），卷 33，「雍正三年六月乙亥」條，頁 12，曰：「大臣等多有不教其子弟者，……其中家資豐裕者，並不黽勉正務，而習為嬉戲，此皆不教之所致也；其家道窘乏者，又無教訓之力，以致子弟往往陷於不才」。又《清實錄·高宗純皇帝實錄》，卷 1088，「乾隆四十四年八月甲寅」條，頁 4，曰：「八旗

「永停其習漢字諸書，專習滿書」的禁令，在雍正二年（1724）以後，形同虛設❸；順、康兩朝對於皇族成員可能因「習漢書」而「入漢俗」，雖多所防範，至於為數眾多的八旗子弟，似未嚴加教導，乃造成「國語」能力漸趨低落。❹由於管教流於寬鬆，政策未能貫徹，積之漸久，到了乾隆年間，「嫻於漢字者，或更多於諳習清字之人」❺，遂成為旗人社會的普遍現象。

上述問題的產生，固為「效漢俗」所致，也與八旗子弟轉尚學問、熱衷科考有關。自順治二年（1645）設置國子監八旗官學以來，官方雖鼓勵子弟向學，卻禁止參加科舉考試，至順治八年（1651），始議定「八旗科舉例」，考滿、漢文及繙譯❻，「於鄉、會試拔其優者除官」；惟「每牛彔（niru，佐領）下讀滿、漢書者有

滿洲、蒙古子弟，自其祖父生長京城，不但蒙古語不能兼通，即滿洲語亦日漸遺忘，又復憚於學習，朕屢經訓飭，而率教者無幾。故由習俗所移，亦其人之不肯念本向上耳」。

❸　《八旗通志‧初集》，卷 49，〈學校志四‧宗學〉，頁 946，曰：「左右兩翼官房，每翼各立一滿學，一漢學。……其在官學子弟，或清書，或漢書，隨其志願分別教授」。至乾隆二十一年（1756 年），始將宗學的漢教習裁去，改為繙譯教習，惟學習繙譯，仍須兼習漢書，見鐵保等奉敕纂修：《欽定八旗通志》，景印清嘉慶四年刊本（臺北：臺灣學生書局，1968 年），卷 97，〈學校志四‧宗學〉，頁 7。

❹　康熙十二年（1763 年），康熙皇帝諭令編纂滿文字書（即《清文鑑 manju gisun i buleku bithe》），其主要的動機為「此時滿洲，朕不慮其不知滿語，但恐後生子弟漸習漢語，竟忘滿語，亦未可知。且滿、漢文義照字繙譯，可通用者甚多。今之繙譯者尚知辭意，酌而用之，後生子弟未必知此，特差失大意，抑且言語欠當，關係不小」，雖有未雨綢繆之意，然其態度相較於皇太極時代，則顯得甚為消極，見《康熙起居注》，「康熙十二年四月十二日辛亥」條，頁 93。迨康熙四十七年（1708 年）書成之時，康熙皇帝也不得不承認「老成者舊，漸就凋謝，因而微文奧旨久而弗彰，承偽襲舛習而不察，字句偶有失落，語音或有不正」，見《康熙帝御製文集‧第三集》，卷 20，〈序‧清文鑑序〉，頁 11。

❺　《清實錄‧高宗純皇帝實錄》，卷 854，「乾隆三十五年三月壬午」條，頁 8。又關於八旗子弟「國語」能力衰退的趨勢，參見滕紹箴：《清代八旗子弟》，頁 208-209。

❻　《八旗通志‧初集》，卷 125，〈選舉表一‧序〉，頁 3389，曰：「八旗科舉例，凡遇應考年分，鄉試取中滿洲五十名，蒙古二十名，漢軍五十名。各衙門無頂帶筆帖式，亦准應試。滿洲、蒙古識漢字者，繙漢字文一篇，不識漢字者，作滿字文一篇。漢軍文章篇數，如漢人例。會試取中滿洲二十五名，蒙古十名，漢軍二十五名。各衙門他赤哈哈番、筆帖式哈番，准俱應試。滿洲、蒙古識漢字者，繙漢字文一篇，作文一篇；不識漢字者，作滿字文二篇。漢軍文章篇數，如漢人例」。

定額，應試及各衙門任用，悉於此取給，額外者不得學習」，能參加考試的人數不多，故「往往不敷取中」。是以從順治十四年（1657）至康熙十五年（1676）間，八旗科舉時舉時停❶，但子弟為求中式，至少勤習了「國語」本業。自康熙十五年（1676）起，朝廷為避免八旗子弟「專心學文，以致武備廢弛」，「有誤訓練」，又下令停辦考試❶，子弟在晉身之途受阻的情況下，轉而投入一般的科考❶；迨康熙二十六年（1687），復「詔同漢人一體考試」，停止繙譯，雖「自與漢人合試，非復前之簡易」❶，然中式名額迭有增加❶，仍極具誘因。因此，康熙朝中期以後，八旗子弟「通經義」的能力或許有所提昇，無形中卻妨害了「國書」的學習。

　　降及雍正元年（1723），雍正皇帝基於現實的考量，同意「八旗滿洲人等，除照常考試漢字秀才、舉人、進士外」，又認為「在滿洲繙譯亦屬緊要，應將滿洲另以繙滿文考試秀才、舉人、進士」。總理事務王大臣等尋議定：「滿洲、蒙古能繙譯者，三年之內，考取秀才二次，舉人一次，進士一次」，錄取名額則「臨期視人數之多寡，請旨欽定」，是為繙譯科考試；至雍正三年（1725），八旗漢軍亦比照辦理。繙譯科的試題，繙譯秀才考試，「將《四書直解》內，限三百字為題，繙滿

---

❶　《清史稿》，卷 108，〈選舉至三・文科〉，頁 3160。

❶　《清實錄・聖祖仁皇帝實錄》，卷 63，「康熙十五年十月己巳」條，頁 16。是年停辦考試的主要原因，係受到三藩反清戰事擴大的影響。

❶　在停辦八旗科舉考試期間，朝廷准許八旗人等參加一般科考，見《八旗通志・初集》，卷 125，〈選舉表一・序〉，頁 3391，曰：「（康熙）六年九月，復命滿洲、蒙古、漢軍與漢人同場一例考試，從御史徐詰武請也。」

❶　《清史稿》，卷 108，〈選舉志三・文科〉，頁 3160。

❶　《八旗通志・初集》，卷 125，〈選舉表一・序〉，頁 3391，曰：「（康熙）八年七月，定滿洲、蒙古、漢軍鄉、會試額數。順天鄉試，滿洲、蒙古編『滿』字號，共取中十名；漢軍編『合』字號，取中十名。會試，『滿』字號取中四名，『合』字號取中三名。先是，漢軍與漢人同試，舉人外，取副榜五名。十一年，禮部題准：滿洲、蒙古，亦照漢軍額取副榜。……三十二年六月，禮部覆准：國子監祭酒吳苑疏言：『八旗之人，學習制藝者日多，而中式之額太少，請加名數。』滿洲、蒙古增六名，共取中十六名。漢軍增三名，共取中八名。會試，滿洲、蒙古增二名，共取中六名。漢軍增一名，共取中三名。三十五年七月，廣八旗滿洲、蒙古、漢軍鄉試解額，滿洲、蒙古四名，漢軍二名。四十一年八月，增順天鄉試中額，八旗滿洲、蒙古三名，漢軍一名。」

文一篇」；繙譯鄉、會試，「量其所能，奏章一道，或《四書》，或《五經》，酌量出一題考試」；繙譯殿試，則「或古文、律詩、詞賦等文」⑭，可知《五經》、《四書》的滿文譯本，在滿文科舉教育中的地位。論者以為，八旗子弟的繙譯能力，可以雍正朝為分界，在此之前，子弟學習上的困難在於漢文；此後，則為滿文，故自雍正朝始，特開繙譯科考試，以為鼓勵。⑭然而，繙譯科考試的設置，亦有其特殊的目的，既為國家政務的需要，又為通曉滿、漢文翻譯的子弟增闢上進之階⑭；同時，也是誘導八旗人等認真學習「國書」所採取的重要措施。

　　乾隆皇帝「夙善國語，於繙譯深所講習」，卻認為「國初惟以清語為本，繙譯為後所增飾，實非急務」⑭，自即位之初，便對繙譯科考試進行若干調整。先是，自乾隆三年（1738）起，鄉、會兩試除繙譯外，加考滿文論文⑭，以測驗考生滿文寫作能力。其次，自乾隆十三年（1748）起，復議定滿洲繙譯生員額取六十名，蒙古繙譯生員額取九名；滿洲繙譯舉人額中三十三名，蒙古繙譯舉人額中六人，並附帶規定：「以上各額如無佳文，應令考官遵照定例，寧缺無濫，即將來人文日盛，

---

⑭　《八旗通志・初集》，卷49，〈學校志四・繙譯考試〉，頁962-965。繙譯科考試的行政事務，與文科考試略同，秀才、舉人考試由順天府辦理，會試由禮部負責，殿試由內閣恭請皇帝命題；各級考試的正、副主考官、同考官、監臨官、提調官等，則由禮部自滿大臣中開列具題，呈送欽點。又雍正九年（1731年），增設蒙古繙譯考試，相關規定比照繙譯科考試，只是考試內容不同：「其考試生員題目，於清字《日講四書》內，視漢文三百字為准，出題一道，令其以蒙古文繙譯。其考試舉人、進士，於清字《日講四書內》，視漢文至三百字為准，出一道為首題，又出清字奏疏一道為次題，共二道，令其以蒙古文繙譯。」

⑭　參見滕紹箴：《清代八旗子弟》，頁196-198。

⑭　參見屈六生：〈試論清代的翻譯科考試〉，《慶祝王鍾翰先生八十壽辰學術論文集》，頁234-238。

⑭　《嘯亭雜錄》，卷1，〈繙譯〉，頁19。

⑭　參見托津等奉敕撰：《欽定大清會典事例（嘉慶朝）》（臺北：文海出版社，1994年），卷292，〈禮部・貢舉・繙譯鄉會試一〉，頁9-27。至乾隆七年（1742年），奏准繙譯會試第一場試清文一篇，《孝經》、《性理》清字論一篇，第二場試繙譯一篇；降及乾隆四十三年（1778年），再改為繙譯鄉試照舊例只考一場，用《四書》清文題一道，《孝經》清字論題一道，第二場用繙譯題一道。

取中之數，亦不得有適定額」●，藉由縮減名額，避免流於浮濫。相對於雍正朝而言，此時繙譯科考的難度顯然有所提高，應試者或中式者的滿文與繙譯能力理當隨之增強，惟大學士傅恆指出：

> 八旗繙譯鄉、會試之設，原欲令滿洲人等學習國書，並非專以科名為重。乃近年以來，八旗應試之人，多事鏤刻字句，希圖中式，於實在繙譯之義，轉覺相去愈遠。且查康熙六十餘年之間，並非以繙譯取士，而其時之精通繙譯者，未嘗不人才輩出。是繙譯鄉、會二試轉，覺有名無實。況八旗通曉漢文者，既可專就文闈以博科第，而曉習繙譯之人，原皆可考取內閣中書及筆帖式、庫使等項，亦不必藉鄉、會試以為進身之階。●

遂議准自乾隆十九年（1754）起，只保留繙譯生員考試，停止鄉、會二試。●影響所及，遇有繙譯工作時，譯者往往「拘泥一、二字面，任意混繙，既失原文正意，亦且徒勞筆墨」●，對於「國語神理，全未體會」●；復因平日疏於練習，在抄寫滿文時，「或圈、點多寡不合，任意長短違式」，簡直「不識清字」，「雖曰照鈔，實錯中添錯」。●直到乾隆四十一年（1776）底，因「近日滿洲學習清文、善繙譯者益少」，始奉旨加恩於戊戌（四十三年，1778 年）、己亥（四十四年，1779 年）兩年舉行鄉、會試●，「嗣後，每屆三年，由（禮）部具奏，其准考與

● 參見《欽定八旗通志》，卷 101，〈學校志八・繙譯考試〉，頁 4－6。以往繙譯科考試的錄取名額，係依報考人數酌定，惟經大學士張廷玉等查核後發現，此科考試較為簡單，且與八旗人等參加文科考試相比，錄取率略顯偏高，為防止子弟俱趨易途，故有此議。

● 《欽定八旗通志》，卷 101，〈學校志八・繙譯考試〉，頁 7。

● 《清實錄・高宗純皇帝實錄》，卷 458，「乾隆十九年三月丙辰」條，頁 10－11。

● 《清實錄・高宗純皇帝實錄》，卷 734，「乾隆三十年四月辛亥」條，頁 5－6。

● 《清實錄・高宗純皇帝實錄》，卷 1088，「乾隆四十四年八月甲寅」條，頁 3。

● 《清實錄・高宗純皇帝實錄》，卷 736，「乾隆三十年五月丁丑」條，頁 3。

● 《乾隆朝上諭檔》，第 8 冊，「乾隆四十一年十二月初八日，內閣奉上諭」，頁 485。另據《嘯亭雜錄》，卷 1，〈繙譯〉，頁 19，曰：「後阿文成公桂因旗籍出身無所，始奏請開繙譯鄉場，以勉旗人上進之階，然非上意也。」

否，候旨定奪」。⓱

　　停開繙譯科鄉、會二試，似對「國書」教育的推展有所妨害，八旗子弟亦失去勤奮向學的目標，乾隆皇帝卻表示：

> 從前令旗人考試繙譯舉人、進士，原以清書為滿洲根本，考試繙譯，使不失滿洲本業也。後因應試人員，每以尋章摘句為事，轉失繙譯本義，殊屬無益，……若謂考試繙譯舉人、進士，旗人始能學習清書，精通繙譯，則前此繙譯鄉、會試未舉行時，通繙譯者又豈乏人？可見凡事惟在務實。滿洲人等果能不失根本，不尚虛文，於滿、漢諸書，勤加肄業，稍通繙譯，則生員、筆帖式、中書皆可考試，何必舉人、進士，始得謂之出身乎？⓲

然而，繙譯會試也有不得不暫停辦理的因素。制度初議時，原定繙譯鄉、會試三年舉行一次，且「繙譯舉人至六十名方准會試」⓳，但遲至乾隆四年（1739），亦即經過六次鄉試之後，才首次舉辦會試，暴露出應試者過少的問題；是年之所以能順利舉行，還是拜之前特准八旗武職人員報考所賜。⓴迨乾隆四十四年（1779）再次恢復會試時，「是科僅四十七人，特准會試，免廷試」㉑，人數過少的問題仍未見改善。乾隆五十二年（1787），遂以「旗人進身之路甚廣，並不專藉繙譯，且其中亦未見出真才也」為由，將鄉、會試改為五年一次；次年，報考會試的人數更少，「共祇有三十八名，不足六十名之額」，而被迫暫停。㉒官方對繙譯科考的態度，

⓱　《欽定八旗通志》，卷101，〈學校志八‧繙譯考試〉，頁11。

⓲　《清實錄‧高宗純皇帝實錄》，卷980，「乾隆四十年四月壬辰」條，頁17－18。

⓳　《欽定大清會典事例（光緒朝）》，卷363，〈禮部‧貢舉‧繙譯會試一〉，頁6。

⓴　《欽定大清會典事例（嘉慶朝）》，卷292，〈禮部‧貢舉‧繙譯鄉會試一〉，頁10。首次會試共舉中二十二名，從前雖有照例殿試之議，乾隆皇帝以此科人數甚少，不必舉行殿試，俱著賜進士出身，見《清實錄‧高宗純皇帝實錄》，卷99，「乾隆四年八月辛卯」條，頁2。

㉑　《清史稿》，卷108，〈選舉志三‧文科〉，頁3170。

㉒　《欽定大清會典事例（嘉慶朝）》，卷293，〈禮部‧貢舉‧繙譯鄉會試二〉，頁4－5。此後，直到嘉慶八年（1803年），只舉辦過一次，據《清史稿》，卷108，〈選舉志三‧文

非但未予積極辦理，且限制與日俱增，八旗人等投身是科的前途未卜，其意願自然
每況愈下；加以朝廷並未禁止旗人參加文科考試，故與其學習「國書」，不如鑽研
「經義」。

與此同時，乾隆皇帝另制定許多有關推行「國語」的獎懲規則，例如：八旗子
弟限期熟練滿語、滿文，否則嚴懲或撤職；八旗官兵不習「國語」者，不准列名保
舉；選用武職官員，必須通曉「國語」方准錄用；八旗世職承襲，「國語」列為考
核要項；現任旗務官員「國語」不堪者，令其離任、降級或解職等❿，這些補救性
措施，或多或少都達到鼓勵與警惕的作用。惟當時為遷就旗人「國語」能力衰退的
事實，以及方便行政業務的處理，大臣奏事逐漸改採滿漢合璧的形式❻；甚至傳統
上使用滿文的公文書，如刑部、理藩院奏稿，以及廷寄等，也陸續改用漢文❽，反
而成為新的不利因素。因此，乾隆朝的八旗子弟，實已「不能人人盡通國語」，即
使試圖恢復「繙譯科目，以維繫之」，然「習其業者，固不能盡通國語之輩也」，
且流於「揣侔語氣，妃儷字句」而已。❻

再從《五經》、《四書》譯本的形式來看，乾隆二十年（1755）以後刊行者，
全為滿漢合璧本，此一形式被視為具有「因漢文可以通國書，因國書可以通漢文」
的功能。❻然若與順治朝「既習滿書，即可將繙譯各樣漢書觀玩」的譯書動機相比
較，其用以瞭解漢文化的原始作用實已消失，轉為藉由滿漢合璧本的形式，勸誘習
漢書、入漢俗的子弟重拾「國書」舊業，亦即「因經義以通國書」；更退而求其
次，則只能冀望子弟通經明道而已。官方譯書改採滿漢合璧本，固然是一種不得已
的權宜方式，惟滿洲自入關以來，舉凡關係國政的冊書、誥書，乃至於皇族專有的

　科〉，頁 3170，曰：「猶不足定例六十名之數，且槍冒頂替，弊端不可究詰，……雖詔旨諄
　諄勉以國語騎射為旗人根本，而應試者終屬寥寥」。

❿ 參見滕紹箴：《清代八旗子弟》，頁 210－217。

❻ 同前註，頁 208－210。

❽ 參見孫文良、張杰、鄭川水：《清帝列傳·乾隆帝》（長春：吉林文史出版社，1993 年），
　頁 209－210。

❻ 《八旗文經》，卷 60，〈敘錄〉，頁 1。

❻ 《四庫全書總目》，卷 41，〈經部·小學類二·御定清文鑑三十二卷補編四卷總綱八卷補總
　綱二卷〉，頁 54。

宗室黃冊、覺羅紅冊、玉牒等等，皆為「兼清、漢文」[165]，歷朝鑄造的錢幣亦是如此，而被賦予「以示同文」的意義。[166]當館臣論述《欽定繙譯五經四書》的另一作用，又在於「因經義以通國書，而同文之聖化被於四方」。

清朝所謂的「同文」，康熙皇帝從兩方面加以論述，一是滿洲語文的統一[168]，一是漢文的存異求通[168]；乾隆皇帝在皇子時期撰就的〈書同文賦〉，對漢字劃一裨益治道的一面，深表推崇[169]，都是針對單一語文系統而論，仍不脫中國傳統的「書同文」的概念。迨乾隆十五年（1750）校刊《欽定同文韻統》，以字音拼合的原理，研究天竺、西番（藏）、滿、漢的語音關係[170]，〈御製序〉曰：

---

[165] 崑岡等奉敕撰：《清會典（光緒朝）》（北京：中華書局，1991 年），卷 1，〈宗人府〉，頁 1。

[166] 陳康祺：《郎潛紀聞・三筆》（北京：中華書局，1997 年），卷 10，〈本朝錢法源流〉，頁 822。

[168] 《康熙帝御製文集・第三集》，卷 20，〈序・清文鑑序〉，頁 12－13，曰：「朕仰承列祖創造之弘模，深惟國家同文之盛典，歲閱數周，彙成全帙。誦是編者，尚其體朕歷載之劬勞，因音聲以求字畫，因字畫以求文章，繼自今詔令之出納，章奏之敷陳，以及達於遐陬，勒諸琰琬者，大經大法咸有據依，一話一言式循典則，……」。

[168] 《康熙帝御製文集・第四集》，卷 22，〈序・康熙字典序〉，頁 4－6，曰：「……後儒推論，輒多同異，或所收之字繁省失中，或所引之書濫疏無準，或字有數義而不詳，或音有數切而不備，曾無善兼美具可奉為典常而不易者。朕每念經傳至博，音義繁賾，據一人之見，守一家之說，未必能會通罔缺也。爰命儒臣悉取舊籍，次第排纂，切音解義一本《說文》、《玉篇》，兼用《廣韻》、《集韻》、《韻會》、《正韻》，其餘字書一音一義之可採者，靡有遺逸。……然後古今形體之辨，方言聲氣之殊，部分班列，開卷了然，無一義之不詳，一音之不備矣。……於以昭同文之治，俾承學稽古者得以備知文字之源流，而官府吏民亦有所遵守焉」。又譚世寶，〈論清朝康、乾同文政策及其成果〉，收入閻崇年主編，《滿學研究》，第 5 輯（北京：民族出版社，2000 年），頁 358－359，認為《康熙字典》的編纂，是在存異基礎上求通的「同文」政策。惟《康熙字典》編成於康熙五十五年（1716 年），而稍早在康熙四十七年（1708 年）編定《清文鑑》時，康熙皇帝即已揭示統一語文的「同文」概念，兩者在意義上實有差異，譚氏並未予以區分。

[169] 清高宗御製：《樂善堂全集定本》，收入《清高宗（乾隆）御製詩文全集》，卷 13，〈賦・書同文賦〉，頁 10，曰：「……昭萬里之同風。……則知聖人有作，書文大同。自南自北，自西自東。光如日月之燭，遐屆舟車所通。布章程於畫一，闡治理於鴻濛」。

[170] 鄂爾泰、張廷玉等編纂：《國朝宮史》（北京：北京古籍出版社，1994 年），卷 31，〈書籍

粵自切韻字母之學興於西域，流傳中土，遂轉梵為華。而中華之字，不特與西域音韻攸殊，即用切韻之法比類乎之，音亦不備。於是有反切，有轉注，甚至有音無字，則為之空圈影附。其言浩若河漢，而其緒紛如亂絲。我國朝以十二字頭括宇宙之大文，用合聲切字，而字無遁音。華言之所未備者，合聲無不悉具，亦無不吻合。信乎同文之極則矣。**⓱**

則將「同文」的意義，擴展至不同語文系統對譯的層面。及乾隆二十四年（1759）平定準噶爾，敕纂《方略》，因纂輯諸臣不識準語、回文，遂以《欽定同文韻統》為本，「特加以各部方言，用明西域紀載之實」，「以天山北路、天山南路、準部、回部並西藏、青海等地名、人名諸門，舉凡提要，始以國書，繼以對音漢文，復繼以漢字三合切音，其蒙古、西番、托忒、回字，以次綴書。又於漢文下詳註其或為準語，或為回語」，名之曰《西域同文志》。如此一來，「凡識漢字者，莫不通其文，解其意，瞭若列眉，易若指掌」，則能「家喻戶曉，而無魚魯毫釐之失」。**⓲**換言之，透過多種文字的對譯與語音的合切，可增進內地對回疆的認識，拉近彼此的距離，也促進了文化的溝通。乾隆皇帝另舉實例加以說明，曰：

然嘗思之，天高地下，人位乎其中，是所謂實也。至於文，蓋其名耳。實無不同，文則或有殊矣。今以漢語指天則曰「天」，以國語指天則曰「阿卜喀」，以蒙古語、準語指天則曰「騰格里」，以西番語指天則曰「那木喀」，以回語指天則曰「阿思滿」。今回人指天以告漢人曰「此阿思滿」，漢人必以為非。漢人指天以告回人曰「此天」，則回人亦必以為非。此亦一

十・字學・欽定同文韻統・御製序〉，頁 611，曰：「考西番本音，溯其淵源，別其異同，為之列以圖譜，系以圖說，辨陰陽清濁於希微杳渺之間，各得其元音之所在。至變而莫能淆，至賾而不可亂。既正貝葉流傳之訛譯，即研窮字母形聲之學者，亦可探婆羅門書之窔奧而破拘墟之曲見」。

⓱　《國朝宮史》，卷31，〈書籍十・字學・欽定同文韻統・御製序〉，頁610。

⓲　《清高宗（乾隆）御製詩文全集・御製文初集》，卷12，〈序・西域同文志序〉，頁 13－14。

非也，彼亦一非也，庸詎知孰之為是乎？然仰首以望，昭昭之在上者，漢人以為「天」而敬之，回人以為「阿思滿」而敬之，是即其大同也。實既同，名亦無不同焉。達者契淵源於一是，昧者滯名象於紛殊。❸

各族的語文雖殊，然藉由「實」與「名」的辯證，語文指涉事物的本質既同，則其中必有互通之處，故而《西域同文志》蘊含的「同文」概念，又被賦予了四海一家、天下大同的深遠寓意。❹

　　乾隆皇帝本身兼通多種語文❺，在學習的過程中，也領悟到「天下之語萬殊，天下之理則一，無不戴天而履地，無不是是而非非，無不尊君上而孝父母，無不賢

---

❸　《清高宗（乾隆）御製詩文全集·御製文初集》，卷 12，〈序·西域同文志序〉，頁 14－15。

❹　相同的概念在乾隆三十八年纂成《增訂清文鑑》時，再次被強調，並延伸至乾隆四十四年（1779 年）敕撰的《滿珠蒙古漢字三合切音清文鑑》（*manju monggo nikan hergen ilan hacin i mudan acaha buleku bithe*），以及乾隆朝晚期的《四體清文鑑》（*duin hacin i hergen kamciha manju gisun i buleku bithe*）、《五體清文鑑》（*sunja hacin i hergen kamciha manju gisun i buleku bithe*），參見葉高樹：《清朝前期的文化政策》，頁 96－97。又有關《四體清文鑑》、《五體清文鑑》的敕纂時間、成書年代，以及各體《清文鑑》間的關係，由於官書記載有限，以致眾說紛紜。近年，學者根據中國第一歷史檔案館藏檔簿指出：一、乾隆四十二年（1777 年）四體、五體《清文鑑》已在編纂中。二、《五體清文鑑》成書約在乾隆五十六年（1791 年），但未大量印刷；《四體清文鑑》則遲至乾隆五十九年（1794 年）始出樣書，次年大量刻印。三、《滿珠蒙古漢字三合切音清文鑑》係由內繙書房承辦，而四體、五體《清文鑑》則因滿文《大藏經》的繙譯衍生而來，附屬於清字經館之下；且在內容形式上，三體係以切音為主，四體、五體則以注音為主，當無直接的關係，此說雖有待進一步探究，仍可供參考。參見江橋：〈乾隆御製四體、五體《清文鑑》編纂考〉，收入《滿學研究》，第 6 輯，頁 130－137。

❺　乾隆五十三年（1788 年），乾隆皇帝在〈上元鐙詞〉詩中寫道：「弗藉舌人通譯語」，句旁小注自述學習語文的經過，云：「乾隆八年，始習蒙古語；二十五年，平回部，遂習回語（維吾爾語）；四十一年，平兩金川，略習番語（大、小金川藏語）；四十五年，因班禪來謁，兼習唐古特語（藏語）。是以每歲年班，蒙古、回部、番部等到京接見，即以其語慰問，無藉通譯。……用示柔遠之意」，見《清高宗（乾隆）御製詩文全集·御製詩五集》，卷 35，〈上元鐙詞〉，頁 35。

賢人而惡小人」的道理。⑯《欽定繙譯五經四書》所謂「同文之聖化被於四方」的
觀點，即是館臣在八旗子弟「國書」本業荒疏的時代，據「天下之語萬殊，天下之
理則一」衍生而來的，極力彰顯滿洲語文作為各民族溝通基礎的地位。又乾隆皇帝
認為，語文不僅具有溝通的功能，其「文以載道」的作用，也是一種重要的統治工
具，他在嘉慶三年（1798）的〈題和闐玉筆筒‧識語〉中，寫道：

> 國家咸德覃敷，無遠弗屆，外藩屬國，歲時進至，表章率用其國文字，譯書
> 以獻。各國之書體不必同，而同我聲教，斯誠一統無外之規也。……夫疆域
> 既殊，風土亦異，各國常用之書，相沿已久，各從其便，正如五方言語嗜欲
> 之不同。所謂修其教不易其俗，齊其政不易其宜也。偶題和闐玉筆筒，因及
> 回疆文字，復思今日溥天率土，各國之書繁夥而統於一尊，視古所稱書同文
> 者，不啻過之。⑰

當旗人社會的學習風氣從「國書」趨向「經義」，朝廷的獎懲措施又無法發揮效用
時，只能改採放任的「各從其便」的態度，但「國書」所象徵的滿洲中心價值卻不
容動搖，而「同文」概念的提出，適時轉化了此一潛藏的文化危機。乾隆皇帝對
「同文」的論述，固然超越中國傳統「書同文」的層次，惟論點的提出，實為從
「因國書以通經義」到「因經義以通國書」轉變歷程中妥協的結果。

五、結　論

　　乾隆朝編修《四庫全書》，凡使用漢文以外文字撰寫的書籍，皆經轉譯，例
如：例如：小徹辰薩囊台吉在康熙元年（1662）以蒙文撰成《蒙古源流》，於乾隆
四十二年（1777）先譯為滿文（*enetkek tubet monggo han sei da sekiyen i suduri*），

---

⑯　《清高宗（乾隆）御製詩文全集‧御製文二集》，卷 17，〈序‧滿珠蒙古漢字三合切音清文
　　鑑序〉，頁 3。

⑰　《清高宗（乾隆）御製詩文全集‧御製詩餘集》，卷 18，〈題和闐玉筆筒‧識語〉，頁 10－
　　11。

再譯為漢文；允祿於乾隆十二年（1747）以滿文纂就《滿洲祭神祭天典禮》
（*manjusai wecere metere kooli bithe*），乾隆四十二年（1777）再譯為漢文，其他
同時有滿文、漢文兩種版本者，都選擇漢文本收錄。至於採用滿漢合璧形式刊布
者，又有《增訂清文鑑》、《滿珠蒙古漢字三合切音清文鑑》（*manju monggo
nikan hergen ilan hacin i mudan acaha buleku bithe*）、《遼金元三史國語解》（*dai
liyoo aisin dai yuwan ere ilan gurun i suduri de bisire gisun be suhe bithe*），以及《欽
定繙譯五經四書》等四種，惟前三者在性質上屬於「字書」，[178]不可一概而論，則
《欽定繙譯五經四書》自然有其特殊性與重要性。然而，是書雖係清朝首次完整地
將《五經》、《四書》譯成滿文並刊行之，《四庫全書》館館臣也積極地凸顯其意
義，但是乾隆五十一年（1786）敕纂、嘉慶四年（1799）校刊的《欽定八旗通
志》，論及參與此書的繙譯人員時，竟因「年遠」而「無可考」，僅知為「八旗精
繙譯者所成，與別館官書參用滿、漢人員者有別」而已[179]，實反映出滿文譯書事業
的不再受到重視與沒落的趨勢。

　　滿文繙譯的漢文典籍，尤其是《五經》、《四書》，是滿洲統治階層瞭解漢文
化的重要途徑，因順治皇帝不願見到宗室子弟讀漢書而入漢習，乃確立了「因國書
以通經義」的原則，這也是將皇太極一再強調的文化危機意識具體化的措施。康熙
朝編纂的諸經《日講解義》，雖是滿、漢文本同時進行，卻分開刊印，仍屬防止族
人子弟入漢俗的意識的延伸。降及乾隆年間，最初譯就的《御製繙譯四書》是以滿
文本刊行，乾隆二十年（1755）以後，則全為滿漢合璧本，遂進入了「因經義以通
國書」的階段，而此時的八旗子弟已趨於文弱，又熱衷科考，為了遷就此一事實，
亦不得不改採此種方式來誘導他們學習滿文。至於所通的「經義」，或是滿文譯本
漢文文本的擇定，也從順、康兩朝的知識學術取向，轉為乾隆時代的科舉教育取
向。

---

[178]　《遼金元三史國語解》在《四庫全書》的分類上，屬於「正史」，見《四庫全書總目》，卷
　　　46，〈史部二・正史類二・欽定遼金元三史國語解四十六卷〉，頁 28－30；但清朝官書亦有
　　　將之歸入「字書」者，見慶桂等編纂：《國朝宮史續編》（北京：北京古籍出版社，1994
　　　年），卷 92，〈書籍十八・字學・欽定遼金元三史國語解〉，頁 903－904。
[179]　《欽定八旗通志》，卷 120，〈藝文志・經部・繙譯五經五十八卷四書二十九卷〉，頁 4。

　　一個民族能創製屬於本民族獨有的文字，是其文化重大進展的表徵，「誠為有益無損。若本有文字而憚其難讀，欲廢彼取此，是猶苦衣冠之繁重而欲反於裸體、惡宮室之造作而欲復歸於巢穴也」[180]，滿文在發展不過百餘年的時間，卻已陷入此一困境之中。所謂「茫茫禹域，真亡國滅種之利器矣」，滿洲統治者「鑑於前代之事，滿人不求文學，惟重騎射」，「備之未嘗不周」，然「二百年間，滿人悉歸化於漢俗，數百萬之眾僉為變相之漢人」[182]，縱令諸帝積極推動保持本民族特質的種種措施，其勢仍難以挽回。鄭樵從漢文化中心的觀點出發，主張將儒家經典繙譯為域外文字，「然後周宣宣尼之書以及人面之域，所謂用夏變夷，當自此始」[183]；清朝官方繙譯《五經》、《四書》的目的絕非如此，然在從「因國書以通經義」轉變為「因經義以通國書」的過程中，即便藉由「同文」的概念加以粉飾，其結果卻趨於一致。

---

[180]　《異辭錄》，卷4，〈各民族之語言文字〉，頁226。
[182]　《異辭錄》，卷4，〈亡國滅種之利器〉，頁225。
[183]　《通志二十略》，〈七音略第一‧序〉，頁354。

經 學 研 究 論 叢
第 十 三 輯　　頁43～108
臺灣學生書局　2006 年 3 月

〈孔子詩論〉新詮

季旭昇*

　　《上海博物館藏戰國楚竹書（一）》❶（以下簡稱《上博（一）》）問世以來，舉世屬目，其中〈孔子詩論〉，尤其備受重視，學者相關論著已逾百篇，但是有關分章編聯、內容詮釋等各方面還存在著一些問題。筆者在從事《上海博物館藏戰國楚竹書（一）讀本》編纂的過程中，對竹簡編聯分章及內容詮釋，有一些與時賢不同的看法。以下本文綜合這些看法，先把分章編聯後的全文列出，然後逐條詮釋，以就教於時賢大方。

　　本文以馬承源先生的考釋為基礎，凡馬承源先生考釋已經說過的，不詳注頁數。簡的位置、長度、契口、空字等相關資料，主要參考濮茅左先生〈《孔子詩論》簡序解析〉（以下簡稱〈簡序解析〉）一文，但視情況調整。其餘各家的發明，包括筆者的鄙見，均加注說明。因為相關的文章太多，本文所見或有遺漏，如果有與鄙見相同而本文未能注意到的，敬請賜正。

　　以下本文先把重新編聯分章後的〈孔子詩論〉，用寬式隸定寫在下面，使讀者有一個全面的印象。本文把〈孔子詩論〉分成三大部分，第一部分是「總論」，其內容是總論《詩》之性質、《風》、《雅》、《頌》的性質。第二部分是「分論」，其內容是分論《頌》、《雅》、《風》各詩篇的內容，並且把性質相同的詩

---

* 　季旭昇，南臺科技大學教授。

❶ 　馬承源主編：《上海博物館藏戰國楚竹書（一）》（上海：上海古籍出版社，2001 年 11
　　月）。

篇合成一組，反覆析論。第三部分是「合論」，其內容是把《風》、《雅》合在一起，或把《風》、《雅》、《頌》合在一起討論，《風》、《雅》合論的幾簡中較多的是先《雅》後《風》；《風》、《雅》、《頌》合論的則是先《風》後《雅》再《頌》，不過，這樣的次序可能不是很嚴格的，跟〈孔子詩論〉大結構的先《頌》後《雅》再《風》的次序似乎沒有什麼太多的關聯。詳細的符號說明見第二節。

壹、〈孔子詩論〉白文

（壹）總論之部

【第一章】總論詩樂文

〔□□□□□□□□□□□〕，行此者其有不王乎？

孔子曰：「《詩》無隱志，樂無隱情，文無隱意。〔□□□□□□□□□□□□□□□□□□□〕【一】

【缺簡】

〔□□□□□□□□〕時也，文王受命矣。【二上～】

【第二章】總論頌雅風

《頌》平德也，多言後，其樂安而遲，其歌申而易，其思深而遠，至矣！《大雅》盛德也，多言〔□□□□□□者【二下】也□矣□矣。《小雅》□德〕也，多言難而怨懟者也，衰矣、少矣。《邦風》其納物也溥，觀人俗焉，大斂材焉，其言文，其聲善。孔子曰：「誰能夫〔□□□□□□□〕【三】（以上總論頌雅風之德）

〔□□□□□□□〕曰：「《詩》其猶平門！與賤民而豫之，其用心也將何如？曰：《邦風》是已。民之又感患也，上下之不和者，其用心也將何如？〔曰：《小雅》是已。□□□【四】□□□者何如？曰：《大雅》〕是已。有成功者何如？曰《訟》是已。」【五上～】（以上總論風雅頌之用心）

（貳）分論之部

【第三章】分論周頌

〈清廟〉王德也，至矣！敬宗廟之禮，以為其本；秉文之德，以為其業；「肅雝〔顯相」，以為其□；□□〕【五下】（以上為「清廟組」，屬周頌）

【第四章】分論大雅

〔□□□□□□「帝謂文王〕，懷爾明德」，曷？誠謂之也。「有命自天，命此文王」，誠命之也，信矣。孔子曰：「此命也夫。文王雖欲已，得乎？此命也。〔□□□□□□□。）」【七】（以上為「皇矣組」，屬大雅）

【第五章】分論小雅

〈十月〉善諀言。〈雨無正〉、〈節南山〉，皆言上之衰也，王公恥之。〈小旻〉多疑矣，言不中志者也。〈小宛〉其言不惡，少又仁焉。〈小弁〉、〈巧言〉，則言讒人之害也。〈伐木〉〔□□〕【八】實咎於己也。〈天保〉其得祿蔑疆矣，順寡德故也。〈祈父〉之刺亦有以也。〈黃鳥〉則困而欲反其故也，多恥者其病之乎！〈菁菁者莪〉則以人益也。〈裳裳者華〉則〔□□〕【九】（以上為「十月組」，屬小雅）

【第六章】分論國風

一、關雎組

〈關雎〉之改，〈樛木〉之時，〈漢廣〉之智，〈鵲巢〉之歸，〈甘棠〉之報，〈綠衣〉之思，〈燕燕〉之情，曷？曰：動而皆賢於其初者也。【十上～】
（以上為「關雎組」初論，屬國風）

〈關雎〉以色喻於禮〔□□□□□□□□□□〕【十下】兩矣，其四章則喻矣。以琴瑟之悅，擬好色之願。以鐘鼓之樂，〔□□□□【十四】□□□〕好，反納于禮，不亦能改乎！〈樛木〉福斯在君子，不〔亦□時乎！〈漢廣〉不求【十二】不〕可得，不攻不可能，不亦智恆乎！〈鵲巢〉出以百兩，不亦有離乎！〈甘〔棠〕□〕【十三】及其人，敬愛其樹，其報厚矣。甘棠之愛，以邵公〔也！〈綠衣〉□□□□□【十五】□□，不亦口思乎！〈燕燕〉□□□□□□□□〕情愛也！（以上為「關雎組」再論，屬國風）

〈關雎〉之改，則其思益矣。〈樛木〉之時，則以其祿也。〈漢廣〉之智，則

知不可得也。〈鵲巢〉之歸，則離者【十一】〔也。〈甘棠〉之報，則□□□〕邵公也。〈綠衣〉之憂，思古人也。〈燕燕〉之情，以其獨也。【十六上～】（以上為「關雎組」結論，屬國風）

二、葛覃組

孔子曰：吾以〈葛覃〉得祗初之詩，民性固然。見其美必欲反其本。夫葛之見歌也，則【十六下】以綌縤之故也；后稷之見貴也，則以文武之德也。吾以〈甘棠〉得宗廟之敬，民性固然。甚貴其人，必敬其位；悅其人，必好其所為；惡其人者亦然。〔□【二十四】……吾以〈柏舟〉得……民性固然，……吾以【缺簡】〈木瓜〉得〕幣帛之不可去也，民性固然。其隱志必有以喻也，其言有所載而後納，或前之而後交，人不可捍也。吾以〈杕杜〉得爵〔□□□□□□□民性固然□□□□〕【二十】（以上為「葛覃組」初論，屬國風）

〔〈葛覃〉……。〈甘棠〉……。〈柏舟〉……【缺簡】□□□□□□□□□〕因〈木瓜〉之報以喻其婉者也。〈杕杜〉則情喜其至也。【十八上～】（以上為「葛覃組」再論，屬國風）

〔〈葛覃〉□□□□□□□□□【□□□】。〈甘棠〉□□□□□□□□□□【十八下】□□。〈柏舟〉□□□□〕溺志，既曰天也，猶有怨言。〈木瓜〉有藏願而未得達也，交〔……〈杕杜〉……【十九】□□□□〕如此何？斯爵之矣，離其所愛，必曰吾奚舍之？賓贈是已。【二十七上～】（以上為「葛覃組」結論，屬國風）

三、雜篇

孔子曰：〈蟋蟀〉知難。〈螽斯〉君子。〈北風〉不絕人之怨。〈子衿〉不〔□□□□□□□□□□〕【二十七下】（以上為「蟋蟀組」，屬國風）

〔□□□□□□□□□□□□□〕〈東方未明〉有利詞。〈將仲〉之言不可不畏也。〈揚之水〉其愛婦烈。〈采葛〉之愛婦〔□□□□□□□□□〕【十七】（以上為「東方未明組」，屬國風）

（參）合論之部

【第七章】合論風雅

〔□□□□□□□□□□□□□□□□□□□□□□□□□□□□□□□〕〈鹿
鳴〉以樂始而會，以道交，見善而傚，終乎不厭人。〈兔罝〉其用人則吾取【二十
三】……（以上為「鹿鳴組」，屬風雅合論）

〔□□□□□〈君子〉陽陽〉小人。〈有兔〉不逢時。〈大田〉之卒章，知
言而有禮。〈小明〉不〔□□□□□□□□□□□□□□□□□□□□□□□□□
□□□□〕【二十五】（以上為「有兔組」，屬風雅合論）

〔□□□□□□〕忠。〈邶柏舟〉悶，〈谷風〉背。〈蓼莪〉有孝志。〈隰有
萇楚〉得而謀之也。□□□□□□□□□□□□□□□□□□□□□□
□□□【二十六】（以上為「北白舟組」。屬風雅合論）

〔□□□□□□□□□□□□□□□□□□□□□□□□□□□〕惡而不
憫。〈牆有茨〉慎密而不知言。〈青蠅〉知〔□□□□□□□□□〕【二十
八】

〔□□□□□□□□〕□患而不知人。〈涉溱〉其絕撫而士。〈角枕〉婦。
〈河水〉智〔□□□□□□□□□□□□□□□□□□□□□□□□□□□
□〕【二十九】（以上為「牆有茨組」。屬風雅合論）

【缺簡】

貴也。〈將大車〉之囂也，則以為不可如何也。〈湛露〉之益也，其猶舵與。
【二十一上〜】（以上殘存「無將大車組」，雖僅存小雅，但應屬風雅合論）

【第八章】合論風雅頌

孔子曰：〈宛丘〉吾善之，〈猗嗟〉吾喜之，〈鳲鳩〉吾信之，〈文王〉吾美
之，〈清〔廟〉吾敬之，〈烈文〉吾悅【二十一下】之，〈昊天有成命〉吾□〕
之。（以上為「宛丘組」初論，屬風雅頌合論）

〈宛丘〉曰：「洵有情」，「而無望」，吾善之。〈猗嗟〉曰：「四矢反」，
「以禦亂」，吾喜之。〈鳲鳩〉曰：「其儀一兮，心如結也」，吾信之。〈文王〉
〔曰：「文〕王在上，於昭於天」，吾美之。【二十二】〔〈清廟〉曰：「肅雝顯
相，濟＿（濟濟）〕多士，秉文之德」，吾敬之。〈烈文〉曰：「無競維人，丕顯

維德。於乎！前王不忘」，吾悅之。〈昊天有成命〉，「二后受之」，貴且顯矣，

訟〔□□□□□□□□〕【六】（以上為「宛丘組」再論，屬風雅頌合論）

　　　【缺簡】

貳、〈孔子詩論〉詮釋

　　本節先列出釋文，次列語譯，次列考釋，最後是相關的說明。

　　釋文採用窄式隸定，窄式隸定後用括號注明寬式隸定或通假字。

　　每簡的簡號寫在簡文最後，用【】注明，如果因為分段分章的關係，把同一簡拆開不連寫，會注明【某簡上】、【某簡下】，並在【某簡上】的後面加一「～」號，如【二上～】，表示這是第二簡的上半，它的下半就在後面另一段。這個符號旨在說明兩段不同的文字是書寫在同一簡上，這對考慮分章的次序很重要。加注「～」號，表示這和某些斷簡錯誤地被綴合，而又被糾正的情況不同。

　　原簡的標點符號分成三種：第一種是粗大的「▬」，橫跨整個簡寬，它往往是分篇或分章的符號。第二種是較小的「▬」，大約只佔簡寬的四分之一，它有時候是分段的符號，有時是分句的符號，有時候只是斷詞的符號。第三種是「L」，也只佔簡寬的四分之一，和「▬」的作用類似，有時「▬」符書寫時起筆先下頓後橫行，也會寫成跟「L」同形，因此第二、三兩種符號似乎很不容易區分。本文的做法是：只要看得到轉折的，我們都寫成「L」。

　　簡斷文殘，根據體例、上下文義而補字，用〔〕來表示。如果不知道缺什麼字，但是肯定知道缺一個字，就用「□」來表示，不知缺多少字則用「……」來表示。如果因為缺字而導致下引號不知道標在那裡的，下引號暫時不標。

　　根據體例，判斷應缺整簡的，則在缺簡處標【缺簡】。

　　殘簡補字，主要參考濮茅左先生的〈簡序解析〉，同時也參考《上博（一）》頁 3、4 的〈孔子詩論〉全簡圖（以下簡稱「全簡圖」），因為這兩分資料應該是目驗原簡所做的，理論上材料本身的可信度較高。因為簡上的字有大小、出土後的簡有長短縮皺，每簡所容字數不一，加上對簡文內容的理解不一樣，所以不同學者的估算不可能完全一樣，時賢推估較為合理的，本文也會斟酌後採納。

　　每支簡都應該有三個契口，容三道編繩，本文用「▼1」、「▼2」、「▼3」來表

示。契口、編繩的位置，基本上參考濮茅左〈簡序解析〉及馬承源「全簡圖」。

李學勤先生的〈分章釋文〉、李零先生的〈上博楚簡校讀記（之一）——《子羔》篇"孔子詩論"部分〉（以下簡稱〈校讀記〉）、濮茅左先生的〈簡序解析〉，最早發表在「簡帛研究網站」，其後雖然也發表在正式刊物上（見本文附「參考書目」），我們為了凸顯時間的先後，所以逕從「簡帛研究網站」引用，不注明其後出版刊物的頁碼。其餘從「簡帛研究網站」引用的文章仿此。

（壹）總論之部

【第一章】總論詩樂文

【原文】：

　　〔□□□□□□□□▼¹□□〕，行此者丌（其）又（有）不王虚（乎）■？

　　孔＝（孔子）曰：「《訔（詩）》亡（無）隱（隱）志，樂亡（無）隱（隱）▼²情，斈（文）亡（無）隱（隱）意。〔□□□□□□□□□□□□□□□▼³□□□□□□〕【一】

【缺簡】

　　〔□□□□□□□□〕▼¹寺也，文王受命矣■。【二上～】

【語譯】：

　　如果能依此（道）而行，豈有不稱王於天下的呢？

　　孔子說：《詩》沒有隱而不發的心志，樂沒有隱而不發的情感，文沒有隱而不發的意念。

　　……寺也，文王受天命了。

【考釋】：

　　「隱」，釋者多家，通貫〈孔子詩論〉全篇，我們採用李學勤先生、裘錫圭先生釋為「隱」 ❷。「意」，原簡此字下殘，上半像「言」，但下半比「言」小，

---

❷ 李學勤：〈《詩論》簡「隱」字說〉，清華大學「簡帛講讀班」第 12 次研討會論文，2000 年 10 月 19 日；李學勤：〈談《詩論》「詩無隱志」章〉，收入廖名春編：《清華簡帛研究》（北京：清華大學思想文化研究所，2002 年 3 月），第 2 輯，頁 26－28。【案】2001 年 1 月 12 日北京〈《戰國楚竹書・孔子詩論》與先秦詩學學術研討會論文。又刊載《文藝研究》

《上博（一）》隸定作「言」，李學勤先生〈上海博物藏楚竹書《詩論》分章釋
文〉（以下簡稱〈分章釋文〉）隸定作「意」，於形於義均較佳，姑從之。

「寺也，文王受命矣」在第二簡首。其下為總論《頌》、《雅》、《風》之文
字，而以「孔子曰」起句，應為另一段的敘述。因此「寺也，文王受命矣」似應屬
前一段，但前面缺什麼

【說明】：

　　馬承源先生考釋把第一簡放在「詩序」類，但又以為：

　　　　「行此者其有不王乎」，據辭文，是論述王道的，這語氣和《子羔》篇、《魯
　　　　邦大旱》篇內容不相諧合，當然也非《詩序》，由此揣測當另有內容。❸

　　李零先生〈校讀記〉以為簡 1 前半是「三王之作」部分的結尾，而不屬於「孔
子論詩」部分。其說可從。但是他認為本簡和簡 19、20、18 相承，列為第一章。
不知其根據是什麼？

　　李學勤先生〈分章釋文〉的排序是簡 7＋簡 2＋簡 3＋簡 4＋簡 5＋簡 1，把簡
1 放在〈孔子詩論〉的最後，以為「■」是章符，但是無法解釋簡 1 的總論文字為
何和簡 2、3、4 的總論文字中間會插入一段簡 5 分論〈清廟〉的文字？因此我們暫
時接受馬承源先生的看法，認為「行此者其有不王乎」是前一篇的文字，與〈孔子
詩論〉無關。〈孔子詩論〉有三個「■」符，可能是篇符，也可能是章符、段符，
本簡的「■」符，看來應該是篇符。

　　依照「全簡圖」及〈簡序解析〉，簡 1 首部可以補 11 字、尾部可以補 23 字。
因此，真正的〈孔子詩論〉似乎應該從「詩無隱志」開始。《毛詩》在一開始的
〈關雎〉篇首序之後就寫了一大段的通論性文字，比照這種模式，加上後面會談到

　　2002 年第 2 期，頁 31－33。裘錫圭：〈關於《孔子詩論》〉，中國社會科學院歷史所楚簡
　　　《詩論》學術研討會，2001 年 1 月 14 日。【案】又《國際簡帛研究通訊》第 2 卷第 3 期，
　　　2002 年 1 月，頁 1－2。
❸　《上博（一）》，頁 123。

的其它原因，我們認為簡1後半應該放在〈孔子詩論〉的卷首。

簡2首部可以補9字，「……寺也，文王受命矣」到底何所指，文殘不可知，但是本簡後半是總論性的文字，所以推測其前的話應該也是另一段總論性的文字，簡1尾部的23字加簡2首部的9字，共有32字，應該足夠補「……寺也，文王受命矣」前面的缺文了。

【第二章】總論頌雅風

【原文】：

　　《訟（頌）》坪（平）悳（德）也，多言遆（後）。丌（其）樂安而屖（遲），丌（其）▼2詞（歌）紳（申）而芴（易）乚，丌（其）思深而遠，至矣乚！《大顕（夏）》盛悳（德）也，多言▼3〔□□□□□□者【二下】也□矣□矣。《小顕（夏）》□德〕▼1也，多言難而惌（怨）退（懟）者也，衰矣、少矣。《邦風》丌（其）內（納）勿（物）也▼2專（溥），瞉（觀）人谷（俗）安（焉），大僉（斂）材安（焉），丌（其）言戈（文），丌（其）聖（聲）善。孔₌（孔子）曰：「隹（誰）能夫▼3〔□□□□□□□〕【三】（以上總論頌雅風之德）

【語譯】：

　　《頌》的內容都屬於平正的德性，常常講到「後」（後裔、後世）。它的音樂安祥而遲緩，它的歌聲舒和而平易，它的思慮深邃而幽遠，真是達到極致了。《大雅》的內容都屬於盛德，常常講到……。《小雅》的內容……，常常講到艱難及怨憤，顯示出在位者的德行衰敗、格局小了。《國風》能夠普徧地接受所有的人物，觀察各地的民俗，廣泛地彙聚人才。它的用語很有文彩，它的內容充滿了美善。孔子說：「誰能啊……」

【考釋】：

　　《訟（頌）》坪（平）悳（德）也

　　坪，早期戰國文字研究者或釋「塝」，讀為「旁」，《上博（二）·子羔》簡1：「古（故）能紿（治）天下，坪（平）萬邦。」此字當釋「坪」，讀「平」，已無可疑。平德，謂平正之德。《毛詩·商頌·那》「既和且平」傳：「平，正平

也。」《頌》的內容都是歌頌后稷、太王、王季、文王、武王等先王敬天法祖、修德慎事的典範，莊嚴平正，所以是「平德」。

多言逡

逡同後。李零先生〈校讀記〉指出：

> 「後」，今《頌》凡四見，計《周頌·雝》一，《周頌·載見》一，《周頌·小毖》一；《商頌·殷武》一。

旭昇案：《周頌》言「後」實僅三見：〈雝〉謂「燕及皇天，克昌厥後」、〈武〉謂「允文文王，克開厥後」、〈小毖〉謂「予其懲，而毖後患」。〈載見〉未見。「後」應指深思遠慮，惠及後世，「詒厥孫謀，以燕翼子」，與本簡下文所說的「其思深而遠」相應。

紳而芴

原考釋隸作「紳而芴」，謂：

> 「紳」和「芴」當指合樂歌吹之物，以此，「紳」宜讀為「壎」，「芴」則讀作「籥」。……如這個解釋可取，則《訟》之樂曲乃以壎、籥相和。❹

旭昇案：「芴」字作「芴」，從「艸」從「昜」，與「芴」完全不同，當隸作「蕩」，讀為「惕」，警惕也；或讀為「易」，平易也。「紳而蕩」謂頌的歌聲「約束而警惕」或頌的歌聲「平易而舒和」，二說皆可通。❺

〔《小顕（夏）》□德〕也，多言難而憝（怨）退（懟）者也，衰矣、少矣

「小雅□德」是原簡殘缺，據上下文義補的，空缺的字不外是「衰」、「少」之類的字眼。馬承源先生原考釋引了一支不同書手寫的簡，內容為「《少夏》亦惪

---

❹ 《上博（一）》，頁128。

❺ 參拙作：〈讀郭店、上博簡五題：舜、河滸、紳而易、牆有茨、宛丘〉，《中國文字》（臺北：藝文印書館，2001年12月），新27期，頁113－120。

之少者也」，可為本句的佐證；又指出「多言難而怨退」，與簡 8「〈雨亡正〉、〈即南山〉皆言上之衰也」同類❻。其說可從。《史記・屈原賈生列傳》云：「《小雅》怨誹而不亂。」❼與〈孔子詩論〉所論相近。

《邦風》丌（其）內（納）勿（物）也専（溥），僼（觀）人谷（俗）安（焉），大愈（斂）材安（焉）

　　本句依龐樸先生〈上博藏簡零箋（二）〉斷為「邦風，其內物也専，觀人俗焉，大僉（斂）材焉」。「専」讀「溥」。

　　內勿，讀為納物。「物」最廣義的解釋是「我」以外的萬事萬物（《郭店・性自命出》簡 12：「凡見者之謂物。」《國風》中廣泛地寫人物的悲歡離合，大量地以草木鳥獸蟲魚起興，這就是「納物也溥」；「觀人俗」就是觀察民俗，《禮記・王制》：「天子五年一巡守，……歲二月東巡守，……覲諸侯；問百年者，就見之；命大師陳詩以觀民風。」❽《漢書・藝文志》：「古有采詩之官，王者所以觀風俗、知得失、自考正也。」❾《春秋公羊傳・宣公十五年》：「男女有所怨恨，相從而歌，飢者歌其食，勞者歌其事。男年六十，女年五十，無子者，官衣食之，使之民間求詩，鄉移於邑，邑移於國，以聞於天子。故王者不出牖戶，盡知天下所苦；不下堂而知四方。」❿這就是「觀人俗」。「人俗」，李零隸作「人欲」，亦可通，但不如「人俗」直接與典籍吻合。「大斂材」，馬承源先生原考釋指廣泛地蒐集邦風佳作，李零先生〈校讀記〉謂廣泛地「彙聚人材」。二說都不是很切，但馬說就《詩經》的前段採集過程立論，李說就《詩經》的後段功能立論，李說與「觀人俗焉」較近，今從李說。

---

❻　《上博（一）》，頁 129。

❼　〔漢〕司馬遷著：《史記》（臺北：藝文印書館，據清乾隆武英殿刊本景印），頁 1004。

❽　〔漢〕戴聖編，鄭玄注，〔唐〕孔穎達疏：《十三經注疏・禮記》（臺北：藝文印書館，1979 年七版），頁 225－226。

❾　〔漢〕班固著：《漢書補注》（臺北：藝文印書館，據光緒庚春月長沙王氏校刊本景印），頁 878。

❿　〔周〕孔丘編，〔漢〕公羊壽傳，何休解詁，〔唐〕徐彥疏：《十三經注疏・公羊傳》（臺北：藝文印書館，1979 年七版），頁 208。

【說明】：

簡 2＋簡 3，幾乎所有學者都同意。照這樣的編聯，第二章第一段總論《頌》、《雅》、《風》，它的次序的確如馬承源先生原考釋所說的先《頌》次《雅》後《風》，再加上其它簡也有類似這樣的關係，因此同意馬文的編次。

第三簡和第二簡都是所謂的「留白簡」❶。第二簡談到「頌平德也」、「大雅盛德也」，第三簡談到「邦風其納物也」，那麼中間顯然缺的是「小雅□德也」，我們看大雅的句法是「大雅盛德也，多言……」，而第三簡是「……也，多言難而怨懟者也，衰矣、小矣」，句法剛好相同，而殘缺處正好可以互補。因此，我們可以把大雅補足成「大雅盛德也，多言……者也，□矣、□矣」，而小雅部分則可以補成「小雅□德也，多言難而怨懟者也，衰矣、小矣」，當然，也可能不是「□德」而是其它字眼。如果我們同意留白簡原來應該有字，據滿寫簡推估，所謂留白簡的簡 2－簡 5 的首部都應補約 9 字，尾部都應補約 8 字。李零先生〈校讀記〉以為簡 2 是留白簡，所以簡 2 後應該脫一簡：「 "多言" 下疑脫一簡，作 "□，……。《小雅》，□德"。」濮茅左先生也有類似的主張。但是，所謂的留白簡，每簡應有 40－43 字左右，我們很難想像《大雅》「多言」以下能夠有這麼長的論述！統計簡 2 和簡 3 有關論《頌》、《小雅》、《邦風》之德的文字，《頌》有 24 字、《小雅》補上「小雅□德」後為 17 字、《邦風》有 21 字，三者相加為 62 字，平均每者 21 字。如果我們不相信有所謂的留白簡，按照滿寫簡的字

---

❶ 所謂的留白簡，指《孔子詩論》簡 2 至簡 7（或包括簡 1，具體的簡是那些，學者說法又稍不同）在第一道編繩之上及第三道編繩之下都沒有字，馬承源《上博（一）》頁 122 考釋以為根據此一特微，簡 2 至簡 7 應該與其它簡要分開對待。其它學者對留白簡的態度各有不同，可以參看劉信芳《孔子詩論述學》（以下簡稱《述學》）84 至 85 頁「關于所謂留白簡」。周鳳五〈論上博《孔子詩論》竹簡留白問題〉主張所謂「留白簡」可能是抄寫後削除，「上古有將隨葬器物破壞後入葬的習俗，《孔子詩論》的所謂『留白』既然不切實用，是否反映這種習俗？值得繼續深入探究」，並主張「留白簡」都可以比照其它完簡補字，補足後整簡字數當在五十五至六十之間。旭昇案：周文對留白簡產生的原因的推測雖然還有待更強的證據，但我們仔細看《上博（一）》彩色的全簡圖，簡 2－7 的留白部分確實是削過的，加上補字斟酌的結果，本文同意周文主張本來不應該有所謂的留白簡，但對整簡字數的推詁，主要參考濮茅左〈簡序解析〉契口的位置，做更精確的計量。

數把簡 2 尾部和簡 3 頭部的缺字補上，那麼《大雅》的論述剛好是 20 字，合於前面統計的平均值。據此，我們不太相信有所謂的留白簡。

【原文】：

〔□□□□□□□□〕▼¹曰：「《訾（詩）》丌（其）猶坪（平）門▬！與戔（賤）民而豫之，丌（其）甬（用）心也牀（將）可（何）女（如）？曰：《邦▼²風》氏（是）巳（已）▬。民之又慼悆（患）也，卡＝（上下）之不和者，丌（其）甬（用）心也牀（將）可（何）女（如）？▼³〔曰：《小顕（夏）》氏（是）巳（已）。□□□【四】□□□者可（何）女（如）？曰：《大顕（夏）》〕▼¹氏（是）巳（已）。又（有）城（成）工（功）者可（何）女（如）？曰《訟》氏（是）巳（已）。」▬【五上～】（以上總論風雅頌之用心）

【語譯】：

……說：「《詩》就像是一扇平正的大門啊！要能夠和低賤的平民一起抒發苦悶，寬舒心胸，《詩》要怎麼樣用心處理？《國風》表述的就是了。人民有悲慼憂患，統治者和人民上下不和，《詩》要怎麼樣用心處理？《小雅》表述的就是了。……要怎麼處理？《大雅》表述的就是了。國家有成就有功業，要怎麼處理？《頌》表述的就是了。

【考釋】：

《訾（詩）》丌（其）猶坪（平）門▬！與戔（賤）民而豫之，曰：《邦風》是巳（已）。

坪門，讀為平門，平正的大門。

饀，字作「饀」，李零先生〈校讀記〉讀「逸」，李學勤先生〈分章釋文〉讀為「裕」。何琳儀先生〈滬簡〉釋「豫」，謂「與賤民同樂」，可從。戰國楚文字「豫」字從象、予聲，作「饀」（《包山》7）、「饀」（《包山》11），左旁所從「予」形，前者省「八」，後者增「八」。戰國楚文字「象」、「兔」、「月」在做偏旁用時，常常不易區分，但是〈孔子詩論〉此字左旁所從像「谷」其實非「谷」，曹錦炎先生〈楚簡文字中的"兔"及相關諸字〉指出楚簡字中，「谷」或「谷」旁下部「口」不作封閉形，此字偏旁作封閉形者（增一「八」形、

減一「○」形）當視為「予」形。其說可從。「豫」從予聲，羊洳切，上古音屬喻紐魚部，可以讀為「抒」（神與切，神紐魚部）、「舒」（傷魚切，審紐魚部），《國風》所述「賤民」之事，愁苦者多，藉著詩歌抒發愁苦，寬舒心胸，是即為「豫」。

「《詩》其猶平門！與賤民而豫之」，李零先生〈校讀記〉斷讀為「《詩》其猶平門歟？賤民而逸之」，李學勤先生〈分章釋文〉亦斷讀為「詩其猶平門與？戔民而裕之」，不可從。除原簡「平門」下有一斷句符「▃」外，顯然是要標示句讀外，「《詩》其猶平門」為一全稱敘述，其涵蓋範圍應包括其下所敘述的《風》、《雅》、《頌》。故讀為「猶平門歟？」下作問號者固然不對，讀為「猶平門，」下作逗點者，只涵括《國風》的也不對。

已，原考釋作「也」，廖名春先生〈上博《詩論》簡的天命論和誠論〉頁 64 指出字實是「已」，但為「也」之誤寫，因「也」、「已」兩字形近，書手常訛「也」為「已」。旭昇案：字實為「已」，即後世之「已」，「已」本由「已」字分化。本簡讀「已」不誤，作歎詞用時大約相當於「矣」，有表完成的意味，與「也」字表肯定意味稍有不同。簡文以下同樣「也」字誤為「已」字的錯誤，本文逕予訂正，不再加注。

【說明】：

簡 4 後接簡 5，學者多無異議。第四簡中段談到「其用心也將何如？曰：《邦風》是已」，簡末談到「其用心也將何如」，顯然下缺的是「曰：《小雅》是已」。第五簡一開始說「是也，有成功者何如？曰：《頌》是已」，詮釋方式一致，所以在簡 4、5 之間顯然應該補上有關《大雅》的論述，字數大約 17 個字。李零先生〈校讀記〉以為簡 4「後面疑脫一簡，作"曰《小雅》是也。……其用心將何如？《大雅》"」；濮茅左先生〈簡序解析〉的看法也大致相同，理由應該是簡 4、5 都是所謂的留白簡，不得視為殘文，但文句未完，因此只能以缺簡來處理。旭昇案：本段所論述的《邦風》有 18 字、《小雅》（加上補字）有 23 字、《頌》有 10 字，三者相加為 51 字，平均每一部分是 17 字。所謂的留白簡每簡約 43 字，如果簡 4 後面缺一留白簡，那麼它應該要寫大約 43 字，我們很難想為什麼《大雅》的論述會比其它三者多這麼多？但是，如果我們依照滿寫簡補字，簡 4 尾部應

補 8 字，屬於《大雅》的有 3 字，簡 5 頭部應補 9 字，再加上「氏巳」2 字，《大雅》共有 14 字，比前面計算的平均值 17 字少一點，但是比《頌》的 10 字多一點，看起來似乎比較合理。所以我們認為簡 4、5 的所謂留白簡原來應該和滿寫簡一樣是有字的，簡 4 之後比照滿寫簡補字即可❷。

（貳）分論之部

【第三章】分論周頌

【原文】：

〈清宙（廟）〉王悳（德）也▬，至矣。▼2 敬宗宙（廟）之豊（禮），呂（以）為丌（其）査（本）；「秉昃（文）之悳（德）」，呂（以）為丌（其）鰈（業）▬；「肅售（雝）▼3〔顯相〕，呂（以）為丌（其）□；□□〕【五下】

（以上為「清廟組」，屬周頌）

【語譯】：

〈清廟〉寫的是周王的德業，真是至高無上啊。恭敬地遵守宗廟之禮，作為周王室立國的根本；「秉承文王的德性」，作為周王室繼起的事業；「助祭的公卿肅敬雝和」，作為周王室……

【考釋】：

呂（以）為丌（其）鰈（業）

鰈，與《說文》「業」字古文「䇂」同形。以為其業，意思是作為周王室繼起的事業，與「敬宗廟之禮以為其本」、「肅雝顯相，以為其□」應該是三句排比的句法。此字學者或只著眼於與「本」相對，破讀為「質」，則「本」、「質」似嫌同義；或破讀為「蘖（樹木斬而復生的枝條）」，與「本（樹根）」相對時又嫌太小，尤其無法顯示出前後三句對比相承的意義。

【說明】：

肅雝顯相，為《周頌・清廟》的句子，「顯相」二字據李學勤先生〈分章釋文〉補。其後的「以為其□」是我們比照前面的句法補的。本簡也是留白簡，所以

---

❷　因此本文簡 4 的補字，贊成周鳳五〈《孔子詩論》新釋文及注解〉（以下簡稱〈新釋文及注解〉），但個別的字稍有不同。

李零先生〈校讀記〉在簡 5 之後沒有補空格，而是以為其後脫一整簡：「"蕭雍"
以下疑脫一簡，作"顯相。……'帝謂文'。」濮茅左先生〈簡序解析〉也主張缺
一簡。理由一樣因為簡 5 是留白簡無法補字，只好補簡。周鳳五先生〈新釋文及注
解〉補作「顯相□□□□□□」。我們不贊成有所謂的留白簡，所以在簡 5 的尾
部補了 8 字。其後應綴那一支簡，或有無缺簡，都無可考。

【第四章】分論大雅

【原文】：

〔□□□□□□□「帝謂▼¹ 文王〕，裹（懷）尒（爾）絫（明）悳
（德）」，害（曷）？城（誠）胃（謂）之也。「又（有）命自天，命此文
王」，城（誠）▼² 命之也▁，信矣▁。孔₌（孔子）曰：「此命也夫▁。文王隹
（雖）谷（欲）巳（已），尋（得）虍（乎）？此命也。▼³〔□□□□□□
□。〕」【七】（以上為「皇矣組」，屬大雅）

【語譯】：

……《大雅・皇矣》：「上帝告訴文王：『我給你光明之德。』」為什麼？那
是真的告訴文王啊！《大雅・大明》：「上天有命，要賜天命給文王。」那是真的
要賜天命給文王啊！真是可信啊！孔子說：「這是天命啊！文王雖然想要得到天
命，（但是天命還沒有到的時候，）他能得到嗎？這是天命啊！……

【考釋】：

〔帝謂文王〕，裹（懷）尒（爾）絫（明）悳（德）

「帝謂文王」四字原簡殘，據今本《毛詩》補。《毛詩・大雅・皇矣》作「帝
謂文王，予懷明德，不大聲以色，不長夏以革，不識不知，順帝之則」，毛傳：
「懷，歸也。不大聲見於色。革，更也，不以長大有所更。」鄭箋：「夏，諸夏
也。天之言云：我歸人君有光明之德，而不虛廣言語以外作容貌，不長諸夏以變更
王法者，其為人不識古、不知今，順天之法而行之者，此言天之道尚誠實，貴性自
然。」⓭二家對第三句以下的解釋不同，其它各家還有別的說法。但根據上下文，

⓭　〔漢〕毛亨傳，鄭玄箋，〔唐〕孔穎達疏：《十三經注疏・詩經》（臺北：藝文印書館，
　　1979 年七版），頁 573。

義，毛傳其實已經可以說通了。意思是：「上帝告訴文王，我要給你光明的德行，你不要大聲見於臉色，不要長大後就改變德行，你不必另外謀求什麼，只要順著上帝給你的明德去做就可以了。」懷，上古音屬匣紐微部；歸，見紐微部，二字聲近韻同，可以通假。歸，是饋贈的意思。

　　本簡本句作「懷爾明德」，與《毛詩》「予懷明德」有一字之差，李學勤先生〈分章釋文〉根據在這兒補了「帝謂文王，予」五個字；龐樸先生〈上博藏簡零箋（一）〉以為簡本「懷爾明德」是對的，今本《毛詩》「予懷明德」乃係當年抄寫錯誤。旭昇案：其實簡本、今本的句子都說得通，我們參酌《大雅》的句式，只補「帝謂文王」四個字。

又（有）命自天，命此文王

　　今本《毛詩·大雅·大明》：「有命自天，命此文王，于周于京。纘女維莘，長子維行。篤生武王，保右命爾，燮伐大商。」[14]簡本雖然只引兩句，但意思是一樣的，都是強調上帝降天命於文王。

文王隹（雖）谷（欲）巳（已），尋（得）虖（乎）？此命也。

　　馬承源先生原考釋隸定作：「文王隹（唯）谷（裕）也，得虖（乎）？此命也。」他在「得乎」後面加的是問號，顯然認為這是個問句；但是隸定之後的考釋又說：「得乎，即得到天命。」顯然又變成肯定句，前後似有矛盾。

　　李零先生〈校讀記〉隸作「文王唯欲也，得乎此命也」；李學勤先生〈校讀記〉隸作「文王雖谷（欲）也，得乎？此命也」；劉樂賢先生〈讀上博簡札記〉指出「隹」下一字不是「也」，實當是「巳」，隸作「文王雖欲巳，得乎」。旭昇案：劉樂賢先生指出「也」當為「巳」，甚是，「巳」字作句末語氣詞使用時通「矣」，應該有表完成的意味，因此我們贊成劉樂賢先生的釋讀。全句是說：「文王縱然想要，（但是天命還沒有到的時候，）就一定能得到嗎？這是天命啊！」這種觀念和後來的孟子似乎有點距離，孟子說「得天下有道：得其民，斯得天下矣」、「修其天爵，而人爵從之」，比較強調「操之在我」；而孔子此處似乎帶有

---

[14] 〔漢〕毛亨傳，鄭玄箋，〔唐〕孔穎達疏：《十三經注疏·詩經》（臺北：藝文印書館，1979年七版），頁542-543。

修身養性之外還要聽天命的味道，孔子常說「五十而知天命」、「道之將行也與？命也。道之將廢也與？命也」、「不知命，無以為君子也」，這和《上博（二）·魯邦大旱》子貢評孔子說：「繄吾子乃重命，其歟！」所表現孔子「重天命」的形象是一致的。

【說明】：

　　本簡有些學者認為是所謂的「留白簡」，有些學者不認為是。依簡位，簡首大約可以補 11 字（超過留白簡的 9 個字的長度），簡尾大約可以補 8 字。李學勤先生〈分章釋文〉在簡首補了「帝謂文王，予」5 字（顯然不認為它是留白簡）；周鳳五先生〈新釋文及注解〉補「□□□□□□□『帝謂文王』」。李文所補「予」字，是受了今本《毛詩》作「帝謂文王，予懷明德」的影響。但是，「帝謂文王」的主語本來就是「帝」，「懷爾明德」的主語承上，當然也是「帝」，所以不必補「予」；何況本簡下半引〈文王〉的句法也是四字句，所以我們在簡首只補可以確定的「帝謂文王」4 個字，其餘簡首簡尾不確定什麼字的，都用「□」來表示。本簡純論《大雅》，所以姑且歸為「大雅皇矣組」。從內容看來，本簡上下都應該還有字，但缺多少字、多少簡，不得而知，又不能和其它簡拼合，所以我們不在前後加注「缺簡」。

【第五章】分論小雅

【原文】：

　　〈十月〉善諀言▬。〈雨亡（無）政〉▬、〈即（節）▼¹ 南山〉，皆言上之衰也，王公恥之。〈少（小）旻（旻）〉多疑_（疑矣），言不中志▼² 者也。〈少（小）扁（宛）〉丌（其）言不亞（惡），少又怎（仁）安（焉）▬。〈少（小）叀（弁）〉、〈考（巧）言〉，則言讒（讒）▼³ 人之害也╚。〈伐木〉〔□□〕【八】實咎於其（己）也▬。〈天保〉丌（其）夏（得）▼¹ 彔（祿）蔑畺（疆）矣，巽（順）寡（寡）悳（德）古（故）也╚。〈諄（祈）父〉之賕（責／刺）亦又（有）呂（以）也╚。〈黃鄘（鳥）〉▼² 則困而谷（欲）反丌（其）古（故）也，多恥者丌（其）忞（病）之虖（乎）？〈鯖_（菁菁）者莪〉則呂（以）人▼³ 嗌（益）也。〈裳_（裳裳）者芋（華）〉則〔□□〕【九】（以

上為「十月組」，屬小雅）

【語譯】：

　　〈十月之交〉善於批評。〈雨無正〉、〈節南山〉，都說的是在上位者的德行衰壞，王公引以為恥。〈小旻〉寫在上位者多疑，覺得別人的建言都不合他的心意。〈小宛〉的話不壞，可以算稍微接近「仁」了。〈小弁〉、〈巧言〉，說的是讒人的為害。〈伐木〉……實際是歸咎於自己。〈天保〉得祿無疆，因為君王能順服上天所要求的君王之德的緣故啊！〈祈父〉詩的刺責，是有原因的啊！〈黃鳥〉是在外地受困而想要返回故國的詩，詩中充滿了恥辱之感，那是知恥知病啊！〈菁菁者莪〉則是因為注重人才培育而得到好處。〈裳裳者華〉則……。

【考釋】：

〈十月〉善諀言

　　〈十月〉，今本《毛詩》作〈十月之交〉。《廣雅・釋詁》：「諀，訾也。」《毛詩・小雅・十月之交・序》：「大夫刺幽王也。」❶⑤詩中有「日有食之，亦孔之醜」、「四國無政，不用其良」、「無罪無辜，讒口囂囂」、「下民之孽，匪降自天」，皆訾訴之言。

〈少（小）扁（宛）〉丌（其）言不亞（惡），少又秊（仁）安（焉）

　　扁，從三舃，下二舃省「口」形，讀同「舃」，「舃」（烏縣切）上古音屬影紐元部、「宛」（於阮切）上古音屬影紐元部，二字聲韻畢同。故〈小扁〉即〈小宛〉。❶⑥「秊」，上從「年」聲，同樣寫法的「年」又見《郭店・緇衣》簡 12，其「禾」形末筆向右下轉彎，與「禾」字末筆下垂（如同篇簡 31「隖」字所從）者不同。此字應讀為後世什麼字，學者意見不一，李零先生〈校讀記〉讀為「佞」、李學勤先生〈分章釋文〉括號讀「仁」、周鳳五先生〈《孔子詩論》新釋文及注解〉（以下簡稱〈新釋文及注解〉）讀為「危」、何琳儀先生〈滬簡詩論選

❶⑤　〔漢〕毛亨傳，鄭玄箋，〔唐〕孔穎達疏：《十三經注疏・詩經》（臺北：藝文印書館，1979 年七版），頁 405。

❶⑥　參拙作：〈由上博詩論「小宛」談楚簡中幾個等殊的從舃的字〉，《漢學研究》20 卷 2 期（2002 年 12 月），頁 377－397。

釋〉（以下簡稱〈滬簡〉）讀「仁」。旭昇案：「佞」、「危」都是負面的評語，本詩前句說「其言不惡」，後面用正面評語的「仁」，似乎比較合適。「年」（奴顛切），上古音屬泥紐真部；「仁」（如鄰切），上古音屬日紐真部，娘日古歸泥，二字上古音幾乎同音，因此從「年」聲的「怎」可以讀為「仁」。

《毛詩・小雅・小宛・序》：「大夫刺幽王也。」❶詩旨與〈十月之交〉、〈雨無正〉、〈節南山〉同屬刺幽王，但詩中用語卻很正面，如「各敬爾儀，天命不又」、「夙興夜寐，毋忝爾所生」、「戰戰兢兢，如履薄冰」，因此孔子評為「其言不惡，小有仁焉。」孔子不輕許人以仁，《論語・公冶長》篇寫到孟武伯問諸弟子「仁乎」，孔子都說「不知其仁也」；對群弟子的評語，顏回是「其心三月不違仁」，其他人是「日月至焉而已矣」，因此評本篇「小有仁焉」，算是給予很高的評價。

〈伐木〉□□□實咎於其（己）也

實，學者或以為當為「貴」。旭昇案：此字作「𧴪」，與《金文編》1198 號所收西周金文欮簋「實」字作「𧴪」、信陽簡 2.09 作「𧴪」者形近；本篇簡 21「貴」字作「𧴪」，二形相去甚遠。是本簡此字當釋「實」，不釋「貴」。

其，胡平生先生以為當讀「己」：「此句中之"其"，不寫做楚文字通常的"亓"形，或當讀如"己"。己，上古音是見母之字，其是群母之部字，聲音相近。」❷釋義可從。

巽（順）𡪢（寡）悳（德）古（故）也

馬承源先生原考釋斷為「巽𡪢，悳古也」，釋云：「讀為『饌寡，德故也。』詩句云：『吉蠲為饎，是用孝享。』……『饌寡』是說孝享的酒食不多，但守德如舊。」旭昇案：此句各家的說法意見還不一致，主要是「𡪢」字的意義還不能肯定。周鳳五先生〈新釋文及注解〉主張「寡德」即「寡君之德」，可從，唯釋「寡

---

❶ 〔漢〕毛亨傳，鄭玄箋，〔唐〕孔穎達疏：《十三經注疏・詩經》（臺北：藝文印書館，1979 年七版），頁 419。

❷ 胡平生：〈讀上博藏戰國楚竹書《詩論》札記〉，《上博館藏戰國楚竹書研究》（上海：上海書店，2002 年 3 月），頁 277－288。

德」前一字為「贊」，可商。全句謂「能順從君王應有的德行的緣故啊」。

　　《老子》三十章：「貴以賤為本，高以下為基。是以侯王自謂孤、寡、不
穀。」《毛詩・邶・燕燕》：「先君之思，以勗寡人。」鄭《箋》：「寡人，莊姜
自謂也。」⑲「寡德」的用法可能與以上這些材料相近。

〈誶（祈）父〉之㻇（責／刺）亦又（有）弖（以）也

　　馬承源先生原考釋謂〈誶父〉即〈祈父〉，「祈」之作「誶」，也有可能是傳
抄之誤。劉樂賢先生〈讀上博簡劄記〉指出：「誶、祈聲紐不近，似不能通假。從
甲骨、金文至秦漢簡帛文字，衣、卒二字常相混，此字可能是從衣得聲。衣字古音
微部影紐，祈字微部群紐，讀音接近。」其說可從。

　　㻇，李零先生〈校讀記〉以為當讀為「刺」。旭昇案：隸定當作「責」，但
刺、責俱從「朿」聲，義亦相近，實為同源詞。上對下為責，下對上為刺，此處為
下對上，自以讀刺為更合適。《毛詩・小雅・祈父・序》：「祈父，刺宣王也。」⑳

　　「亦有以也」，謂「也有原因的啊」！以，甲骨文本作「ㄅ」，從人提挈某
物，因此有提挈、帶領之意㉑，引伸為「用」，再引伸則為「因」，《毛詩・邶
風・旄丘》：「何其久也，必有以也」，朱熹《詩集傳》：「以，他故也。」㉒

〈黃䳑（鳥）〉則困而谷（欲）反丌（其）古（故）也，多恥者丌（其）忞
（病）之虍（乎）

　　〈黃䳑〉，學者都同意即《小雅・黃鳥》篇。鳥字寫作「䳑」，跟簡 23「鹿
鳴」的「鳴」同形，應該是多寫了一個「口」旁。忞，從心、方聲，李零先生〈校
讀記〉讀為「病」，可從。楚簡「病」字作「疠」㉓，從疒、方聲，本簡作
「忞」，可能是書寫者覺得這兒表示的是一種心裡知恥知病的狀態，所以改換義符

---

⑲　〔漢〕毛亨傳，鄭玄箋，〔唐〕孔穎達疏：《十三經注疏・詩經》（臺北：藝文印書館，
　　1979 年七版），頁 78。

⑳　〔漢〕毛亨傳，鄭玄箋，〔唐〕孔穎達疏：《十三經注疏・詩經》（臺北：藝文印書館，
　　1979 年七版），頁 377。

㉑　參裘錫圭：〈說以〉，《古文字論集》（北京：中華書局，1992 年 1 版），頁 106－110。

㉒　〔宋〕朱熹：《詩集傳》（臺北：臺灣中華書局，1970 年臺 3 版），頁 23。

㉓　參湯餘惠主編：《戰國文字編》（福州：福建人民出版社，2001 年 1 版），頁 519。

吧！

〈䖒_（菁菁）者莪〉則吕（以）人嗌（益）也

　　〈菁菁者莪〉，《毛詩・小雅・菁菁者莪・序》以為：「樂育才也。君子能長育人才，則天下喜樂之矣！」詩之三章云：「菁菁者莪，在彼中陵，既見君子，錫我百朋。」❷我曾在一篇文章中指出：「整個商、周兩代，賜貝大約有一四五件，而賞賜貝能有五十朋以上的不過八件，賞賜百朋的不過四件，這豈是朋友相見、或平常學士所能獲得的呢？」❷因此，本詩是寫一位對國家有重要貢獻的高級貴族得到天子隆重賞賜的作品，這就是國家平時重視「長育人才」，才能得到人才之益。

〈㦸_（裳裳）者芋（華）〉則〔□□〕

　　〈裳裳者華〉，見今本《毛詩・小雅・甫田之什》，《序》云：「〈裳裳者華〉，刺幽王也。古之仕者世祿，小人在位則讒諂並進，棄賢者之類，絕功臣之世焉。」❷簡文下殘，所述與《毛詩》之異同不可知。

【說明】：

　　除了少數學者之外，絕大部分學者都同意先簡 8 後簡 9，簡 8 的最後可能殘 3字、簡 9 的最後可能殘 2 字。雖然簡 8 與簡 9 未必完全銜接，但是我們同意這個排序，因為簡 8 後簡 9 都是分論《小雅》的論述，而簡 8 很明顯地是一個敘述的開始，簡 9 則前面顯然應該還有字，所以簡 8 應該在前面。而且簡 8 最後說到〈伐木〉，簡 9 一開始說到〈天保〉，今本《毛詩》這兩篇正好前後相連，所以簡 8 可與簡 9 相接。

　　【第六章】分論國風

　　一、關雎組

【原文】：

---

❷　〔漢〕毛亨傳，鄭玄箋，〔唐〕孔穎達疏：《十三經注疏・詩經》（臺北：藝文印書館，1979 年七版），頁 353。

❷　參拙作：《詩經古義新證》（臺北：文史哲出版社，1995 年增訂版），頁 298。

❷　〔漢〕毛亨傳，鄭玄箋，〔唐〕孔穎達疏：《十三經注疏・詩經》（臺北：藝文印書館，1979 年七版），頁 479。

　　〈雎（關）疋（雎）〉之改▬，〈梂（樛）木〉之旹（時）▬，〈灘（漢）▼1生（往／廣）〉之智（智）▃，〈鵲樔（巢）〉之逗（歸）▃，〈甘棠〉之保（報）▃，〈綠衣〉之思，〈嬰=（燕燕）〉之情▃，▼2害（曷）？曰：童（動）而皆臤（賢）於丌（其）初者也▃。【十上～】（以上為「關雎組」初論，屬國風）

　　〈雎（關）疋（雎）〉吕（以）色俞（喻）於豊（禮）〔□□▼3□□□□□□□〕【十下】

　　兩矣▬，丌（其）四章則俞（喻）矣▃。▼1以蚤（琴）祈（瑟）之敓（悅），惎（擬）好色之㤅（願）；吕（以）鐘鼓之樂，〔□□□□〕▼2【十四】□□□好，反內（納）于豊（禮），不亦能改虙（乎）▬？〈梂（樛）木〉福斯（斯）才（在）孯=（君子），不▼3〔亦□時乎！〈漢廣〉不求【十二】不〕可叀（得），不攴（攻）不可能，▼1不亦智（智）互（恆）虙（乎）▬！〈鵲樔（巢）〉出吕（以）百兩，不亦又邎（離）虙（乎）▃！〈甘[棠]□〕▼2【十三】及丌（其）人，敬蟁（愛）丌（其）査（樹），丌（其）保（報）厚矣▬。甘棠之蟁（愛），吕（以）邵公〔也▼3。〈綠衣〉□□□□□【十五】

　　□□，不亦□思乎！〈燕燕〉▼1□□□□□□□□〕青（情）蟁（愛）也▬。（以上為「關雎組」再論，屬國風）

　　〈雎（關）疋（雎）〉之改，則丌（其）思賹（益）▼2矣▃。〈梂（樛）木〉之旹（時），則吕（以）丌（其）彔（祿）也▬。〈灘（漢）坒（往／廣）〉之智（智），則智（知）不可叀（得）▼3也。〈鵲樔（巢）〉之逗（歸），則邎（離）者【十一】〔也。〈甘棠〉之保（報），則□□□〕邵▼1公也▬。〈綠衣〉之憂，思古人也▬。〈嬰=（燕燕）〉之情，吕（以）丌（其）蜀（獨）也▬。【十六上～】（以上為「關雎組」結論，屬國風）

【語譯】：

　　〈關雎〉的「改」，〈樛木〉的「時」、〈漢廣〉的「智」、〈鵲巢〉的「歸」、〈甘棠〉的「報」、〈綠衣〉的「思」、〈燕燕〉的「情」，它們的可貴之處是什麼呢？那就是：在心意發動之後，都能比心意初起時更好。

　　〈關雎〉能夠以對美色的喜好來說明對禮的重視。……兩矣。〈關雎〉詩的第四（含第五）章說得很明白了，能夠把對琴瑟（鐘鼓）的喜愛比擬成喜好美色的願

望；能夠把對鐘鼓的愛好……好，能夠由對美色的喜愛回歸到對禮的重視，這不就是能「改」嗎！〈樛木〉篇福祿在君子，不就是……嗎！〈漢廣〉篇不去強求不可能得到的，這不就是懂得守常之道嗎！〈鵲巢〉知道迎以百兩、出以百兩，不但家世要相當，德行修養也要相當，這不就是儷偶之道嗎！〈甘棠〉……及於其人，因而敬愛邵公所憩息過的樹，這樣的報恩之心是很溫厚的。對甘棠樹的愛護，是因為邵公的緣故啊！〈綠衣〉……！〈燕燕〉……情愛啊！

　　〈關雎〉所呈顯的「改」，這樣的思想是很有益的。我們怎樣知道〈樛木〉的「時」呢？那是以君子的「福履（祿）綏之」而知道的啊！〈漢廣〉的「智」，是知道什麼是他不可能得到的。〈鵲巢〉的「歸」，是懂得儷偶對等之道。〈甘棠〉的「報」，是……邵公啊！〈綠衣〉的憂，是「思」古人啊！〈燕燕〉的「情」，是因為主角從此要孤獨了。

【考釋】：

〈闗（關）疋（雎）〉之改

　　改，學者看法有較大的差異。馬承源先生原考釋以為：「與『改』非為一字，……《關雎》是賀新婚之詩，當讀為『怡』，……指新人心中的喜悅。」李零先生〈校讀記〉讀為「妃」；李學勤先生〈分章釋文〉隸為「改」；周鳳五先生〈新釋文及注解〉釋為「嬰」；饒宗頤〈竹書《詩序》小箋〉讀為「㠯」。其實，從甲骨文以來，「改」字本來就從巳從攴，此字釋為「改」，字形上毫無疑問。學者意見所以會有分歧，主要是〈孔子詩論〉剛出來，分章編聯還不夠理想，對於孔子評論各詩的重點，學者看法不同，因此影響了對文字的理解。等到「關雎組」的論述完全弄清楚之後，〈關雎〉「以色喻於禮」、「以琴瑟之悅擬好色之願」，也就是「改」，應該是很肯定了。

〈梂（樛）木〉之㫳（時）

　　時，鄭玉姍〈孔子詩論譯釋〉以為當釋「善」，《毛詩·小雅·頍弁》傳：「時，善也。」❷❼〈樛木〉乃是稱頌君子之德美善，而能多福祿之詩。❷❽其說可

---

❷❼　〔漢〕毛亨傳，鄭玄箋，〔唐〕孔穎達疏：《十三經注疏·詩經》（臺北：藝文印書館，1979 年七版），頁 483。

從。《毛詩・周南・樛木・序》：「后妃逮下也。言能逮下而無嫉妒之心焉」㉙與〈孔子詩論〉同樣都強調善，「逮下而無嫉妒之心」是一種修養得來的工夫。

〈灘（漢）圭（往／廣）〉之瞀（智）

《毛詩・周南・漢廣・序》：「漢廣，德廣所及也。文王之道，被于南國，美化行乎江漢之域，無思犯禮，求而不可得也。」㉚詩中男主角見到愛慕的游女，知道不可求，無思犯禮，理智戰勝了情感，這就是一種「克己復禮」的修養工夫。

〈鵲樔（巢）〉之逗（歸）

逗，歸的異體，女子謂嫁曰歸。《毛詩・召南・鵲巢・序》：「鵲巢，夫人之德也。國君積行累功以致爵位，夫人起家而居有之。德如鳲鳩乃可以配焉。」㉛女子離開父母之家，要到一個全新的夫家，有專靜純一之德，修身齊家之行，才能打造一個完美的家（貴族之家）。這必需日日夜夜，持敬不懈才做得到，這不就是「動而皆賢於其初」嗎！由此看來，有關本詩《毛詩・序》的論調和〈孔子詩論〉的觀點是一致的；如果只從女子出嫁來談〈鵲巢〉，這首詩就沒有太深的意義了。

〈甘棠〉之保（報）

《毛詩・召南・甘棠・序》：「甘棠，美召伯也。召伯之教，明於南國。」鄭箋：「召伯姬姓，名奭，食采於召，作上公，為二伯，後封於燕。」㉜據此，本詩的召伯是指西周早期的召公奭，而不是西周晚期的召伯虎，〈孔子詩論〉簡 15：「甘棠之愛，以邵公……。」可為明證。我曾在《詩經古義新證・召南甘棠「召

㉘　鄭玉姍〈孔子詩論譯釋〉，見季旭昇主編：《《上海博物館藏戰國楚竹書》（一）讀本》，預計由萬卷樓圖書公司出版，2004。

㉙　〔漢〕毛亨傳，鄭玄箋，〔唐〕孔穎達疏：《十三經注疏・詩經》（臺北：藝文印書館，1979 年七版），頁 35。

㉚　〔漢〕毛亨傳，鄭玄箋，〔唐〕孔穎達疏：《十三經注疏・詩經》（臺北：藝文印書館，1979 年七版），頁 41。

㉛　〔漢〕毛亨傳，鄭玄箋，〔唐〕孔穎達疏：《十三經注疏・詩經》（臺北：藝文印書館，1979 年七版），頁 45。

㉜　〔漢〕毛亨傳，鄭玄箋，〔唐〕孔穎達疏：《十三經注疏・詩經》（臺北：藝文印書館，1979 年七版），頁 54。

伯」古義新證》中引銅器克盨、克盉說明本詩的召伯即召公奭**㉝**，現在又得到〈孔子詩論〉的證明，本詩的召伯即召公奭，已經完全沒有疑問了。召南人民感念召公之恩德，於是敬愛其位，敬愛其樹，民德乃能日歸於厚。

〈綠衣〉之思

《毛詩・邶風・綠衣・序》：「綠衣，莊姜傷己也。妾上僭，夫人失位而作是詩也。」鄭箋：「綠當為褖。……莊姜，莊公夫人，齊女，姓姜氏。妾上僭者，謂州吁之母，母嬖而州吁驕。」釋文：「綠，毛如字。東方之間色也。鄭改作褖。」**㉞**《詩序》說詩旨與〈孔子詩論〉可以相合。本詩寫夫人傷妾上僭，破壞倫理秩序，因思古人重視修身齊家之道，倫理秩序井然。世人若能以此為戒，則可以「俾無訧兮」。

綠，鄭箋改作褖，其實是沒有必要的。《左傳・成公九年》：「穆姜出于房，再拜，……又賦〈綠衣〉之卒章而入。」**㉟**與〈孔子詩論〉同樣都做「綠」，不做「褖」。

〈䳒＝（燕燕）〉之情

《毛詩・邶風・燕燕・序》：「燕燕，莊姜送歸姜也。」鄭箋：「莊姜無子，陳女戴媯生子名完，莊姜以為己子。莊公薨，完立，而州吁殺之，戴媯於是大歸，莊姜遠送之于野，作詩見己志。」**㊱**後世學者或據《史記・衛康叔世家》，以為戴媯生子「完」，其後過世，莊公令莊姜以「完」為己子，因而認為莊公薨時，戴媯早已去世，莊姜怎能送戴媯？因而懷疑鄭箋之說不可信。其實，這個質疑，孔穎達在《毛詩・邶風・燕燕・正義》中已經解釋過了：「〈衛世家〉云：『莊公娶齊女

㉝ 拙作：《詩經古義新證・召南甘棠「召伯」古義新證》（臺北：文史哲出版社，1995 年增訂版），頁 28。

㉞ 〔漢〕毛亨傳，鄭玄箋，〔唐〕孔穎達疏：《十三經注疏・詩經》（臺北：藝文印書館，1979 年七版），頁 75。

㉟ 〔周〕左丘明傳，〔晉〕杜預注，〔唐〕孔穎達疏：《十三經注疏・左傳》（臺北：藝文印書館，1979 年七版），頁 448。

㊱ 〔漢〕毛亨傳，鄭玄箋，〔唐〕孔穎達疏：《十三經注疏・詩經》（臺北：藝文印書館，1979 年七版），頁 77。

為夫人，而無子。又娶陳女為夫人，生子，早死。陳女女娣亦幸於莊公，而生子完。完母死，莊公命夫人齊女子之，立為太子。』禮：『諸侯不再娶。』且莊姜仍在，《左傳》唯言又娶於陳，不言為夫人。〈世家〉云『又娶陳女為夫人』，非也。《左傳》唯言戴媯生桓公，莊姜養之以為己子，不言其死。云『完母死』，亦非也。」❸旭昇案：《左傳‧隱公三年》：「衛莊公娶于齊東宮得臣之妹，曰莊姜，美而無子，衛人所為賦碩人也。又娶于陳，曰厲媯，生孝伯，早死。其娣戴媯，生桓公，莊姜以為己子。公子州吁，嬖人之子也，有寵而好兵，公弗禁，莊姜惡之。」❸而《史記‧衛世家》則云：「莊公五年，取齊女為夫人，好而無子。又取陳女為夫人，生子，蚤死。陳女女弟亦幸於莊公，而生子完。完母死，莊公命夫人齊女子之，立為太子。」❸二說確有不同。《左傳》比《史記》早，我們沒有理由一定相信較晚的《史記》，而不信較早的《左傳》。而且在邏輯上來說，《毛詩‧序》如果跟《史記》一樣是西漢早期的作品，我們也沒有理由相信《史記》（《史記》中因為種種原因，有不少錯誤，這是大家所熟知的），不相信《毛詩‧序》；如果《毛詩‧序》不是西漢早期的作品，那麼《毛詩‧序》的作者應該見過《史記》，沒有理由和《史記》相矛盾。現在〈孔子詩論〉出來了，我們看到孔子把〈燕燕〉和其它六篇詩放在一起，作為「動而皆賢於其初」的詩篇來闡發詩教，顯見孔子對本詩的重視。因此，筆者傾向依《毛詩‧序》解此詩，意味比較深長。

害（曷）？曰：童（動）而皆叕（賢）於亓（其）初者也

　　本句各家讀法不同，在義理上也未能深入發揮。斷讀方面，筆者認為濮茅左先生〈簡序解析〉讀為「動而賢於其初者也」最好，但是他並沒有做進一步的解釋。動，指心意發動，乃至於化為行動。

---

❸　〔漢〕毛亨傳，鄭玄箋，〔唐〕孔穎達疏：《十三經注疏‧詩經》（臺北：藝文印書館，1979 年七版），頁 77。

❸　〔周〕左丘明撰，〔漢〕杜預注，〔唐〕孔穎達疏：《十三經注疏‧左傳》（臺北：藝文印書館，1979 年七版），頁 53。

❸　〔漢〕司馬遷撰：〈衛康叔世家〉，《史記》（臺北：藝文印書館，據清乾隆武英殿刊本景印），頁 629。

賢，勝過，見《禮記‧投壺》「某賢於某若干純」疏⑩。「其初」，指心意發動之初。人在心意發動之時，往往會受外物的影響，產生很多欲望，如果不注意修持，很容易就落入物欲的陷阱之中。《禮記‧樂記》：

> 人生而靜，天之性也；感於物而動，性之欲也。物至知知，然後好惡形焉。好惡無節於內，知誘於外，不能反躬，天理滅矣！夫物之感人無窮，而人之好惡無節，則是物至而人化物也。人化物也者，滅天理而窮人欲者也。於是有悖逆詐偽之心、有淫泆作亂之事，是故強者脅弱、眾者暴寡、知者詐愚、勇者苦怯、疾病不養、老幼孤獨不得其所，此大亂之道也。⑪

《禮記‧樂記》此節與〈孔子詩論〉本小節可以互相發明。〈孔子詩論〉的「動」，就是《禮記‧樂記》的「感於物而動」；如果不能「動而皆賢於其初」，那就會招致「好惡無節於內，知誘於外，不能反躬，天理滅矣」。〈孔子詩論〉本節提出七篇詩，指出它們的共同點是「動而皆賢於其初」，我認為這是〈孔子詩論〉中講得最精彩、最重要的一節。〈孔子詩論〉闡揚儒教，以本節發揮得最為淋漓盡致。

〈閵（關）疋（雎）〉呂（以）色俞（喻）於豊（禮）

喻，說明、曉諭。〈關雎〉篇由男女之愛，需要如琴瑟鐘鼓般的和諧，由此讓人體會到禮的和諧，這就是提升，也就是「改」。

兩矣，亓（其）四章則俞（喻）矣，以蓥（琴）研（瑟）之敓（悅），态（擬）好色之忞（願）；呂（以）鐘鼓之樂

「兩矣」之前辭殘，前面有什麼字無從推測。李學勤先生〈分章釋文〉把簡14 接在簡 10 之後，極具卓識。

---

⑩ 〔漢〕戴聖編，鄭玄注，〔唐〕孔穎達疏：《十三經注疏‧禮記》（臺北：藝文印書館，1979 年七版），頁 967。

⑪ 〔漢〕戴聖編，鄭玄注，〔唐〕孔穎達疏：《十三經注疏‧禮記》（臺北：藝文印書館，1979 年七版），頁 666。

　　本節的意思是：〈關雎〉的第四（含第五）章說得很清楚了，能夠把對琴瑟（鐘鼓）的喜愛比擬成喜好美色的願望❹，讓人能從對美色的喜好，體會到男女和諧如琴瑟和諧的重要。

好，反內（納）于豊（禮），不亦能改虖（乎）

　　「好」前辭殘，缺何字不可知，但由「不亦能改乎」可以確知它應該是〈關雎〉篇的論述，而且由前後文的對應關係，知道它應該是「關雎組」的再論。反納於禮，與「以色喻於禮」、「擬好色之願」等論述相合。

〔〈漢廣〉不求不〕可夏（得），不攴（攻）不可能，不亦智（智）亙（恆）虖（乎）？

　　「可得」前辭殘，李零先生〈校讀記〉補「不求不」，可從。由本小節之下緊接〈甘棠〉論述，可知本小節必然是〈漢廣〉篇的論述。攻，意味比「求」重，有強求的意思。智亙，讀為知恆，懂得常道，才可以長久。

〈鵲榤（巢）〉出吕（以）百兩，不亦又遚（離）虖（乎）

　　遚，可以看成「離開」的「離」的異體，但是在這裡要讀成「儷」，即匹敵、對等之義❸。〈鵲巢〉寫女子出嫁，男方迎以百兩、女方出以百兩，敵體相當。男女婚姻，家世、德行等各方面都要相當，才不會有「齊大非偶」之歎。一個人的家世背景固然是天生命定，無法改變；但是德行方面則是要朝乾夕惕，日進月益，才能專靜純一，德配夫君。

〈棶（樛）木〉之峕（時），則吕（以）丌（其）彔（祿）也

　　本句的句法和前句「〈關雎〉之改，則其思益矣」不同，它應該讀為「〈樛木〉之時，（何以知道？）則以其祿也」，意思是，我們怎麼樣知道〈樛木〉之時（善）呢？那是我們以君子「福履（祿）綏之」的結果逆推回去就可以知道的。

〈𪄵_（燕燕）〉之情，吕（以）丌（其）蜀（獨）也

　　馬承源先生考釋在隸定下括號「篤」，但是在考釋中又說：「『蜀』在此不能解釋為字的本義，當讀作『獨』，若假借為『篤』也可。……『篤』乃言情之

---

❹　李學勤〈分章釋文〉及周鳳五〈新釋文及注釋〉同讀本句為「擬好色之願」。

❸　參周鳳五〈新釋文及注解〉注16。

厚。」李零先生〈校讀記〉以為應釋為「獨」。周鳳五先生〈新釋文及注解〉指出《馬王堆帛書》、《郭店‧五行》引述〈燕燕〉詩，皆以「君子慎其獨也」作結。旭昇案：釋「獨」較優。本詩如果照晚近學者說成一般的送別，分離之後只剩孤獨，並沒有什麼特別深的含義。但是，照《毛詩‧序》舊說，莊姜送戴媯，二人遭遇到的是國家重大的動亂，從此生離死別，則其分離之後的孤獨感特別深。而戴媯臨行前還說「先君之思，以勗寡人」，諄諄勸勉莊姜以禮義，這就合乎〈孔子詩論〉「關雎組」的核心思想「動而皆賢於其初」了。也就是說：一般人在離別時，多半只有傷感，而〈燕燕〉一詩則能在此時以禮義相勉，越孤獨越要惕厲自己。順著這個思想脈絡，《郭店‧五行》簡 17、《馬王堆‧五行》186 都在引完「燕燕于飛，差池其羽。之子於歸，遠送於野。瞻望弗及，泣涕如雨」之後說：「能差池其羽，然後能至哀。君子慎其獨也。」可見得戰國、西漢人推衍此詩，是強調其「獨」，「蜀」讀為「獨」較好。

【說明】：

　　各家大都承馬承源先生的解釋，以為「兩矣」是「百兩矣」的殘文，所以認為這兩個字是屬於〈鵲巢〉篇的論述。其實這是沒有證據的，由於這樣的誤釋，連帶地使得〈孔子詩論〉的編聯也跟著發生了錯誤，把 13 簡和 14 簡排在一起，以致兩簡的文義無法連貫。李學勤先生〈分章釋文〉把簡 10+14+12+13+15+11+16 拼接在一起，非常正確。簡 14 說「兩矣，其四章則喻矣。以琴瑟之悅擬好色之願，以鐘鼓之樂……」，其為〈關雎〉篇的論述，非常明顯。再接下去的簡 12 的「好，反內於禮，不亦能改乎？」也很明顯地是屬於〈關雎〉的論述，其下又緊接著〈樛木〉，與簡 10〈關雎〉緊接著〈樛木〉的次序完全一致。這樣編聯，「關雎組」的論述就可以非常完整地呈顯了。「兩矣」之上的殘文，依簡 10 的長度可以補 9字。

　　依「關雎組」七篇的詩次，簡 14 的〈關雎〉之後應接簡 12 的〈樛木〉，李學勤先生〈分章釋文〉在簡 12 前補了四個空格，不如濮茅左先生〈簡序解析〉在簡 14 尾部補 4 空格、簡 12 首部補 3 空格，簡 12 尾部可以補 8 字，簡 13 頭部可以補 1 字。據體例，「關雎組再論」的最後都是重覆初論的「一字之評」，簡 13 前半馬承源先生已經指出是〈漢廣〉篇的論述，因此我們可以在這兒補「亦□時乎。

〈漢廣〉不求❹」。

　　李學勤先生〈分章釋文〉把簡 13 後接簡 15，逕讀為「《甘[棠]》及其人，敬愛其樹」，文義已經相當順暢了。濮茅左先生〈簡序解析〉在簡 13 後面與第二契口之間留了一個空格，本文相信濮先生目驗原簡，這個空格應該要留，而且它可能是一個動詞，因此我們補成「《甘[棠]□]及其人，敬愛其樹」。

　　依濮茅左先生〈簡序解析〉，簡 15 距契口還有 1 字，加上簡尾 8 字，應可補 9 字，其後的簡 11 缺 17 字，合起來一共有 26 字，這 26 字應該是有關於〈甘棠〉的末尾，以及〈燕燕〉和〈綠衣〉篇的論述。因此我們把簡 15 和簡 11 中間補成「甘棠之蠚（愛），呂（以）邵公〔也▼3。〈綠衣〉□□□□□【十五】□□，不亦口思乎！〈燕燕〉▼1□□□□□□□□〕青（情）蠚（愛）也」。給〈綠衣〉15 字，給〈燕燕〉14 字，不過是平均分配的結果，估計〈孔子詩論〉給兩篇的字數也不會相去太遠。

　　簡 15 後接簡 11、簡 16。據簡長，簡 16 頭部可以補 9 字，今依「關雎組」結論的體例補「也。〈甘棠〉之保（報）則□□□」。

　　這一組三段的文字是〈孔子詩論〉最完整、也最具代表性的論述。李學勤先生在〈《詩論》說《關雎》等七篇釋義〉❺中把「關雎組」七篇的意義做了相當程度的闡發，厥功甚偉。但是因為沒有把「關雎組」的三層論述嚴格地分開，所以沒有把幾處缺的詩篇補起來。濮茅左先生〈簡序解析〉也把「關雎組」重新排序，分組分層的體例大體都注意到了，只是他的排序是 10＋14＋15＋11＋12＋13＋缺簡＋16（我們的排序是 10＋14＋12＋13＋15＋11＋16），從 15 簡以後和我們排的不一樣，所以照他的排序，「關雎組」變成「多段式」論述了，濮文云：「以第十簡《關雎》為首，以最簡單的一字提義始論，……第十簡尾端為組合體的再論開始，對《關雎》、《樛木》、《漢廣》、《鵲巢》、《甘棠》、《綠衣》、《燕燕》這一組合的詩，一而再、再而三、三而數地反復循環、作答論述。」這樣一來，「關雎組」的結構就模糊了。

---

❹　「不求」二字依李零〈校讀記〉補。

❺　李學勤：〈《詩論》說《關雎》等七篇釋義〉，《清華簡帛研究》，第 2 輯，頁 15－19。

　　照我們的排序，「關雎組」分成初論、再論、結論三層論述，和下一段的「葛
覃組」一樣。這兩組論述雖然都分成三層，但是每一層討論詩篇的順序是一樣的，
所以我們可以根據這樣的詩篇順序把某些殘缺的簡文補起來。

　　「關雎組」為什麼把這七篇詩集中在一塊兒討論呢？初論說是「動而皆賢於其
初者也」，也就是說：這七篇詩都是描述人有很多情感、欲望，在這些情感、欲望
發動的最初時刻未必完全正確，這一部分也就是宋儒說的「人欲」；但是，經過反
省之後就能夠把它導向正途，這就是「改」、就是「賢於其初」，這一部分也就是
宋儒說的「天理」。把《詩經》用來修身養性，導向人性之善，這不就是孔子的詩
教嗎！

二、葛覃組

【原文】：

　　孔＝（孔子）曰▼²：「虗（吾）呂（以）〈萬（葛）𧟀（覃）〉夏（得）氏
（祗）初之詩，民眚（性）古（固）然▄。見丌（其）兇（美）必谷（欲）反▼³
丌（其）本。夫萬（葛）之見訶（歌）也，則【十六下】呂（以）絺（絺）莜
（綌）之古（故）也❹▄；句（后）稷之▼¹見貴也▄，則呂（以）文武之惪（德）
也▄。虗（吾）呂（以）〈甘棠〉夏（得）宗审（廟）之敬▄，▼²民眚（性）古
（固）然。甚貴丌（其）人，必敬丌（其）立（位）；敓（悅）丌（其）人，必
好丌（其）所▼³為；亞（惡）丌（其）人者亦然。〔□【二十四】……虗（吾）
以〈柏舟〉得……，民眚（性）古（固）然，……虗（吾）呂（以）【缺簡】
〈木苽（瓜）〉夏（得）〕帠（幣）帛之不可迲（去）▼¹也▄，民眚（性）古
（固）然。丌（其）陜（隱）志必又（有）呂（以）俞（喻）也▄，丌（其）言
又（有）所載而句（后／後）▼²內（納），或前之而句（后／後）交，人不可斁
（捍）也。虗（吾）呂（以）〈柝（杕）杜〉夏（得）雀（爵）〔□□□□□□
□□▼³民性古（固）然□□□□【二十】……（以上為「葛覃組」初論，屬國風）

　　〈葛覃〉……。〈甘棠〉……。〈柏舟〉……【缺簡】□□□□□□□□▼¹

---

❹　簡序改成 16＋20＋24，依李學勤說。葛覃之隸定，依李零〈校讀記〉；祗初、絺綌之隸定，依
　　陳劍〈《孔子詩論》補釋一則〉說。

□〕因〈木苽〉之保（報）呂（以）俞（喻）亓（其）惥（婉）者也。〈折（杕）杜〉則情惪（喜）亓（其）至也▼²█。【十八上〜】（以上為「葛覃組」再論，屬國風）

〔〈葛覃〉□□□□□□□□□□□□□。〈甘棠〉□□□□▼³□□□□□□□□【十八下】□□。〈柏舟〉□□□〕溺▼¹志，既曰天也，猶又（有）惥（怨）言█。〈木苽（瓜）〉又（有）宬（藏）忞（願）而未夏（得）達也█，▼²交〔……〈杕杜〉……【十九】□□□□〕女（如）此可（何）？斯雀（爵）▼¹之矣█，遹（離）亓（其）所忞（愛），必曰虗（吾）奚舍之？賓贈氏（是）巳（已）█。【二十七上〜】（以上為「葛覃組」結論，屬國風）

【語譯】：

孔子說：「我由〈葛覃〉見到敬重初始的詩篇，『敬重初始』是人類本來就具有的天性。見到美好的事物，一定會想要反求本始。葛所以能被歌頌，是因為它織成了細布、粗布，供人穿著；就像后稷所以受到尊崇，是因為他的後嗣文王、武王能繼承他的德業而發揚光大啊！我由〈甘棠〉了解宗廟之敬是怎麼來的，這是人類本來就具有的天性。非常推崇這個人，一定會敬重他的位置；喜歡一個人，一定也會喜歡他的所做所為；討厭一個人，也一定會討厭他的所做所為。……我由〈柏舟〉得到……，這是人類本來就具有的天性。……。我由〈木瓜〉見到幣帛禮物不可廢除，這是人類本來就具有的天性。人們隱藏在心中的意念一定要藉著禮物來說明，人們要說的話一定要藉著禮物的承托才好講，或者是先以禮物示意然後再交往，這樣對方就不會拒絕了。我從〈有杕之杜〉見到……，這是人類本來就具有的天性。……如此，就可以讓他接受爵位了。

〈葛覃〉……。〈甘棠〉……。〈柏舟〉……〈木瓜〉篇說的是藉著禮物的回報來委婉地表明他心中的意思。〈有杕之杜〉篇說的是賢人來到時歡喜之至的心情。

〈葛覃〉……。〈甘棠〉……。〈柏舟〉……陷溺於情感之中，既然喊了「天」，還是忍不住有怨言。〈木瓜〉篇寫的是心中有隱藏的願望而無法表達，交……。〈有杕之杜〉篇寫的是……這要怎麼樣呢？就能讓他接受爵位了，遇到所愛的人，一定會說：「我怎能捨棄他呢？」這就是賓贈的意義啊！

【考釋】：

虛（吾）呂（以）〈萬（葛）蚰（覃）〉夏（得）氏（衹）初之詩，民眚（性）古（固）然

　　「葛覃組」共由五篇詩組成，這是第一篇。萬蚰，原考釋未釋出，李零先生〈校讀記〉指出即〈葛覃〉，可從，詳細的文字學解釋，可參劉釗先生的〈讀上海博物館藏戰國楚竹書（一）劄記〉、李天虹先生的〈葛覃考〉、黃德寬先生與徐在國先生合寫的〈上海博物館藏戰國楚竹書（一）・《孔子詩論》釋文補正〉。氏初，陳劍先生〈《孔子詩論》補釋一則〉讀為「衹初」，謂「猶言『敬始』、『敬本』，跟『反本』一樣，都是儒家典籍中常見的觀念」，可從。民性固然，意思是：這是人類天性本來所具有的。

□（絺）菽（綌）

　　首字左殘，原考釋未釋；第二字原考釋隸定作「菽」而辭義未明。陳劍先生〈《孔子詩論》補釋一則〉釋「絺綌」：「▉字左半已殘，其上所從當為『艸』，右下所從沒有問題是從『氏』，……。▉字……隸定作『菽』……當讀為『絺綌』。……從讀音上看，▉的聲符『氏』與『絺』，▉的聲符『半』跟『綌』上古音都很接近。『氏』及大部分從『氏』得聲的字都是端母脂部字。『絺』是透母字，其韻部一般根據聲符『希』歸為微部。端透鄰紐，脂微二部關係密切。……從文意上來講，今本《毛詩・周南・葛覃》第二章云：『葛之覃兮，施于中谷，維葉莫莫，是刈是濩；為絺為綌，服之無斁。』葛因可以提取纖維製成葛布『絺綌』供人使用，所以受到歌詠；后稷因為有文王、武王這樣有德的後代，因而受到周人的尊崇，兩事相類。反過來講，人們由於絺綌之美與文武之有德，從而想到生出絺綌的的葛和生出文武的后稷，正即簡文上文所說的：『（民）見其美，必欲反其本。』」旭昇案：陳說釋形釋義俱可從。

　　本小節所談〈葛覃〉的「衹初」、「反本」，與原詩詩旨並沒有什麼關係，《毛詩・周南・葛覃・序》：「〈葛覃〉，后妃之本也。后妃在父母家，則志在於女功之事，躬儉節用，服澣濯之衣，尊敬師傅，則可以歸安父母，化天下以婦道也。」本小節純粹從「葛」與「絺綌」的關係著眼，是很明顯的斷章取義。

虛（吾）呂（以）〈甘棠〉夏（得）宗廟（廟）之敬▄，民眚（性）古（固）

然。甚貴亓（其）人，必敬亓（其）立（位）。敓（悅）亓（其）人，必好亓（其）所為。亞（惡）亓（其）人者亦然。

　　〈甘棠〉是「葛覃組」的第二篇。同一篇詩在「關雎組」也出現過，但是在「關雎組」談的是「甘棠之保（報）」，強調「動而皆賢於其初」；而在「葛覃組」談的則是「宗廟之敬，民性固然」。〈甘棠〉篇原詩本來寫的是召南人民懷念召公奭的德澤，因而敬愛他所休憩過的樹。「必敬其位」的「位」，可以由坐立之處引伸為職位、地位。本節由「愛其人，因愛其樹」第一步引伸為「悅其人，必好其所為」，第二步引伸為「甚貴其人，必敬其位」，最後引伸為「吾以〈甘棠〉得宗廟之敬」。因為宗廟是祭祀天地祖宗的地方，天地祖宗養育我們，我們敬天法祖，所以有宗廟之敬。

〔虗（吾）以〈柏舟〉得□……〕

　　〈柏舟〉是「葛覃組」的第三篇，原簡殘缺，未見〈柏舟〉，但是我們由「葛覃組結論」可以增補。內容殘缺不可知，但是一定有「民性固然」句。據「葛覃組結論」，此處的〈柏舟〉所論應該是由共姜矢志不改嫁的堅貞之志推衍出來的德性。

〔虗（吾）呂（以）〈木苽（瓜）〉夏（得）〕帀（幣）帛之不可法（去）也，亓（其）陞（隱）志必又（有）呂（以）俞（喻）也。亓（其）言又（有）所載而句（后／後）內（納），或前之而句（后／後）交，人不可觕（捍）也

　　〈木瓜〉是「葛覃組」的第四篇，原簡殘，無詩篇名，馬承源先生原考釋已經指出這一小節「全為述《木苽》之辭」，可從。根據「葛覃組再論」，〈木瓜〉在〈杕杜（有杕之杜）〉之前，而本小節之後剛好就是〈杕杜（有杕之杜）〉，因此本小節應該屬於〈木瓜〉，無可懷疑。

　　〈木瓜〉篇談的是送禮物的意義。《毛詩・衛風・木瓜・序》：「〈木瓜〉，美齊桓公也。衛國有狄人之敗，出處于漕，齊桓公救而封之，遺之車馬器服焉。衛人思之，欲厚報之，而作是詩也。」❹ 本義是感恩回報，希望「永以為好」。〈孔

❹ 〔漢〕毛亨傳，鄭玄箋，〔唐〕孔穎達疏：《十三經注疏・詩經》（臺北：藝文印書館，1979年七版），頁141。

子詩論〉擴而充之，變成談一切禮物的意義，其實這樣的詮釋，已往文獻多見，《毛詩・衛風・木瓜》第三章毛傳：「孔子曰：吾於〈木瓜〉見苞苴之禮行。」❹苞苴，即禮物；〈孔子詩論〉則用幣帛代表禮物，二者所論意旨相合。

　　陜志，首字從李學勤先生、裘錫圭先生釋「隱」（見簡1考釋），隱志即隱藏在心中的意念，也就是「葛覃組結論」所說的「藏願」。俞，讀為喻，曉喻。「其言有所載而後納」是禮物與話語同時，「前之而後交」是禮物先行、交往在後，二者不同，所以中間加個「或」字。

　　皐，字作「」，上部從「角」，下部或以為從「牛」，李零先生〈校讀記〉以為從「干」作觡，解作「抗拒」，釋義較佳，姑從之。

虗（吾）吕（以）〈扸（杕）杜〉夏（得）雀（爵）〔……民眚（性）古（固）然……〕

　　〈杕杜〉是「葛覃組」的第五篇。李零先生〈校讀記〉以為本小節的〈杕杜〉應該是《唐風》的〈有杕之杜〉。其說可從。《毛詩・唐風・有杕之杜・序》：「〈有杕之杜〉，刺晉武公也。武公寡特，兼其宗族，而不求賢以自輔焉。」詩之首章云「有杕之杜，生于道左。彼君子兮，噬肯適我？中心好之，曷飲食之」。❹君子，當即所求之賢人。是本詩為從反面刺不求賢之詩，〈孔子詩論〉則從正面強調求賢之意。李學勤先生〈分章釋文〉在「雀（爵）」後補了一個「服」字，從殘存的字形看，似嫌證據不足。本句的「爵」應該是授人以爵，恐怕不是自己得爵服。

因〈木苽（瓜）〉之保（報）吕（以）俞（喻）亓（其）悥（婉）者也

　　《毛詩・衛風・木瓜》云：「匪報也，永以為好也。」這是心中有「永以為好」❺的更高的期待，所以用瓊琚等美玉來回贈，這就是委婉達意。悥，在楚系文字中多讀為「怨」，但是在本簡中解不通。我認為本簡此字應讀「婉」，委婉之意❺，「葛覃組」〈木瓜〉篇所要傳達的是禮物在人際溝通中的媒介作用，透過媒介來達

---

❹　〔漢〕毛亨傳，鄭玄箋，〔唐〕孔穎達疏：《十三經注疏・詩經》（臺北：藝文印書館，1979年七版），頁141。

❹　同前註，頁226-227。

❺　同前註，頁141。

❺　參拙作〈《孔子詩論》「木瓜之報以喻其婉」說〉，簡帛研究網站2004年1月7日首發。

意，而不直接表示，這就是「婉」。

〔〈柏舟〉□□□〕溺志，既曰天也，猶又（有）悥（怨）言

溺，原字稍殘，馬承源先生原考釋未隸定。李零先生〈校讀記〉以為即「溺」字，可從。「溺志」指深陷的心意。本小節所述，楊澤生先生〈「既曰天也，猶有怨言」評的是柏舟〉以為當係《鄘風·柏舟》。其說可從。《毛詩·鄘風·柏舟·序》云：「〈柏舟〉，共姜自誓也。衛世子共伯蚤死，其妻守義，父母欲奪而嫁之，誓而弗許，故作是詩以絕之。」詩中有「母也天只，不諒人只」，[52]即是「既曰天也，猶有怨言」。

〔〈杕杜〉……〕女（如）此可（何）？斯雀（爵）之矣▄，邁（離）丌（其）所悉（愛），必曰虗（吾）奚舍之？賓贈氏（是）巳（已）

本小節無詩篇名，我們認為「斯爵之矣」的「爵」字和「葛覃組初論」中〈杕杜〉篇「吾以杕杜得爵」的「爵」字應該屬於同一論述，因此本節應該屬於〈杕杜〉篇[53]。本簡下半緊接的又是以「孔子曰」另起一段的論述，與「葛覃組」無關，因此本小節應該是「葛覃組結論」的最後一小節。

邁，當為「離」的異體，學者多釋為「離去」，以致於本小節的論述不好歸屬。其實，「離」字的本義是「以罕捕鳥」，甲骨文「離」字作「𩿗」（《甲2270）[54]，從罕（有柄的捕鳥器）捕鳥，《毛詩·邶風·新臺》「魚網之設，鴻則離之」[55]，「離」即是「被捕獲」的意思；引伸有「依附」等的意思，《毛詩·小雅·漸漸之石》：「月離于畢，俾滂沱矣」[56]，「離」是「依附」的意思；再引伸則有「遭遇」的意思，《淮南子·氾論》：「離者必病。」高誘注：「離，遭

[52] 〔漢〕毛亨傳，鄭玄箋，〔唐〕孔穎達疏：《十三經注疏·詩經》（臺北：藝文印書館，1979年七版），頁109。

[53] 李學勤〈分章釋文〉把簡20後面接著排簡27，應該也是基於這樣的認定。

[54] 相關的字形演變，可參拙作《說文新證（上）》，275頁。

[55] 〔漢〕毛亨傳，鄭玄箋，〔唐〕孔穎達疏：《十三經注疏·詩經》（臺北：藝文印書館，1979年七版），頁106。

[56] 〔漢〕毛亨傳，鄭玄箋，〔唐〕孔穎達疏：《十三經注疏·詩經》（臺北：藝文印書館，1979年七版），頁525。

也。」❺因此，「離其所愛」應該釋為「遭遇到他所愛的賢才」。

賓贈，廖名春先生〈上博《詩論》簡"以禮說《詩》"初探〉以為即「贈賓」，「是孔子用聘禮之終的贈賓來解說《秦風·渭陽》之詩」。旭昇案：賓贈，即贈賓，可從。遇到所愛的賢才，有所餽贈，希冀賢才為我所用，這就是「斯爵之矣」，與〈杕杜〉詩旨合。

【說明】：

「葛覃組」的建構是一件非常艱難而幸運的工作。首先是李學勤先生〈分章釋文〉把簡 16 下接著排簡 24，〈葛覃〉接著是〈甘棠〉的次序就出來了。其次是簡 20「吾以杕杜得爵」，句法和「吾以葛覃得……」、「吾以甘棠得……」一樣，因此它們應該是同一組同一層的論述，而簡 20〈杕杜〉篇的論述有「幣帛之不可去也，民性固然」中的「民性固然」，也和〈葛覃〉、〈甘棠〉相同，而馬承源先生原考釋已指出這一句應該是〈木瓜〉篇的論述❺，因此〈葛覃〉、〈甘棠〉、及〈木瓜〉、〈杕杜〉的篇目就形成了。簡 19「木瓜有藏願」之前的「……溺志，既曰天也，猶有怨言」，前引楊澤生先生以為是〈柏舟〉篇的論述，於是「葛覃組」至少是由〈葛覃〉、〈甘棠〉、〈柏舟〉、〈木瓜〉、〈杕杜〉所組成，這個架構就形成了。

經過言樣重新編聯補字後，「葛覃組」至少包含五首詩，即〈葛覃〉、〈甘棠〉、〈柏舟〉、〈木瓜〉、〈杕杜〉。李學勤先生〈分章釋文〉簡 24 後接簡 20，可從，但是中間顯然少了一篇〈柏舟〉。濮茅左先生〈簡序解析〉以為簡 24 尾部應補 1 字，依「葛覃組初論」的結構，簡 24 和簡 20 中間除了〈甘棠〉篇也許還沒有說完之外，接著應該要補〈柏舟〉篇的論述，但是簡 20 頭部只缺 3 字，不夠容納〈甘棠〉、〈柏舟〉篇的論述，因此簡 24 和簡 20 之間應該至少缺一簡。本節〈葛覃〉篇共有 47 字，〈甘棠〉篇存 35 字，〈木瓜〉篇共有 43 字，增補一簡約可容納 57、或 58 字，我們比照〈木瓜〉篇給〈柏舟〉篇 43 字，那麼〈甘棠〉

---

❺　〔漢〕劉安撰，〔漢〕高誘注：《淮南子·氾論》（臺北：臺灣中華書局，1966 年臺 1
　　版），21 頁。

❺　《上博（一）》，頁 149。

篇大約還有 14、5 字的論述。以〈孔子詩論〉對〈甘棠〉篇的重視，這樣推估應該是合理的。

　　簡 20 後接簡 18，據簡長，簡 20 尾部可以補 16 字，其中至少應該有「民性固然」四字。照「葛覃組」的架構，簡 20 和簡 18 中間應該也缺一簡，屬於〈葛覃〉、〈甘棠〉、〈柏舟〉的再論，每篇平均約 20 字。簡 18 後半缺的是〈葛覃〉、〈甘棠〉的結論，接著是簡 19 的〈柏舟〉和〈木瓜〉，接著是簡 27 的〈杕杜〉，「葛覃組」的三層論述就很完整了。

　　馬承源先生原考釋把簡 18 放在第一契口到第二契口的位置，應屬合理；濮茅左先生〈簡序解析〉則改放在第二契口到第三契口的位置，不知道有什麼特別的理由。照馬文，簡 18 殘存的最後一字下有個標點符號，極有可能是「葛覃組再論」的結束符號。其後可以補 28 至 30 字，加上簡 19 頭部殘缺 8 字，合起來約 36 至 38 字，可以容納「葛覃組結論」中的〈葛覃〉、〈甘棠〉的全部及〈柏舟〉的部分。而依濮茅左先生的安排，無論如何擺不下這麼多字，所以我們贊成馬承源先生的安排。

　　「葛覃組」三段論述，論述的句式雖然和「關雎組」不同，但三段的形式是一樣的。如果這兩組可以成立，那麼就為我們探討〈孔子詩論〉提供了比較完整的範例。李學勤先生〈分章釋文〉已經把簡 16、24、20、19、17、18 編聯在一起，但是接下來排的是簡 27，於是「葛覃組」就被打破了。濮茅左先生〈簡序解析〉也把簡 20、24 放在一起，並且說：「下三簡殘缺過多，疑〈東方未明〉、〈將仲〉、〈揚之水〉、〈采葛（葛）〉、〈木瓜〉、〈杕杜〉篇名等為組合。根據簡文，這一組合至少論述了兩次。」❺❾我們接受李學勤先生簡 16＋24＋20 的排序，並以為簡 27 的「斯爵之矣」應該和簡 20 的「吾以〈杕杜〉得爵」繫連，同屬〈杕杜〉篇，但簡 27 下半是另一段，所以簡 27 的〈杕杜〉論述一定是「葛覃組」的結論，這就把「葛覃組」的架構建立起來了。

　　據上所述，「葛覃組」是由〈葛覃〉、〈甘棠〉、〈柏舟〉、〈木瓜〉、〈杕杜〉等五首詩組成的一組論述，並且分成三層討論。但是，這三層討論剛好在〈甘

---

❺❾ 濮茅左：〈簡序解析〉，頁 35。

棠〉與〈柏舟〉之間都殘斷了，所以我們有理由懷疑「葛覃組」也許不只五首詩。
我們看到前面的「關雎組」是由七首詩組成，後面的「宛丘組」也是由七首詩組
成，這更加強了我們認為「葛覃組」不應只有五首詩的懷疑。當然，「三‧雜篇」
以下每一支殘簡也都有這樣的可能。

　　三、雜篇

【原文】：

　　孔_（孔子）曰：「〈七（蟋）▼2 衛（蟀）〉瘖（知）難▇。〈中（蠡）氏
（斯）〉君子▇。〈北風〉不丝（絕）人之怨。〈子立（衿）〉不〔□□□▼3□□
□□□□□）【二十七下】（以上為「蟋蟀組」，屬國風）

　　〔□□□□□□□□□▼1□□□□□□□□）〈東方未明〉又（有）利訌
（詞）▇。〈牆（將）中（仲）〉之▼2 言不可不韋（畏）也▇。〈湯（揚）之
水〉丌（其）忎（愛）婦悡（烈）▇。〈菜（采）葛〉之忎（愛）婦〔□□▼3□□
□□□□□□）【十七】（以上為「東方未明組」，屬國風）

【語譯】：

　　孔子說：「〈蟋蟀〉知難。〈蠡斯〉有君子之德。〈北風〉不斷絕，像人的怨
憤不斷絕。〈子衿〉不……

　　……〈東方未明〉直言不隱。〈將仲子〉寫人們說的話不可不畏懼。〈揚之
水〉寫愛婦之心強烈。〈采葛〉寫愛婦……。

【考釋】：

〈七（蟋）衛（蟀）〉瘖（知）難

　　《毛詩‧唐風‧蟋蟀‧序》：「蟋蟀，刺晉僖公也。儉不中禮，故作是詩以閔
之，欲其及時以禮自虞樂也。此晉也而謂之唐，本其風俗，憂深思遠，儉而用禮，
乃有堯之遺風焉。」唐風「憂深思遠」，這就是「知難」。今本《毛詩‧唐風‧蟋
蟀》三章：「蟋蟀在堂，役車其休，今我不樂，日月其慆，無已大康，職思其憂，
好樂無荒，良士休休。」⑥〈孔子詩論〉強調的重點在「職思其憂」，而不在「今

───────────

⑥　〔漢〕毛亨傳，鄭玄箋，〔唐〕孔穎達疏：《十三經注疏‧詩經》（臺北：藝文印書館，
　　1979 年七版），頁 216。

我不樂」，屬斷章引詩。

〈中（螽）氏（斯）〉君子

　　中氏，說法很多。李零先生〈校讀記〉云：「今以音近讀為『螽斯』（『中』是端母冬部字，『螽』是章母冬部字，古音相近；『氏』是禪母支部字，『斯』是心母支部字，古音也相近）。《螽斯》見今《周南》，是以『宜爾子孫』祝福別人，所祝者蓋即君子。」證據雖然並不很夠，但還說得通，姑從之。其餘或主《邶風・燕燕》、或主《小雅・何人斯》、或主《大雅・烝民》❻❶。以〈孔子詩論〉絕大部分的篇名和今本《毛詩》字面或音讀相去不遠來看，後三說與今本《毛詩》相去較遠，故不取。

〈北風〉不絀（絕）人之怨

　　馬承源先生原考釋與下篇連讀為「〈北風〉不絕。人之怨子立」。李零先生〈校讀記〉斷讀為「《北風》不絕人之怨，《子立》不」，較為合理。《毛詩・邶風・北風・序》：「〈北風〉刺虐也。衛國並為威虐，百姓不親，莫不相攜持而去也。」❻❷詩云：「北風其涼，雨雪其雱，惠而好我，攜手同行，其虛其邪，既亟只且。」以「北風」，象徵在上位者涼薄苛虐，也象徵著人民的怨憤不絕。

〈子立（衿）〉不

　　〈子立〉，李零先生〈校讀記〉標為詩篇名，但又說「今本無《子立》」。馮勝君〈讀上博簡《孔子詩論》劄記〉以為：「『子立』可能是指今本〈鄭風・子衿〉。『立』字上古音屬來紐緝部，『衿』字上古屬見紐侵部字。『緝』『侵』二部為對轉關係，來紐與見紐看似遠隔，其實他們有著很密切的聯繫，前人對此有很多論證，此不贅。所以『立』可讀為『衿』。『子立』可以讀為『子衿』。」其說可從。其下文殘，不知應補何字。

〈東方未明〉又（有）利訏（詞）

　　《毛詩・齊風・東方未明・序》：「東方未明，刺無節也。朝廷興居無節，號

---

❻❶　參劉信芳：《述學》，頁247－249。

❻❷　〔漢〕毛亨傳，鄭玄箋，〔唐〕孔穎達疏：《十三經注疏・詩經》（臺北：藝文印書館，1979年七版），頁104。

令不時。挈壺氏不能掌其職焉。」詩云：「東方未明，顛倒衣裳。顛之倒之，自公召之。」⑥以《詩經》溫柔敦厚的詩教而言，本章的用語已經相當鋒利了，所以說是「有利詞」。

〈湯（揚）之水〉丌（其）叏（愛）婦㤅（烈）

湯之水，馬承源先生考釋指出即〈揚之水〉，《王風》、《鄭風》、《唐風》各有一篇〈揚之水〉，本篇當為其中的一篇。學者對本小節應為今本那一篇，各有不同的看法。其實嚴格地說，三篇都不是很恰當，三篇原文及序如下：

《王風·揚之水》：「揚之水，不流束薪。彼其之子，不與我戍申。懷哉懷哉，曷月予還歸哉。　揚之水，不流束楚，彼其之子，不與我戍甫。懷哉懷哉，曷月予還歸哉。　揚之水，不流束蒲，彼其之子，不與我戍許。懷哉懷哉，曷月予還歸哉。」《詩序》：「〈揚之水〉，刺平王也，不撫其民，而遠屯戍于母家，周人怨思焉。」

《鄭風·揚之水》：「揚之水，不流束楚。終鮮兄弟，維予與女。無信人之言，人實迋女。　揚之水，不流束薪，終鮮兄弟，維予二人。無信人之言，人實不信。」《詩序》：「〈揚之水〉，閔無臣也。君子閔忽之無忠臣良士，終以死亡而作是詩也。」

《唐風·揚之水》：「揚之水，白石鑿鑿，素衣朱襮，從子于沃。既見君子，云何不樂。　揚之水，白石皓皓，素衣朱繡，從子于鵠。既見君子，云何其憂。揚之水，白石粼粼，我聞有命，不敢以告人。」《詩序》：「〈揚之水〉，刺晉昭公也。昭公分國以封沃，沃盛強，昭公微弱，國人將叛而歸沃焉。」

比較多的學者贊成李學勤先生在〈詩論與詩〉一文中所主張的《王風·揚之水》⑥。我曾在〈從曻國銅器談詩經「彼其之子」的新解〉中對《王風·揚之水》的詩旨有過較深入的探討⑥，本詩與「愛婦」沒有直接關係，《毛詩序》所說可

⑥　〔漢〕毛亨傳，鄭玄箋，〔唐〕孔穎達疏：《十三經注疏·詩經》（臺北：藝文印書館，1979 年七版），頁 191。

⑥　參劉信芳：《述學》，頁 200－203。

⑥　季旭昇：〈從曻國銅器談詩經「彼其之子」的新解〉，第三屆中國文字學國際學術研討會，新莊：輔仁大學中文系，1992 年 4 月 21 日。又收入臺灣師大《國文學報》第 21 期（1992 年

從。學者一定要說〈孔子詩論〉的〈湯之水〉即《王風・揚之水》，實屬勉強。

對本篇的問題，可能的答案有：〈孔子詩論〉寫錯字、〈孔子詩論〉對〈揚之水〉的論釋和我們不同、〈孔子詩論〉的「湯之水」不是〈揚之水〉。到底那一個答案對？我認為目前還不到解決的時候。

〈菜（采）葛〉之炁（愛）婦

〈采葛〉見今本《毛詩・王風》，談〈孔子詩論〉的學者都認為〈采葛〉篇有「一日不見，如三月（秋、歲）兮」，其為「愛婦」詩，毫無問題。殊不知，這樣的認識是有問題的。

《毛詩・王風・采葛・序》：「采葛，懼讒也。」(66)王先謙《詩三家義集疏》：「三家無異義。」(67)換句話說：〈采葛〉是一篇「懼讒」的詩，早期說詩家並無異說。在我看過的資料中，直到宋代朱熹《詩集傳》，才主張本詩是男女思念之詩(68)，但清儒多半不接受。我曾寫過一篇〈詩經王風采葛篇新探〉(69)，從語言學的角度，指出「彼采葛兮」的「彼」字在春秋以前多半是形容性的遠指指稱詞，換成口語應該是「那」；戰國以後，「彼」則漸漸增加了名詞性的三身指稱詞的用法，換成口語應該是「他」。《王風・采葛》不會是戰國時期的作品，因此當時的「彼」應該釋為「那」，「彼采葛（蕭、艾）兮，一日不見，如三月（秋、歲）兮」應語譯為「那茂盛的葛（蕭、艾）草，一天沒見到，它就長得像三月（秋、歲）一樣茂盛」，全詩以葛、蕭、艾比喻小人，馬瑞辰《毛詩傳箋通釋》也很精確地指出《楚辭》中有用葛、蕭、艾比喻小人的例子。(70)因此，《王風・采葛》全詩寫小人讒言，應該是沒有問題的。

但是，〈孔子詩論〉卻說：「〈采葛〉之愛婦……。」雖然句子不全，不知道

6月），頁1—40。

(66) 〔漢〕毛亨傳，鄭玄箋，〔唐〕孔穎達疏：《十三經注疏・詩經》（臺北：藝文印書館，1979年七版），頁153。

(67) 〔清〕王先謙：《詩三家義集疏》（臺北：明文書局，1988年初版），頁328。

(68) 〔宋〕朱熹：《詩集傳》（臺北：臺灣中華書局，1970年臺三版），頁46。

(69) 拙作：〈詩經王風采葛篇新探〉，《漢學研究》6卷2期（總12期），1988年12月。

(70) 〔清〕馬瑞辰：《毛詩傳箋通釋》（臺北：廣文書局，1971年初版），頁75。

「愛婦」下是什麼字？但是它跟「愛婦」有關，應該是毫無疑問的。這又要怎麼解釋呢？

答案很簡單，戰國以後，「彼」作為三身指稱詞的用法越來越普遍，因此〈孔子詩論〉的作者❼不可避免地會把「彼」的這種用法用在《王風‧采葛》上。這也說明了《詩經》的詮釋，在戰國時代各家已經可以有很大的不同了。

當然，我們不排除這樣的殘句也還有其它的可能，應該保留一點。

【說明】：

本段名為「雜篇」，只是不得已的題名。因為殘簡太多，各簡之間看不出太緊密的關係，所以姑且名為「雜篇」，我們相信，如果殘簡都能補齊，那麼雜篇也一定會有它的論述邏輯。

照《上博（一）》全簡圖的安排，簡 17 尾部約殘 3 字，因此李學勤先生〈分章釋文〉把簡 17 補成「《采葛》之愛婦□」。〔《君子」，補字看似可從。但他接著把簡 17 下接簡 25 的「陽陽》小人」，可能有商榷的餘地，簡 17 是分論《國風》的篇章；簡 25 是合論《風》《雅》的篇章，二簡未必能拼接。濮茅左先生〈簡序解析〉認為簡 17 尾部殘 10 字，，簡首殘 18 字。依契口的位置來看，濮先生的安排較為合理。據此，我們採用濮先生的安排，簡 17 下面不接簡 25。

（參）合論之部合論頌雅風之詩篇

【第七章】合論風雅

【原文】：

〔□□□□□□□□□▼[1]□□□□□□□□□□□□□□□□□□□□□□〕▼[2]〈麋（鹿）臸（鳴）〉吕（以）樂旹（始）而會，吕（以）道交，見善而孝（傚），冬（終）虍（乎）不猒（厭）人▄。▼[3]〈兔蘆（罝）〉丌（其）甬（用）人則虗（吾）取【二十三】……（以上為「鹿鳴組」，屬風雅合論）

〔□□□□□□〈君子〉▼[1]腸＝（腸腸／陽陽）〉少（小）人▄。〈又（有）

----

❼ 即使我們相信《孔子詩論》寫的都是孔子傳下來的言論，但它應該不會是孔子親自寫下來的。因此在筆記傳承的過程中，傳承者不可避免地會把自己的看法加進去。正如《春秋》只有一部，但是三《傳》對它的解釋有很多地方不一樣。

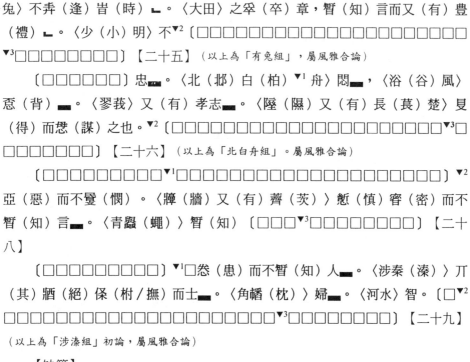

兔〉不弄（逢）旹（時）■。〈大田〉之卆（卒）章，暂（知）言而又（有）豊（禮）■。〈少（小）明〉不▼2〔□□□□□□□□□□□□□□□□□□□□□▼3□□□□□□□□□〕【二十五】（以上為「有兔組」，屬風雅合論）

　　〔□□□□□□〕忠■。〈北（邶）白（柏）▼1舟〉悶■，〈浴（谷）風〉惎（背）■。〈翏莪〉又（有）孝志■。〈隓（隰）又（有）長（萇）楚〉㝐（得）而愳（謀）之也。▼2〔□□□□□□□□□□□□□□□□□□□□▼3□□□□□□□□□〕【二十六】（以上為「北白舟組」。屬風雅合論）

　　〔□□□□□□□□▼1□□□□□□□□□□□□□□□□□□〕▼2亞（惡）而不曼（憫）。〈瘤（牆）又（有）薺（茨）〉慜（慎）宻（密）而不智（知）言■。〈青蠅（蠅）〉智（知）〔□□□▼3□□□□□□□□□〕【二十八】

　　〔□□□□□□□□〕▼1□忞（患）而不智（知）人■。〈涉秦（溱）〉丌（其）㛰（絕）保（村/撫）而士■。〈角欙（枕）〉婦■。〈河水〉智。〔□▼2□□□□□□□□□□□□□□□□□□□□□▼3□□□□□□□□□〕【二十九】

（以上為「涉溱組」初論，屬風雅合論）

　　【缺簡】

　　貴也。〈贄（將）大車〉之罶也，▼1則吕（以）為不可女（如）可（何）也。〈審（湛）雺（露）〉之盜（益）也，丌（其）猶軺與■。【二十一上～】

（以上殘存「無將大車組」再論，雖僅存小雅，但應屬風雅合論）

【語譯】：

　　……〈鹿鳴〉以樂開始而舉行宴會，大家以道交往，見到好的德行就會效法，最後以對渴求人才的不滿足做結束。〈兔罝〉取用人才，我取……

　　〈君子陽陽〉寫的是只求自己全身遠害的小人。〈兔爰〉寫的是生不逢時的嗟怨。《小雅·大田》的卒章以從前的執政者重視農政禮儀，來諷刺當今執政者不重視農政禮儀，手法委婉，可以說是知言。〈小明〉不……

　　……忠。《邶風·柏舟》寫出憤懣之情。〈谷風〉則寫出被背棄的嗟怨。〈蓼莪〉寫子女有孝順父母的心意。〈隰有萇楚〉寫見到對方未婚，我還可以謀求婚配。

……惡而不憫。〈牆有茨〉自以為謹慎嚴密，壞事不會傳出去，這就是不知道言語的力量啊！〈青蠅〉寫君子知……

……患難而不知人。《涉溱（褰裳）》寫一個知識分子能斷絕不合義理的安撫，而做出士（知識分子）該做的事。〈角枕（葛生）〉寫婦人寡居思夫。〈河水〉知……

……貴。〈無將大車〉寫出小人的喧囂得意，君子卻無可奈何。〈湛露〉寫天子宴請諸侯的益處，化行天下，像車子疾馳在大路上一般。

【考釋】：

〈鏖（鹿）劓（鳴）〉呂（以）樂旨（始）而會，呂（以）道交，見善而孝（傚），冬（終）虖（乎）不猒（厭）人

樂旨，馬承源先生原考釋隸作樂訂，讀作「樂詞」。案：字作「𤔲」，李零先生《郭店楚簡校讀記》（修訂本）謂此字乃「台」「司」之合文[72]，可信。在楚簡中用為「台」或「司」，或以「台」、「司」諧聲之字，直接隸定似應作「旨」。

本節學者斷讀各有不同，我們贊成劉樂賢先生〈讀上博簡劄記〉讀成「《鹿鳴》以樂始而會，以道交，見善而效，終乎不厭人」[73]。

《毛詩·小雅·鹿鳴·序》：「〈鹿鳴〉，燕群臣嘉賓也。既飲食之，又實幣帛筐篚，以將其厚意，然後忠臣嘉賓，得盡其心矣。」[74]詩云「人之好我，示我周行」、「我有嘉賓，德音孔昭。視民不恌，君子是則是傚」，這就是「以道交」、「見善而效」；詩云「我有旨酒，以燕樂嘉賓之心」，這就是「終乎不厭人」。

本節為什麼說「〈鹿鳴〉以樂（始而會）」，各家的說法其實都不是很合理。周代禮儀用樂分兩種，禮之輕者用升歌、笙、間歌、合樂，升歌所唱，諸侯以下之嘉禮用《小雅·鹿鳴》之三，兩君相見用《大雅·文王》之三，其餘周天子及魯君

---

[72] 李零：《郭店楚簡校讀記》（增訂本）（北京：北京大學出版社，2002 年 1 版），頁 45。

[73] 劉樂賢先生：〈讀上博簡箚記〉，簡帛研究網站 2002 年 1 月 1 日。

[74] 〔漢〕毛亨傳，鄭玄箋，〔唐〕孔穎達疏：《十三經注疏·詩經》（臺北：藝文印書館，1979 年七版），頁 315。

之祭饗用《周頌‧清廟》❼❺。但是，這是把〈鹿鳴〉用在禮儀中，和〈鹿鳴〉本詩內容所述無關。〈鹿鳴〉本詩內容如何「以樂」，目前無可考。

〔君子膓＿（膓膓／陽陽）〉少（小）人

　　膓膓，馬承源先生考釋讀為「蕩蕩」，以為可能是今本《毛詩‧大雅‧蕩》的篇名。李零先生〈校讀記〉以為應該是《王風‧君子陽陽》。旭昇案：《毛詩‧大雅‧蕩‧序》：「〈蕩〉，召穆公傷周室大壞也。厲王無道，天下蕩蕩無綱紀文章，故作是詩也。」主旨是傷「厲王無道」，如果把它說成只是「小人」，似乎把〈蕩〉的詩旨說得太淺了。《毛詩‧王風‧君子陽陽‧序》：「〈君子陽陽〉，閔周也。君子遭亂，相招為祿仕，全身遠害而已。」君子而只求全身遠害，與三國時候劉備罵許汜只會「求田問舍，言無可采」一樣，都只是個自了漢罷了，所以〈孔子詩論〉評為「小人」，似頗合適。再從體例上來說，如果把「膓膓」釋成《大雅‧蕩》，那麼接下去是《王風‧兔爰》、《小雅‧大田》、《小雅‧小明》，次序似乎相當零亂；如果釋成《王風‧君子陽陽》，那麼接下去是《王風‧兔爰》及《小雅》諸篇，似乎比較合理。

〈大田〉之卒（卒）章，暂（知）言而又（有）豊（禮）

　　《毛詩‧小雅‧大田‧序》：「〈大田〉，刺幽王也，言矜寡不能自存焉。」鄭箋說：「幽王之時，政煩賦重，而不務農事，蟲災害穀，風雨不時，萬民飢饉，矜寡無所取活，故時臣思古以刺之。」❼❻全詩寫的是從前執政者重視農政，其實真正目的是要諷刺現在的執政者不務農事，這就是「知言」吧！〈大田〉卒章：「曾孫來止，以其婦子，饁彼南畝，田畯至喜。來方禋祀，以其騂黑，與其黍稷，以享以祀，以介景福。」❼❼這就是「有禮」吧！其實全詩都是反諷，但是以卒章「有禮」來反諷，對比性更強，所以〈孔子詩論〉把「知言」放在卒章和「有禮」一起講。

---

❼❺　參拙作：《詩經吉禮研究》（臺灣師範大學國文研究所碩士論文，1983 年），頁 144。

❼❻　〔漢〕毛亨傳，鄭玄箋，〔唐〕孔穎達疏：《十三經注疏‧詩經》（臺北：藝文印書館，1979 年七版），頁 472。

❼❼　〔漢〕毛亨傳，鄭玄箋，〔唐〕孔穎達疏：《十三經注疏‧詩經》（臺北：藝文印書館，1979 年七版），頁 474。

〈北（邶）白（柏）舟〉悶

　　北白舟，馬承源先生指出即〈柏舟〉，《詩經》有二「柏舟」，故加「北（邶）」以為區別。悶，《說文》釋為「懣也」，即憤懣。《毛詩，邶風·柏舟·序》：「〈柏舟〉，言仁而不遇也。衛頃公之時，仁人不遇，小人在側。」詩云「耿耿不寐，如有隱憂」、「憂心悄悄，慍于群小。覯閔既多，受侮不少」、「心之憂矣，如匪澣衣。靜言思之，不能奮飛」❼⓼，其憤懣可知。

〈浴（谷）風〉恧（背）

　　浴風，即〈谷風〉，唯《詩經》有兩篇〈谷風〉，一在《邶風》，一在《小雅》，馬承源先生取《小雅》。恧，馬承源先生考釋隸作「忑」，讀為「背」。多位學者指出這個字其實應該從音（同否）從心，仍讀為「背」。

　　《毛詩·邶風·谷風·序》：「〈谷風〉，刺夫婦失道也。衛人化其上，淫於新昏而棄其舊室，夫婦離絕，國俗傷敗焉。」詩云「宴爾新昏，不我屑以」、「我躬不閱，遑恤我後」❼⓽，是「背」也。《毛詩·小雅·谷風·序》：「〈谷風〉，刺幽王也。天下俗薄，朋友道絕焉。」詩云「將恐將懼，維予與女；將安將樂，女轉棄予」⓼⓪，亦是「背」也。兩首詩的內容都是對「背棄」的嗟怨，其實都說得通。而本節又是「《風》《雅》合論」，所以兩篇都有可能。

〈隆（隰）又（有）長（萇）楚〉夏（得）而愳（謀）之也

　　夏而愳之，馬承源先生考釋隸為「旱而愳之」，讀為「得而愳之」，又引《集韻》謂「侮」古作「愳」，意思似是讀為「得而侮之」。對「愳」的解釋說得不是很明白。學者因此另有釋悔、釋無等說法。

　　案：《毛詩·檜風·隰有萇楚》：「隰有萇楚，猗儺其枝，夭之沃沃，樂子之無知。隰有萇楚，猗儺其華，夭之沃沃，樂子之無家。隰有萇楚，猗儺其實，夭之

---

❼⓼　〔漢〕毛亨傳，鄭玄箋，〔唐〕孔穎達疏：《十三經注疏·詩經》（臺北：藝文印書館，1979 年七版），頁 74~75。

❼⓽　〔漢〕毛亨傳，鄭玄箋，〔唐〕孔穎達疏：《十三經注疏·詩經》（臺北：藝文印書館，1979 年七版），頁 90。

⓼⓪　〔漢〕毛亨傳，鄭玄箋，〔唐〕孔穎達疏：《十三經注疏·詩經》（臺北：藝文印書館，1979 年七版），頁 435。

沃沃，樂子之無室。」《詩序》：「〈隰有萇楚〉，疾恣也。國人疾其君之淫恣，而思無情慾者也。」❽似乎只有「疾」，或「羨慕」的意思，看不出有「悔」或「無」的意思。我的學生鄭玉姍在〈《詩論》二十六簡「愻」字管見〉中主張「愻」在楚簡中多半讀成「謀」，並根據鄭箋「知，匹也」，主張三章的「無知」、「無家」、「無室」都是沒有結婚、沒有家室的意思，因為對方尚未婚配，因此我「得而謀之」。這樣解，雖然與《毛詩·序》不合，但是合於詩文及楚簡「愻」字的用法，可從。

亞（惡）而不燹（憫）

簡首殘，失篇題。燹，舊多誤釋為「儉」，現在大家都知道此二字實不同形，其字形分析，有「從民聲」、「從每聲」、與「麟字象形」等各種說法❽，學者之間似乎還沒有一致的意見，今暫從李學勤先生〈分章釋文〉讀為「亞（惡）而不燹（憫）」。

〈牆（牆）又（有）薺（茨）〉慎（慎）宻（密）而不暂（知）言

〈牆（牆）又（有）薺（茨）〉，馬承源先生考釋隸作「牆又薺」，謂：「《詩》篇名。今本無。」拙作在〈讀郭店、上博簡五題：舜、河澨、紳而易、牆有茨、宛丘〉一文中已經指出字當釋「牆」，即今本之〈牆有茨〉。《毛詩·鄘風·牆有茨·序》：「〈牆有茨〉，衛人刺其上也。公子頑通乎君母，國人疾之，而不可道也。」詩之首章云：「牆有茨，不可埽也。中冓之言，不可道也；所可道

---

❽　〔漢〕毛亨傳，鄭玄箋，〔唐〕孔穎達疏：《十三經注疏·詩經》（臺北：藝文印書館，1979年七版），頁264。

❽　有關此字的考釋，李天虹〈釋楚簡文字燹〉以為「麟」之象形，《華學》第四輯，頁85－88，2000.8；李學勤〈試解郭店簡讀「文」之字〉以為從「昆」、「民」省聲，山東省儒學研究基地·曲阜師範大學孔子文化學院編：《孔子儒學研究文叢》（濟南：齊魯書社，2001年6月），第1輯，頁117－120；何琳儀〈滬簡二冊選釋〉隸定作「瞖」，2002年1月；李零《郭店楚簡校讀記》（修訂本）以為此字相當於「敏」（北京：北京大學出版社，2002年3月），頁53－55；又李零：〈郭店楚簡中的「敏」和「文」字〉，《古文字研究》第24輯（2002年7月），頁389－391；張富海〈北大中國古文獻研究中心「郭店楚簡研究」項目新動態〉引李家浩說指出為「閔」之古文，簡帛研究網站，2003年6月2日首發。

也，言之醜也。」㊣公子頑烝於君母宣姜，以為極其慎密，不知「牆有耳」，此謂之「不知言」。

〈青蠅（蠅）〉暂（知）

蠅即蠅，從黽、興聲。這個字形一出來，已往「興」和「與」的糾纏大部分都可以解決了：上部「臼」形中間從「凡」形、「人」形、「八」形的都是「興」；從「牙」形、「丩」形、「丨」形的才是「與」。

《詩・小雅・青蠅・序》：「〈青蠅〉，大夫刺幽王也。」詩之首章云：「營營青蠅，止于樊。豈弟君子，無信讒言。」㊣原簡「知」字下殘，不知道「知」什麼。

□悉（患）而不暂（知）人

本簡前殘，應補何字？屬何詩題？無從得知。李學勤〈分章釋文〉與簡 28 連讀為「〈青蠅〉知患而不知人」，唯根據濮茅左先生〈簡序解析〉的簡位，簡 28 「青蠅知」下距契口還有三個字的空位，簡 29「患而不知人」上緊接契口（其實應該還有一個空格），可見這兩句不能相接（要接，中間也要空四個字），細查本簡「悉」上還有三小點，顯為另一個字的殘遺。

〈涉秦（溱）〉丌（其）酒（絕）保（柎╱撫）而士

本句斷讀隸定異說較多，馬承源先生作「涉秦丌（其）丝（絕），律而士」，謂即〈褰裳〉。今從李學勤先生〈分章釋文〉讀為「〈涉溱〉其絕保而士」。保，劉信芳先生《述學》讀為「柎」，即撫慰㊣，可從。《毛詩・鄭風・褰裳》首章：「子惠思我，褰裳涉溱。子不我思，豈無他人。狂童之狂也且。」詩文似是寫男女情愛，但《序》說：「〈褰裳〉，思見正也。狂童恣行，國人思大國之正己也。」鄭箋：「狂童恣行，謂突與忽國，更出更入，而無大國正之。」㊣此說近人多半不

㊣　〔漢〕毛亨傳，鄭玄箋，〔唐〕孔穎達疏：《十三經注疏・詩經》（臺北：藝文印書館，1979 年七版），頁 110。

㊣　同前註，頁 489。

㊣　劉信芳：《述學》，頁 257－258。

㊣　〔漢〕毛亨傳，鄭玄箋，〔唐〕孔穎達疏：《十三經注疏・詩經》（臺北：藝文印書館，1979 年七版），頁 173。

肯接受，其實是很可惜的。《史記・鄭世家》：

> 初，祭仲甚有寵於莊公，莊公使為卿；公使娶鄧女，生太子忽，故祭仲立之，是為昭公。莊公又娶宋雍氏女，生屬公突，雍氏有寵於宋。宋莊公聞祭仲之立忽，乃使人誘召祭仲而執之，曰：「不立突，將死。」亦執突以求略焉。祭仲許宋，與宋盟，突歸，立之。昭公忽聞祭仲以宋要立其弟突，九月丁亥，忽出奔。己亥，突至鄭，立，是為屬公。屬公四年，祭仲專國政，屬公患之，陰使雍糾欲殺祭仲，糾妻，祭仲女也，知之，謂其母曰：「父與夫孰親？」母曰：「父一而已，人盡夫也。」女乃告祭仲，祭仲反殺雍糾，戮之於市。屬公無奈祭仲何，怒糾曰：「謀及婦人，死固宜哉！」夏，屬公出居邊邑櫟。祭仲迎昭公忽，六月乙亥，復入鄭，即位。❽

　　據此，忽是鄭莊公的太子，被弟弟庶子突篡位，是為鄭屬公，大臣祭仲受到宋莊公的脅迫，不得已而暫時屈從，與之妥協，並取得權力。等到時機成熟後，毅然把庶子突趕走，重新迎回太子忽（即鄭昭公），這就是「絕撫而士」──斷絕不合義理的安撫，而做出士（知識分子）該做的事。依這樣的解釋，〈孔子詩論〉和《毛詩》相當吻合。

〈角𣶏（枕）〉婦

　　角𣶏，馬承源先生謂「篇名，今本所無。」旭昇案：《詩經》中「角△」的詞只有兩個：角弓與角枕，因此學者很容易從這兩個詞去理解。廖名春先生〈上海博物館藏詩論簡校釋劄記〉：「『角𣶏』，讀為『角枕』。《禮記・檀弓下》：『為楡沈。』《釋文》：『沈本又作瀋。』《說文・釆部》：『審，篆文宷從番。』《唐風・葛生》：『予美亡此，誰與獨息！角枕粲兮，錦衾爛兮。』此是取詩文『角枕』為篇名。《唐風・葛生》是描寫婦人懷夫，故謂之『婦』。」許全勝先生〈《孔子詩論》零拾〉也說：「簡文『枕』字，左從巾，右上從釆，右下從

❽　〔漢〕司馬遷撰：〈鄭世家〉，《史記》（臺北：藝文印書館，據清乾隆武英殿刊本景印），頁700-701。

臼。……而『審』字，《說文》作『宋』，『審』、『沈』通。李學勤先生指出
『青銅器中習見的『番尹』『番君』，即文獻中楚國之『沈尹』。……『番』字亦
從采聲，『番』、『潘』、『瀋』古音同。（李學勤先生〈論江淮間的春秋青銅
器〉）』，故疑此字從宋（審）省聲，乃『枕頭』之『枕』的專字。信陽楚簡遣冊
有『枕』字，左從木不從巾，而右下所從臼則與上博簡文同。《唐風‧葛生》云：
『葛生蒙楚，蘞蔓于野。予美亡此，誰與獨處？　葛生蒙棘，蘞蔓于域。予美亡
此，誰與獨息？　角枕粲兮，錦衾爛兮，予美亡此，誰與獨旦？夏之日，冬之夜，
百歲之後，歸于其居。　冬之夜，夏之日，百歲之後，歸于其室。』為一婦人哀悼
丈夫之詩，亦與簡文合。』」

　　旭昇案：兩家都主張「瀋」可以通「沈」，因而謂「橘」即「枕」。問題是
「橘」從「采」聲，「審」並不從「采」聲（審本作宋，或體作審，義符采替換為
番）。因此，從聲音來通讀，恐怕是有問題的。許全勝先生引李文可能是誤讀李
文，李文以為《隸釋》卷三所錄碑文的「潘」，可能是「瀋」省，也就是「沈」；
清代學者有潘、瀋一字分化之說，但是「這在古音通轉上是有困難的。金文中的
番，還是釋為文獻中楚國的潘氏為好」。⑧因此，李學勤先生並未主張「番」可以
讀為「瀋」或「沈」。

　　我們贊成本詩可能是〈角枕〉，即《唐風‧葛生》，但認為「橘」是「枕」字
的誤寫，《信陽》2.23「枕」字作「⿰⿱」⑧，本簡此字作「⿱」，二形相似，確
實有寫錯字的可能。左旁的「木」替換成「市」，右上的「尤」訛成「采」。《毛
詩‧唐風‧葛生‧序》：「〈葛生〉，刺晉獻公也。好攻戰則國人多喪矣。」詩
云：「葛生蒙楚，蘞蔓于野。予美亡此，誰與獨處？　葛生蒙棘，蘞蔓于域。予美
亡此，誰與獨息？　角枕粲兮，錦衾爛兮，予美亡此，誰與獨旦？夏之日，冬之
夜，百歲之後，歸于其居。　冬之夜，夏之日，百歲之後，歸于其室。」⑩以婦人

---

⑧　見李學勤：〈論江淮間的春秋青銅器〉，《新出青銅器研究》（北京：文物出版社，1990 年
　　1 版），頁 158－159。

⑧　參湯餘惠主編：《戰國文字編》，頁 367。

⑩　〔漢〕毛亨傳，鄭玄箋，〔唐〕孔穎達疏：《十三經注疏‧詩經》（臺北：藝文印書館，
　　1979 年七版），頁 227－228。

寡居思夫，諷刺獻公好戰多亡，因此是「角枕婦」。

〈河水〉智

　　馬承源先生考釋謂「今本所無。……因此〈河水〉應是逸詩的篇名。」案：《國語·晉語四》：「秦伯賦〈鳩飛〉，公子賦〈河水〉。秦伯賦〈六月〉，子餘使公子降拜。秦伯降辭。子餘曰：『君稱所以佐天子匡王國者以命重耳，重耳敢有惰心，敢不從德？』」韋昭注：「〈鳩飛〉，《小雅·小宛》之首章。……河當作沔，字相似誤也。其詩曰：『沔彼流水，朝宗於海。』言己當反國，當朝事秦。」❾❶《左傳·僖公廿三年》：「公子賦〈河水〉，公賦〈六月〉，趙衰曰：『重耳拜賜。』公子降拜稽首。公降一級而辭焉。衰曰：『君稱所以佐天子者命重耳，重耳敢不拜？』」杜預注：「〈河水〉，逸詩，義取河水朝宗於海，海喻秦。」❾❷

　　旭昇案：韋昭以「河」為「沔」的誤字，杜預以〈河水〉為逸詩，但是他們所引的「朝宗於海」，都見於今本《毛詩·小雅·沔水》，極有可能先秦〈沔水〉一名〈河水〉。〈孔子詩論〉說「〈河水〉智」，下文適殘，不知還有字否。《毛詩·小雅·沔水·序》：「沔水，規宣王也。」詩之末章云：「鴥彼飛隼，集彼中陵。民之訛言，寧莫之懲，我友敬矣，讒言其興。」毛《傳》：「疾王不能察讒也。」❾❸本詩的重點應該就在這裡。

〈贀（將）大車〉之囂也，則吕（以）為不可女（如）可（何）也

　　馬承源先生考釋以為「贀大車」即今本《毛詩》之「無將大車」，今本衍「無」字。案：〈孔子詩論〉所稱篇名與今本《毛詩》小有出入，不得逕以今本為衍。何況今本《毛詩》「無將大車」之「無」有意義，更不得視為衍。《毛詩·小雅·無將大車·序》：「〈無將大車〉，大夫悔將小人也。」鄭《箋》：「周大夫悔將小人。幽王之時，小人眾多，賢者與之從事，反見譖害，自悔與小人並。」首

---

❾❶　舊傳〔周〕左丘明撰，〔三國·吳〕韋昭注：《國語·晉語》（臺北：世界書局，1968 年 3 版），頁 262。

❾❷　〔周〕左丘明撰，〔晉〕杜預注，〔唐〕孔穎達疏：《十三經注疏·左傳》（臺北：藝文印書館，1979 年七版），頁 253。

❾❸　俱見〔漢〕毛亨傳，鄭玄箋，〔唐〕孔穎達疏：《十三經注疏·詩經》（臺北：藝文印書館，1979 年七版），頁 375－376。

章云：「無將大車，祇自塵兮。無思百憂，祇自底兮。」❾❹意思是：「不要扶著大車，只會弄滿天灰塵。不要想那些各種煩憂，只會弄得自己一身傷病。」因為小人當道，眾聲喧囂，而這些小人又是自己當年引進的，自己現在卻「不可如何」。

〈審（湛）雺（露）〉之膉（益）也，丌（其）猶鮀與

　　膉，李零先生〈校讀記〉逕隸作「益」；鮀，馬承源先生考釋引《玉篇》：「車疾也。」❾❺讀為「酡」，謂「雖未醉而顏已酡」。周鳳五先生〈新釋文及注解〉云：「當讀為『馳』。《小雅・湛露》共四章，結句為『不醉無歸』、『在宗載考』、『莫不令德』、『莫不令儀』，所言始於燕私夜飲，進而祭宗廟、進而有德行、進而美姿儀；亦即由口腹之慾始，以修德修業終。簡文以車馬奔馳喻其進德之速，蓋美之也。」旭昇案：周說近之。❾❻鮀，義即車疾，不必改讀為馳。《毛詩・小雅・湛露・序》：「〈湛露〉，天子燕諸侯也。」詩云：「湛湛露斯，匪陽不晞，厭厭夜飲，不醉無歸。　湛湛露斯，在彼豐草，厭厭夜飲，在宗載考。　湛湛露斯，在彼杞棘，顯允君子，莫不令德。　其桐其椅，其實離離，豈弟君子，莫不令儀。」❾❼疑〈孔子詩論〉謂本詩的「益」，是天子能以禮待諸侯，因此天下很快地就化之以德，就像車行路上，只要遵循法度，速度雖快，不但不會翻覆，而且會很快地到達目的。《孟子・公孫丑上》：「孔子曰：『德之流行，速於置郵而傳命。』」❾❽《郭店楚墓竹簡・尊德義》簡 28－29 也說：「惪（德）之流，速虗（乎）楷（置）蚤（郵）而連（傳）命。」❾❾「速於置郵而傳命」和〈孔子詩論〉

---

❾❹ 俱見〔漢〕毛亨傳，鄭玄箋，〔唐〕孔穎達疏：《十三經注疏・詩經》（臺北：藝文印書館，1979 年七版），頁 445。

❾❺ 旭昇案：應作「疾馳也」，見《大廣益會玉篇・車部第二百八十二》（北京：中華書局，1987 年 1 版），頁 86。

❾❻ 詩之四章，文字雖小有不同，但每章所表現的意義是一樣的，似乎並沒有「由口腹之慾始，以修德修業終」的意思。

❾❼ 〔漢〕毛亨傳，鄭玄箋，〔唐〕孔穎達疏：《十三經注疏・詩經》（臺北：藝文印書館，1979 年七版），頁 350。

❾❽ 〔漢〕趙岐注，舊題〔宋〕孫奭疏：《十三經注疏・孟子》（臺北：藝文印書館，1979 年七版），頁 52。

❾❾ 荊門市博物館：《郭店楚墓竹簡》（北京：文物出版社，1998 年 5 月初版），頁 175，注 15。

所說的「鼉」意思應該是一樣的吧！

【說明】：

　　本章都是《國風》與《小雅》合論的文字，所以列為「風雅合論」章。簡 23 的〈鹿鳴〉雖然是《小雅》的第一篇，但是簡 23 上殘，約缺 28－31 字，所以本簡看到的句子之前應該還有其它論述。〈鹿鳴〉下一篇〈兔罝〉屬《國風》，與〈鹿鳴〉中間雖有標點符號，但是看起來不像是篇章符，甚至於也不會是段落符，所以我們把它看成只是一般詩篇的間隔符。李學勤先生〈分章釋文〉把簡 23 緊接在簡 26 之後，以長度而言，似乎可行。不過，簡 26 和簡 23 看不出有什麼拼接的必然性。而且〈鹿鳴〉為《小雅》始，做為一節論述的開始，似乎比較合理。其上殘存的可以是另一節的文字。

　　簡 23 之後是簡 25，簡 25 上下皆殘，馬承源先生「全簡圖」於在第一契口到第二契口的位置，濮茅左先生〈簡序解析〉改放在第二契口到第三契口的位置，不知道有什麼理由？我們採用馬先生的安排，認為簡 25 頭部約殘 8 字，尾部約殘 28－29 字。

　　李學勤先生〈分章釋文〉把簡 28、29 拼綴在一起，拼綴後變成「〈□□〉……惡而不憫。〈牆有茨〉慎密而不知言。〈青蠅〉知患而不知人。〈涉溱〉其絕保而士」顯得句法整齊。簡 28 兩契口間的長度為 19.2 公分，簡 29 為 18.1 公分，這樣的拼接似乎也都在合理的範圍之內。唯一的缺點是簡 29 的上部「患」字之前其實還殘存著一個字的痕跡，這個痕跡看起來也不像是編繩的殘痕（〈孔子詩論〉二十九支簡都沒有看到編繩留下的色痕），因此「智」跟「患」應該是不能連讀的。我們考慮再三，還是放棄了簡 28 和簡 29 拼接的做法，依濮茅左先生〈簡序解析〉的安排補空，補的空位較濮文多。

　　簡 21 前半是《小雅》的兩篇，照理應該放在第五章；後半為合論風雅頌的「宛丘組」，應該放在第八章，這就造成分章的一個相當大的困難，本簡怎麼擺都有問題。在這兒我們用了一個取巧的辦法，把簡 21 前半認為是屬於合論風雅，只不過簡文剛好只剩《小雅》部分，其前應該有缺簡是屬於論述《國風》的部分。如果這樣解釋可以成立，那麼本簡上半接簡 29 的合論風雅，下半接簡 22 的合論風雅頌，就顯得非常合理了。這個辦法雖然看似取巧，但縱觀整個〈孔子詩論〉，全篇

的體例，對每一詩篇多半是一而再、再而三的分層論述，因此〈孔子詩論〉絕對不會只有 29 支簡，它的殘缺應該是相當嚴重的。據此，我們用的這個方式應該還在合理的情況之內。

【第八章】合論風雅頌

【原文】：

　　孔＿（孔子）曰：〈宛（宛）▼2 丘〉虐（吾）善之▬，〈於（猗）差（嗟）〉虐（吾）憙（喜）之▬，〈巳（鳲）鴄（鳩）〉虐（吾）信之▬，〈文王〉虐（吾）兆（美）之，〈清▼3〔廟〕虐（吾）敬之，〈剌（烈）叟（文）〉吾敥（悅）【二十一下】之，〈昊＿（昊天）又（有）城（成）命〉吾□〕之。▼1（以上為「宛丘組」初論，屬風雅頌合論）

　　〈宛（宛）丘〉曰：「訽（洵）有情」，「而亡（無）望」，虐（吾）善之。〈於（猗）差（嗟）〉曰：「四矢弁（反）」，「以▼2 御（禦）雙（亂）」，虐（吾）喜之▬。〈巳（鳲）鴄（鳩）〉曰：「其義（儀）一氏（兮），心女（如）結也」，虐（吾）信之。〈文王〉〔曰：「文▼3王 在上，於昭於天」，虐（吾）美之。【二十二】〔〈清廟〉曰：「肅雝顯相，濟＿（濟濟）」▼1 多士，秉叟（文）之悳（德）〕，虐（吾）敬之。〈剌（烈）叟（文）〉曰：「乍（亡／無）競佳（維）人，不（丕）㬎（顯）佳（維）悳（德）。於虖（乎）！▼2 前王不忘」，虐（吾）敥（悅）之。〈昊＿（昊天）又（有）城（成）命〉，「二句（后）受之」，貴叡（且）㬎（顯）矣，訟▼3□□□□□□□□【六】（以上為「宛丘組」再論，屬風雅頌合論）

　　【缺簡】

【語譯】：

　　孔子說：〈宛丘〉我稱善它。〈猗嗟〉我喜愛它。〈鳲鳩〉我相信它。〈文王〉我贊美它。〈清廟〉我敬重它。〈烈文〉我悅愛它。〈昊天有成命〉我……。

　　〈宛丘〉詩中說「真的有情韻，而沒有威望」，諷刺陳國在上位者過分好巫重祀而流於荒淫昏亂，我稱善這種直刺的詩篇。〈猗嗟〉詩中說「四支箭都能射到同一點，必然能夠保衛四方」，贊美魯莊公有威儀技藝，我喜愛他。〈鳲鳩〉詩中說

「他的行為始終如一，心像結一樣堅定」，這樣的君子，我相信他。〈文王〉詩中說「文王的威靈在上，他的德行顯赫於天」，我贊美他。〈清廟〉詩中說「來助祭的公卿諸侯敬肅雝和，眾多的與祭執事之人，秉奉文王之德」，我尊敬他。〈烈文〉詩中說「沒有比得到賢人更重要的了，沒有比德行更顯赫的了，啊！不要忘記先王的功德啊」，我悅愛他。〈昊天有成命〉詩中說「文武二后修德積善，承受天命」，因此既尊貴又顯赫，訟……。

【考釋】：

〈畞（宛）丘〉曰：「訽（洵）有情」，「而亡（無）望」，虗（吾）善之

　　〈畞丘〉，馬承源先生考釋已指出即今本《毛詩》的「宛丘」，但於「畞」字無法解釋。拙文〈讀郭店、上博簡五題：舜、河澨、紳而易、牆有茨、宛丘〉以為簡 21「畞」、簡 22「畞」都是由「邊」的省體「备」再進一步省而來的。《毛詩·陳風·宛丘·序》：「〈宛丘〉，刺幽公也。淫荒昏亂，游蕩無度焉。」詩云：「子之湯兮，宛丘之上兮，洵有情兮，而無望兮。　坎其擊鼓，宛丘之下，無冬無夏，值其鷺羽。　坎其擊缶，宛丘之道，無冬無夏，值其鷺翿。」⓿無論就序、就詩來看，都找不出有任何可以稱「善」之處，三家詩也一樣。學者的解釋也都難愜人意。鄭玉姍〈孔子詩論譯釋〉語譯為：「〈宛丘〉一詩諷刺陳國在上位者過分好巫重祀而流於荒淫昏亂，我稱善這種直刺的詩篇。」這應是無可奈何下，勉可接受的語譯。當然，我們也要保留〈孔子詩論〉對〈宛丘〉有不同解釋的可能。

〈於（猗）差（嗟）〉曰：「四矢弁（反）」，「以御（禦）嬰（亂）」，虗（吾）喜之

　　《毛詩·齊風·猗嗟·序》：「〈猗嗟〉，刺魯莊公也。齊人傷魯莊公有威儀技藝，然而不能以禮防閑其母，失子之道。人以為齊侯之子焉。」其二、三章云：「猗嗟名兮，美目清兮，儀既成兮，終日射侯，不出正兮，展我甥兮。　猗嗟變兮，清揚婉兮，舞則選兮，射則貫兮，四矢反兮，以禦亂兮。」⓫本詩主角為魯莊

⓿　〔漢〕毛亨傳，鄭玄箋，〔唐〕孔穎達疏：《十三經注疏·詩經》（臺北：藝文印書館，1979 年七版），頁 250。

⓫　〔漢〕毛亨傳，鄭玄箋，〔唐〕孔穎達疏：《十三經注疏·詩經》（臺北：藝文印書館，1979 年七版），頁 201。

公，即齊襄公外甥，齊襄公與其妹文姜未嫁時即已私通，嫁與魯桓公後仍藕斷絲連，最後與其兄齊襄公聯手謀害親夫，為魯國一大悲劇。鄭玉姍〈孔子詩論譯釋〉云：

> 筆者以為，《左傳・桓公六年》：「九月，丁卯，子同生。」齊文姜與齊襄公私通於未嫁之時，後來藕斷絲連。魯桓公十八年，魯桓公在出使齊國時遭齊公子彭生暗殺於車中，當時魯莊公不過十二歲左右，仍是未成年之幼童；若責備其「不能以禮防閑其母，失子之道」則太過矣。故此詩當為美魯莊公之詩；分別美其容貌、射儀與射事。齊人曰「展我甥兮」，正稱美齊襄公有此優秀的外甥，令人喜悅。簡文曰「〈猗嗟〉吾喜之」，與詩旨相合。⓲

詩文明白贊美魯莊公有威儀技藝，而《序》則強調其不能「防閑其母」。二者並不衝突，鄭說可從。

〈鳲鳩〉曰：「其義（儀）一氏（兮），心女（如）結也」，虐（吾）信之

　　《毛詩・曹風・鳲鳩・序》：「〈鳲鳩〉，刺不壹也。在位無君子，用心之不壹也。」《毛傳》：「鳲鳩之養其子朝從上下，莫從下上，平均如一。」詩之首章云：「鳲鳩在桑，其子七兮。淑人君子，其儀一兮，其儀一兮，心如結兮。」⓳跟前一小節〈猗嗟〉一樣，也是詩文贊美鳲鳩，《序》指出實為反諷在位君子。「其義一氏」讀「其儀一兮」，何琳儀先生〈滬簡詩論選釋〉指出「氏」當讀為「只」：「《說文》『祇，讀若抵掌之抵。』是其佐證。『只』與『兮』均為語尾歎詞，在《詩經》、《楚辭》中習見。」可從。《馬王堆・五行》184 引此詩亦作「叔人君子，其宜一氏」。

〈文王〉〔曰：「文〕王在上，於昭於天」，虐（吾）美之

⓲ 鄭玉姍〈孔子詩論譯釋〉，季旭昇主編《《上海博物館藏戰國楚竹書（一）》讀本》（臺北：萬卷樓，待版）。

⓳ 〔漢〕毛亨傳，鄭玄箋，〔唐〕孔穎達疏：《十三經注疏・詩經》（臺北：藝文印書館，1979 年七版），頁 271。

　　簡 22 是馬承源先生由兩支殘簡拼接的，李零先生〈校讀記〉、李學勤先生〈分章釋文〉則拼接成「『文王在上，於昭於天』，虗（吾）美之」，據彩色原簡，「文王」與「王在上」不能直接拼接，二「王」字中間應該有字。而且依「宛丘組再論」的體例，除了〈昊天有成命〉是詩題，也是詩文首句，所以一句二用，不加「曰」以外，其餘各篇都以「〈詩題〉曰」開始，不應〈文王〉篇特別例外。

　　《毛詩・大雅・文王・序》：「〈文王〉，文王受命作周也。」其首章云：「文王在上，於昭于天，周雖舊邦，其命維新，有周不顯，帝命不時，文王陟降，在帝左右。」⑭全詩謂文王受命代殷，其德昭顯於天，故〈孔子詩論〉美之。

〔〈清廟〉曰：「肅雝顯相，濟＝（濟濟）〕多士，秉旻（文）之悳（德）」，虗（吾）敬之

　　李零先生〈校讀記〉、李學勤先生〈分章釋文〉都以簡 6 上接簡 22，極具卓識。簡 21〈文王〉之後的詩題有「清」字，顯為「清廟」；簡 6 首部為「多士，秉文之德」也是「清廟」的句子，因此二家以簡 6 上接簡 22，並且在簡 6 首部補了「〈清廟〉曰：「肅雝顯相，濟濟」等字，可從。

　　《毛詩・周頌・清廟・序》：「〈清廟〉，祀文王也。周公既成洛邑，朝諸侯，率以祀文王焉。」詩云：「於穆清廟，肅雝顯相，濟濟多士，秉文之德，對越在天，駿奔走在廟，不顯不承，無射於人斯。」⑮鄭《箋》：「於乎美哉！周公之祭清廟也。其禮儀敬且和，又諸侯有光明著見之德者來助祭。濟濟之眾士皆執行文王之德，文王精神已在天矣，猶配順其素如生存。」⑯因為有這些濟濟之士，能秉文之德，周朝因此能不斷地日新又新，所以〈孔子詩論〉說「吾敬之」。

〈剌（烈）旻（文）〉曰：「乍（亡／無）競佳（維）人，不（丕）㬎（顯）佳（維）悳（德）。於虖（乎）！前王不忘」，虗（吾）敚（悅）之

　　《毛詩・周頌・烈文・序》：「〈烈文〉，成王即政，諸侯助祭也。」詩之後

---

⑭　〔漢〕毛亨傳，鄭玄箋，〔唐〕孔穎達疏：《十三經注疏・詩經》（臺北：藝文印書館，1979 年七版），頁 533、531。

⑮　同前註，頁 706－707。

⑯　〔漢〕毛亨傳，鄭玄箋，〔唐〕孔穎達疏：《十三經注疏・詩經》（臺北：藝文印書館，1979 年七版），頁 707。原書「如生存」作「如存生存」，此據阮元〈校勘記〉改。

半云：「無競維人，四方其訓之，不顯維德，百辟其刑之，於乎！前王不忘。」❿

意思是：沒有比得到賢人更重要的了，因此四方諸侯都能順從無違；沒有比德行更顯赫的了，天下諸侯都會仿效。啊！不要忘記先王的功德啊！」〈孔子詩論〉與今本《毛詩》合，只是「無競」作「亡競」，而又錯成「乍競」。

〈昊＝（昊天）又（有）城（成）命〉，「二后受之」，貴叔（且）昱（顯）矣，訟

　　《毛詩·周頌·昊天有成命·序》：「〈昊天有成命〉，郊祀天地也。」詩云：「昊天有成命，二后受之。成王不敢康，夙夜基命宥密。於緝熙，單厥心，肆其靖之。」❿詩文只有贊頌文王、武王（二后）受天命，成王承之「不敢康」，《毛詩·序》說是「郊祀天地」，可能有點問題，因為周代天地不合祀。❿〈孔子詩論〉評二后「貴且顯」，純就詩文立論，平實可取。「訟」以下簡殘，文不可知，但是以本篇前各篇體例來看，本篇最後應以「吾□之」作結，因此「訟」字應該屬於〈昊天有成命〉的論述。

【說明】：

　　簡 21 尾部應補約 8 字。馬承源先生在簡 21 後補了「廟吾敬之」，李學勤先生又補「《烈文》吾悅」，並在接下來的簡 22 補上「之，《昊天有成命》吾□」。二家說都可從。但簡 22 首部應補 8－9 字，「昊天」通常會寫成合文，佔不到兩個字的位置，所以我們認為「昊天有成命」之下也許可能是「吾□之」。

　　簡 22 原來是兩根斷簡，馬承源先生在兩斷簡中補了「曰文」兩字，可信。據文義及簡位，簡首應補 8－9 字，現在補了「之，昊＝有成命吾□」，「昊天」合文算兩個字，所補勉強算 8 個字的位置。

　　李學勤先生〈分章釋文〉把簡 6 接在簡 22 之後，並在簡 6 之前補了「《清廟》曰：肅雍顯相，濟濟」，其說可信。這樣編聯之後，「宛丘組」的結構就形成了，跟「關雎組」、「葛覃組」比較，「宛丘組」只反覆了兩次，似乎應該還差一

❿　同前註，頁 710。

❿　同前註，頁 716。

❿　參拙作：《詩經古禮研究》，頁 11－15。

次，所以本章最後一支簡，即簡 6 之後應該還有缺簡。

簡 6 是一般所謂的留白簡，它既然上接簡 22，那麼簡 6 和簡 5 就被拆開了。李學勤先生〈分章釋文〉因此把簡 6 之後接的是簡 7、簡 2、簡 3、簡 4、簡 5、簡 1，表面上看來，留白簡都集合在一起。但是簡 4 和簡 1 是通論性的文字，我們很難理解，為什麼簡 4 和簡 1 中間會插入一支分論《周頌・清廟》的簡 5？如果我們放棄「留白簡」的觀念，那麼這些問題就都可以解決了。「留白簡」是已往楚簡從來沒有見過的，造成「留白簡」原因還不明瞭，我們似乎不必太執著於「留白簡」，非把它們綁在一起不可。

「宛丘組」至少包含〈宛丘〉、〈猗嗟〉、〈鳲鳩〉、〈文王〉、〈清廟〉、〈烈文〉、〈昊天有成命〉七首詩。但是，「宛丘組」的兩層論述剛好都是上完下殘，〈昊天有成命〉之下是否還有詩篇，其實是還可以保留的。

參、結　語

〈孔子詩論〉雖然只有 29 支簡，但是因為是傳自孔子，討論的又是《詩經》，所以在學術史上有極其重要的地位。可惜的是，《上博》簡由於是盜掘出土，在流傳的過程中受到種種的損傷，無法見到完整的原貌。即以〈孔子詩論〉而言，經過重新分章編聯之後，肯定缺簡的已不在少數。因此留下來懸而難決的問題，恐怕要等更多的資料出土了。

〈孔子詩論〉的內容可以探討的部分還很多，本文只做了最基本的分章編聯詮釋，在學術史上的意義還未能深入探索。有關〈孔子詩論〉和《毛詩》詩旨的異同，限於篇幅，也都不能放言暢談。這些部分，還要期待更多的學者來投入。

由於上海博物館收購〈孔子詩論〉時已有殘缺，在即將出版的《上海博物館藏戰國楚竹書（三）》一書中也會有七支簡記載了 40 種詩的篇名和演奏詩曲吟唱的各種音高，有些詩名十分有意思，如〈子奴思我〉、〈野有莓〉、〈思之〉、〈良人亡不宜也〉、〈奚言不從〉等，《上海博物館藏戰國楚竹書（六）》也還會公佈一些殘存的碎簡⑩；還有上博同一批未發表的藏簡中由不同人書寫、但和《詩經》

---

⑩　朱淵清採訪並撰稿：〈馬承源先生談上博簡〉，見《上博館藏戰國楚竹書研究》，頁 1－8。

有關的，如《上博（一）》頁 127、135 的兩支簡。這些，應該都和〈孔子詩論〉有關，因此本文一定還會有很多疏漏，有待將來葺補。

　　本文撰寫的過程中，參與《《上海博物館藏戰國楚竹書（一）》讀本》編寫讀書會的陳霖慶、鄭玉姍、鄒濬智、鄭靖暄、連德榮、朱賜麟、李志慶、陳惠玲、呂婉甄同學，在討論的過程中給了我不少的啟發，〈孔子詩論譯釋〉的執筆鄭玉姍在材料蒐集、意見交換中給我的幫助尤多，在此一並致謝。

2004.2.1 完稿

　　《上博（一）‧孔子詩論》舉世矚目，相關論述很多，本文雖盡力蒐羅，但難免仍有遺珠之憾。本文旨在對〈孔子詩論〉提出一個全面性的詮釋，限於篇幅，很多個別的意見也不能一一徵引，因此本文中屬於拙見的部分都會一一注明，其餘沒有注明的，都屬於為綜合論述，多非鄙見，讀者幸勿以此見病。

2004.9.17 補記

參考書目

（依出版時間排列，書名後括號中為本文使用的簡稱）

季旭昇〈從員國銅器談詩經「彼其之子」的新解〉（第三屆中國文字學國際學術研討會，新莊：輔仁大學，1992.4.21；又收入師大《國文學報》第二十一期，頁 1－40，1992.6）

李學勤〈試解郭店簡讀"文"之字〉，山東省儒學研究基地‧曲阜師範大學孔子文化學院編：《孔子儒學研究文叢》第一輯，齊魯書社，2001 年 6 月，頁 117－120。

馬承源主編：《上海博物館藏戰國楚竹書（一）》（《上博（一）》）（上海：上海古籍出版社，2001 年 11 月）

季旭昇〈讀郭店、上博簡五題：舜、河滸、紳而易、牆有茨、宛丘〉，《中國文字》新廿七期（臺北：藝文印書館，2001 年 12 月，頁 113－120）

湯餘惠主編《戰國文字編》（福州：福建人民出版社，2001 年 12 月 1 版）

龐　樸〈上博藏簡零箋（二）〉，《簡帛研究網站》2001 年 12 月 28 日。又輯入

　　朱淵清、廖名春主編《上博館藏戰國楚竹書研究》，頁 233－242，上海書店，2002 年 3 月。

李　零〈上博楚簡校讀記（之一）——《子羔》篇"孔子詩論"部分〉（〈校讀記〉）（《簡帛研究網站》2001.12.31 首發。又收在《上博楚簡三篇校讀記》，臺北：萬卷樓圖書公司，2002 年 3 月初版，頁 9－46，內容與簡帛研究網站發表者大致相同，而稍有訂正。本文採用萬卷樓版）

劉樂賢〈讀上博簡札記〉（簡帛研究網站，2002 年 1 月 1 日首發）

龐　樸〈上博藏簡零箋（一）〉（簡帛研究網站，2002 年 1 月 1 日首發）

劉　釗〈《讀上海博物館藏戰國竹書》（一）札記〉（簡帛研究網站，2002 年 1 月 9 日首發；又輯入朱淵清・廖名春主編《上博館藏戰國楚竹書研究》，上海書店，2002 年 3 月 1 版，頁 289－291）

馮勝君〈讀上博簡〈孔子詩論〉劄記〉（簡帛研究網站，2002 年 1 月 11 日首發）

廖名春〈上博《詩論》簡的形制和編連〉（簡帛研究網站，2002 年 1 月 14 日首發。又刊載廖名春編《清華簡帛研究》第二輯，北京：清華大學思想文化研究所，2002 年 3 月，頁 126－133）

陳　劍〈《孔子詩論》補釋一則〉（中國社會科學院歷史所楚簡《詩論》學術研討會，2002 年 1 月 14 日。又刊載《國際簡帛研究通訊》第 2 卷第 3 期，2002 年 1 月，頁 10）

李學勤〈上海博物館藏楚竹書《詩論》分章釋文〉（〈分章釋文〉）（簡帛研究網站，2002 年 1 月 16 日首發。原載《國際簡帛研究通訊》第 2 卷第 2 期，2002 年 1 月，頁 1－3。又輯入姜廣輝主編《經學今銓三編》，《中國哲學》第二十四輯），題為〈《詩論》分章釋文〉，遼寧教育出版社，2002 年 4 月，頁 135－138）

周鳳五〈《孔子詩論》新釋文及注釋〉（〈新釋文及注釋〉）（簡帛研究網站，2002 年 1 月 16 日首發。又輯入朱淵清、廖名春先生主編《上博館藏戰國楚竹書研究》，上海書店，2002 年 3 月，頁 152–172）

何琳儀〈滬簡詩論選釋〉（〈滬簡〉）（簡帛研究網站，2002 年 1 月 17 日首發。又輯入朱淵清、廖名春先生主編《上博館藏戰國楚竹書研究》，上海書店，

2002 年 3 月 1 版，頁 243－259）

周鳳五〈論上博《孔子詩論》竹簡留白問題〉（簡帛研究網站，2002 年 1 月 19 日
　　　首發。又輯入朱淵清、廖名春主編《上博館藏戰國楚竹書研究》，上海書
　　　店，2002 年 3 月 1 版，頁 187－191）

李天虹〈《葛覃》考〉（《國際簡帛研究通訊》第 2 卷第 2 期，2002 年 1 月，頁
　　　10）

饒宗頤〈竹書《詩序》小箋（一）〉（簡帛研究網站，2002 年 2 月 21 日首發。又
　　　輯入朱淵清、廖名春主編《上博館藏戰國楚竹書研究》，上海書店，2002
　　　年 3 月 1 版，頁 228－232）

龐　樸〈上博藏簡零箋（一）〉（簡帛研究網站，2002 年 1 月 1 日首發）

李學勤〈《詩論》簡的編聯與復原〉（廖名春編《清華簡帛研究》第二輯，2002
　　　年 3 月，北京：清華大學思想文化研究所，頁 4－8。又收在《中國哲學
　　　史》2002 年第 1 期，頁 5－8）

胡平生〈讀上博藏戰國楚竹書《詩論》札記〉（朱淵清、廖名春主編《上博館藏戰
　　　國楚竹書研究》，上海書店，2002 年 3 月，頁 277－288）

楊澤生〈說「既曰"天也"，猶有怨言」評的是《鄘風‧柏舟》〉（廖名春編《新
　　　出楚簡與儒學思想國際學術研討會論文集》，北京：清華大學思想文化研究
　　　所，2002 年 3 月 31 日－4 月 2 日，頁 225－228）

廖名春〈《詩論》簡"以禮說詩"初探〉（清華大學「簡帛講讀班」第 22 次研討
　　　會論文，2002 年 3 月 9 日。又收入廖名春編《清華簡帛研究》第二輯，北
　　　京：清華大學思想文化研究所，2002 年 3 月，頁 142－150）

廖名春〈上博《詩論》簡的天命論和誠論〉（《新出楚簡與儒學思想國際學術研討
　　　會論文集》，北京清華大學思想文化研究所與臺北輔仁大學文學院聯合主
　　　辦，2002 年 3 月 31 日－4 月 2 日，61－70 頁）

上海大學古代文明研究中心、清華大學思想文化研究所編：《上博館藏戰國楚竹書
　　　研究》（上海：世紀出版集團、上海書店出版社出版、發行，2002 年 3 月 1
　　　版）

李學勤〈《詩論》說《關雎》等七篇釋義〉（《齊魯學刊》2002 年第 2 期（總第

167 期），2002 年 3 月，頁 90－93。又收入廖名春先生編《清華簡帛研究》第二輯，北京：清華大學思想文化研究所，2002 年 3 月，頁 15－19。又刊載《報刊複印資料》（J2 中國古代、近代文學研究）2002 年第 8 期，北京：中國人民大學書報資料中心，2002 年 8 月，頁 45－48）

黃德寬、徐在國〈《上海博物館藏戰國楚竹書（一）·《孔子詩論》釋文補正〉（《安徽大學學報》（哲學社會科學版）2002 年第 2 期，2002 年 3 月，頁 1－6。又刊載《報刊複印資料》（H1 語言文字學）2002 年第 7 期，北京：中國人民大學書報資料中心，2002 年 7 月，頁 79－84）

濮茅左〈《孔子詩論》簡序解析〉（簡序解析）（《簡帛研究網站》2002 年 4 月 6 日首發。又收入朱淵清、廖名春先生主編《上博館藏戰國楚竹書研究》，上海書店，2002 年 3 月，頁 9－50）

曹錦炎〈楚簡文字中的"兔"及相關諸字〉，「新出土文獻與古代文明國際學術研討會會議」會議論文（編號 2），頁 1－7，2002 年 7 月 28－30 日。

李天虹〈釋楚簡文字⑷⑸〉（北京：紫禁城出版社，《華學》第四輯，2002 年 8 月 1 版，頁 85－88）

季旭昇《說文新證（上）》（臺北：藝文印書館，2002 年 10 月初版）

鄭玉姍〈《詩論》二十六簡「愗」字管見〉（簡帛研究網站，2003 年 1 月 6 日）

何琳儀〈滬簡二冊選釋〉（〈滬簡〉）（簡帛研究網站 2003 年 1 月 14 日首發）

劉信芳《上博館藏戰國楚簡·孔子詩論述學》（述學）（安徽：安徽大學出版社，2003 年 1 版）

鄭玉姍〈孔子詩論譯釋〉（季旭昇主編《上海博物館藏戰國楚竹書（一）》讀本》，臺北：萬卷樓，2004）

本書目承許學仁先生提供「楚簡研究書目」，以資參考，謹此致謝。

經 學 研 究 論 叢
第 十 三 輯　　頁109～140
臺灣學生書局　　2006年3月

論朱熹詮《詩》態度與觀點的轉變

賴欣陽*

一、前　言

　　《詩經》自孔子持以教其弟子以來，成為儒家學者共同尊奉的經典已二千五百多年，雖經秦火及歷代戰禍天災，迭有散佚，而歷來說《詩》、解《詩》者正不知凡幾。可見學者重視此書，並不因天災人禍而廢其講習之功。然而自漢至唐，解釋《詩經》之專門名家，於西漢時有齊、魯、韓三家今文《詩》，其後再加上古文《毛詩》，遂有「四家詩」之稱。《齊詩》、《魯詩》於魏晉南北朝時相繼亡佚，唯為鄭玄所取為箋注底本之《毛詩詁訓傳》獨存。至唐代則今文《詩》猶有《韓詩》，而孔穎達主持編纂《五經正義》，獨取《毛詩》鄭《箋》為底本。其後《韓詩》亦漸散佚，至北宋只餘《韓詩外傳》。《毛詩》在流傳的過程中，也有很多說解者，然至唐時則鄭《箋》獨尊。此時鄭《箋》歷經七百年左右，學者多宗之。❶鄭玄著力於藉名物制度、史實考證以闡發詩說，明其旨意。而列於毛《傳》、鄭《箋》前之《詩序》文字，遂並為學者所宗，以此為詩旨，乃聖人述作之意。這也使得《大序》及各詩《小序》之間與《詩經》的本文緊密結合，形成一個頗具完整結構的詩說。

　　趙宋時期，一些學者紛紛提出自己對《詩經》的看法及研究心得，逐漸衝擊毛

---

*　賴欣陽，國立中央大學中國文學系博士生。
❶　其間雖有魏時王肅注《詩》，以破鄭為目的。然後亦失傳，而無法取代鄭《箋》。

《傳》、鄭《箋》、孔《疏》這些在《詩序》及詩本文與經史知識上發展出來的解釋結構。不只抨擊《詩序》，甚至主張刪去無益勸戒有礙風化及修身的淫詩。❷然而大部分的學者仍主張依《序》解詩，對照《序》文的說法來闡發詩旨，所以仍未形成全面影響，讓大多數學者相信《序》文中不合詩文之理及與史實牴牾之處。南宋大儒朱熹，凸顯出《毛詩》本文與《詩序》間的不合理處，而真正鬆動流傳九百多年的說詩方法。然其論友呂祖謙不能了解他在這方面的貢獻，仍然依循傳統，就《詩序》詳求詩旨，對朱熹廢《序》說詩的作法，無法認同。❸可是經過朱熹的力倡及其令人信服的大儒地位，終於影響了學界。由《朱子語類》中所載的對話看來，朱熹門生及友人已然接受其觀點，不盡信《詩序》了。

　　朱熹並不是一開始就對《詩序》採取全然捨棄❹態度的，他有一個懷疑及改變的歷程。在《朱子語類》第八十卷中，朱熹明說：

> 某向作《詩》解，文字初用《小序》。至解不行處，亦曲為之說。後來覺得
> 不安，第二次解者，雖存《小序》，間為辨破，然終是不見詩人本意。後來
> 方知只盡去《小序》，便自可通。於是盡滌舊說，詩意方活。

可見他對《小序》的態度儘管有懷疑，但在實際解詩的過程中仍用《小序》。後來由於無法說服自己相信《小序》，便另作《詩序辨說》來討論《詩序》，指出其不合詩旨之處。但是最後他相信捨棄《小序》，只就詩文玩索諷詠，才能得詩之旨，通詩之意。因此在實際解詩的過程中，朱熹經歷三個階段，而這都是由於對《詩

---

❷ 例如王柏《詩疑》中便云：「漢儒病其亡逸，妄取而攛雜，以足三百篇之數。愚不能保其無也。不然，則不奈聖人『放鄭聲』之一語終不可磨滅，且又復言其所以放之之意曰『鄭聲淫』，又曰『惡鄭聲之亂雅樂也』。愚以是敢謂淫奔之詩，聖人之所必削，決不存於雅樂也。」

❸ 呂祖謙認為廢《序》則詩中義理無所依傍，反令詩旨模糊，難以發其奧義精理。所以當然會對朱熹的作法不能認同。

❹ 「捨棄」並不等於「反對」。蓋「反對」者，就其已立之說而反對之；而「捨棄」者，另尋說法以解之。前者反對《詩序》，而說法全然與之相反；後者放棄《詩序》，說法也可能有與之相合的機會。

序》的懷疑態度所導致。探求朱熹解詩的變化過程，可以了解他如何逐步放棄自己覺得不合理的說法；也可進一步探求他不按《小序》解詩的依據；更可以就其去取存捨之跡，來看他對詩意的掌握與裁斷的歷程。這種種都涉及讀詩者理解詩意的歷程，不只是朱熹自己的問題，而是讀解《詩經》的人都會面對的問題。本文就此進行探討，期能彰明朱子在實際詮釋活動中，逐步解構、鬆動《詩經》學史中毛、鄭等依《序》說詩權威的過程。

二、《詩集傳》的成書與朱子對《詩序》的看法

《詩集傳》是朱熹對《詩經》進行實際詮釋活動的作品，在《朱子語類》卷八十中記載：

> 文蔚泛看諸家詩說。先生曰：「某有《集傳》。」後只看《集傳》。先生又曰：「曾參看諸家否？」曰：「不曾。」曰：「卻不可。」❺

可見朱熹對他的《詩集傳》相當重視，還公開介紹給學生閱讀。而這也是朱熹詮釋《詩經》所留下的完整成果。本文擬以此書為基礎來探究他在詮釋《詩經》時所遇到的問題及其態度與觀點的轉變。

〈詩集傳序〉中提到詩的起源：

> 人生而靜，天之性也。感於物而動，性之欲也。夫既有欲矣，則不能無思，既有思矣，則不能無言。既有言矣，則言之所不能盡，而發於咨嗟詠嘆之餘者，必有自然之音響節族而不能已焉。

這與《詩序》「情動於中，而形於言。言之不足，故嗟歎之。嗟歎之不足，故永歌之。永歌之不足，不知手之舞之，足之蹈之也」，的說法並無差異。

論詩教時，也與《詩序》的意見一樣，說「用之鄉人，用之邦國，以化天

---

❺　這段對話題為陳文蔚所記，是戊申以後所聞，也就是朱子五十九歲以後所說的。

下」，主張「風動教化」的說法。只是就「觀詩采風」的活動及孔子編詩、正詩的用意更加以推闡說明，這些說法都是漢儒已經提過的。至於對「風」、「雅」、「頌」的看法，其與《毛詩序》之意不同者，只有認為：「風者，多出於里巷歌謠之作。所謂男女相與詠歌，各言其情者也。」但是也提到「先王之風於此變焉」、「被文王之化以成德」，這與《詩序》所強調的「先王之澤」、「王者之風」並無不同。

而對於「正」、「變」的說法，〈詩集傳序〉云：

> 其國之治亂不同，人之賢否亦異。其所感而發者，有邪正是非之不齊。而所謂先王之風者，於此變矣。

此與《詩序》中所說的「王道衰，禮義廢，政教失。國異政，家殊俗。而變風變雅作矣」，更如出一轍。

所以就〈詩集傳序〉的內容看來，朱熹對〈詩大序〉的意見應是接受，並且更進一步加以推闡，深入說明。看不出他反對《詩序》的立場。❻

然而清朝王懋竑纂訂《朱子年譜》，列《詩集傳》成於淳熙四年丁酉，這一年朱熹四十八歲。《年譜》中並載朱鑑（朱熹之孫）《詩傳遺說注》所云：「《詩傳》舊序，此乃先生丁酉歲用《小序》解經時所作。後乃盡去《小序》。」可見朱熹《詩集傳》前的序文是他依《小序》解經時的舊說。

其實他一直對《小序》感到無法滿意，在〈答呂伯恭〉的信中屢有明言。在《朱文公文集》第三十四卷第四頁〈答呂伯恭〉中，朱熹說：

> 詩說所欲脩改處，是何等類，因書告略及之。比亦得聞刊定。大抵《小序》盡出後人臆度，若不脫此窠臼，無緣得正當也。去年略脩舊說，訂正為多，向恨未能盡去。得失相半，不成完書耳。

---

❻ 本文刻於怡府藏板八卷本《詩集傳》前，為明善堂所重梓，未知是否宋本之舊貌。

寫這封信時，朱熹四十九歲。❼他對《小序》已經明顯持反對的態度，正處於「盡去《小序》」的過程中。但在淳熙二年乙未〈答呂伯恭〉❽的信中，朱熹其實就對舊說表示不滿了。他說：

> 竊承讀《詩》終篇，想多所發明，恨未得從容以請。熹所集解，當時亦甚詳備，後以意定，所餘才此耳。然為舊說牽制，不滿意處極多。比欲修正，又苦別無稽援。此事終累人也。

他雖未明指《小序》，然對「舊說」的抱怨，是與《小序》脫離不了關係的。所以在丁酉年所作的〈詩集傳序〉中雖仍用「《小序》解經」的「舊說」，但對於《小序》的懷疑態度，不僅未能除去，甚且滋長蔓延。❾只是自己未能確立更可靠及可信的解詩依據，所以只好暫時接受它。而《詩集傳》初稿成後，大概對《詩經》的看法也更完整了，朱子更堅定他不信《小序》的主張，遂逕行刪訂《詩集傳》的工作。

　　從《朱子語類》中朱熹自己的回憶看來，他對《小序》的懷疑與不滿乃是植根於早年讀《詩》時。他說：

> 某自二十歲讀《詩》時，便覺《小序》無意義。及去了《小序》只玩味詩詞，卻又覺得道理貫徹。當初亦嘗質問諸鄉先生，皆云：「《序》不可廢。」而某之疑終不能釋。後到三十歲，斷然知《小序》之出於漢儒所作。其為繆戾，有不可勝言。……因作詩傳，遂成《詩序辨說》一冊。其他繆戾，辨之甚詳。❿

---

❼ 此信王懋竑《朱子年譜》以為淳熙七年庚子朱熹五十一歲時所作。然據陳來《朱子書信編年考證》參以張栻轉任湖北之時，正淳熙五年戊戌之時也。信中提到「比日劇暑」，可見應為此年夏季之時（當然也有可能是秋初）。此時朱熹四十九歲。正是寫成〈詩集傳序〉隔年。

❽ 信中有「比日冬溫異常」之語，可見作於此年冬天。朱熹四十六歲。

❾ 〈詩集傳序〉雖題為丁酉年所作，但可能是之前解詩寫好的舊稿。或許因對全書仍具有綱領的作用，才保留原文，不另為新序。

❿ 此說載於《朱子語類》卷 80，為李輝記錄，是朱子回憶自己讀《詩》經驗的文字。雖然未免後來之成見，但是立場鮮明，足以參據。

由此可見朱熹雖然對《詩序》（尤其是《小序》）有所不滿，然而在實際解《詩》時，卻是花了近三十年的時間仍自覺未能「盡去舊說」，到五十歲至六十歲之間才要求學者以新版《詩集傳》為依歸。而從《詩序辨說》（以下簡稱《辨說》）的內容來看，他是逐句逐事著意商量，對《詩序》之說有推翻也有接受。並非如王柏或鄭樵等學者，持某一成見定說，而對《詩序》在詮釋上的價值先逕行全盤論定，再舉例來證成己見。

　　至於朱熹取用《序》說的依據，首先衡之以詩中文詞之有確指者，合於文詞之旨者則取之。例如：〈葛覃〉詩中有「害澣害否，歸寧父母」之句，朱熹認為：「此詩之序，首尾皆是。但其所謂『在父母家』者一句為未安……。」〈羔羊〉詩有「退食自公，委蛇委蛇」之句，朱熹認為〈羔羊序〉所說的「召南之國，化文王之政。在位皆節儉正直」沒有錯。這都是《小序》合於詩句之意，而為朱熹所肯定者。

　　其次參之以其他的經典，若在論述上無所抵牾者亦取之。如〈凱風序〉，《辨說》中就認為：「以孟子之說證之，《序》說亦是。但此乃七子自責之辭，非美七子之作也。」〈鴟鴞序〉，《辨說》云：「此序以〈金縢〉為文，最為有据。」在《朱子語類》中也說：「《小序》如〈碩人〉、〈定之方中〉等見於《左傳》者，自無可疑。」❶❶可見朱子依據《孟子》、《尚書》、《左傳》來考量《詩序》之當否。❶❷

　　其三乃是以常理度之❶❸，例如〈野有死麕序〉，認為在文王教化之下，女子雖遭亂世，仍惡無禮。朱熹《辨說》云：「此《序》得之。」而對〈雄雉序〉，《辨說》亦云：「《序》所謂大夫久役，男女怨曠者得之。」這些判斷都未必從詩句意旨中來，也沒有引證其他經典，乃是朱熹以他所認定的常理度合之。

　　以上三點，可以了解朱熹會在何種情況下認同《詩序》的說法。而從功能上也可以了解他黜廢《詩序》的兩個原因：若《詩序》所云有據者，經史典籍及詩中文

---

❶❶　見《朱子語類》，卷 80。

❶❷　除此之外，《史記》、《國語》皆其參考依據。

❶❸　此指道德之常理與人情之常理。

詞已經明載，不待《詩序》費詞櫽括；而合於常理者，亦可自行細繹得之，不必《詩序》多事指引。而由此可見朱熹雖說《序》不可信，但在解《詩》時，也並非全盤推翻《詩序》，另出新說別解。**⓮**

可是朱熹雖部分接受《詩序》的說法，但對《詩序》的整體態度卻極為反感厭惡。當有人說「蘇子由卻不取《小序》」時，他回答：「他雖不取下面言語，留了上一句，便是病根。」**⓯**而對自己的好友呂祖謙也批評說：「伯恭專信《序》，又不免牽合。伯恭……不肯非毀前輩，要出脫回護。」「伯恭黨得《小序》不好，使人看著轉可惡。」**⓰**

也就因為如此，朱熹在《詩集傳》完成之後，由於信念與學術良知的趨使，便不得不進行修正改版。他說：

> 《序》出於漢儒，反亂《詩》本意。……見作《詩集傳》，待取《詩》令編排放前面，驅逐過後面，自作一處。**⓱**

可見他對《詩序》的處理方式。不同於鄭《箋》、孔《疏》之本，將之列於詩前，而置諸詩後。不過這是改版前或改版後的作法，無法詳考。而由前面所提到的朱熹曾「用《小序》解經」來看，可以推想將《序》「驅逐過後面」，應該是改版後的面貌。他在一篇與〈葉彥忠書〉中說：

> 《詩傳》兩本，煩以新本校舊本。其不同者，依新本改正。有紙卅副在內，

⓮ 歷來研究《詩經》學史的學者多以為朱熹是站在反對《詩序》這一邊的，如夏傳才先生：《詩經研究史概要》，頁142－147；趙制陽先生：《詩經名著評介》，頁127－132。以致於令初學者以為朱熹逢《序》必反。其實朱熹只是用批判的角度來決定他的去取，未必見《序》如見仇寇。

⓯ 同註**❺**。

⓰ 同註**❺**。

⓱ 見《朱子語類》，卷80，這也是朱熹五十九歲後所說的。

恐要帖換也。❶⑧

便明白指出《詩集傳》的兩個本子，以新本為依歸。而〈書臨漳所刊四經後〉也記載：

> 《後漢書·衛宏傳》明言宏作《毛詩序》，則《序》豈得為與經並出，而分於毛公之手哉？然《序》之本不冠於篇端，則因鄭氏此說而可見。熹嘗病今之讀詩者，知有《序》而不知有詩也，故因其說而更定此本，以復於其初。猶懼覽者之惑也，又備論於其後云。❶⑨

可見在朱熹六十歲之前，他已經要求學者以新本《詩集傳》為依歸了。而據朱熹在舊本〈詩集傳序〉寫成的五年後，淳熙九年壬寅九月己卯日〈呂氏家塾讀詩記後序〉云：

> 雖然，此《詩》所謂朱氏者，實熹少時淺陋之說，而伯恭父誤有取焉。其後歷時既久，自知其說有所未安。如雅、鄭，邪、正之云者，或不免有所更定，則伯恭父反不能不置疑於其間。熹竊惑之，方將相與反復其說，以求真是之歸，而伯恭父已下世矣。❷⑩

可見朱子對《詩經》看法的轉變，在這五年之中漸趨成熟，並且在實際的詮釋上有

---

⑱ 此信之時間，《朱子年譜》說：「疑在甲辰之後。」而《朱子書信編年考證》云：「疑在己酉前。」綜合二家的意見，大約是在朱子五十五歲到六十歲間所作。

⑲ 這年為紹熙元年，時朱熹六十一歲。

⑳ 按《朱文公文集》卷 82〈題伯恭所抹荊公目錄〉云：「淳熙壬寅正月十七日，來哭伯恭之墓，而叔度出此篇……」可見此年呂祖謙已過世。淳熙八年辛丑六月時，朱熹與呂祖謙尚有書信往來，至八月時便收到呂家的訃文。因此可考訂呂祖謙下世於淳熙八年七、八月時。在此之前朱、呂二人其實已對《詩經》做過一些討論，交換意見了。主要的問題則環繞在對雅、鄭的態度及對《詩序》（主要是《小序》）的取擇及解釋方式等等方面。

所表現。這些轉變，有不同於舊說者。然而他說「不免有所更定」，可見並非全然推翻舊說，而是針對舊說提出一些不同的或更進一步的看法。此時朱熹五十三歲，只知他不滿意「少時淺陋之說」，未知其新本《詩集傳》是否已經完成。然而若未完成，也必然在修定過程中。

由於朱熹棄其舊說，所以我們現在所見的《詩集傳》內容是新本，要對比舊說的內容，才能了解朱熹轉變之跡。而朱熹解《詩》的舊說，除了〈詩集傳序〉這篇比較綱領式的論述之外，據前面所引〈呂氏家塾讀詩記後序〉看來，舊本中對《詩經》細部的理解及實踐詮釋的結果，可以說被保留於《呂氏家塾讀詩記》之中。所以我們便以此為據，透過分析、比較二者的相異處，來看朱熹說《詩》前後時期的變化，並推求其依據。

三、分類來看《呂氏家塾讀詩記》所引 「朱說」與《詩集傳》之相異處

《呂氏家塾讀詩記》（以下簡稱《讀詩記》）中所引「朱說」與《詩集傳》中的說法，其不同之處，大約而言，可分為以下兩大類：一、對整首詩的解釋有不同者；二、對《詩經》中關於創作手法的具現、體裁分類的方式及其說明有不同之陳述者。以下便就二者分別加以說明。

一、對整首詩的解釋有不同者：這包括對詩意解釋詳略不同，對詩中所指史實認定不同，以及對詩旨掌握方向不同。後二者牽涉到對整首詩意義的認定，第一種則與詮釋的表達方式有關。以下將就此三方面分別舉例說明：

㈠對詩意詮釋詳略不同者

其中有《詩集傳》僅稍作解釋，而《讀詩記》卻詳加論考者，例如：

> 《讀詩記》中云：「朱氏曰：『周禮有觥罰之事。』又云：『觥其不敬者，但謂以觥罰之耳，非必觥專為罰爵也。』」

除了交待「觥」在禮制中所發生的作用，且引述不同的說法加以補充說明。

而《詩集傳》中便作：「觥，爵也。以兕角為爵也。」❷僅解釋「觥」為何物及其以何種材質製成，並未如《讀詩記》中詳釋它在文化、社會等方面的功能或作用。

又如《讀詩記》中亦引：

> 朱氏曰：「按《左傳》：鄭武公為平王卿士，王貳于虢，鄭伯怨王，王曰：『無之』，故周鄭交質。桓王即位，將卑畀虢公政，鄭祭足帥師取溫之麥，又取成周之禾。五年，王遂奪鄭伯政。鄭伯不朝，王以諸侯伐鄭。鄭伯禦之，戰于繻葛，王卒大敗，祝聃射王中肩。」

引述《左傳》，詳細地說明當時的歷史背景。但在《詩集傳》中，於時代背景上便只就「周室衰微，諸侯背叛，君子不樂其生，而作此詩。……為此詩者，蓋猶及見西周之盛，故曰：『方我生之初，天下尚無事；及我生之後，而逢時之多難如此。』」❷略述，並沒有像《讀詩記》中那麼詳徵細引，指實其事。

再如《讀詩記》所引朱說：

> 投我以木瓜，而報之以瓊琚，報之厚矣，而猶曰非敢以為報，姑欲長以為好而不忘爾。蓋報人之施，而曰如是之報足矣，則報者之情倦而施者之德忘。惟其歉然常若無物可以報之，則報者之情、施者之德，兩無窮也。

比較《詩集傳》中所述：

> 言人有贈我以微物，我當報之以重寶，而猶未足以為報也。但欲其長以為好而不忘耳。❷

---

❷　見〈周南・卷耳〉注文。
❷　見〈王風・兔爰〉注文。
❷　見〈衛風・木瓜〉注文。

無論就詩中意旨之曲折，對詩情體會之深入，及詩語所表現出的韻味，《詩集傳》中誠少於《讀詩記》。

即使如此，《詩集傳》並非全略於《讀詩記》，其中亦有詳者，例如《讀詩記》中所引朱說：

> 以夫已死不忍斥，故以「兩髦」言之。❷

僅就「兩髦」的用意加以解釋。認為是不忍指已死之夫。而《詩集傳》則曰：

> 兩髦者，翦髮夾囟，子事父母之飾。親死然後去之。此蓋指共伯也。

將「兩髦」的形象、它在特殊文化背景上所具含的意義，以及在此詩中實指的歷史人物，都一一論列❷，詳於《讀詩記》甚多。

而於〈邶風‧擊鼓〉一首中，《詩集傳》所云：

> 舊說以此為春秋隱公四年，州吁自立之時，宋、衛、陳、蔡伐鄭之事。恐或然也。❷

不僅標出事件發生的年數，述及所發生的事件，還權衡舊說，推測其可信程度，實比《讀詩記》中所引朱氏曰「伐鄭以結陳、宋之成也」，更為詳明。

在〈邶風‧終風〉中，《讀詩記》解「虺虺其雷」一句，便直以「虺虺，雷將發而未震之聲」為訓，不如《詩集傳》中還加以引申至「人之狂惑愈深而未已

---

❷　見〈鄘風‧柏舟〉注文。

❷　朱熹並於《詩集傳‧柏舟》中云：「舊說以為衛世子共伯蚤死，其妻共姜守義。父母欲奪而嫁之，故共姜作此以自誓。言柏舟則在彼中河，兩髦則實我之匹。雖至於死，誓無他心。母之於我，覆育之恩，如天罔極，而何其不諒我之心乎？不及父者，疑時獨母在，或非父意耳。」朱熹於此就舊說推闡說明之，並擬設其情境。

❷　見〈擊鼓〉注文。

也」，更為複雜。

　　可見《讀詩記》所引朱說與《詩集傳》之解詩，其詳略未必定於某本。綜合來看，在涉及名物制度方面或史實方面者，若舊說（此用朱熹語意，指毛鄭之說，非指舊本《詩集傳》而言）可從，皆詳述之，而不從舊說者，皆較簡略。然而對詩中情感闡發的詳略則視詩文所表達者而定，沒有一定的依據。但整體而言，新本《詩集傳》比舊本要來得簡約。至於二者相異之處所透露之訊息，因涉及朱熹對《詩序》的基本觀念及詮釋詩文的態度，將於結論時加以詳述。

　　㈡對史實認定不同

　　朱熹對《詩》中所涉及的史實之判定，在《讀詩記》與《詩集傳》中有所不同。或於《讀詩記》中認定為某事而《詩集傳》中卻以為另一事者；或於《讀詩記》中曾認定此詩為某事而作，卻在《詩集傳》中未敢便遂確指為某事者。此皆與朱熹對詩意的體會以及對《詩經》所處時代背景之理解程度，二者的交互作用有關。例如〈邶風・終風〉一詩，《讀詩記》以為：

　　　　終風且霾，以比州吁之暴益甚也。

而《詩集傳》中則以為：

　　　　終風且霾，以比莊公之狂惑也。

一者以為「莊公之狂」，一者以為「州吁之暴」，二解所指之人不同。而對照《毛詩》，《小序》解本詩之旨作「莊姜傷己也。遭州吁之暴，見侮慢而不能正也」，可見《讀詩記》所解，乃順著《詩序》的提示加以陳述。而在《詩集傳》中，以此為莊姜傷衛莊公之詩，是因為朱熹認為「此詩有夫婦之情，無母子之意」。❷州吁是莊公嬖人之子，於莊姜屬子姪輩，且其驕暴行為又為莊姜所不喜，故「《序》說

---

❷　見《詩序辨說》。

誤矣」。㉘

　　又《讀詩記》中記述：

　　　　朱氏曰：「執柯以伐柯。即此手中之柯而得其法，以比王欲迎周公，亦不過
　　　　反之於吾心，則知所以迎之之道。則我見公而陳其籩豆之列，將有日矣。」

此就《序》說而引伸之。而《詩集傳》卻說：

　　　　言伐柯而有斧，則不過即此舊斧之柯，而得其新柯之法。娶妻而有媒，則不
　　　　過即此見之，而成其同年之禮矣。東人言此，以比今日得見周公之易，深喜
　　　　之之詞也。㉙

一者言成王迎周公之易，而表達出如此一來詩人可實現在周公手下做事的願望，是
忠於周公的官員所寫的；一者則為東人之深喜於易見周公之辭，是平定東方之亂
後，東方人民的意見。二者皆言周公之事，而由於詩中發言角色不同，造成全詩情
緒及意境也有異。亦可見朱子對史實之認定有些微地差異。

　　又有前期曾認定其為指某人某事或受某人某事之影響而作，而後期卻不明白加
以確指之詩。姑舉以下二例以明之。

　　　　朱氏曰：「皆述逐婦之辭也。宣姜有寵而夷姜縊，是以其民化之而〈谷風〉
　　　　之詩作。所謂一國之事繫一人之本者如此。」

此乃《讀詩記》中，朱子對〈邶風‧谷風〉詩旨的意見。牽涉到一些歷史背景的認
定，以及《詩序》解詩原則的實際運用。將《詩序》中「衛人化其上，淫於新婚而
棄其舊室。夫婦離絕，國俗傷敗焉」的意思鑿實穿剌而直指宣姜、夷姜之事，說得

㉘　同前註。
㉙　見〈豳風‧伐柯〉注文。

似是「上有好者，下必甚焉」，由國君之行為而影響到國民。比《詩序》所云，更
加鑿實，然卻未見舉實際證據。但《詩集傳》中卻以：

> 婦人為夫所棄，故作此詩。以敘其悲怨之情。

概論所發生之事，並表述其因此事而生之情緒特質，而未牽涉到對史實的取認。關
於對本詩詮釋前後認定有所差距之因，朱熹於〈邶風·新臺〉注曰：

> 凡宣姜事，首末見《春秋傳》。然於詩則皆未有考也。諸篇放此。

可見他曾以為此詩之作，乃人民受宣姜之事所影響。因為《春秋》經傳對宣姜之事
皆有所載，若對人民發生影響而有詩作，在典籍中應該也會有記錄。可是詩中所陳
述並未涉及宣姜之事，所以朱熹對此說亦未敢率然加以取認。因此對〈邶風·谷
風〉一詩也持保留態度。

再看對〈陳風·墓門〉的解釋，《讀詩記》以為：

> 陳佗，文公子，桓公鮑之弟也。桓公疾病，佗殺其太子免而代之。桓公卒而
> 佗立。明年，為蔡人所殺。此詩刺佗，而追咎先君不能為佗置良師傅，以至
> 於此也。

乃是將此詩繫於陳佗之奪嗣自立，而終死於蔡人之手的事情上。但在《詩集傳》
中，說法便有所改動。其陳述如下：

> 此人不良，則國人知之矣，國人知之而不猶自改，則自疇昔而已然，非一時
> 之積矣。所謂不良之人，亦不知其何所指也。

在此朱子明白表示他不知此詩所指何人，只知此人「不良」。且其「不良」並非僅
只一朝一夕而已，已經累積了相當的時日。

　　當然還有其他的例子，只不過大多不脫人、事的範圍，在此便不一一舉例了。總之，《詩集傳》中對史實的認定比《讀詩記》所引更保守，不敢確認的事更多，此其一；也有就詩意所指而對《小序》所提示的史實加以變更者，此其二。後者的理由在《詩序辨說》中都加以說明，而前者則不一定皆有明確的反《序》之言，只是表明自己的懷疑態度。

　　㈢對詩旨的掌握方向不同

　　朱熹要人詳味諷誦，則詩味自出。❸他細究文旨，再參對《詩序》，寧信《詩》旨而黜《序》意。其實這是因為他對《詩》的解釋與《序》文對詩的詮釋主旨有所不同的緣故，未必與他對詩意的詳略，對歷史、文化的理解有密切相關。舉以下二例以明之：

　　〈鄭風‧遵大路〉一首在《讀詩記》中所引朱氏曰：

> 君子去其國，國人思而望之。於其循大路而去也，攬持其袪以留之曰：「子無惡我而不留，故舊不可以遽絕也。」

朱熹於此認為這首詩是針對君子而寫的，表達出國人對君子的愛戴和思念。但是同樣一首詩，放在《詩集傳》中，便可對比出其理解態度之完全不同：

> 淫婦為人所棄，故於其去也，攬其袪而留之曰：「子無惡我而不留，故舊不可以連絕也。」……亦男女相說之詞也。

他認為這首詩乃是描述一個女人❸被人拋棄的情景以及她當時所說的話。在此解釋方向下，根本尋找不出有任何一點君子去國，國人思望之意。

　　再如〈鄭風‧揚之水〉一首，《讀詩記》中作：

---

❸　此意見《朱子語類》，卷80。

❸　至於何以認定詩中婦人為「淫婦」，令人費解。朱子於此似有負面評價意味，似乎認為女人不應該主動對男人示愛。

> 兄弟既不相容，所與親者二人而已。然亦不能自保於讒間。此忽之所以亡
> 也。

把此詩套在鄭國政治情勢之下，便以太子鄭忽的處境和他的失敗為此詩之主旨。反觀《詩集傳》之解：

> 淫者相謂，言揚之水則不流束楚矣，終鮮兄弟，則維予與女矣。豈可以它人
> 離間之言而疑之哉？彼人之言特誑女耳。

這種解釋一無涉於政治，二更扯不上太子鄭忽。只說這是「淫者」相約的話，而這「淫者」並且跟他的對象說不要因為他人的閒話就懷疑我們的感情，別人都是騙你的，只有我對你是真的。可見理解態度一變，整首詩的意思馬上起變化。這種對詩旨的掌握方向不同者，大多屬於〈鄭風〉、〈衛風〉之詩。

　　以上乃就整首詩的意義解釋有不同的部分，舉例加以分析論述。大概而言，朱子對《詩經》中詩義之體認，依據上面所列論，大多與他對歷史事實的認識和對詩的理解態度有關。而詮釋之詳者，詩中可供發展的意義空間較窄；詮釋之略者，其意義空間則較寬。然而，並不能就此判定朱子對歷史事實的認識和對詩的理解態度影響到他對詩意的體認。在此只能由資料的分析中判斷它們相關，並無進一步去說明他們關係密切度的論據。因為對詩意的體認，其形成因素還不只這些。對作詩法的掌握、體裁的分類、主題的選擇、用詩情境的判定等等，都會發生重要的影響。

　　二、關於對創作手法的理解、體裁分類的方式，這牽涉到讀詩及寫詩的基本觀念，更影響到對詩的理解。《讀詩記》與《詩集傳》意見也有不同：

　　㈠有關《詩經》中的創作手法方面：

　　《詩經》中創作手法之認定，現今能及見的資料，全屬後代解詩者所留下，其中大部分的說法多奠基自漢代學者。最主要的是有關賦、比、興觀念之建立及其於實際解詩的過程中如何運用的問題。朱子對比、興這二觀念的解釋，在《讀詩記》與《詩集傳》中也有一些不同。

　　有關比的觀念，在《讀詩記》中有如下之陳述：

「比者，以物為比，而不正言其事。〈甫田〉、〈碩鼠〉、〈衡門〉之類是
也。」又曰：「比方有兩例：有繼所比而言其事者；有全不言其事者。」

而《詩集傳》中則曰：

比者，以彼物比此物也。

可見朱子前期對「比」的觀念，認為「比」乃是藉物言事之法，創作用「比」法
者，不用正面提及所言之事。更分「比」為說出所比之事與不說出所比之事兩種。
與《詩集傳》中單純以物類之相喻來釋「比」，實更為複雜細密。其實朱熹認為
「比」是「以一物比一物，而所指之事常在言外」，也就是「從頭比下來，不說
破」。❸所以後來朱熹只取後者之說，而揚棄了「繼其所比而言其事者」的講法
了。

　　這個現象在朱子釋「興」時，同樣出現過。《讀詩記》引朱子釋「興」：

因所見聞，或託物起興，而以事繼其聲。〈關雎〉、〈樛木〉之類是也。然
有兩例：興有取所興為義者，則以上句形容下句之情思，下句指言上句之事
實。有全不取其義者，則但取一二字而已。要之上句常虛，下句常實，則同
也。

不只交代了「興」的發生特性：由見聞而藉物抒感，再說出想表達之事。而且更細
分「興」為兩例：一則關注到所取來當「興」的事物之性質和所欲陳述之事實間的
關聯；二則與其本身性質無關，只是取其中與事實有關之一、二字而已。而《詩集
傳》中乃云：

興者，先言他物以引起所詠之詞也。

---

❸　見《朱子語類》，卷80。此分別是朱熹六十二歲及六十四歲的說法。

只言所以起興之物和因此物而引起之歎詠語言。所以他後來跟學生說「說出那物事來是興」、「興是借彼一物以引起此事，而其事常在下句」、「詩之興，全無巴鼻（振錄云：「多是假他物舉起，全不取其義。」）」等等，都是按著新本《詩集傳》的意思來發揮的。

為何於《讀詩記》中早期的說法分析較詳細，而在《詩集傳》中卻反而簡略呢？在所能見到的文獻中並無任何充分的論據能對此現象加以充分解釋，也許朱熹認為以前之細分對於全詩的理解並無太大的作用，而徒費讀詩解詩者之繁瑣推敲工夫，因此在後來修訂時便將之省略並簡明化。在《朱子語類》中，他強調要求學生多花些時間去詳細推敲詩義，才能有所收獲，並未避免繁瑣。

從現存資料來看，可以作出一個比較保守的推測。就《詩集傳》中提到「比」、「興」的定義時，朱子基本上是因著講整首詩而連帶提及此二觀念，它們分別出現在〈周南・關雎〉首章之注與〈周南・螽斯〉首章之注。

他將此二觀念提舉出來後云：「後凡言興者，其文意皆放此云。」「後凡言比者放此。」可見他先舉出某一觀念的定義，❸而以此定義來規範後來之詩作中有涉及此觀念者。

而在《讀詩記》中的情形並非如此，如果依呂伯恭所排定之順序，則「比」、「興」之觀念放在〈詩大序〉中，是屬於總論的性質。雖也表現出先將觀念加以定義的論述方式，然而就其實質而言，此乃對《詩經》中之詩所用「比」、「興」觀念的一種歸納結果。可能涉及對「比」、「興」的內容意義之探討和反省或更進一步加以確定。以之解《詩》，無法窮盡所有狀況，而且說法未必全然合適。因此朱子於編訂《詩集傳》時，便依實際需要加以簡化和部分修定。不過即使如此，朱熹也已經脫離了毛、鄭那種以譬喻作用，再結合政教上的「美」、「刺」來解釋「比」、「興」的框架。這方面的突破，在舊本《詩集傳》中即可見到，只是新本

---

❸ 這定義是他讀詩過程的體會，含義廣泛。也不一定只來自或適用於《詩經》。在《朱子語類》卷 80 中便說：「如『青青陵上柏，磊磊澗中石。人生天地間，忽如遠行客』！又如『高山有涯，林木有枝。憂來無端，人莫之知』！『青青河畔草，綿綿思遠道』！皆是此（興）體。」可見他是由自己的讀詩過程形成的觀念。

所述更簡要，適用範圍更廣。

　　㈡有關體裁分類的方式及其說明：

　　對體裁分類的方式及其說明，《讀詩記》中所引與《詩集傳》有不同處，只有在對「風」的意義之判認上。《讀詩記》認為：

> 風兼二義：以象言則曰風；以事言則曰教。

朱子談「風」的含義，是以物象之「風」來比擬人事之「教」。這樣的意思，是順著〈周南・關雎序〉中所提及的「風，風也，教也」的陳述脈絡解下來的，自然免不了僅就一概念去解析其意含。

　　而試觀《詩集傳》中所闡述「風」之含義，就並非如此。他在〈周南・關雎〉之前〈國風一〉下云：

> 而風者，民俗歌謠之詩也。謂之風者，以其被上之化以有言，而其言又足以感人，如物因風之動以有聲，而其聲又足以動物也。

他把「風」當作民俗歌謠這一類詩的特稱，而述其所以名之為「風」的原因。雖不脫「被上之化」的舊說，但並不單純就「風」這個名詞，在概念上加以分析解釋，而是結合社會生活習俗來加以理解的。可是依〈詩集傳序〉所說的：

> 然則國風、雅、頌之體，其不同若是，何也？曰：「吾聞之，凡詩之所謂風者，多出於里巷歌謠之作，所謂男女相與詠歌，各言其情者也。惟〈周南〉、〈召南〉親被文王之化以成德，而人皆有以得其性情之正。故其發於言者，樂不過於淫，哀不及於傷，是以二篇獨為風詩之正經。自〈邶〉而下，則其國之治亂不同，人之賢否亦異。其所感而發者，有邪正是非之不齊。而所謂先王之風者，於此為變矣。

此處詳言風詩的特性、它形成之大致背景，以及對正風、變風產生因素之解釋。可

以讓讀者了解在舊本《詩集傳》中對「風」的觀念和態度，其實與現在通行的八卷本及二十卷本並無不同。因此只是《讀詩記》將朱熹的見解簡化了，並不是他對「風」的看法轉變。而這也不盡同於〈詩大序〉，因為〈詩大序〉以強調的是作者反映社會政教，諷諭施政的那一面，而朱熹所強調的是「王化」之教。朱熹不同於《詩大序》中之解，其源自何者，吾人可以從《朱子語類》一書中找到直接的證據如下：

> 器之問「風、雅」，與無天子之風之義。先生舉鄭漁仲之說言：「出於朝廷者為雅，出於民俗者為風。文武之時，周、召之作者謂之周、召之風；東遷之後，王畿之民作者謂之〈王風〉。……亦不敢為斷然之說。」❸❹

可見朱熹之說「風」為民俗歌謠之詩者，實是因襲引伸鄭樵之說法。然而朱熹為何採信鄭樵之說並且加以發展得更加完密？此問題涉及到朱子對《詩序》的態度，牽涉到的層面更廣，在下文將會有明確之交待。

現在先來看這樣的說法造成朱子對「風」、「雅」、「頌」三義的理解發展成怎樣一個形態？《朱子語類》卷八十中曾記載他對問者的回答：

> 但古人作詩，體自不同。雅自是雅之體，風自是風之體。如今人做詩曲，亦自有體製不同者，自不可亂，不必說雅之降為風。

這是把「風」、「雅」、「頌」看做是體製。既是體製，只問其是否合式，而不依歷史變遷、語言特性來加以評價。然而這體製從何而來呢？朱熹認為是從音樂來的。音樂配合禮容的進行，演奏詩歌。而體製乃是從音樂腔調形成的。

> 且「詩有六義」，先儒更不曾說得明。卻因《周禮》說〈豳詩〉有〈豳雅〉、〈豳頌〉，即於一詩之中要見六義，思之皆不然。蓋所謂「六義」

---

❸❹　《朱子語類》，卷 80。

者，風、雅、頌乃是樂章之腔調，如言仲呂調，大石調，越調之類。……立此六義，非特使人知其聲音之所當，又欲使歌者知作詩之法度也。❸

可見朱熹把《詩》看成是樂辭。他不只是結合音樂及禮容的觀念來看《詩》中「風」、「雅」、「頌」的區別，並加以推闡。

> 《詩》，古之樂也。亦如今之歌曲，音各不同。衛有衛音，鄘有鄘音，邶有邶音。故詩有鄘音者係之〈鄘〉，有邶音者係之〈邶〉。若〈大雅〉、〈小雅〉，則亦如今之商調、宮調。作歌曲者，亦按其腔調而作爾。〈大雅〉、〈小雅〉亦古作樂之體格，按〈大雅〉體格作〈大雅〉，按〈小雅〉體格作〈小雅〉，非是做成詩後，旋相度其辭目為〈大雅〉、〈小雅〉也。

這種見解不同於前人之說，也體現在新本《詩集傳》的詮釋中：

> 正〈小雅〉，燕饗之樂也；正〈大雅〉，會朝之樂，受釐陳戒之辭也。……及其變也，則事未必同，而各以其聲附之。

所以朱熹是只問詩樂所用的場合而不論其是否關於「王政廢興」、「政之小大」❸的。也因此，當學生問「變雅」時，他回答說：「亦是變用他腔調爾。」❸

　　這與朱熹〈詩集傳序〉中所提到的「至於雅之變者，亦皆一時賢人君子，閔時病俗之所為」有所不同。可以看出後來的朱子，對詩的「風」、「雅」、「頌」之觀念，是連著體製的觀念來理解的，而之所以形成體製的原因，則是音樂腔調性質及用樂場合情境，並非配合美刺、正變、譎諫、諷諭等等政教之實來歸類的。

---

❸　同上。

❸　〈詩大序〉。

❸　見《朱子語類》，卷80。

四、朱熹在實際詮釋過程中逐步對
《詩序》放棄的原因

　　通過上節的比較，可以了解朱熹不只是對詩旨的掌握，對史實的判斷，對名物制度的闡明等等方面，在實際詮釋過程中都有所變化。更有甚者，對於解詩的基本觀念，涉及到題材、主題、創作手法、閱讀進路等方面如：「風」、「雅」、「頌」、「賦」、「比」、「興」等，也有不同的見解。這在實際詮釋上是一個重大的轉變，難怪他要修定舊說，另出新本。而這也讓人看出他對《詩序》逐步放棄之跡。《詩序》代表前人數百年來說《詩》的見解，它在代代相傳的過程中已形成一個解釋的嚴密結構。朱熹如果是逐步放棄它，必然也同時放棄了前人（尤其是漢代到唐代的學者）解《詩》的一些說法。所以可從《讀詩記》及《詩集傳》對前人說法的去取選擇之跡，來看他對前人說法處理的態度。

　　《讀詩記》及《詩集傳》對前人說法去取選擇之跡，最明顯不同有二點：

　　一、《讀詩記》中所引的朱子之說裡，引用典籍及前人解經之說的痕跡較《詩集傳》中者為顯著。此處所謂引前人之說的痕跡，指的是在引述時曾標明出處而言，從以下的例子可以得知。

　　《讀詩記》中記載：

> 朱氏曰：「此兼上兩章之意而言。《易》曰『震無咎者，存乎悔』，於此見之。〈王風〉云『條其嘯矣』，《列女傳》云『倚柱而嘯』，皆悲嘆之聲也。❸

引了《易經》、《列女傳》，甚至《詩經・王風》來佐證說明「嘯」字的悲歎之意。而在《詩集傳》中只說「嘯歌傷懷」，並未引述典籍來說明。

　　而在〈衛風・碩人〉中，《讀詩記》引《儀禮》、《禮記》來解「褧」之意含。在《詩集傳》中，便僅作「褧，禪也」，直接說結果，並不另引典籍作解。

---

❸ 見〈小雅・白華〉所引注文。

在《大雅·生民》中，朱子之言曰：

> 毛公說姜嫄出祀郊禖，履帝嚳之跡而行將事齊敏。鄭氏說姜嫄見大人而履其
> 拇。二家之說不同，古今諸儒多是毛而非鄭。然按《史記》，亦云姜嫄見大
> 人跡，心忻然欲踐之，踐之而身動如孕。則亦非鄭之臆說矣。

此處引毛、鄭之說相比較，又引《史記》為證，說明鄭說未必為非。

　　就這三處引文，《讀詩記》比起《詩集傳》，更加廣納博采。總括而言，新本
《詩集傳》於典籍所引多為《左傳》、《史記》，引述漢儒多為匡衡，且多引宋人
之說，不如《讀詩記》所收舊本之博引典籍。❸❾

　　二、《讀詩記》中朱熹曾注釋大小《序》中之字、詞，而《詩集傳》是用辨破
的態度和方式來處理的。這個說法建立在呂祖謙編《讀詩記》沒有割裂朱熹說詩之
位置和次序，而完整引述之基礎上。

　　在《詩大序》的注文中，除了前引「風」、「比」、「興」的異說之外，尚有
二段如下：

> 朱氏曰：「聲不止於言，凡嗟嘆永歌皆是。聲成文，謂其清濁、高下、疾
> 徐、疏數之節，相應而和也。」
> 朱氏曰：「主於文詞而託之以諫，雖優游不迫，而感人實深。」

分別位於「聲成文謂之音」及「主文而譎諫」二句之下，而《詩集傳》並未見此。
而這都是根據《序》義加以發揮闡釋的，並無對《序》不滿的態度。

　　再從《小序》來看，朱熹於《詩集傳》中並未就《小序》作解；然而，在《讀

---

❸❾ 關於對宋人解《詩》之說的引用，這裏應該要斟酌一下。因為《讀詩記》是綜合整理各家說
　　法之本，可能朱熹舊本中所收錄的宋人解詩之說都已為呂祖謙在編次時分別各家整理了。而
　　新本《詩集傳》是流傳下來的完整本子，所以可見朱熹引宋人解詩之跡。然未得舊本原貌，
　　未敢遽以為斷，此處姑且依所見文獻立說。

詩記》中卻屢見解《小序》之文。例如〈鄭風·山有扶蘇〉中《小序》云：「刺忽
也。所美非美然。」而朱熹於其下解曰：「所美非美，所謂賢者佞，智者愚也。」
此純是解《小序》之語，並無涉及詩中正文。這與他後來同情鄭忽的態度全然相
反。他在《朱子語類》卷八十中說：

> 最是鄭忽可憐，凡〈鄭風〉中惡詩皆以為刺之。伯恭又欲主張《小序》，鍛
> 煉得鄭忽罪不勝誅。鄭忽卻不是狡，若是狡時，他卻須結齊國之援，有以鉗
> 制祭仲之徒。決不至失國也。

可見後來他並不認為「刺忽」是恰當的。

又如〈鄭風·出其東門〉，《序》提及「公子五爭」之事，孔《疏》曾詳加解
說。而朱熹於此補曰：「五爭首尾二十年。」此是就《小序》所言及而加以說明
者。但在《詩集傳》只說「人見淫奔之女，而作此詩」，並未及政治方面。

可見朱熹之舊本不只就《大序》，亦有就《小序》作解者，而後來在新本中有
所更訂，這應該是他在《朱子語類》所提到的「間為辨破」的結果。

從以上比較的結果看來，可以知道朱熹對《詩經》的理解和態度，一直處於懷
疑《詩序》的歷程中。而實際的詮釋與處理方式，則早期對《詩序》的態度，雖覺
其中說法有些與自己的認識不盡相合，然其解《詩》大體上也依循《詩序》之說。
因為他雖有疑問，但所生之疑問並未得到可以為他接受之解答。作《詩集傳》時，
亦可能是《詩集傳》成書之前，大概曾與呂祖謙交換過意見，呂祖謙篤守《序》
說，朱熹便不甚同意，認為他說得牽強。但實際解說時也並不反《序》注經，故成
舊本《詩集傳》之貌，而為呂祖謙收錄。

就《讀詩記》中所引朱熹之說來看，其中便有許多依著《詩序》的說法去詮釋
詩中的意旨，與《詩集傳》相較，其相異處尤突顯在〈鄭〉、〈衛〉二風中。這在
前面所比較過的「對詩旨掌握方向不同」上已經例舉說明。這是因為《讀詩記》中
依《序》解詩，而改本《詩集傳》不全同意《序》說之證。

朱熹對《詩序》的看法之所以有變，就《朱子語類》卷八十所留下的資料來
看，一部分受鄭樵的影響，另一方面則關乎自己對《詩序》向來的懷疑。

詩序實不足信。向見鄭漁仲有《詩辨妄》，力詆《詩序》，其間言語太甚，以為皆是村野妄人所作。始亦疑之，後來子細看一兩篇，因質之《史記》、《國語》，然後知《詩序》之果不足信。

此段朱熹明白的陳述對《序》的完全不信任來自鄭樵。而根據第二節引文，事實上朱熹對《詩序》早在二十歲讀《詩》時就曾加以懷疑了。所以使朱熹對《序》之懷疑度加強者，實為鄭樵。因此可以看出朱熹對《詩序》的態度是由有些懷疑但不敢力破，其後改《詩集傳》時「間為辨破」，直接就《序》中與自己的認識不合者加以批判。到最後「盡滌舊說，詩意方活」。

　　所以改本《詩集傳》是在朱熹「間為辨破」時的成品，對舊說還未合盤推翻。他在《詩序辨說》中表明：「然其所從來也遠，其間容或有真有傳授證驗，而不可廢者。」這具體呈現在改本《詩集傳》對正《風》、正《雅》的詮釋資料中：

　　故《序》以〈騶虞〉為〈鵲巢〉之應而見王道之成，其必有所傳矣。❹

雖然在《詩序辨說》中補上一句「然語意亦不分明」，但他不否定此《序》的意思很明顯。所以〈召南〉之後綜論「二南」，乃採「姑從先儒」之態度：

　　〈周南〉、〈召南〉二國凡二十五篇，先儒以為正風，今姑從之。❹

　　至於〈雅〉詩，〈小雅·四牡〉注云：

　　按《序》言，此詩所以勞使臣之來，甚協詩意。

---

❹　見新本《詩集傳·騶虞》詩注。
❹　《朱子語類》卷 80 中云：「《詩傳》中或云：『姑從』，或云：『且從其說』之類，皆未有所考，不免且用其說。」可見朱熹在這方面採取保守的態度。

而在《詩序辨說》中，則批評「有功而見知則說」是「語疏而義鄙」，所以對《序》說至少部分接受。

　　對照改本《詩集傳》及《詩序辨說》來看，大凡對正〈大〉、〈小雅〉皆是這種態度，而對變〈風〉、變〈雅〉及〈頌〉詩就多見全然否定《序》文之論了。

　　這可見朱熹在改本《詩集傳》中，對《詩序》所詮釋的詩旨，採取較鬆動的處理方式，不讓它限死了詩中本文及其可能的解釋傾向。但是如果《序》意在經、史典籍上有明確可證者，朱熹就會接受並加以肯定。

　　根本上，朱熹認為《詩》的本文所傳達的意義，在解釋的過程中，具有優先的地位。因為《詩》的本文是「經」，是聖人述作留下來的。朱熹說：

> 某解詩，多不依他《序》。縱解得不好，也不過只是得罪於作《序》之人。只依《序》解，而不考本詩上下文意，則得罪於聖賢也。[42]

所以他不滿於後代說詩者，把《詩序》在解釋上的地位提到甚至比詩還高。如果《序》文是聖人或聖人弟子所傳也就算了，卻偏偏被朱熹找到《漢書·衛宏傳》中提到衛宏作《毛詩序》，一口咬定《詩序》是衛宏所作。這就更堅定了他不信《詩序》的決心。《詩序辨說》中所言「於是讀者轉相尊信，無敢擬議。至於有所不通，則必為之委曲遷就，穿鑿而附合之」，以致「寧使經之本文，繚戾破碎，不成文理，而終不忍明《小序》為出於漢儒也」，便是對《詩序》的來源及其合理性進行批判。即此而言，可知朱熹的態度，他不接受完全以《序》說詩的態度，而主張先就詩文中所表現的意含加以體會。

　　據《詩序辨說》，可知朱熹從來源上認為《詩序》出於漢儒，而且本來附於經文之後，只具參考價值，不具主導解釋的作用。又從性質上認為《詩序》出於臆度之私，並非經之本文。他主張以詩中文本為主，故而解詩之時，只要合於他所認定的詩旨，有時會合於《序》說，而亦時時有不合之處，這顯示他只是認為要驅逐《詩序》所加諸於讀者的成見，並沒有要跟《詩序》全唱反調。其主要目的，是在

---

[42]　《朱子語類》，卷80。

文獻價值及認知次第上重新調整學者讀詩的成見。所以如果按照他實際詮釋活動的成果，並未見《朱子語類》卷八十「論讀詩」中所說的：「只盡去《小序》，便自可通。於是盡滌舊說，詩意方活。」❸的做法。可知改本《詩集傳》只是「盡去《小序》」的過程，表現出朱熹對依《序》解詩的取徑逐漸放棄之跡。依照年譜及《朱子語類》所載的時間來推測，此時應是朱熹五十多歲之時。如果他寫完舊本《詩集傳》便逕行改定，在《呂氏家塾讀詩記》編好前他已經放棄依《序》解詩的取徑，則不會超過五十三歲。

　　從前面的各項分來看，導致朱熹逐步放棄依《序》解詩的原因如下：

　　第一，是《序》旨不合詩意。這多見於〈鄭風〉、〈衛風〉之中，然別處亦往往見之。例如〈唐風·有杕之杜〉，《序》以為是刺晉武公不求賢自輔；但朱熹體會「彼君子兮，噬肯適我。中心好之，曷飲食之」之意，認為是「夫以好賢之心如此，賢者安有不至？而何寡弱之足患哉？」❹所以認為「此序全非詩意」。〈秦風·無衣〉，《序》以為「刺用兵也」，而朱熹《辨說》云：「序意與詩情不協。」在《詩集傳》中，他說：「秦人強悍，樂於戰鬥，……其懽愛之心，足以相死。」一是倦於屢戰，一則效死樂戰，其意截然相反。可見《序》中所云不合詩意者，朱熹皆信詩而黜《序》。

　　第二，是《序》中所言之史實未必切合詩中所述之事。例如：〈有女同車〉、〈山有扶蘇〉、〈蘀兮〉、〈狡童〉四詩，《序》皆以為「刺忽也」。詩中所言之內容，並未涉及這段歷史，也未將這種情感狀態歸之鄭太子忽。故朱熹認為：

> 然以今考之，此詩未必為忽而作。《序》者但見孟姜二字，遂指以為齊女，而附之於忽耳。……《序》乃以為國人作詩以刺之，其亦誤矣。後之讀者又襲其誤，必欲鍛鍊羅織，文致其罪而不肯赦。❺

---

❸　此條為吳必大所記，乃朱熹五十九歲或六十歲時的見解。

❹　見《詩集傳·唐風·有杕之杜》注文。

❺　見《詩序辨說·有女同車序》辨說。

他認為《詩序》所認定的史實與詩意有一段距離。《序文》只見「孟姜」兩字,便聯想到鄭太子忽;又想到他失國,於是加以負面批評。這是對詩意的牽強附會,以致造成錯誤的歷史評價,會錯導後人的道德認知,形成錯誤的道德行為,所以有加以糾正的必要。朱熹並不反對依照史實來解詩,《詩序辨說》中常說「據《春秋傳》得之」、「有《春秋傳》可證」等等論斷,可見在史傳材料能配合詩旨時,朱熹也採用「知人論世」的方法。但他認為無法考證的史實則應闕疑,保留詮釋空間,不應強加解說。

　　第三,認為《毛詩序》出於東漢衛宏,並非出於子夏或毛公之手。因此重新評估《詩序》的價值及地位,認為它「本自合為一編,毛公始分,以寘篇之首。……計其初猶必自謂出於臆度之私,非經本文,故且自為一編,別附經後。……讀者亦有以知其出於後人之手,不盡信也。」❹只是到後來《三家詩》失傳,而讀者只讀《毛詩》,又看到篇首《詩序》,就「轉相尊信,無敢擬議」。所以朱熹認為《詩序》對詩旨的詮釋只具參考的作用,而沒有決定性的地位。而《大序》的來源朱子也懷疑,認為「國史明乎得失之跡」一句無法從經書中得到證明。因為:「《周禮》、《禮記》中,史並不掌詩,《左傳》說得分曉。」❹他認為:「《大序》亦不是子夏作,然有礙義理誤人處。」

　　這些論斷,都是從歷史來源及傳承過程,來否定《詩序》的合理性。❹
　　第四,其實《序》文本身便有矛盾之處,〈葛覃〉詩序云:

　　　　后妃之本也。后妃在父母家,則志在於女功之事。躬儉節用,服澣濯之衣,
　　　　尊敬師傳,則可以歸安父母,化天下以婦道也。

《詩序辨說》指出其矛盾之處:

---

❹　見《詩序辨說‧關雎篇》辨說文。
❹　《朱子語類》,卷80。
❹　有關這方面的說法,趙制陽先生所著的《詩經名著評介‧朱熹詩集傳評介》第一節丙、丁兩
　　段論之甚詳,可以參考以補充本文之不足。

若未嫁之時，即詩中不應遽以歸寧父母為言。況未嫁之時，自當服勤女功，不足稱述以為盛美。若謂歸寧之時，即詩中先言刈葛，而後言歸寧，亦不相合。且不常為之於平居之日，而暫為之於歸寧之時，亦豈所謂庸言之謹哉？

朱熹認為如果還沒嫁出去，那麼替家裏做女功本來就是份內的事；而如果是歸寧時做女功，暫時做幾天女功也只是按一般禮俗而已，二者皆不值得稱述。雙刀論證，直破《序》說。

以上四點，都是從《讀詩記》與《詩集傳》的對比分析以及《詩序辨說》、《朱子語類》等相關資料，來說明朱熹在實際詮釋過程中逐步放棄《詩序》的原因。所以主要的重點仍在於人情之常與史傳之信二個方面，而不是為了開創一套新說，用民歌或情詩的觀點來重新解讀國風，也不是對「詩」與「史」的關係提出一套新的看法。後人把重點放在對朱熹「淫詩」的認定及解釋的態度上，說他「擺脫《小序》的束縛後，發現《國風》中的鄭、衛之音不是政治諷諭詩，而是民間的戀歌」，其實是只看到表面的結果，而未能深探其真正的原因乃在於「傳信闕疑」的研究態度上。當然朱熹著意地藉由各種資料考證《詩序》可信的程度，其目的是為了闡明聖人去取選擇之用心，意在為歷史事件作出合理的詮釋，進而正確地引導人們的道德判斷及行為。然而朱熹的詮釋實踐，也間接表現了研究者面對歷史傳記研究法的局限及其反應與處理態度。

五、結　論

從上面的對比及分析來看，朱熹對《詩經》的實際詮釋，從早期依《序》解詩，到修訂《詩集傳》時對《詩序》「間為辨破」。所提出的意見，都是他對《詩經》處理過程中的體會及判斷。而其中朱熹對《詩序》的態度，是原因也是結果。這間接形成他對《詩經》的看法。其中最主要的是對詩旨掌握方向的改變。此於他解〈鄭〉、〈衛〉等國之風時，表現最為明顯。而對史實認知的重新衡量也在這過程中佔有重要的位置。再者由於他對《詩序》態度的轉變，也影響他解詩時的偏重面，而造成《讀詩記》與《詩集傳》互有詳略之現象。詩中所涉之事，在《讀詩記》中所引朱說多依史抄錄，於未確者多申其情以述補之；而《詩集傳》中，可確

考者則加以詳述，未能確考者則多闕略之。但整體而言，《詩集傳》對詩的詮釋要簡略於《讀詩記》中所引朱說。這明顯的原因雖是朱熹對詩旨多持保留存疑態度所致，然而其中亦間接透朱熹讀詩的另一種態度。《朱子語類》八十卷中提到：

> 「聖人有法度之言，如《春秋》、《書》、《禮》是也，一字皆有理。如《詩》亦要逐字將理去讀，便都礙了。」
>
> 「看《詩》，不要死殺看了。見得無所不包。今人看《詩》，無興底意思。」
>
> 「看詩，且看他大意。如〈衛〉諸詩，其中有說時事者，固當詳考。如〈鄭〉之淫亂底詩，苦苦搜求他，有甚意思？一日看五六篇可也。」
>
> 「如龜山說〈關雎〉處意亦好，然終是說死了，如此便詩眼不活。」

可見朱熹認為讀詩的態度不同於研究問題。研究問題步步求實，必欲究明其理，讀詩則要人感發興會，必欲實說事理，正於此有礙。所以朱熹對詮《詩》態度是盡量保持詩旨的鬆動靈活性，而這反映在詮釋活動中便是對詮說內容儘量減省，他不只認為前人解詩，無助於讀詩的意見太多，對《詩集傳》也說：

> 《詩》幾年埋沒，被某取得出來，被公們看得恁地搭滯。看十年，仍舊死了那一部《詩》。今若有會讀詩底人，看某《詩傳》，有不活絡處都塗了，方好。而今《詩傳》只堪減，不堪添。❹

　　所以朱熹是主張藉由減省詮說內容的作法來達到活絡詩意的目的。這牽涉到詮解者對讀者理解過程的了解與設計的問題，朱熹是否能對此有清楚的意識並精確衡量的作法，只看這條原則性的指示是無法深入探究的。然而至少可以了解朱熹對解《詩》，是抱著與解其他經典有不同態度的。而正因這種態度，鬆動了由《毛詩》

---

❹ 《朱子語類》，卷 80。此段胡泳所記，戊午年所聞。時朱熹六十九歲。在《詩集傳》成書二十一年之後。

以來所形成，對《詩經》詮釋的嚴謹結構。他反對以任何定見或定解說詩，包括《詩集傳》。學生讀各家詩說，他說「某有《集傳》」；但當學生只讀《詩集傳》，他卻又認為不可。學生「只看《集傳》，全不看古注」❺⓿，也要挨他教訓。可見在他的觀念中，詩旨應是鬆動而容許各家解說的。無論任何定於一說的處理方法都阻滯了感發興會，違反了詩的核心作用。

而便是對詩的六義觀念之反省和提出自己對六義的解釋觀點。對六義的詮釋，自《詩大序》首出之後，便一直有後人提出自己的說法。朱熹對六義觀念的反省，一受鄭樵的影響，二不全依《詩大序》中之解釋。這涉及到詩的正變美刺等作用的問題，因此亦可說是他對《詩序》觀點的改變，影響了他對《詩經》文本創作、方式分類及解讀過程的理解。

而朱熹在詮釋《詩經》時對《詩序》的逐步放棄，其因則可歸納為上述所提《序》旨不合詩意、《序》中史實不切詩事、《詩序》來源與傳授皆可疑、《序》文本身自相矛盾等四點。都造成他對歷來解詩者篤守《序》說的反感。

朱熹對《詩序》的不同態度，與他對《詩經》的解釋過程及其變化有密不可分的關係，造成《詩集傳》前後的差異。而這差異，又牽涉到他對《詩經》整體的觀念。因此反映在《詩集傳》與《讀詩記》中朱說的問題，雖僅是朱熹個人對《詩經》觀點變化的結果，但其內容並不單純。

參考書目

【專著】

《詩經集傳》八卷本　朱熹注　怡府藏板，明善堂重梓　成都　巴蜀出版社 1989 年 7 月

《詩集傳》二十卷本　朱熹注　臺北　藝文印書館　（疑即宋刊七行十五字本）
　　　民國 63 年 4 月

《詩序辨說》一卷　朱熹著　臺北　臺灣商務印書館《景印文淵閣四庫全書》本

《詩序辨說》一卷　朱熹著　《學津討源》本

《詩傳遺說》六卷　朱鑒輯　收入《通志堂經解》中　臺北　漢京文化事業有限公司

《毛詩》鄭《箋》　〔漢〕毛亨傳，鄭玄箋　臺灣中華書局四庫備要本　民國 72 年 12 月

---

❺⓿　《朱子語類》，卷 80。

《毛詩正義》　〔漢〕毛亨傳，鄭玄箋　〔唐〕孔穎達正義　〔清〕阮元重刊南昌府學本　臺灣
　　藝文印書館影印出版

《朱子語類》　〔宋〕黎靖德編　臺北　文津出版社出版（標點本）民國75年12月

《朱文公文集》　朱熹撰　臺北　臺灣商務印書館出版　民國 69 年 10 月

《宋朱子年譜》　〔清〕王懋竑纂訂　臺北　臺灣商務印書館出版　民國76年8月

《朱子書信編年考證》　陳來著　上海　上海人民出版社出版　1989 年 4 月

《春秋經傳集解》　〔晉〕杜預集解　臺北　新興書局據相臺岳氏本排印　1958年

《左傳紀氏本末》　〔清〕高士奇撰　臺北　里仁書局出版　民國 70 年 12 月

《國語》　〔周〕左丘明著　臺北　漢京文化事業有限公司

《史記》　〔漢〕司馬遷著　臺北　鼎文書局

《詩經研究史概要》　夏傳才著　北京　中州書畫社　1982 年 9 月

《詩經名著評介》　趙制陽著　臺北　臺灣學生書局版　民國 72 年 10 月

【期刊論文】

朱子說詩前後期之轉變　潘重規著　孔孟月刊 20 卷 12 期　頁 17－19　民國 71 年 8 月

朱子說詩先後異同條辨　何澤恆著　國立編譯館館刊 18 卷 1 期　頁 195－223　民國 78 年 6 月

經 學 研 究 論 叢
第 十 三 輯　頁141～170
臺灣學生書局　2006年3月

談研究朱熹《詩集傳》的一個問題
——以《詩集傳·周頌》的探討爲例

楊明珠*

一、前　言

《四庫全書總目提要·經部·詩類二·欽定詩經傳說彙纂》：

> 《詩序》自古無異說，王肅、王基、孫毓、陳統，爭毛鄭之得失而已；其舍
> 序言詩者，萌於歐陽修，成於鄭樵，而定於朱子之《集傳》。輔廣《童子
> 問》以下，遞相羽翼，猶未列學官也。元延祐中行科舉法，始定詩義用朱
> 子，猶參用古注疏也。明永樂中修《詩經大全》，以劉瑾《詩集傳通釋》爲
> 藍本，始獨以《集傳》試士。然數百年來，諸儒多引據古義，竊相辨詰，亦
> 如當日之攻毛鄭。

在《詩經》學發展過程中，宋代朱熹所著之《詩集傳》造成新詩學風潮，並對
後世影響深遠，不僅元、明兩朝講詩者遵其說法，也是當時科考士子必讀的令典。
即使在以漢學爲宗的清代，聖祖康熙所御定之《詩經傳說彙纂》，仍是以朱熹《詩
集傳》爲綱，再附錄古義之不可磨滅者而成書的；學者們說詩，則或依循、或辨詰

---

*　　楊明珠，私立中國文化大學中國文學系博士生。

朱熹的觀點❶，可見朱熹詩學在清代仍有不小的影響。一直到現在，朱熹《詩集傳》依舊是學者們研究的焦點，相關的論文不時推出。❷其中，討論到朱熹《詩集傳》版本問題的有兩篇。

　　左松超〈朱熹《詩集傳》二十卷本和八卷本的比較〉一文❸，在比對朱熹《詩集傳》八卷本和二十卷本的文句之後，得到「八卷本是朱熹最後定本」的結論。十年後，朱杰人發表〈論八卷本《詩集傳》非朱子原帙，兼論《詩集傳》之版本——與左松超先生商榷〉❹一文，是對左文的回應，同時也提出不同的見解。這兩篇結

---

❶ 下面依據《四庫全書總目提要》（臺北：臺灣商務印書館，1985 年 5 月）提要內容列錄六條作參考：一、〔清〕陳啟源撰：《毛詩稽古編》，「所辨正者，惟朱子《集傳》為多」。二、〔清〕毛奇齡撰：《續詩傳鳥名》，「大意在續毛而正朱《傳》」。三、〔清〕王鍾毅撰：《詩經疏略》，「是書據朱子《詩傳》，發明比興之義」。四、〔清〕史榮撰：《風雅遺音》，「其書據朱子孫鑑所作〈詩傳補遺後序〉，定朱子《集傳》原本有音未備，其音多後人所妄加，因以集傳與音，互相考證，得其矛盾之處」。五、〔清〕劉青芝撰：《學詩闕疑》，「是編皆引舊說，以駁朱子《詩集傳》」。六、〔清〕冉覲祖撰：《詩經詳說》，「是書以朱子《集傳》為主，仍採毛、鄭、孔及宋元以下諸儒之說，附錄於下」。

❷ 近年有關朱熹《詩集傳》的論文有：一、金周生撰：《朱熹傳世音韻資料研究》（臺北：輔仁大學中文所博士論文，2001 年）。二、王清信撰：《詩經二雅、毛序與朱傳所定篇旨異同之比較研究》（臺北：東吳大學中文所碩士論文，1998 年）。三、洪春音撰：《朱熹與呂祖謙詩說異同考》（臺中：東海大學中文所碩士論文，1994 年）。有關朱熹《詩集傳》的期刊論文也不少，列錄五篇作參考：一、金周生撰：〈《詩集傳》直音考〉，《輔仁國文學報》第 15 期，1999 年 10 月，頁 75－115。二、黃忠慎撰：〈關於朱子《詩經》學的評價問題〉，《國文學誌》第 3 期，1999 年 6 月，頁 23－74。三、彭維杰撰：〈朱子《詩傳》舊說探析〉，《國文學誌》第 3 期，1999 年 6 月，頁 75－102。四、楊晉龍撰：〈朱熹《詩序辨說》述義〉，《中國文哲研究集刊》，1998 年 3 月，頁 295－354。五、趙明媛〈釋朱熹《詩集傳》之賦比興〉，《勤益學報》第 15 期，1997 年 11 月，頁 155－168。

❸ 收入高仲華先生八秩榮慶論文集編輯委員會主編：《高仲華先生八秩榮慶論文集》（高雄：國立高雄師範學院國文研究所，1988 年 4 月），頁 105－131。左先生認為《詩集傳》八卷本是朱熹晚年的更定本，理由是：一、符合朱熹「簡約易讀」的讀詩主張。二、修改後的八卷本對詩的詮釋較正確。三、二十卷本的叶韻有誤。不過，左先生也說八卷本有問題，例如：八卷本〈維天之命〉「假」、「溢」兩字下缺少注文，造成上下文意不銜接。

❹ 收入林慶彰主編：《經學研究論叢》（臺北：臺灣學生書局，1998 年 8 月），第 5 輯，頁 87－110。朱先生認為：一、八卷本刪修之處反有錯誤，而且與全書結構及內在邏輯不合。二、

論迥異的論文，顯示這一方面的問題，仍有討論空間。筆者以為：探究朱熹《詩集傳》一書的版本問題固然重要，但是《詩集傳》不僅有二十卷、八卷之分，而且二十卷、八卷本又各有不同的刊本，各刊本之間存在著字句互有差異的事實，所以，做好朱熹《詩集傳》諸版本的校讎工作，奠定研究朱熹《詩集傳》的穩固基礎，更是研究朱熹《詩集傳》的前提工作。本文就從這個想法出發，以《詩集傳‧周頌》的分析為例，從比對各刊本文句差異的角度切入，再以比對之後所得之結果證明校讎朱熹《詩集傳》諸版本的重要及迫切，期望能有拋磚之用，引起大家對這一個問題的注意。

二、朱熹《詩集傳》歷代著錄情形
以及今日可見之刊本

㈠歷代著錄情形

《宋史‧藝文志》簡單著錄：「朱熹《詩集傳》二十卷，《詩序辨》一卷。」但事實上，因為受到鄭樵影響，朱熹說詩態度由原來的宗序變為反序，對詩旨意的詮釋也和以前不同，所以他一再修定《詩集傳》稿本。他給呂祖謙的信中提到此事：「熹所集解，當時亦甚詳備，後以意定，所餘才此耳。然為舊說牽制，不滿意處極多，比欲修正，又苦別無稽援，此事終累人也。」（《朱子文集》，卷 33）在另一信中又說：「大抵〈小序〉盡出後人臆度，若不脫此窠臼，終無緣得正當也。去年略修舊說，訂正為多，向恨未能盡去，得失相半，不成完書耳。」（《朱子文集》，卷 34）由於修改過程費時七、八年左右❺，因此在宋代當時就有不同版本的《詩集傳》。朱熹給葉彥忠信中的話就是證明：「《詩傳》兩本，煩以新本

從版本考證可知八卷本非《詩集傳》原帙。三、宋、元各種目錄著錄朱熹《詩集傳》皆為二十卷。四、二十卷本在分卷上有著充分的歷史依據及其內在的邏輯性。但是，他也說：「八卷本確實也有改正了二十卷本錯誤的地方」。例如：〈雖〉題解「周禮樂師及徹」一句，八卷本正確，二十卷本錯誤。（筆者按：二十卷本中的明正統十二年司禮監刊本、明嘉靖間贛州清獻堂刊巾箱本也是正確的。）

❺ 見束景南：《朱子大傳：多維文化視野中的朱熹》（福州：福建教育出版社，1992 年 10月），頁 389－391。

校舊本，其不同者，依新本改正。」（《朱子文集‧續集》，卷 8）朱熹孫朱鑑
〈詩傳遺說序〉也說到：「先文公《詩集傳》，豫章、長沙、后山皆有本，而后山
本讎校為最精。」朱鑑提到的這三種《詩集傳》版本，和朱熹所說的「新」、
「舊」兩版是否相同，我們現在是不得而知的。

　　除了《宋史‧藝文志》有著錄之外，歷來許多藏書家也都有提到朱熹《詩集
傳》一書：

1. 宋尤袤《遂初堂書目》：「朱氏《集傳薬》。」
2. 宋陳振孫《直齋書錄解題》卷二：「《詩集傳》二十卷，《詩序辨說》一
   卷。今江西所刻晚年本，得於南康胡泳伯量。校之建安本，更定者幾什一
   云。」
3. 元馬端臨《文獻通考‧經籍考‧經部》：「晦庵《詩集傳》、《詩序辨說》
   共二十一卷。」
4. 明楊士奇《文淵閣書目》卷一：「詩朱子《集傳》一部二冊、詩朱子《集
   傳》一部十冊、詩朱子《集傳》一部六冊、詩朱子《集傳》一部二冊、詩朱
   子《集傳》一部一冊。」
5. 明朱睦㮮《授經圖》：「《詩集傳》二十卷。」
6. 明焦竑《國史經籍志》卷二：「《詩集傳》八卷。」
7. 清朱彝尊《經義考》卷一百八：「朱子熹《毛詩集傳》，〈宋志〉二十卷，
   存。」
8. 清《四庫全書總目提要》：「《詩集傳》八卷，宋朱子撰。〈宋志〉作二十
   卷，今本八卷，蓋坊刻所併。」
9. 清陸心源《皕宋樓藏書志》卷五：「《詩集傳》二十卷，宋刊本，五硯樓舊
   藏。……案此宋刊印本，每半葉七行，每行十五字，注文雙行，版心有字數
   及刻工姓名。」另外，陸心源又著錄有：「《詩集傳》二十卷，明正統內府
   刊本。」
10. 清丁松生《善本書室藏書志》卷二：「《詩集傳》八卷，宋刊本，吳兔牀藏
    書。」又著錄曰：「《詩經》二十卷，明正統司禮監刊本，朱子《集
    傳》。」

11.清周中孚《鄭堂讀書記》卷八：「《詩集傳》八卷，通行本。」

12.清張鈞衡《適園藏書志》卷二：「《詩集傳》八卷，明刻本，明秋浦杜氏刊本，後有牌子。」

13.清馬國翰《玉函山房藏書簿錄》卷三：「《詩集傳》八卷，監本。」

14.清莫友芝《邵亭知見傳本書目‧邵目二》：「《詩集傳》八卷，宋朱子撰，附《詩序辨》一卷。《詩序辨》、《朱子遺書》有單刻本。《天祿後目》有宋刊本二十卷，曾藏李爵家。吳氏拜經樓有不全八卷，原二十卷，經文與唐石經同。明司禮監本二十卷，字大醒目。」

15.清耿文元《萬卷精華樓藏書記》卷五：「《詩集傳》八卷，宋朱子傳。」

16.清薛福成《天一閣見存書目》：「《詩集傳》二十卷，缺，正統重刊宋本。」又著錄曰：「又八卷，缺，存〈國風〉、〈小雅〉。」

17.清丁仁《八千卷樓書目》卷二：「《詩集傳》八卷，宋朱子撰，宋刊本、刊本、左氏刊本、袖珍刊本、明吳勉學刊本、明正統刊本、怡府刊本。」

以上各家著錄的資料大多很簡單，很難判斷出這些著錄的《詩集傳》版本的實際情形及其間之關係。不過，我們從這些著錄的資料可以知道以下六點：

第一、自宋以來，朱熹《詩集傳》的傳鈔刻印頗為盛行，有官方刻版，也有民間刊本。朱熹《詩集傳》刻印如此蓬勃發達的一個重要因素，當然是因為它是科考令典、是士人必讀之書的關係，同時，也因為「五經之中，惟《詩》易讀，習者十恆七八，故書坊刊版亦最夥。」（《四庫全書總目提要‧經部‧詩類‧詩集傳》）

第二、宋代刊行的《詩集傳》，都是二十卷，為何丁松生著錄吳兔牀所藏的宋刊本是八卷的呢？這是丁松生弄錯了。吳兔牀即吳騫，他收藏一本宋刊二十卷本《詩集傳》，不過是殘缺的，只剩八卷。陸心源《皕宋樓藏書志》、耿文元《萬卷精華樓藏書記》兩書，都有提到這本宋刊二十卷殘本。丁松生著錄時，直接記為八卷，未說清楚是殘本，容易引起誤會。

第三、第一個著錄《詩集傳》八卷本的是明焦竑《國史經籍志》，證明此時已有八卷本產生。不過，是不是一直到此時才有八卷本的刊印？這是無法由這項著錄資料確定的。紀昀認為八卷本所以產生，蓋因「坊刻所併」。在清朝的通行本就是八卷本。

　　第四、陸心源《皕宋樓藏書志》書中引錄了吳騫姪子吳之瑗的跋文。❻吳之瑗在文中記錄了他校讎此宋刊本的結果，其中有關〈周頌〉部分的問題有七條，和筆者校對國家圖書館善本書室所藏之宋寧宗理宗間刊七行十五字本所得的結果相比較，只有一條不同❼；同時，陸心源對此一刊版特色的描述，和國圖所藏宋本的特徵相符。

　　第五、莫友芝《邵亭知見傳本書目》說到「明司禮監本二十卷，字大醒目」，和國家圖書館善本書室所藏之明正統十二年司禮監刊本的特色相同。

　　第六、自宋至清，朱熹《詩集傳》的刊本至少有：甲、朱熹提到的「新」、「舊」兩版。乙、朱鑑說的豫章、長沙、后山三個版本。丙、陳振孫說的江西、建安兩版。丁、焦竑錄的明刊八卷本。戊、陸心源說的明正統內府二十卷刊本（即明正統司禮監本）。己、張鈞衡說的明秋浦杜氏八卷本刊本。庚、丁仁提到的左氏刊本、袖珍刊本、明吳勉學刊本、怡府刊本。

　　朱熹《詩集傳》的刊版眾多，其間的關係如何，實在不易辨清，紀昀慨嘆：

> 臣謹案：《詩經集傳》八卷，宋朱子撰。〈宋志〉作二十卷。《文獻通考》
> 於《集傳》外尚有《詩序辨說》一卷，統為二十一卷。今本既不載《序辨
> 說》，而卷數復不符。朱子嘗自謂：「少年淺陋之說，久而有所更定。」陳
> 振孫云：「江西所刻晚年本，得於南康胡泳伯量，較之建安本，更定幾什
> 一。」此卷帙所由不同歟！第未知此所傳者竟何本也！（《欽定四庫全書·
> 詩經集傳·跋》）

　　朱熹《詩集傳》一書，不僅版本問題難辨，各版之間文句的校讎也是亟需解決的問題。朱熹在與吳伯豐信中說：「《詩傳》中，有音未備者，有訓未備者，有以

---

❻　〔清〕陸心源撰：《皕宋樓藏書志》（臺北：廣文書局，1968 年《書目續編》本），卷五，頁 207－213。

❼　吳之瑗列了一條「『彼徂矣岐』作『彼岨』」，但國圖所藏宋刊七行十五字本是作「彼徂矣岐」。

經統傳舛其次者，此類皆失之不詳，今當添入。然印本已定，不容增減矣！不免別作〈補脫〉一卷，附之〈辨音說〉之後。此間亦無精力辦得，只煩伯豐為編集。」❽但是這個心願「終克弗就」，最後是「仍用舊版，葺為全書」。❾由此可知，在朱熹刊印《詩集傳》時，就已經有校讎未盡的問題了。宋理宗端平乙未重槧朱熹《詩集傳》時，朱熹孫朱鑑也表達過對校讎未臻完善的憂心：「第初脫稾時，音訓間有未備，刻版已竟，不容增益。欲著補脫，終弗克就。仍用舊版，葺為全書。補綴遺那，久將漫漶。」（〈詩傳遺說序〉）而陳振孫以江西本與建安本互相校對時，「更定幾什一」。這都說明了：即使是在《詩集傳》出版的宋朝當代，各版文句就有不少差異，校讎的工作也未完成。再加上經過元、明兩代一再傳鈔轉刻，這個問題越趨嚴重。到了清代，《詩集傳》的文句「輾轉傳訛，亦為最甚」。（《四庫全書總目提要‧詩集傳》）紀昀提到馮嗣京校出十二條錯誤，陳啟源校出十四條錯誤。❿他們的校讎是以整本《詩集傳》為範圍，所得為十二條、十四條。事實上，單就《詩集傳‧周頌》部分來說，筆者校對所得就不止這樣的數目。所以，校勘朱熹《詩集傳》各刊版，真是研究朱熹《詩集傳》首先要完成的工作。

㈡今日可見之刊本

　　由上述歷代藏書家所著錄的資料來看，昔日流通的《詩集傳》刊本為數不少，現在，我們可以在國家圖書館善本書室見到以下六種不同的刊本：

　　　1.宋寧宗理宗間刊七行十五字本　　　《詩集傳》二十卷

　　　2.元刊十一行二十一字本　　　　　　《詩集傳》二十卷

　　　3.明正統十二年司禮監刊本　　　　　《詩集傳》二十卷

---

❽　〔宋〕朱熹撰，陳俊民校編：《朱子文集》（臺北：德富文教基金會出版，2000 年 2 月），卷 52，頁 2411。

❾　見〔宋〕朱鑑撰：《詩傳遺說‧序》（臺北：世界書局，1986 年影印《摛藻堂四庫全書薈要》本），頁 75－500。

❿　馮嗣京的校正資料，可參考紀昀在《四庫全書總目提要‧詩集傳》跋文裡留下的紀錄（同註❶，頁 301），也可參考陳啟源撰：《毛詩稽古編》（臺北：世界書局，1986 年影印《摛藻堂四庫全書薈要》本），卷 29，頁 85－797。至於陳啟源校對的詳細資料就在他的書中，頁 85－796－－85－797。不過，依他自己的統計，他共校對出經文十二譌字、脫者倒者各一，另外又校出傳中譌字共十二條，和紀昀說的不同。

　　4.明嘉靖間贛州清獻堂刊巾箱本　　　　　《詩集傳》二十卷

　　5.明萬曆無錫吳氏翻刻古澄本　　　　　　《詩集傳》八卷

　　6.清刊本（近人張繼手批）　　　　　　　《詩集傳》八卷

　　除了這些珍藏善本，另外，在今日普遍流通、廣為學者採用的版本有以下幾種：

　　1.商務印書館《四部叢刊》（上海涵芬樓影印中華學藝社借照日本東京氏靜嘉
　　　文庫藏宋本）　　　　　　　　　　　《詩集傳》二十卷

　　2.臺灣商務印書館《文淵閣四庫全書》本　《詩經集傳》八卷

　　3.世界書局影印《摛藻堂四庫全書薈要》本　《詩集傳傳》八卷

　　4.藝文印書館　　　　　　　　　　　　　《詩集傳》二十卷

　　5.臺灣學生書局　　　　　　　　　　　　《詩集傳》二十卷

　　6.臺灣中華書局　　　　　　　　　　　　《詩集傳》二十卷

　　7.華正書局　　　　　　　　　　　　　　《詩經集註》八卷

　　筆者比對之後，發現：商務印書館、臺灣中華書局、臺灣學生書局、藝文印書館諸本，都是依據同一個刊本影印的，也就是國圖善本書室所藏之宋寧宗理宗間刊七行十五字《詩集傳》二十卷本。而華正書局出版，書名定為《詩經集註》的八卷本，事實上是和臺灣商務印書館、世界書局印行的《文淵閣四庫全書》本、《摛藻堂四庫全書薈要》本同一刊本，再加以重新排版刊印的。可以說，今日通行的朱熹《詩集傳》，是以宋刊二十卷本為主流的。宋刊本雖然在諸版本之中時間最早，但它是否就都沒有問題？前面已談過，宋代時《詩集傳》已有不同的版本，而這些版本校讎精劣有別，文句發生脫漏訛誤的情形不少。換句話說，最早的宋刊本的文句也是有訛誤的，也是需要校讎的。

　　本文採用以校對的版本，除了國家圖書館善本書室所藏的六種刊本之外，再加上世界書局影印《摛藻堂四庫全書薈要》本（《四庫》本看似翻刻自明萬曆無錫吳氏翻刻古澄本，但是仔細比對之後，發現仍有差異，所以列入比較），總共有七種版本，其中，二十卷本的共有四種：宋本一、元本一、明本二；八卷本共有三種：明本一、清本二（元刊本、宋刊本的字跡較為模糊，有時辨認困難，遇到此種情況，則捨棄資料不用）。商務印書館、臺灣中華書局、臺灣學生書局、藝文印書館

諸本，都是依據宋刊本影印而成，不再重覆使用；華正書局版和《摛藻堂四庫全書薈要》本相同，亦不再採用。

三、各版《詩集傳·周頌》的文句比對

㈠各八卷本的比較結果

1. 題解部分，萬曆本作「告『于』神明者也」；清刊本、《四庫》本作「告『於』神明者也」。

2. 〈清廟〉萬曆本作「壹倡而三『嘆』」、「三人從『嘆』之耳」；清刊本、《四庫》本作「壹倡而三『歎』」、「三人從『歎』之耳」。

3. 〈維天之命〉萬曆本作「與天無『間』」、「則無『間』斷先後」；清刊本、《四庫》本作「與天無『閒』」、「則無『閒』斷先後」。

4. 〈天作〉萬曆本作「彼『徂』矣岐」；清刊本、《四庫》本作「彼『岨』矣岐」。

5. 〈昊天有成命〉萬曆本作「於『嘆』『詞』」；清刊本、《四庫》本作「於『歎』『辭』」。

6. 〈我將〉萬曆本作「既右『享』之」、「以『享』我祭」、「不敢加一『詞』焉」；清刊本、《四庫》本作「既右『饗』之」、「以『饗』我祭」、「不敢加一『辭』焉」。萬曆本、《四庫》本作「言天與文王皆右『享』我矣」；清刊本作「言天與文王皆右『饗』我矣」。

7. 〈思文〉萬曆本作「思語『詞』也」；清刊本、《四庫》本作「思語『辭』也」。

8. 萬曆本、《四庫》本作「〈周頌·臣工之什〉四之『二』」；清刊本作「〈周頌·臣工之什〉四之『三』」。

9. 〈臣工〉萬曆本、清刊本作「『痔』乃錢鎛」、「『痔』具」；《四庫》本作「『庤』乃錢鎛」、「『庤』具」。萬曆本作「鎛『博』」、「於皇歎美之『詞』」；清刊本、《四庫》本作「鎛音『博』」、「於皇歎美之『辭』」。

10. 〈噫嘻〉萬曆本作「噫嘻亦『嘆』『詞』也」；清刊本、《四庫》本作「噫嘻亦『歎』『辭』也」。

11.〈載見〉萬曆本作「蓋德歸于諸侯之『詞』」；清刊本、《四庫》本作「蓋德歸于諸侯之『辭』」。

12.〈有客〉萬曆本作「言『受』之縶」；清刊本、《四庫》本作「言『授』之縶」。萬曆本、《四庫》本作「縶音『執』」；清刊本作「縶音『藝』」。

13.〈武〉萬曆本作「於歎『詞』」、「皇『太』」；清刊本、《四庫》本作「於歎『辭』」、「皇『大』」。

14.〈閔予小子〉萬曆本作「楚『詞』」、「臨其朝『庭』」；清刊本、《四庫》本作「楚『辭』」、「臨其朝『廷』」。清刊本作「三公『穆穆』，登降堂只」；萬曆本、《四庫》本作「三公『揖讓』，登降堂只」。

15.〈敬之〉萬曆本作「茲叶『律』之反」；清刊本、《四庫》本作「茲叶『津』之反」。

16.〈小毖〉萬曆本、《四庫》本作「蓼音『了』」；清刊本作「蓼音『子』」。

17.〈載芟〉萬曆本作「耘去苗『間』草也」、「所謂『間』民」、「柞音窄叶疾『名』反」；清刊本、《四庫》本作「耘去苗『閒』草也」、「所謂『閒』民」、「柞音窄叶疾『各』反」。

18.〈良耜〉萬曆本、《四庫》本作「土『熟』而苗盛」；清刊本作「土『熱』而苗盛」。萬曆本作「畝叶『蒲』委反」；清刊本、《四庫》本作「畝叶『滿』委反」。

19.〈酌〉萬曆本、清刊本作「『實』維爾公允師」；《四庫》本作「『寔』維爾公允師」。

20.〈桓〉萬曆本作「皇以『間』之」、「傳曰『間』代也」、「『間』字之義」；清刊本、《四庫》本作「皇以『閒』之」、「傳曰『閒』代也」、「『閒』字之義」。

21.〈賚〉萬曆本作「於歎『詞』」；清刊本、《四庫》本作「於歎『辭』」。萬曆本、《四庫》本作「此頌『文武』之功」；清刊本作「此頌『文王』之功」。

各八卷本之間的差異，歸納於下：

1.音韻部分

(1)第 9.條，〈臣工〉萬曆本作「鎛音『傳』」；清刊本、《四庫》本作「鎛音『博』」。

(2)第 12.條，〈有客〉萬曆本、《四庫》本作「縶音『執』」；清刊本作「縶音『蓻』」。

(3)第 15.條，〈敬之〉萬曆本作「茲叶『律』之反」；清刊本、《四庫》本作「茲叶『津』之反」。

(4)第 16.條，〈小毖〉萬曆本、《四庫》本作「蓼音『了』」；清刊本作「蓼音『了』」。

(5)第 17.條，〈載芟〉萬曆本作「柞音窄叶疾『名』反」；清刊本、《四庫》本作「柞音窄叶疾『各』反」。

(6)第 18.條，〈良耜〉萬曆本作「畝叶『蒲』委反」；清刊本、《四庫》本作「畝叶『滿』委反」。

2.傳文部分

(1)用字不同，但義可相通，於文意無妨。條列於下：

A.第 1.條的「於」、「于」二字。

B.第 2. 5. 10.條的「嘆」、「歎」二字。

C.第 3. 17. 20.條的「間」、「閒」二字。

D.第 5. 6. 7. 9. 10. 11. 13. 21.條的「辭」、「詞」二字。

E.第 13.條的「太」、「大」二字。

F.第 14.條的「廷」、「庭」二字。

G.第 19.條的「實」、「寔」二字。

(2)用字錯誤，於義有礙。條列如下：

A.第 6.條，「享」、「饗」兩字的問題。❶毛《傳》云：「享，獻也。」段玉裁《詩經小學》卷第四亦云：「經典，凡獻於上曰享，食所獻曰饗。」❷

❶　關於這一條，吳之瑛、陳啟源已校出。參註❻、註❿。

❷　〔清〕段玉裁撰：《詩經小學》（上海：上海古籍出版社，1995 年《續修四庫全書》影印清嘉慶二年武進臧氏拜經堂刻本），頁 222。

「享」、「饗」兩字字義既分清，接著，釐清這三句的文意，那麼該用那個字才正確也就可以明白了。此詩旨意乃言祭五帝於明堂，以文王配祀之。所以，經文部分應作「既右饗之」是沒有疑義的。朱熹亦採此說，所以《詩集傳》云：「言儀式刑文王之典，以靖天下，則此能賜福之。文王既降，而在此之右，以饗我祭，若有以見其必然矣。」和毛亨《傳》文：「我儀則式象，法行文王之常道，以日施于天下，維受福於文王。文王既右而饗之，言受而福之。」意同而文句類似。因此，「文王既降，……以饗我祭」、「言天與文王皆右饗我矣」兩句都是說文王來饗我所獻之牛羊，即段玉裁所謂之「食所獻曰饗」，故應用「饗」字，而非「享」字。

B. 第 8. 條，清刊本將「〈周頌・臣工之什〉四之『二』」誤作「〈周頌・臣工之什〉四之『三』」。

C. 第 9. 條，萬曆本、清刊本將經文「庤乃錢鎛」、傳文「庤具」中的「庤」字誤為「痔」字。

D. 第 12. 條，萬曆本將經文中「言授之縶」的「授」字誤為「受」字。

E. 第 14. 條，萬曆本將傳文中的「楚辭」誤作「楚詞」。

F. 第 18. 條，「熱」、「熟」兩字的問題。《周禮注疏》卷第十六：「稻人掌稼下地，……凡稼澤，夏以水殄草而芟夷之。」鄭玄《注》云：「玄謂：將以澤地為稼者，必於夏六月之時，大雨時行，以水病絕草之後生者，至秋水涸，芟之，明年乃稼。」[13]如其所言，此事行於夏六月，因此造成「土熱」而草病，那麼，用「熱」字可通；若進一步推想，因草枯朽而促成土地「熟成」沃腴，那麼，用「熟」字也是說得通的。《欽定詩經傳說彙纂》引陸佃之說：「因暑雨化之，則草不復生而地美，蓋非特去草之害，亦以釀其田疇，故荼蓼朽，於是黍稷茂。月令季夏燒薙行水利以殺草，如以熱湯，可以糞田疇，可以美土疆，此之謂也。」[14]兩字的字形相

[13]〔清〕阮元撰：《周禮注疏附校勘記》（臺北：藝文印書館，1997 年 8 月），頁 246。

[14]〔清〕永瑢編纂：《欽定詩經傳說彙纂》（臺北：世界書局，1986 年影印《摛藻堂四庫全書薈要》本），頁 28－745。

近，於義也都講得通，真不知當初朱熹是用那一字。因有疑義，筆者在此不下定論。

G. 第21.條，「文王」、「文武」的問題。依據朱熹在此句下接著說的「而言其大封功臣之意也，言文王之勤勞天下至矣，其子孫受而有之，然而不敢專也，布此文王功德之在人而可繹思者，以賚有功而往求天下之安定，又以為凡此皆周之命，而非復商之舊矣。遂嘆美之，而欲諸臣受封賞者繹思文王之德而不忘也。」這一段話來看，朱熹詮解此詩是在歌頌文王是明白可見的，所以，此句應作「此頌文王之功」才對。❶❺

(3)引文錯誤。

A. 第14.條，萬曆本、《四庫》本將《楚辭·大招》「三公穆穆，登降堂只」，誤作「三公揖讓，登降堂只」。❶❻

B. 第4.條，〈天作〉「彼徂矣岐」一句的「徂」字，清刊本、萬曆本作「岨」，和《詩經》經文不合。❶❼所以會發生這個問題，和句下的注文有關，三版八卷本都缺了這段注文，因此，這個問題併到八卷本與二十卷本的比較時再討論。

㈡各二十卷本的比較結果

1. 題解部分，宋刊本作「頌曰」；元刊本、正統本、嘉靖本都作「頌四」。宋刊本、元刊本作「告『於』神明者也」；正統本、嘉靖本作「告『于』神明者也」。

2. 〈清廟〉宋刊本、正統本、嘉靖本作「壹『倡』而三嘆」；元刊本作「壹『唱』而三嘆」。宋刊本、元刊本作「『唱』發歌句也」；正統本、嘉靖本作「『倡』發歌句也」。宋刊本作「三『歎』三人從而『歎』之耳」；元刊本作「三『嘆』三人從而『嘆』之耳」；正統本、嘉靖本作「三『嘆』三人從而『歎』之耳」。宋刊本作「筦『弦』」；元刊本、正統本、嘉靖本作「管

❶❺　關於這一條，陳啟源已校出，同註❶⓪。
❶❻　關於這一條，陳啟源已校出。同註❶⓪。
❶❼　關於這一條，吳之璵已校出。同註❻。

『絃』」。

3. 〈維天之命〉宋刊本作「與天無『閒』」、「則無『閒』斷先後」；元刊本、正統本、嘉靖本作「與天無『間』」、「則無『間』斷先後」。

4. 〈維清〉宋刊本、元刊本作「實『惟』周之禎祥」；正統本、嘉靖本作「實『維』周之禎祥」。

5. 〈烈文〉宋刊本、元刊本作「『爾』邦」、「未『詳』當從何讀」；正統本、嘉靖本作「『汝』邦」、「未『審』當從何讀」。

6. 〈天作〉宋刊本、元刊本作「獨矣『字』正」、「天作一章『八』句」；正統本、嘉靖本作「獨矣正」、「天作一章『七』句」。

7. 〈昊天有成命〉宋刊本、元刊本作「於『歎』詞」、「安『靜』天下」；正統本、嘉靖本作「於『嘆』詞」、「安『靖』天下」。宋刊本、正統本、嘉靖本作「成王能明文『昭』定武烈者也」；元刊本作「成王能明文『招』定武烈者也」。

8. 〈我將〉宋刊本、元刊本作「不敢加一『辭』焉」；正統本、嘉靖本作「不敢加一『詞』焉」。宋刊本、正統本、嘉靖本作「『惟』言畏天之威」；元刊本作「『維』言畏天之威」。

9. 〈時邁〉宋刊本、元刊本作「『繁』遏」；正統本、嘉靖本作「『樊』遏」。

10. 〈思文〉宋刊本、元刊本作「思語『辭』也」；正統本、嘉靖本作「思語『詞』也」。宋刊本、元刊本、正統本作「亦以其有『時』夏之語」；嘉靖本作「亦以其有『持』夏之語」。

11. 〈臣工〉宋刊本、元刊本作「畬『二』歲田也」、「於皇『歎』美之『辭』也」；正統本、嘉靖本作「畬『三』歲田也」、「於皇『嘆』美之『詞』」。宋刊本作「然麥『亦』將熟」；元刊本、正統本、嘉靖本作「然麥『已』將熟」。宋刊本、嘉靖本作「鎛音『博』」；元刊本、正統本作「鎛音『博』」。

12. 〈噫嘻〉宋刊本、元刊本作「噫嘻亦『歎』詞也」、「三十『二』里有奇」；正統本、嘉靖本作「噫嘻亦『嘆』詞也」、「三十『三』里有奇」。宋刊本作「駿『音峻』」；元刊本、正統本、嘉靖本作「駿」。

13. 〈有瞽〉宋刊本、元刊本作「以上猶『曰』虞賓在位」；正統本、嘉靖本作「以上猶『言』虞賓在位」。

14. 〈雝〉宋刊本、元刊本作「周禮『大』師」；正統本、嘉靖本作「周禮『樂』師」。宋刊本、正統本、嘉靖本作「壽『殖酉反』」；元刊本作「壽」。

15. 〈載見〉宋刊本作「以至『于』純嘏也」；元刊本、正統本、嘉靖本作「以至『於』純嘏也」。宋刊本、元刊本作「蓋德歸於諸侯之『辭』」；正統本、嘉靖本作「蓋德歸於諸侯之『詞』」。宋刊本、正統本、嘉靖本作「央『於良反』」；元刊本作「央」。

16. 〈閔予小子〉宋刊本、元刊本作「『康』衡」；正統本、嘉靖本作「『匡』衡」。宋刊本作「楚『辭』」、「臨其朝『庭』」；元刊本、正統本、嘉靖本作「楚『詞』」、「臨其朝『廷』」。元刊本作「『矛』小子」；宋刊本、正統本、嘉靖本作「『予』小子」。

17. 〈訪落〉宋刊本、元刊本、正統本作「『延』訪群臣」；嘉靖本作「『筵』訪群臣」。宋刊本、正統本、嘉靖本作「渙而不『合』」；元刊本作「渙而不『言』」。

18. 〈小毖〉宋刊本、元刊本、正統本作「小『毖』者謹之於小者」；嘉靖本作「小『皆』者謹之於小者」。

19. 〈載芟〉宋刊本作「耘去苗『閒』草也」、「所謂『閒』民」；元刊本、正統本、嘉靖本作「耘去苗『間』草也」、「所謂『間』民」。宋刊本、元刊本作「自極古以來已如此矣」；正統版作「自極古以來已女此矣」；嘉靖版作「自極古以來已知北矣」。宋刊本、元刊本、正統本作「『主』家長也」；嘉靖本作「『王』家長也」。

20. 〈良耜〉宋刊本、正統本、嘉靖本作「或來瞻『女』」；元刊本作「或來瞻『汝』」。

21. 〈絲衣〉宋刊本、元刊本、正統本作「『俅』俅恭順貌」；嘉靖本作「『求』俅恭順貌」。宋刊本作「不怠『敖』」；元刊本作「不怠『放』」；正統本、嘉靖本作「不怠『傲』」。

22. 〈酌〉宋刊本、元刊本、正統本作「疑取『樂』節之名」；嘉靖本作「疑取

『學』節之名」。

23. 〈桓〉宋刊本作「綏萬邦『婁』」、「皇以『閒』之」、「『閒』字之義」、
「傳曰『閒』代也」；元刊本、正統本、嘉靖本作「綏萬邦『屢』」、「皇以
『間』」、「『間』字之義」、「傳曰『間』代也」。宋刊本、正統本、嘉靖
本作「周饑克『殷』而年豐」、「篇內已有『武』王之諡」；元刊本作「周饑
克『商』而年豐」、「篇內已有『我』王之諡」。宋刊本、元刊本作「用之於
事也『與』」；正統本、嘉靖本作「用之於事也『歟』」。

24. 〈賚〉宋刊本、元刊本、嘉靖本作「大封於廟之『詩』」；正統本作「大封於
廟之『誰』」。宋刊本作「遂『嘆』美之」；元刊本、正統本、嘉靖本作「遂
『歎』美之」。

25. 〈般〉宋刊本、正統本、嘉靖本作「裒『蒲侯反』」；元刊本作「裒」。宋刊
本、元刊本作「般」；正統本、嘉靖本作「般『音盤』」。

26. 最後的章句統計，宋刊本作「閔予小子之什十一篇『十一章』一百三十六
句」；元刊本、正統本、嘉靖本作「閔予小子之什十一篇一百三十六句」。

　　各二十卷本之間的差異，歸納於下：

1. 音韻部分

　　(1)第11.條，宋刊本、嘉靖本作「鎛音『博』」；元刊本、正統本作「鎛音
　　　　『博』」。

　　(2)第12.條，宋刊本「駿」字下有音注，另外三種版本則無音注。

　　(3)第14.條，宋刊本、正統本、嘉靖本「壽」字下有音注；元刊本則無音注。

　　(4)第15.條，宋刊本、正統本、嘉靖本「央」字下有音注；元刊本則無音注。

　　(5)第25.條，宋刊本、正統本、嘉靖本「裒」字下有音注，元刊本則無音注。正
　　　　統本、嘉靖本「般」字下有音注；宋刊本、元刊本則無音注。

2. 傳文部分：

　　(1)用字不同，但義可相通，於文意無妨。條列於下：

　　　　A.第1.15.條的「於」、「于」二字。

　　　　B.第2.條的「倡」、「唱」二字。

　　　　C.第2.7.11.12.24.條的「嘆」、「歎」二字。

D. 第 2.條的「弦」、「絃」二字。

E. 第 3. 19. 23.條的「閒」、「間」二字。

F. 第 4. 8.條中的「維」、「惟」二字。

G. 第 5.條的「爾」、「汝」二字;「詳」、「審」二字。

H. 第 8. 10. 11. 15.條的「辭」、「詞」二字。

I. 第 13.條的「曰」、「言」二字。

J. 第 16.條的「庭」、「廷」二字。

K. 第 20.條的「女」、「汝」二字。

L. 第 21.條的「敖」、「傲」二字。

M. 第 23.條的「婁」、「屢」二字❸;「殷」、「周」二字;「與」、「歟」二字。

(2)形近譌誤,於義有礙。條列於下:

A. 第 1.條,宋刊本將「頌四」誤作「頌曰」。

B. 第 7.條,宋刊本、元刊本將「安『靖』天下」誤作「安『靜』天下」;元刊本將「成文能明文『昭』定武烈者也」誤作「成文能明文『招』定武烈者也」。

C. 第 10.條,嘉靖本將「亦以其有『時』夏之語」的「時」字誤作「持」字。

D. 第 11.條,元刊本、正統本、嘉靖本將「然麥『亦』將熟」的「亦」字誤作「已」字。

E. 第 16.條,元刊本將「『予』小子」的「予」字誤作「矛」字。

F. 第 17.條,嘉靖本將「『延』訪群臣」的「延」誤作「莚」;元刊本「渙而不『合』」的「合」字誤作「言」字。

G. 第 18.條,嘉靖本將「小『毖』」誤作「小『皆』」。

H. 第 19.條,正統本將「如此」誤作「女此」,嘉靖本則將之誤作「知

---

❸ 此條〔清〕夏炘已校出,見《詩經集傳校勘記》(上海:上海古籍出版社,1995 年《續修四庫全書》影印清咸豐三年刻本),頁 735。

北」。另外，嘉靖本將「『主』家長」的「主」字誤作「王」字。

I. 第 21.條，嘉靖本將「俅」字誤作「求」字；元刊本將「不忘救」的「救」字誤作「放」字。

J. 第 22.條，嘉靖本將「『樂』節」的「樂」字誤作「學」字。

K. 第 23.條，元刊本將「『武』王之諡」的「武」字誤作「我」字。

L. 第 24.條，正統本將「大封於廟之『詩』」的「詩」字誤作「誰」字。

⑶缺漏文字。條列如下：

A. 第 6.條，宋刊本、元刊本作「獨矣『字』正作者」；正統本、嘉靖本作「獨矣正作者」，在「矣」字之下缺了「字」字。

B. 第 26.條，章句統計一句，宋刊本作「閔予小子之什十一篇『十一章』一百三十六句」；元刊本、正統本、嘉靖本則缺了其中「十一章」三個字。

⑷明顯錯字，於文意有害者。條列如下：

A. 第 9.條，「繁」與「樊」字的問題。最早引述《國語》：「金奏肆夏、繁遏、渠，天子所以享元侯。」和呂叔玉：「肆夏、繁遏、渠，皆周頌也。肆夏，時邁也，繁遏，執競也，渠，思文也。」兩段話的，是鄭玄在《周禮·鍾師》注云：「《國語》曰：『金奏肆夏、繁遏、渠，天子所以享元侯也。』肆夏、繁遏、渠，所謂三夏矣。呂叔玉云：『肆夏、繁遏、渠，皆周頌也。肆夏，時邁也；繁遏，執競也；渠，思文也。』」⑲之後，賈公彥在《周禮·鍾師》⑳、《儀禮·鄉飲酒禮》㉑、《儀禮·大射》㉒的疏文中，或引《國語》或引呂叔玉言，都作「繁遏」，而孔穎達在《毛詩·時邁》的疏文中提到呂叔玉：「《周禮》有九夏，知此夏為樂歌也。春官鍾師……彼注引呂叔玉云：『肆夏、繁遏、渠，皆周頌也。肆夏，時

---

⑲　阮元：《周禮注疏附校勘記》，頁 365。

⑳　同前註。

㉑　阮元：《儀禮注疏附校勘記》（臺北：藝文印書館，1997 年 8 月），卷 9，〈鄉飲酒〉，頁 94。

㉒　同前註，卷 16，〈大射〉，頁 192。

邁也；繁遏，執競也；渠，思文也。』」❷也是寫作「繁遏」的。寫作「樊遏」的，最早出現在杜預注解《春秋左傳》襄公四年：「肆夏，樂曲名，周禮以鐘鼓奏九夏，其二曰肆夏，一名樊。」劉炫《規過》批駁杜預的說法，但孔穎達疏文又以劉炫之說為非，寫了一段長文疏解。文中提及時，或寫作「繁遏」、或寫作「樊遏」，兩相摻雜混用。❷依上述情形，筆者以為：應採最早的鄭玄引文，寫做「繁遏」。正統本、嘉靖本錯誤。

B. 第 11.條，「畬」字的問題。《爾雅‧釋地》：「田一歲曰菑，二歲曰新田，三歲曰畬。」可見宋刊本、元刊本錯誤。❷

C. 第 12.條，「三十二里有奇」或「三十三里有奇」的問題。朱熹傳文：「三十里，萬夫之地，四旁有川，內方三十二里有奇言三十里，舉成數也。」這段文字是採鄭玄箋文的意思的，鄭玄《箋》：「《周禮》曰：『凡治野田，夫間有遂，遂上有徑，十夫有溝，溝上有畛，百夫有洫，洫上有塗，千夫有澮，澮上有道，萬夫有川，川上有路，計此萬夫之地，方三十三里少半里也，秬廣五寸，二秬為耦，一川之間萬夫，故有萬耦耕，言三十里者，舉其成數。』」❷朱熹此處採用鄭玄說法而將文句稍做更動，鄭玄既言「三十三里少半里」，那麼，朱熹應說「三十二里有奇」，所以，正統本、嘉靖本是錯誤的。❷

D. 第 14.條中，「大師」與「樂師」的問題。朱熹此處是引用《周禮‧樂師》：「詔及徹，帥學士而歌徹。」❷所以，應作「樂師」才對❷，宋刊本、元刊本錯誤。

---

❷　阮元：《詩經注疏附校勘記》（臺北：藝文印書館，1997 年 8 月），卷 19－2，頁 720。

❷　阮元：《左傳注疏附校勘記》（臺北：藝文印書館，1997 年 8 月），卷 29，〈襄公四年〉，頁 503－504。

❷　關於這一條，吳之瑛已校出。同註❻。

❷　阮元：《詩經注疏附校勘記》，卷第 19－2，頁 725。

❷　關於這一條，吳之瑛已校出。同註❻。

❷　阮元：《周禮注疏附校勘記》，卷 23，頁 351。

❷　關於這一條，朱杰人已校出，同註❹，頁 99。

E. 第 16.條中「匡衡」與「康衡」的問題。匡衡為漢元帝時人，「經學精習，說有師道可觀」，尤其對詩大義解說精闢獨到，故「諸儒為之語曰：『無說詩，匡鼎來；匡說詩，解人頤。』」他曾引〈閔予小子〉：「嬛嬛在疚」一句，上疏成帝「戒妃匹勸經學威儀之則」。朱熹在傳文中引匡衡之言「《詩》云：『嬛嬛在疚』，言成王喪畢，思慕意氣未能平也，蓋所以就文武之業，崇大化之本也，」來詮解此句詩義。匡衡又曾引用「念茲皇祖，陟降庭止」兩句，勸諫元帝不要過度更改宣帝原來的制度措施，朱熹在此處的傳文說：「而匡引此句，顏注亦云：『若神明臨其朝庭是也。』」即是引用《漢書》顏師古注。❸⓪可知，應為「匡衡」，而非「康衡」，宋刊本、元刊本錯誤。❸⓵另外，元刊本、正統本、嘉靖本將「楚『辭』」誤作「楚『詞』」。

(三)八卷與二十卷之間的差異

1. 〈清廟〉二十卷本作「〈周頌〉多不叶韻，不詳其說」；八卷本缺。二十卷本作「相息亮反」、「濟子禮反」、「射音亦與斁同」；八卷本作「相去聲」、「濟上聲」、「射音亦」。

2. 〈維天之命〉二十卷本作「《春秋傳》作何」、「《春秋傳》作恤」；八卷本缺。

3. 〈維清〉二十卷本作「迄許乞反」；八卷本作「迄音肸」。

4. 〈烈文〉二十卷本作「辟音壁下同」；八卷本作「辟音壁」。

5. 〈天作〉二十卷本、八卷本之萬曆本作「彼『徂』矣岐」；八卷本之清刊本、《四庫》本作「彼『岨』矣岐」。二十卷本作「沈括曰：『《後漢書・西南夷傳》作『彼岨者岐』，今按彼書『岨』但作『徂』，而引《韓詩薛君章句》亦但訓為往，獨矣字正作者，如沈氏說，然其注末復云：『岐雖阻僻』，則似又有岨意，《韓子》亦云『彼岐有岨』，疑或別有所據，故今從之，而定讀岐字絕句』」，八卷本缺。

---

❸⓪ 見〔漢〕班固：〈匡張孔馬列傳〉，《漢書》（臺北：鼎文書局，1979 年），卷 81。

❸⓵ 關於這一條，左松超已校出。同註❸，頁 118。

6. 〈我將〉二十卷本作「嘏古雅反」；八卷本作「嘏音假」。

7. 〈時邁〉二十卷本作「戩側立反」、「櫜古刀反」、「夏戶雅反」；八卷本作「戩」、「櫜音高」、「夏」。

8. 〈執競〉二十卷本作「斤紀覲反」、「喤華彭反叶胡光反」、「將七羊反」、「穰如羊反」；八卷本作「斤去聲」、「喤音橫」、「將音搶」、「穰音攘」。

9. 〈臣工〉二十卷本作「釐力之反」、「茹如預反」、「庤持恥反」、「錢子淺反」、「鎛音博」（宋刊本、嘉靖本；而元刊本、正統本則作「鎛音博」）、「銍珍栗反」；八卷本作「釐音離」、「茹音孺」、「庤音峙」、「錢音翦」、「鎛音博」（萬曆本作「音博」）、「銍音質」。

10. 〈振鷺〉二十卷本作「惡烏路反」；八卷本作「惡」。

11. 〈有瞽〉二十卷本作「圉魚女反」；八卷本作「圉音語」。

12. 〈雝〉宋刊本、元刊本、正統本作「辟音壁」；二十卷本之嘉靖本和八卷本作「辟音璧」。宋刊本作「子獎履反」；元刊本、正統本、嘉靖本和八卷本作「子獎里反」。宋刊本、正統本、嘉靖本和八卷本作「壽殖酉反」；元刊本作「壽」。

13. 〈載見〉二十卷本作「見賢遍反下同」、「辟音壁」、「央於良反」、「鶬七羊反」、「祜後五反」；八卷本作「見音現」、「辟音璧」、「央音秧」、「鶬音槍」、「祜音戶」。

14. 〈有客〉二十卷本作「『修』其禮物」；八卷本作「『脩』其禮物」。二十卷本作「馬叶滿補反」、「且七序反」、「敦都回反」、「縶陟立反」、「以縶其馬同上」；八卷本作「馬叶滿補反」、「且上聲」、「敦音堆」、「縶音執」、「以縶其馬」。

15. 〈閔予小子〉二十卷本「於乎」下注「二字同上」；八卷本無注文。二十卷本作「嬛其傾反」；八卷本作「嬛音煢」。二十卷本、八卷本皆作「疚音救」。

16. 〈訪落〉二十卷本作「於音烏」、「乎音呼」、「艾五蓋反」、「難乃旦反」；八卷本作「於」、「乎」、「艾」、「難去聲」。

17. 〈敬之〉二十卷本作「易以豉反」、「哉叶獎黎反」（宋刊本、元刊本「獎」

作「將」）、「子叶獎里反」（宋刊本「里」作「履」）、「佛符弗反又音弼」、「行下孟反叶戶郎反」；八卷本作「易去聲」、「哉叶獎黎反」、「子叶獎里反」、「佛音弼」、「行去聲叶戶郎反」。

18.〈小毖〉二十卷本作「懲直升反」、「茀普經反」、「螫施隻反」、「拚芳煩反」、「難乃旦反」；八卷本作「懲」、「茀音傅」、「螫音釋」、「拚音翻」、「難去聲」。

19.〈載芟〉二十卷本作「柞側百反」、「噲它感反」、「醶于輒反」、「士與以叶」、「畝叶滿委反」、「濟子禮反」、「積子賜反」、「飶蒲即反」；八卷本作「柞音窄」、「噲他感反」、「醶音曄」、「士」、「畝叶滿委反」、「濟上聲」、「積音漬」、「飶音邲」。

20.〈良耜〉二十卷本作「畟楚側反」、「俶尺叔反」、「畝叶蒲委反」、「活叶呼酷反」、「饟式亮反」、「鎛音博」、「穮呼毛反」、「挃珍栗栗反」、「比毗志反」、「崇如純反」、「人無韻未詳」；八卷本作「畟音測」、「俶音蓄」、「畝叶滿委反」（萬曆本作「畝叶蒲委反」）、「活叶呼酷反」、「饟式亮反」、「鎛音博」（萬曆本作「鎛音『博』」）、「穮音高」、「挃音窒」、「比去聲」、「崇音淳」、「人」。

21.〈絲衣〉二十卷本作「紑孚浮反」、「鼐乃代反」；八卷本作「紑孚浮反」、「鼐音奈」。

22.〈酌〉二十卷本作「鑠式灼反」、「蹻居表反」、「嗣叶音祠」；八卷本作「鑠音爍」、「蹻音矯」、「嗣叶音祠」。

23.〈桓〉二十卷本作「婁力注反」、「解佳賣反」；八卷本作「婁音慮」、「解音懈」。

24.〈賚〉二十卷本作「於音烏」；八卷本「於」字下無音注。

25.〈般〉二十卷本作「墮吐果反」、「翕許及反」、「裒蒲侯反」（元刊本「裒」字下無音注）、「般音盤」（宋刊本、元刊本「般」字下無音注）；八卷本作「墮音惰」、「翕音吸」、「裒音抔」、「般」字下無音注。

二十卷本與八卷本之間的差異，歸納為音韻、傳文兩部分，各條列於下：

1.音韻部分

⑴二十卷以反切音注，八卷本以直音注：

第 1.條二例；第 3.條一例；第 6.條一例；第 7.條一例；第 8.條三例；第 9.條五例；第11.條一例；第13.條四例；第14.條二例；第15.條一例；第17.條兩例；第18.條三例；第19.條中例；第20.條五例；第21.條一例；第22.條二例；第23.條二例；第25.條三例。

⑵二十卷以反切音注，八卷本亦以反切音注：

第10.條一例；第12.條一例；第14.條一例；第17.條二例；第19.條二例；第20.條三例；第21.條一例。

⑶二十卷本以反切音注，八卷本以聲調注：

第 1.條二例；第 8.條一例；第14.條一例；第16.條一例；第17.條二例；第18.條一例；第19.條一例；第20.條一例。

⑷二十卷本以反切注，八卷本卻無注：

第 7.條二例；第10.條一例；第14.條一例；第15.條一例；第16.條一例；第18.條一例；第19.條一例。

⑸二十卷本以直音注，八卷本亦以直音注：

第 1.條一例；第 4.條一例；第 9.條一例；第13.條一例；第15.條一例；第20.條一例；第22.條一例。

⑹二十卷本以直音注，八卷本卻無注：

第16.條二例；第24.條一例；第25.條一例。

⑺二十卷本注曰「同上」，八卷本卻無注：

第14.條一例；第15.條一例。

⑻其他：

第12.條〈雝〉詩各版音注情形混亂，無法分二十卷本、八卷本說明。

關於音韻，在三種八卷本之間、四種二十卷本之間，其中的不同較少，但是，八卷本和二十卷本之間的差異則是多樣而混亂的。所以會如此，筆者以為和朱熹對詩音韻的態度有關。他在回答陳體仁的信中說：

以〈虞書〉考之，則詩之作，本為言志而矣。方其詩也，未有歌也；方其歌

也，未有樂也。則樂乃為詩而作，非詩為樂而作。……是以凡聖賢之言詩，主於聲者少，而發其義者多。㉜

他也曾說：

> 只要音韻相叶，好吟哦諷誦、易見道理，亦無甚要緊。今且要將七分工夫理會義理，三二分理會這般去處。㉝

或許因為這樣，朱熹在音注時就只求音韻相叶、好吟哦諷誦就好。他音注的方法，如他自己所言：

> 問：「《詩》叶韻，有何所據而言？」曰：「叶韻乃吳才老所作，某又續添減之。蓋古人作詩皆押韻，與今人歌曲一般。今人信口讀之，全失古人詠歌之意。」㉞

> 吳才老《補韻》甚詳，然亦有推不去者。某煞尋得，當時不曾記，今皆忘之矣。㉟

由此可見朱熹受吳棫《韻補》一書影響甚大。但是，朱熹音注時，或採吳棫《韻補》之說，或依己意添減之，吳棫《韻補》又有「推不去者」，這些都是我們研究《詩集傳》音韻困難的原因。而且，宋理宗年間重槧《詩集傳》時，朱鑑因當初朱熹脫稿時有「音訓未備」的問題，所以「輒取家本，親加是正」。清史榮認為《詩集傳》的音叶問題，「多鑑補苴，非朱子所手定」，因此撰寫了《風雅遺音》

㉜　〔宋〕朱熹撰，陳俊民校編：《朱子文集》，卷37，頁1523。
㉝　〔宋〕黎靖德編：《朱子語類》（臺北：正中書局，不著出版年月），卷80，頁3303。
㉞　同前註。
㉟　同前註。

一書，「條分縷析以辨之」。八卷本和二十卷本音韻混亂的問題，並不只是「八卷多用直音，二十卷多用反切」這樣的情況。朱熹原意如何？那些地方是朱鑑所改？那些地方是傳鈔刻印時造成的訛誤？要釐清這些問題，並不容易。

金周生《朱熹傳世音韻資料研究》一書中說：

> 朱熹不是音韻學家，也不以通古音為通經的第一要務，他採用了吳棫的古音理論，又有所增補，吳棫的古音學說並未能受到後代的認同，當然朱熹的沿襲與發煌，也受到後人的批評與指正。**㊱**

這是很客觀的意見。我們要注意的是，先做好各版的校讎工作。例如：〈臣工〉「鎛」字的音注，若是採用二十卷本中的宋刊本、嘉靖本以及八卷本中的萬曆本，其音注為「慱」，但是，這是錯誤的，正確音注應為「博」。**㊲**前述三種版本因字形相近而訛誤，這是沒有做校對工夫時不會發現的。

2.傳文部分

(1)第1.條，〈清廟〉，二十卷本有「〈周頌〉多不叶韻，不詳其說」一句，八卷本則缺。《欽定詩經傳說彙纂·卷首下》論音韻部分，引錄了一段朱熹的意見：「〈周頌〉多不叶韻，疑自有和，底篇相叶。清廟之瑟朱絃而疏越，一唱而三歎，歎即和聲也。」依此，朱熹《詩集傳》應有此句傳文才對**㊳**，也就是說：八卷本是錯誤的。

(2)第2.條，〈維天之命〉，二十卷本「假」字下注「《春秋傳》作何」、「溢」字下注「《春秋傳》作恤」，八卷本則缺。朱熹曾說過：「『假以溢我』，當從《左氏》作『何以恤我』；『何』、『遐』通轉，而為『假』

㊱　金周生：《朱熹傳世音韻資料研究》，頁646。

㊲　〔唐〕陸德明：《毛詩音義下·臣工》云「鎛，音博」，見《經典釋文》（臺北：臺灣商務印書館1979年《四部叢刊》本），頁100。「鎛：補郭切，藥韻」；「博：補郭切，藥韻」；「慱：徒完切，寒韻」。

㊳　引文同《欽定詩經傳說彙纂》，頁28-54。關於這一條，左松超已校出，同註**❸**，頁110。

也。」❸而且，無論二十卷本或八卷本，在經文「曾孫篤之」一句下都有傳文：「何之為假聲之轉，恤之為溢字之訛也。」顧及文意的銜接配合，朱熹《詩集傳》中應有這兩句傳文。❹所以，八卷本錯誤。

(3)第5.條，二十卷本經文「彼徂矣岐」句下有「沈括曰……」一段傳文，八卷本則缺漏。這一段文字問題不少，歷來討論這一個問題的學者很多，如：清宋綿初《韓詩內傳徵》卷四❹、清臧庸《韓詩遺說二卷附訂訛》卷下❷、清夏炘《讀詩劄記》卷八❸、清王先謙《詩三家義集疏》卷二十四❹、清史榮《風雅遺音》卷上❺、清陳壽祺、陳喬樅撰《三家詩遺說考》卷第五❻、糜文開〈詩經朱傳本經文異字研究〉❼，以及前面提過的朱杰人一文。這其中之曲折是非應另撰一文詳述，此處僅就八卷本、二十卷本之差異來說。朱熹在經文「子孫保之」句下傳文曰：「岨，險僻之意也。」「於是彼險僻之岐山，人歸者眾，而有平易之道路，子孫當世世保守而不失也。」由此看來，朱熹之意是要把「徂」字解釋為「險僻」，而且將句讀斷在「岐」字，這和漢儒的說法是不同的。既然如此，朱熹在經文「彼徂矣岐」下應要有此段八卷本所缺的傳文，說明他將「徂」字改為「岨」字、「矣」字改為「者」

❸　阮元：《左傳注疏附校勘記》，卷81，頁3387。
❹　關於這一條，左松超、朱杰人都已校出，分見註❸，頁115；註❹，頁95—96。
❹　《韓詩內傳徵》（臺北：新文豐出版公司，1991年《叢書集成續編》本），第110冊，頁148。
❷　《韓詩遺說》（臺北：新文豐出版公司，1991年《叢書集成續編》本），第56冊，頁381。
❸　《讀詩劄記》（上海：上海古籍出版社，1995年續修《四庫全書》影印清咸豐三年刻本），頁704。
❹　《詩三家義集疏》（上海：上海古籍出版社，1995年續修《四庫全書》影印民國四年虛受堂刻後印本），頁722。
❺　《風雅遺書》（上海：上海古籍出版社，1995年續修《四庫全書》影印清乾隆十四年一灣齋刻本），頁512。
❻　《三家詩遺說考》（臺北：新文豐出版公司，1991年《叢書集成續編》本），第109冊，頁722。
❼　見《東方雜誌》復刊第8卷第4、5、6期，關於〈天作〉「彼徂（岨）者岐」問題，在第5期，頁62—63。

字、以及句讀斷在「岐」字的原因。所以，應該有此段傳文才對，八卷本錯誤。❹同時，也因為朱熹做了這麼大不同的詮解，所以後世在刻印時就發生混淆情形：經文中的「徂」字，二十卷本及八卷本中的萬曆本仍作「徂」字，八卷本中的清刊本、《四庫》本則作「岨」字；「矣」字各版則仍作「矣」字，未依朱熹傳文之意改為「者」字。

⑷第14.條，二十卷本作「『修』其禮物」，八卷本作「『脩』其禮物」，「修」、「脩」兩字意通，於文意無妨。

本節所列各條，是比較各八卷本之間、各二十卷本之間、各八卷本和各二十卷本之間的文句之後所得的結果。這樣的安排，是為了凸顯不同的八卷本刊本之間、不同的二十卷本刊本之間即存有文句差異的現象，因此無所謂的較優定稿，而是各刊版都需要校讎的。不過，這樣的安排，在校對結果資料的呈現上有疏漏的地方，例如：八卷本之間或二十卷本之間都相同但卻是錯誤的，在上述的比較整理過程中就沒有條列出來。現在，將這種情況的錯誤補述於下：

1. 八卷本和二十卷本都錯誤的：

   ⑴篇末章句統計時，八卷本和二十卷本都說是「一百三十六句」，其實，正確句數應該是「一百三十七句」

   ⑵〈有瞽〉傳文「柷，狀如漆桶，以木為之，中有椎連底挏之，令左右擊以起樂者也。」夏炘依《爾雅》郭注，校出「中有椎連底挏之」句中「椎」字下脫漏「柄」一字。❹

   ⑶〈潛〉傳文「因以薄圍取之也」一句，夏炘依《爾雅》郭注，校出朱熹將「簿」字誤作「薄」字。❺

2. 八卷本三種刊本都錯誤的：

   ⑴〈時邁〉「『繁』過」的「繁」誤作「樊」。

---

❹　關於這一條，除文中所提各家之外，吳之瓌、左松超、朱杰人也都校出，分見註❻；註❸，頁115；註❹，頁96－97。

❹　同註❼，頁734。夏氏所指之郭注，見《爾雅‧卷五‧釋樂第七》。

❺　同前註。夏氏所指之郭注，見《爾雅‧卷五‧釋器第六》。

⑵〈噫嘻〉「三十『二』里有奇」的「二」誤作「三」。

3.二十卷本四種刊本都錯誤的：

⑴〈我將〉「既右『饗』之」、「以『饗』我祭」兩句中的「饗」字誤作「享」字。

⑵〈閔予小子〉「三公『穆穆』，登降堂只」的「穆穆」誤作「揖讓」。

⑶〈賚〉「此頌文『王』之功」的「王」誤作『武』。

四、結　論

朱熹《詩集傳》因朱熹前後改稿，以及經歷代傳鈔刻印，因此產生多種不同的刊本，再加上八卷本、二十卷本的糾葛，造成文句訛誤脫漏的情形頗為嚴重，這在我們研究朱熹《詩集傳》時自然會造成困難，亟需做好校勘的工作。本文中，筆者以《詩集傳・周頌》為範圍，將國家圖書館善本書室所藏的六種刊本，以及臺灣商務印書館所出版的《文淵閣四庫》本《詩集傳》，共七種版本一塊做校對，前文已將比對結果條列出來，並試做分析。在上面所列述的比對結果中，我們可以發現，不同版本的朱熹《詩集傳》有義同字異的、有字形相近謬誤的、有明顯錯字的、有脫漏文字的、有整段刪改掉的……等各類錯誤，音韻部分的差異更是多樣，這些錯誤、差異條例的總數還真不少。這是僅就各刊本的文句比對所得的結果。倘若字異義同的以及音韻的差異不算在內，將各版本的錯誤分別統計，得到的統計是：

㈠宋寧宗理宗間七行十五字刊本共有十二處錯誤

㈡元刊十一行二十一字本共有十九處錯誤

㈢明正統十二年司禮監刊本共有十五處錯誤

㈣明嘉靖間清獻堂刊巾箱本共有二十處錯誤

㈤明萬曆無錫氏翻刻古澄本共有十六處錯誤

㈥清刊本共有十處錯誤

㈦世界書局影印《摛藻堂四庫全書》本共有十一處錯誤

以上是《詩集傳・周頌》部分的校對結果，若將《詩集傳》全書做過校對所得結果會更為驚人。由此可見，校對朱熹《詩集傳》的重要了。同時，各刊版錯誤的統計數字也提醒我們：每一種刊版都有錯誤，而且都不算少。因此，在校對時要力

求全面性，各種版本都要列入，如此校對出來的結果才有信度，在這樣的基礎上做出來的研究也才不會枉費力氣。姚際恆《詩經通論・周頌・賚》：「《集傳》曰：『此頌文、武之功，而言其大封功臣之意。』其言『大封功臣』固不能出〈序〉之範圍，而云『頌文、武之功』尤謬。」❺事實上，在校對過朱熹《詩集傳》各個不同刊本之後，我們發現：這是不同刊本刻印造成的問題。

　　朱熹《詩集傳》在詩經學發展的過程中影響深遠，也是當今學者研究的焦點，但是，朱熹《詩集傳》仍待校讎。希望本文能有拋磚之效，引起大家對朱熹《詩集傳》校讎一事的關注，也期待朱熹《詩集傳》的校勘版早日出現。

---

❺　〔清〕姚際恆：《詩經通論》（臺北：河洛圖書出版社，1978 年 1 月），頁 351。依據姚氏《好古堂書目》所記，他看到的應是《詩集傳》八卷本。

經 學 研 究 論 叢
第 十 三 輯　　頁171～206
臺灣學生書局　　2006 年 3 月

方苞《儀禮析疑》研究

彭國龍*

壹、緒　論

　　有清之文學流派，其源遠流長，至久而不衰者，當推安徽「桐城派」❶，桐城之義法，首倡自方苞（1668－1749），大成於姚鼐（1732－1815）。方氏一生雖未云宗派之名❷，然其義法為後人所宗，其初祖之名當屬定論。❸方氏生當康、雍、乾三朝，時海內之學，義理則祖程、朱，經學則主辨偽，後世所謂乾、嘉樸學，此時正處於將發未發之際。方氏歷任館閣，修禮、治經之事達十餘年，著述亦多。考方氏之學，除古文一法外，其學實本於經術，尤以《三禮》見長，惜乾、嘉以後，

---

*　彭國龍，私立東吳大學中國文學系碩士生。

❶　據劉聲木所述，文章學術其源流於桐城者，約六百四十餘人，上自明代歸有光，下自民國馬其昶。詳《桐城文學源流考》（臺北：世界書局，1974 年影印民國十八年《直介堂叢刻》本），〈凡例〉，頁 1 上。

❷　周中明：《桐城派研究》（瀋陽：遼寧大學出版社，1999 年 2 月），頁 87。

❸　郭紹虞先生以為「桐城文派」者，其人未必與初祖有直接關係，乃是有共同創作意識者，即可視之，其說云：「這一貫主張與共同標的是什麼？即是所謂古文義法的問題，桐城文人正因為有古文義法之說，為其文論中心，所以能成為派，一般人只從作風方面去論桐城派，所以對於劉海峰之文，便覺得與方、姚異趣，不僅劉氏，即如姚門四大弟子之方東樹，其作風也何嘗與方、姚相類！此所以泥其跡，不免窒礙難通。」詳《中國文學批評史》（臺北：文史哲出版社，1988 年 4 月），頁 787。

學術家法益嚴，戴震（1723－1777）斥古文為「等而末者也。」❹，桐城後學方東樹（1772－1851）則斥漢學為「其傅會僻遠，歧惑學者」。❺咸、同以降，湘鄉曾國藩（1811－1872）力追桐城規模❻，可謂桐城之復振也，然其學與方、姚面目，多有不同，後人又因討粵一節，大張撻伐❼，方、姚之學赫在其列。加以桐城末流，與「五四」群哲多扞格不入，述祖歸宗，方、姚之學遂成「謬種」。言進步思想者，恥言桐城，言考據章句者，不主方、姚。於是桐城之學探究，僅得文學一端，於經學一門，止於「學述」，於《三禮》一門，僅得「義說」，甚有以方氏賤棄經學之說，如喬國章〈論桐城古文和清朝的文化統治－兼與段熙仲同志商討義法等問題〉一文即云：

> 是以言有物作幌子，而實則極端的空虛，不獨《六經》、《語》、《孟》中

---

❹ 戴東原〈與方希原書〉云：「得鄭君手札，言足下大肆力古文之學，僕嘗以為此事在今日絕少能者，且其徒易歧途，漸去古人遠矣。古今學問之徒，其大致有三：或事於制數，或事於文章。事於文章者，等而末者也。……聖人之道在《六經》，漢儒得其制數，失其義理，宋儒得其義理，失其制數。」詳〔清〕戴震：《東原文集》，收入張岱年等編校：《戴震全書》（合肥：黃山書社，1994年），卷9，頁374－375。

❺ 方東樹《漢學商兌》多涉意氣，唯其論漢學穿鑿之弊，誠亦有見。其說云：「於是舉凡古今滯難不可通之義，而無不可通之，就其所得，誠亦有功，但求之太鑿，其傅會僻遠，歧惑學者，失亦不少。」詳〔清〕方東樹：《漢學商兌》（臺北：臺灣商務印書館，1978年6月），頁101。

❻ 曾國藩〈歐陽生文集序〉以為湖湘吳南屏、郭嵩燾等，皆祖桐城姚鼐。其說云：「昔者國藩嘗怪姚先生典試湖南，而吾鄉出其門者，未聞相以學文為事。既而得巴陵吳敏樹南屏，稱述其術，篤好而不厭，而武陵楊彝珍性農、善化孫鼎臣芝房、湘陰郭嵩燾伯琛、漵浦舒燾伯魯，亦以姚氏文家正軌。」詳〔清〕曾國藩撰，唐浩明編：《曾國藩全集》（長沙：岳麓書社，1995年2月），冊14，頁246。

❼ 如王澤浦即斥云：「至於有關經學的序跋漢雜說，以及部分讀史讀子，也都以闡發宋道學為中心，同時對封建的名物，禮儀及宗法制度等，也作了有力的維護與頌揚，甚至還鼓吹鬼神禍福等迷信思想。」詳〈桐城派的義法〉，《桐城派研究論文集》（合肥：安徽人民出版社，1963年12月），頁114－115。案黃志輝：〈評價桐城文派的基本原則〉、歐遠方等編：《桐城派研究論文選》（合肥：黃山書社，1986年11月），頁22－23；王獻永：《桐城文派》（北京：中華書局，1992年1月），頁128，亦多同王先生之論。

的進步性的精義和兩漢書疏以及唐宋八家文中的現實意義，規避而不吸收，即稍有關礙清朝的政治、文化殘暴統治的詞語皆為之絕跡，而所剩的只有封建倫理道德的仁義忠孝的腐朽內容。**❽**

上文之說，實有二事未允：一者，雖云方氏之說多有保守，然其學術自經、史出，云未有吸收，實未確也。二者，考喬先生之文，乃倚「望溪以古文為時文，以時文為古文」為基也**❾**，亦即以制義之法為古文，是說確否，不敢妄斷，然制義一道，

---

❽ 安徽人民出版社編：《桐城派研究論文集》，頁 140。

❾ 案：是說出自錢大昕〈跋方望溪文〉，其說云：「望溪以古文自命，意不可一世，惟臨川李巨來輕之。望溪嘗攜所作曾祖墓銘示李，纔閱一行，即還之。望溪志曰：『某文竟不足一寓目乎？』曰：『然。』望溪益志，請其說。李曰：『今縣以桐城名者有五，桐鄉、桐廬、桐柏、桐梓，不獨桐城也。省桐城而曰桐，後世誰知為桐城者？此之不講，何以言文？』望溪默然者良久，然卒不肯改，其護前如此。金壇王若霖嘗言：『靈皋以古文為時文，以時文為古文。』論者以為深重望溪之病。偶讀望溪文，因記所聞于前輩者。」詳〔清〕錢大昕：《潛研堂文集》，收入陳文和主編：《嘉定錢大昕全書》（南京：江蘇古籍出版社，1997 年 12 月），卷 31，頁 536－537。又案：錢大昕論方苞此事似為傳聞，據蕭穆〈書錢辛楣跋方望溪文後〉云：「望溪先生與臨川李穆堂侍郎交最厚，其論文彼此多有不合，或面質證，或以書往還，或細評于本文之後，大抵穆堂持論多名通，望溪時拘守己見，然二公生平固彼此相重也。穆堂嘗自定其集曰《穆堂初稿》、《穆堂類稿》、《穆堂別稿》各五十卷，凡其精華所萃，則編為《類稿》為正集，嘗請望溪特序之，其傾倒於望溪者亦至矣。《別稿》卷三十九有〈書方靈皋曾祖墓誌銘後〉一篇，有云：『篇首三句「家於桐」及「副憲公遷金陵」似俱未穩，如桐城止言桐，則嘉興有桐鄉，嚴州有桐廬、桐柏、桐梓邪？此減字法必不可用也。副使道易以副憲，則世俗於副都御史亦有此稱，後之讀是文者，烏知其非副都御史耶？此換字法必不可用也。大作於此二者未檢點甚多，宜將全集逐一查改乃佳。又金陵，古無此地，秦始置縣，旋改秣陵，自秦至今千六百年，惟唐初曾用此名，亦二年即改，且後敘太母之葬又稱江寧，則金陵何地，江寧又何地耶？換字法之弊，其不可用，有如此者。』據此則望溪曾以曾祖墓銘寄示穆堂，穆堂細閱，不過將篇首三句論其未穩書於本文之後如是，蓋以書往還，非面示也。乃閱其全篇細評還之，非纔閱一行即還之也。今錢辛楣《潛研堂集》有〈跋方望溪文〉，乃云『望溪嘗攜所作曾祖墓誌銘示李，纔閱一行即還之。望溪志曰：「某文竟不足一閱乎？」曰：「然。」望溪益志，請其說。「今縣以桐城名者有五」云云，又述『金壇王若霖嘗言「靈皋以古文為時文，以時文為古文」，論者以為深中望溪之病，偶讀望溪文，因記所聞於前輩者』。由前所記，則辛楣實未見穆堂諸稿，妄聽前輩之言，為此謬說。

亦由經始，喬文於此實略之耳。況方氏之經學述作，以《三禮》為最，惜今日專文
討論方氏之《三禮》者，僅顧頡剛（1895－1980）〈方苞考辨周官的評價〉❿、楊
向奎（1910－2000）〈論方苞的經學與理學〉⓫、林存陽（1970－）〈方苞三禮學
論析〉⓬三文。顧氏以「辨偽」之學論方苞，以為方氏雖敢「疑及經典」⓭，但其
考辨多不可從⓮，論定方氏之「疑」，或與清季今文家說合。⓯楊氏〈論方苞的經
學與理學〉於《三禮》僅論《周官》一門，並推衍其師顧頡剛先生語，以為劉歆
（？－23）竄亂之說，始自方苞，其論云：

由後述王若霖之言，是又不知王氏生平亦卿倒於望溪，且王氏文學在當時為傑出，然與望溪
相較不免又大有間。王氏號為知言，豈無自知之明乎？觀望溪〈送王翬林南歸序〉，兩人之
風誼畢見矣。錢氏生平頗有以耳為目之病，又素不喜方之學，今偶閱其集，又不欲深求，
別無可疵，遂假昔人訛言以成此文，而不知自蹈於郢書燕說也。」詳〔清〕蕭穆撰，項純文
點校：《敬孚類稿》（合肥：黃山書社，1992 年 6 月），《補遺》卷 1，頁 469－470。

❿ 顧頡剛：〈方苞考辨周官的評價〉，《文史》第 37 輯（1993 年 2 月），頁 1－8。

⓫ 楊向奎：〈論方苞的經學與理學〉，《孔子研究》1988 年第 3 期（1988 年 9 月），頁 70－
75；是文亦收於楊向奎：〈方苞望溪學案〉，《清儒學案新編》（濟南：齊魯書社，1994 年
3 月），卷 3，頁 29－40。

⓬ 林存陽：〈方苞三禮學論析〉，《清史論叢》（北京：中國廣播電視出版社，2001 年 9
月），頁 223－233。案：是文亦見於林存陽：〈方苞的三禮學成就〉，《清初三禮學》（北
京：社會科學文獻出版社，2002 年 12 月），第 4 章第 3 節，頁 253－270。

⓭ 顧頡剛云：「萬斯大的《周官辨非》和方苞的《周官辨》同是被扔到存目裡的，這沒有別的
理由，只為他們敢於疑及經典。」見〈方苞考辨周官的評價〉，頁 1。

⓮ 顧頡剛舉其《周官辨》所疑之六項九事，以為「劉歆所竄」者，多為臆說，但其「疑經」
者，與後世今文學家論劉歆改經之說多有同者。其論云：「他（方苞）用了後代的思想來判
別古代文籍的真偽，是他的非歷史主義的表現。然則劉歆真沒有把《周官》潤色過嗎？那也
不然。廖平《古學考》裏有《周禮刪劉舉例》一篇，分作違經、反傳、無徵、原文、關略、
改舊、自異、矛盾、依託、微莠、誤解、流誤十二項，他說：『按前人刪改《周禮》者多
矣，皆以意為之，或乃去其真者，許其偽者。今立十二證目為主，必十二證全者乃刪之。如
不能悉全，亦必有八、九證者乃可。』」詳前注，頁 3。

⓯ 案：是說亦見於顧頡剛先生《顧頡剛先生讀書筆記》，其論云：「方氏《周官析疑》、《周
官辨》，為斥劉歆偽作《周禮》之專書，其悟入自《漢書·王莽傳》，開後來廖平、康有為
之先河。」詳顧頡剛：《顧頡剛讀書筆記》（臺北：聯經文化事業有限公司，1990 年 1
月），卷 5 上，「方苞疑周官開廖平一派」條，頁 2927。

自著書有《周官集注》十二卷，《周官析疑》四十卷，《周官辨》一卷，《儀禮析疑》十七卷，《禮記析疑》四十六卷，《喪禮或問》一卷，《春秋通論》四卷，《春秋直解》十二卷，《春秋比事目錄》四卷，《詩義補正》八卷，《左傳義法舉要》、刪定《管子》、《荀子》、《離騷正義》、《史記注補正》各一卷。《文集》初為門人王兆符、程崟編刊，後同邑戴鈞衡重編《正集》十八卷，《外集》十卷，《補遺》二卷，行世。刪定《通志堂經解》未刊行。在以上著作中最引人注目的論點是漢劉歆偽竄古經說以翼成王莽之篡漢。此說開一代學風，今文學派興起後，自劉逢祿以至康有為，莫不以此為法寶而抨擊古文經，凡古文經說及先秦諸子書以及《史記》記載之不合己意或有助於王莽政權者莫不視為歆竄。濫用此說而無法取證，遂有康有為之《新學偽經考》，時已處清代晚年。及民國年間，經學與政治脫節，用此說治史，遂有顧頡剛老師之《古史辨》。後來友人童書業先生持此說最力，懷疑夏史為劉歆造！史而可造，何事而不可造，劉歆之罪不容誅矣！而此說望溪起！❶

案顧、楊二氏所謂方氏之「疑」者，實未備也。蓋方氏之疑與今文家之疑，僅「劉歆造偽」一端耳，其所推宗者，乃「周公所制」也，凡劉歆變造「聖人」之業，皆在摒斥之列，甚議《太史公書》、《孟》、《荀》皆在歆竄之列，然方氏於「經書」本體，則以為不可侮也。閻若璩（1636－1704）之議《古文尚書》，方氏皆以「聖人之典」劾之；後世劉逢祿（1776－1829）、康有為（1858－1927）之新學，亦斥劉歆，兼及眾書，疑全經而不避其為「聖人之典」。故云方氏先發則可，以為開劉、康之先則未允矣。至於林氏〈方苞三禮學論析〉，雖云晚出，然其說不出方氏《文集》、蘇惇元（1801－1857）《年譜》、方氏論著序跋、後學碑傳學案之外❶，且於方氏《三禮》所述，皆未能據方氏專著以論，其所論據，亦不出顧、楊

---

❶　楊向奎：〈方苞望溪學案〉，《清儒學案新編》，卷3，頁29－40。

❶　計引《四庫全書總目》三處，〔清〕李元度《國朝先正事略》卷14〈方望溪侍郎事略〉、徐世昌《清儒學案》各二處，《戴名世集》，〔清〕雷鋐《經笥堂文鈔》卷下〈方望溪先生行

「疑經」之說，茲所不述。

　　欲考方氏《儀禮》之學，有三事必先明之：一者，方氏經術從遊，有宗漢之萬斯同（1638－1702）、閻若璩、全祖望（1705－1755）、有顏、李之李塨（1668－1749）、王源，其所霑漑，不只一端。二者，方氏《儀禮》專著，早年罕作，而大成於晚年歸鄉之際，方苞此時息絕交遊，其所論述之本，抑或自得，抑或承襲，當詳辨之。三者，《三禮》之學，同中有異，通而有別，如鄉禮之鄉大夫一節，《周官》、《儀禮》說皆不同。方氏早年用力《周官》，晚年雖兼治《三禮》，其說或有偏向，當詳辨之。

　　以上三事，乃拙文所欲辨明者也。其一關於方氏之於萬斯同、閻若璩、全祖望，多見史傳行狀，茲所不贅。至於其與顏、李學派之關係，因方氏之遺文問世，將於下文申述之。至於方氏《儀禮》之學，乃大備於《儀禮析疑》一書，惜前人多未深究，限於篇幅，拙文將略取《析疑》之〈士冠〉、〈士昏〉、〈鄉射〉、〈既夕〉之解經方法，釋禮正否、禮學歸趨、並刺取方氏其他釋《禮》之作，略類數例，佐以後哲禮說，間下己意，若能明方氏釋《儀禮》之微旨，斯亦吾之幸歟！

貳、方苞《三禮》學述論

一、方氏生平與經學學術活動概述

　　方苞字鳳九，一字靈皋，晚號望溪，安徽桐城人。生於清康熙七年（1668）[18]，卒於清乾隆十四年（1749），享年八十二歲。本為仕宦子弟，嘗自謂：「余先世家皖桐，仕宦達，自遷江寧，業盡落。」[19]其父方仲舒，國子監生，未仕。喜讀

狀），〔清〕朱軾《朱文端公文集》卷 1〈周官析疑序〉，〔清〕沈廷芳《隱拙齋集》卷 41
　　〈方望溪先生傳〉、〈方望溪先生傳書後〉，〔清〕全祖望《鮚埼亭集》卷 41〈奉望溪先生
　　喪禮或問箚子〉，楊向奎《清儒學案新編》各一處。

[18] 其生卒年悉依據蘇惇元《望溪先生年譜》（臺北：臺灣商務印書館，1981 年影印民國元年戴
　　鈞衡刊《方望溪全集》本）所錄。西元年號，悉依據陳垣：《二十史朔閏表》（北京：中華
　　書局，1962 年 7 月）作推算修正。

[19] 方苞：〈亡妻蔡氏哀辭〉，《方望溪文集》（臺北：世界書局，1965 年 3 月），卷 17，頁
　　244。

書，與同里遺民詩人如方文、錢澄之等唱和。方苞為仲舒次子，幼即隨父兄習經史，《易》、《詩》、《書》、《禮記》、《左傳》皆能成誦。及長，治經尤勤。❷⓿康熙二十八年（1689），方氏二十二歲，補桐城縣學弟子員，受學於學使高裔。康熙三十年（1671），隨其遊太學，時李光地（1642－1718）以兵部侍郎銜典會試，見方氏文，即深嘆其才。❷❶時萬斯同佐王鴻緒（1645－1723）修《明史》，勸其不必溺於古文一道❷❷，遂一意鑽研經學，方氏〈萬季野墓表〉即云：「余輟古文之學而求經義，自此始。」❷❸除經學外，思想亦受劉言潔、劉拙修等人影響，於是始習宋儒之書。❷❹又康熙朝時，多以理學飾文治，聖祖亦以性理之學自勉❷❺，魏象樞（1617－1687）、李光地等皆以「理學」入閣。❷❻光地雖「慎重寡言」，然提攜後進，不遺餘力，方氏亦受其提攜。❷❼可知方氏之學，實由宋儒入門也。年二十五，與姜宸英（1627－1698）、王源（1648－1710）論學，又云：「學行繼程、朱之後，文章在韓、歐之間。」❷❽可知方氏早年以「理學」自期，當為確論。

　　後數年，方氏於京師涿鹿（今河北涿縣）、寶應（今江蘇寶應縣）設館授徒。❷❾

---

❷⓿　清史稿校註編纂小組主編：〈方苞傳〉，《清史稿校注》（臺北：臺灣商務印書館，1999 年
　　9 月），卷 297，頁 8836－8837。

❷❶　〈李光地傳〉，《清史稿校注》，卷 269，頁 8541，。

❷❷　蘇惇元：《望溪先生年譜》，頁 5 上。

❷❸　《方望溪文集》，卷 12，頁 163。

❷❹　方苞〈再與劉拙修書〉云：「僕少所交，多楚、越遺民，重文藻，喜事功，視宋儒為腐爛。
　　用此年二十，目未嘗涉宋儒書。及至京師，交言潔與吾兄，勸以講索，始寓目焉。其淺者，
　　皆吾心所欲言，而深者，則吾智力所不能逮也，乃深嗜而力嘆焉。」《方望溪文集》，卷
　　6，頁 86。

❷❺　《康熙政要‧論勤學》記聖祖語云：「朕御極五十年，聽政之暇，勤覽書籍，凡《四書》、
　　《五經》、《通鑑》、《性理》等書，俱曾研究。」詳〔清〕章梫撰，褚家偉、鄭天一等校
　　注：《康熙政要》（北京：中央黨校出版社，1994 年 12 月），卷 7，頁 130。

❷❻　許福吉：《義法與經世──方苞及其文學研究》（上海：學林出版社，2001 年 6 月），頁
　　93。

❷❼　楊菁：《李光地與清初理學》（臺北：私立東吳大學中國文學系博士論文，2001 年 1 月），
　　頁 10。

❷❽　王兆符：〈方望溪文集序〉，載《望溪先生年譜》，頁 5。

❷❾　詳廖素卿：《方苞詩文研究》（臺北：私立中國文化大學中國文學研究所博士論文，1992 年
　　5 月），頁 109。

康熙三十八年（1698），中江南鄉試第一，後兩試禮部，均未能及第。康熙四十五
年（1706），會試中試，將應殿試，聞母病辭歸。復至京師時，結識李塨，二人曾
於康熙四十二年（1703）、四十五年（1706）二論格物致知之學，惜立場不同，未
有結論。康熙五十年（1711），副都御史趙申喬劾翰林院編修戴名世（1653－
1713），以所撰《南山集》襲朱明年號，犯大不敬罪，繫獄問死。❸戴案株連甚
廣，方氏為其同鄉，亦遭禍難。❸《清史稿》云：「名世與苞同縣，亦工為古文，
苞為序其集，並逮下獄。」❸方氏被捕當死，得免者，實李光地之力也。方苞〈安
溪李相國逸事〉云：

> 戴名世以《南山集》下獄，上震怒，吏議身磔族，集中掛名者皆死。他日上
> 言：「自汪霦死，無能古文者。」公曰：「惟戴名世案內方苞能。」叩其
> 次，即以名世對，左右聞者無不代公股慄，而上亦不以此罪公。❸

　　康熙五十二年（1713）方氏得免，然舉家仍入旗籍為奴。方氏獄中仍不忘禮學
著述❸，《喪禮或問》、《禮記析疑》即成於獄中。❸後以白衣入值南書房侍從，

---

❸　《清史稿校注・聖祖本紀三》稱：「康熙五十二年乙卯，編修戴名世以著述狂悖，棄市，進
　　士方苞以作序干連，免死入旗，旋赦出之。」按《聖祖實錄》所記，敕詔當在聖祖巡幸畿甸
　　所發。

❸　此事蘇惇元《望溪先生年譜》以為「其序文，實非先生作也」。又李塨《恕谷後集》卷三
　　〈甲午如京記事〉亦記云：「靈皋曰：『田有（戴名世字）文不謹，予責之，後送背予《南
　　山集》，予序亦渠作，不知也。』」，未具名之〈記桐城方戴兩家書案〉則記戴名世刑部口
　　供云：「《南山集》、《孑遺錄》方正玉刻的，《南山集》係尤雲鄂刻的。雲鄂是我門生，
　　我做了序，放他名字，汪灝，方苞，方正玉、朱書、朱源序是他們自己作的。」詳〔清〕戴
　　名世撰，王樹民編校：《戴名世集》（北京：中華書局，2000 年 9 月），頁 480。

❸　《清史稿校注》，卷 297，頁 8836。

❸　《集外文》，卷 6，頁 341。案：《清史稿》所述亦同方氏之文，其說云：「他日上偶言及侍
　　郎汪霦卒後，誰能古文者。光地曰：『唯戴名世案內方苞能。』苞得釋，召入南書房，其扶
　　植善類如此。」《清史稿校注》，卷 262，頁 8541。

❸　顧琮〈周官辨序〉云：「方子望溪中歲《五經》皆有述，而治《周官》、《儀禮》，則在獄
　　始開通。聖祖仁皇帝矜疑，獄辭五上五折，本凡覆奏行刑者，即執縲索俟於門外，而方子刪

自此入仕逾三十年。方氏學述，大抵以戴名世案為界，前期雖以文名，實一村塾先生耳。案起後，其學述則內斂為修書著述。康熙五十九年（1719）十一月，《周官集注》成。㊱康熙六十一年（1722），轉武英殿修書總裁。雍正元年（1723），世宗赦其族人入旗者。三年（1726）授左中允，累遷至內閣學士。雍正十年（1732）八月，《周官析疑》成。㊲乾隆元年（1736），充《三禮義疏》副總裁，再入值南書房。二年（1737）擢禮部侍郎。四年（1739）二月，乾隆命武英殿重刊《十三經》、《廿一史》，命方氏充經史館總裁，因薦魏廷珍（1666－1756）等事受劾，革去除三禮館以外一切職銜。㊳乾隆七年（1742），以病辭歸。考方氏自康熙五十二年至乾隆七年之術業，大抵為寫作古文、經史編纂二事，其與經學之關連多在三禮館，方氏充任此職至七十五歲，《欽定三禮義疏》凡例亦多為其手定，乾隆十四年（1749）卒於家。考方氏歸里後，感仕宦之艱，春秋已暮，遂閉門謝客，除隨侍弟子，昔與交遊，多未復與論交。方氏此時，除遊記、雜文外，已少創作，至八十二歲易簀前，方成《儀禮析疑》一書，至此方氏《三禮》專著方才大備矣。

二、方苞治《禮》觀點析論

㈠方苞治《禮》本於宋儒，以義理解經：

截注疏不輟，同繫者厭之，投其書于地，曰：『命在須臾，奈旁人訕笑何？』方子曰：『朝聞道，夕死可矣。』」載《周官辨》（臺南：莊嚴文化有限公司，1997 年 2 月影印清康熙至嘉慶間刻《抗希堂十六種》本），卷首，頁 1 上。

㉟ 蘇惇元《望溪先生年譜》云：「於獄中切就陳氏《禮記集說》，著《禮記析疑》。方爰書上時，同繫者皆惶懼，先生閱《禮經》自若，同繫者厭之，投其書於地，曰：『命在須臾矣！』先生曰：『朝聞道，夕死可也。』」頁 10 上－10 下。

㊱ 方苞〈周官集注序〉後署云：「康熙庚子（案：五十九年）冬十有一月，桐城方苞序。」《周官集注》（臺北：臺灣商務印書館，1983 年 12 月影印《文淵閣四庫全書》本），卷首，頁 3 上。

㊲ 案：方氏《文集》所收《周官析疑》略去年月，《四庫全書本》刪去原序，《抗希堂》本之《周官析疑》朱軾〈序〉署云：「雍正十年秋八月，高安朱軾撰。」載《周官析疑》（臺南：莊嚴文化有限公司，1997 年 2 月影印清康熙至嘉慶間刻《抗希堂十六種》本），卷首，頁 2 下。

㊳ 國史館編：《清史列傳》（臺北：明文書局，1985 年 5 月《清代傳記叢刊》本），第 98 冊，卷 19，頁 273－274。

　　方氏說經本於宋儒，以義理解經，惟勇於自信，多有臆斷之語，宜為漢學家所譏也。《四庫全書總目·周官集注提要》條即云：

> 其注仿朱子之例，采合眾說者，不復標目，全引一家之說者，乃著其名。凡其顯然舛誤之說，皆置不論，惟似是而非者，乃略為考正。有推極義類、旁見側出者，亦仿朱子之例，以圈外別之。訓詁簡明，持論醇正，於初學頗為有裨。❸❾

《周官析疑》條亦云：

> 其書體會經文，頗得大義。然於說有難通者，輒指為後人所竄。❹⓪

案：方氏之學，實承清初遺民「經世」之法，凡所匡正，必「取證於經書」。❹❶惟不脫宋儒「以義說經」本色，與樸學「言必有徵」者不同。然議《禮》者，當依經起義，而求之於節文也，方氏雖宗三代，惟多設想溢美之辭，如〈又書禮書序後〉云：「蓋三代之禮，緣情依性，故能經緯人道。」❹❷然其所謂三代之禮者，實「不逾人情」也，若特立而違人情者，方氏皆議之，如〈書孝婦魏氏詩後〉云：「抑吾觀孝婦之過中者，自漢以降始有之，三代之聖，未之聞也，豈至性反不若後人之篤與？蓋道教明而人皆知夫義之所止也。」❹❸雖云有識，實乃臆說，其後學更不免增妄❹❹，館臣譏以「不效宋儒之所長，而效其所短」❹❺，雖云過刻，實中其弊。

---

❸❾　〔清〕永瑢、紀昀等撰：《四庫全書總目》（臺北：臺灣商務印書館，1983 年 3 月），卷19，頁 25 下。

❹⓪　同前註，卷 23，頁 19 下。

❹❶　余英時：《歷史與思想》（臺北：聯經出版事業公司，1986 年 12 月），頁 134。

❹❷　《方望溪文集》，卷 2，頁 20。

❹❸　《方望溪文集》，卷 5，頁 63。

❹❹　望溪節婦改適之事，《文集》未見其詳，然其後學雷鋐〈上方望溪先生〉云：「前日侍左右，論及婦人改適事，獻所疑而未盡。竊思三代以上，所謂從一而終，皆習為常，故不見紀錄。世風漸變，衛共姜守義，父母欲奪而嫁之，共姜作〈柏舟〉之詩以自誓。……他如齊桓

　　然方氏治《禮》，若以「宗宋」準之，又未確也。考方苞主《三禮》纂修凡十載，雖不以經學名世，其於前儒注疏，乃漢、宋兼採，茲舉例如下：

　　1.以漢、唐舊注未必可信，當考諸歷史以明其偽。〈與鄂少保論喪服注疏之誤書〉云：

> 河間獻王所得邦國禮，自漢不能用，至唐而亡。孔、賈作疏，惟宗鄭《注》，後儒遵守，於喪禮之大經，承誤而不知其非者，約有數端。

> 一則以《儀禮・喪服・齊衰三月章》曰：「庶人為國君，遂謂圻外之民，為天子無服。」不知曰國君者，以明大夫，君則其臣有服，而民無服耳。溥天之下，皆天子之民也，諸侯為天子牧民，則民為之服，而況天子乎？康成記謂無服，故注〈檀弓篇〉遂云：「三月之天下服，專指侯國大夫之服。」……喪服之變，自漢文帝詔曰：「令到，出臨三日，皆釋服，毋禁取婦、嫁女、祠祀、飲酒、食肉。」則漢文帝以前天下之民，皆齊衰三月，不得嫁娶、祠祀、飲酒、食肉無疑矣。❹❻

　　未絕少姬而蔡人嫁之，魯人奪施氏婦以嫁郤犫，皆文、武、成、康絕無之事。故以秦始皇之無道，猶知有子而嫁，倍死不貞，設為教禁，此可見天理民彝之不容泯滅也。」其說雖謬，然可推知方氏論節婦，或以三代有改適之事也。詳雷鋐：《經笥堂文鈔》（清道光十四年重刊本），卷上，頁3上。

❹❺　此語出《四庫全書總目・禮記析疑提要》。此條論方氏疑經刪經之法，詆望溪以「義」改經之非，其論云：「其最不可訓者，莫如別為考定〈文王世子〉一篇，刪『文王有疾』至『武王九十三而終』一段，又刪『不能踐阼』、『踐阼而治』八字，及『虞、夏、商、周有師保有疑丞』一段。……夫《禮記》糅雜，先儒言之者不一。然刪定《六經》，惟聖人能之，孟子疑〈武成〉不可信，然未聞奮筆刪削也。朱子改《大學》、刊《孝經》，後儒且有異同，王柏、吳澄竄亂古經，則至今為世詬厲矣。苞在近時，號為學者，此書亦頗有可採。惟此一節，則不效宋儒之所長，而效其所短，殊病乖方。今錄存其書，而附辨其謬於此，為後來之炯戒焉。」卷21，頁25上－下。

❹❻　〈與鄂少保論喪服注疏之誤書〉，《方望溪文集》，卷6，頁76－77。

2.以注經不可死守章句，當通曉全經以定其說。〈與鄂少保論修三禮書〉云：

> 《三禮》自《注》、《疏》而外，群儒解說無多。所難者，辨《注》之誤，
> 芟《疏》之繁，抉經記所以云之意，以發前儒未發之覆耳。故僕始議人刪三
> 經注疏各一篇，擇其用功深者各一人，主刪一經注疏，一人佐之，餘人分採
> 各家之說，交錯以遍，然後眾說無逆美，而去取詳略可通貫於全經。❼

案：方氏治《禮》之作，多同此文，除《周官集注》略採眾說，異於此法外，凡
《周官析疑》、《儀禮析疑》、《禮記析疑》皆不以雜採眾說為能，而以定其「正
說」為主。

3.以官修《三禮義疏》，當義理、訓詁、辨偽兼備，不可拘於一說。其〈擬定
纂修三禮條例劄子〉云：

> 臣竊以為明初《五經大全》，皆各主一人之說，且成於倉促，不過取宋元儒
> 者一二家纂輯之書，稍摭眾說以附之，數百年來皆以為未盡經義，不稱「大
> 全」之名。……而《三禮》之修，視四經尤難。……臣等審思詳議，擬分為
> 六類，各注本節本注之下：一曰「正義」，乃直詁經義，確然無疑者。二曰
> 「辨正」，乃後儒駁正舊說，至當不易者。三曰「通論」，或以本章本句參
> 証他篇，比類以測義，或引他經與此經互相發明。四曰「餘論」，雖非正
> 解，而依附經義，於事物之理有所發明，如程子《易傳》，胡氏《春秋傳》
> 之類。五曰「存疑」，各持一說，義皆可通，不宜偏廢。六曰「存異」，如
> 《易》之取象，《詩》之比興，後儒務為新奇，而可欺惑愚眾者，存而駁
> 之，使學者不迷於所從，庶幾經之大義，開卷了然。❽

㈡方苞習《禮》同於顏、李，以「力行」釋經：

---

❼〈與鄂少保論修三禮書〉，《方望溪文集》，卷6，頁76。
❽〈擬定纂修三禮條例箚子〉，《集外文》，卷2，頁279。

　　方氏習《禮》，實非由訓詁、小學入手也，〈與閻百詩書〉即謙言：「僕嘗自恨寡陋，見古書字訛，無所證據，而不敢改易。」❹然《禮經》者，必諳名物、向位之制，方氏實未精此學也，其亦不以為病，殆以為「經世」之大法者，自不以考辨為要也。〈讀儀禮〉云：

> 《儀禮》志繁而辭簡，義曲而體直，微周公手定，亦周人最初之文也，然其制惟施於成周為宜。蓋自二帝三王，彰道教以明民，凡仁義忠敬之大體，雖駔隸曉然於心，故層纍而精其義，密其文，用以磨礱德性，而起教於微眇，使之益深於人道焉耳。後世淳澆樸散，縱性情而安恣睢，其於人道之大防，且陰決顯潰而不能自禁矣。乃使戔戔於登降進反之儀，服物采色之辨，而相較於微忽之間，不亦末乎？吾知周公而生秦、漢以降，其用此必有變通矣。獨是三代之治象，與聖人彷徨周決之意，可就節文數度省想而得之，故昌黎韓子讀此，惜不得進退揖讓於其間。然其辭以類相從，其義以合而見，而韓子乃分剟而別著為篇，則非吾之所能知矣。❺

考方氏之治《經》者，實自評點之法而出，如其評點《春秋》、《左氏》之法，然《三禮》實學，不以考證入手，則弗窺其門徑也。方氏不以漢學門法入，《三禮》義理又有相違，當另闢一法以釋之，即「設身以行」、「日課以習」也。

　　或云：方苞從遊議《禮》諸賢，其誰擅「習行」之法？曰：李塨也，其學或有同乎？或曰：其學皆以經世為務，然方氏拘謹，李氏豁達，李塨〈甲午如京記事〉即記其問禮異同云：

> 壬辰（康熙五十一年），聞方靈皋以戴田有事被逮。癸巳（康熙五十二年），事解，抵今甲午（康熙五十三年）十月，乃過存。七日抵京師，知靈皋供應暢春苑纂修樂律。以母告假在都。八日，候之假滿已返。十一日，復

---

❹　《方望溪文集》，卷6，頁66。
❺　同前註，卷1，頁12。

奉太夫人糗粉，將登堂拜，而靈皋適前一日來，聞予聲趨出，愴然互拜曰：「苞乾坤罪人，老母病癱，不能頃刻離苞，而苞必不能常侍，奈何？」問囊事，靈皋曰：「田有文不謹，予責之，後遂背予《南山集》，予序亦渠作，不知也，……黃昏往，靈皋問過曰：「苞居先兄喪，逾九月，至西湖，驀遇美姝，動念。先君逝，歠粥幾殆，母命食牛肉數片，期後，慾心時發，及被逮則此心頓息矣。何予之親父兄不如遭患難也？禽獸哉！予曰：「自訟甚善，特是三年之喪，天運地岋，雖屬大變，乃人所共有，哀一殺，身一惰，則雜念起，故《魯論》曰：『喪事不敢不勉。』《儀禮》曰：『夙興夜處，小心畏忌，不惰其身不宥。』今舉族北首，老母流離，身陷西市，幾致覆宗，其興居常變又殊，故其情又殊，故情亦殊也。……方氏拜謝。」❺❶

考李氏此文，方苞其人似近道學❺❷，且於友朋，亦諱言《南山集》案，可知方氏驚弓之餘，言持謹慎。然二人易子而教、贈宅南歸、厄境問學之誼，終不可掩矣。或曰：李塨喪子，方氏〈與李剛主書〉斥李氏云：「自陽明以來，凡極詆朱子者，多絕世不祀。」❺❸〈李剛主墓誌銘〉甚誣及死友，云：「剛主立起自責，取不滿程、朱語載經說中已鑴版者，削之過半。」❺❹其事朝然，則方、李之學，當為冰炭矣。

❺❶ 〔清〕李塨：《恕谷後集》（臺北：廣文書局，1989 年 11 月影印民國十二年四存學會彙刊《顏李叢書》本），卷 3，頁 2 下一頁 3 上。

❺❷ 方氏其人近於道學，多有「一念之誤，則近禽獸之語」，除李塨〈甲午如京記事〉外，亦見於戴名世遺文《憂庵集》，其文云：「靈皋又曰：『人終日之間，偶有一念之猜忍，一念之自私，其于君親朋友偶有一念之欺偽，是此一刻已懷禽獸心矣。雖正人君子而不學，則終日間或未免為數刻之禽獸，合一月計之，則為禽獸者數日，合終身計之，則為禽獸者數年。在正人君子且不免此，而況餘人乎！』余聞之，瑩然汗下。」詳〔清〕戴名世撰，王樹民、韓明祥、韓自強編校：《戴名世遺文集》（北京：中華書局，2002 年 3 月），頁 89—90。案：《憂庵集》未刊，僅有戴氏手稿傳世，今見藏於安徽省博物館，是集裒輯於康熙四十七年（1708），稿本每頁三十一或三十二行不等，每行二十五至二十八字，不分卷次及標題，今據中華書局整理本迻錄。

❺❸ 《方望溪文集》，卷 6，頁 69。

❺❹ 同前註，卷 10，頁 121。

顏、李後學戴望亦記其事云：

> 桐城方侍郎苞與先生交至厚，嘗使子道章從學先生。而方固信程朱，以習齋
> 復聖門舊章為非，每相見，先生正論侃侃，方無辭而退。後先生沒，方不俟
> 其子孫之請，為作墓志，於先生德業一無所詳，而唯載先生與崑繩及方論學
> 同異，且謂先生因方言改其師法。又與人書，稱浙學之壞始黃梨洲氏，北學
> 之壞則始於習齋。故先生門人劉用可深非之，謂其純搆虛詞，誣及死友。今
> 觀先生遺書，知用可之言為然也。❺❺

案：方氏此語，多為後人深詈，李元度（1821－1887）〈書方望溪與李剛主書後〉
云：「望溪方氏之文，世推正宗，議論亦醇正，獨其與李剛主書，則陋甚。」❺❻梁
啟超（1873－1929）《中國近三百年學術史》亦斥方苞誣及死友❺❼，張西堂（1901
－1960）《顏習齋學譜》更推而廣之，甚以程廷祚（1691－1767）之諱顏、李，亦
靈皋之過也，其說云：

> 靈皋論學既與恕谷不盡合，又以戴名世獄受威迫利誘，乃益不敢從顏、李之
> 學，而且一變而為顏、李之叛徒。《望溪文集》卷六有〈與恕谷書〉，謂習
> 仁之卒，由于議於程、朱，且舉習齋、西河為戒。其後恕谷卒，更不待請而
> 擅作墓誌，誣及崑繩、恕谷。蓋靈皋之詆毀顏、李，已無所不用其極矣。絜
> 莊至京之前一年，恕谷入京，靈皋又言有人毀恕谷者。絜莊在京，蓋必得聞
> 其言于方靈皋，因而對於恕谷之尊崇，顏、李學之信奉，不能不稍有牽
> 變。❺❽

---

❺❺　〔清〕戴望：《顏氏學記》（臺北：世界書局，1980 年 10 月），卷 4，頁 83。

❺❻　李元度：《天岳山館文鈔》（臺北：文海出版社，1969 年 4 月影印清光緒六年刊本），卷
　　30，頁 23 上。

❺❼　梁啟超：《中國近三百年學術史》（臺北：華正書局，1979 年 5 月），頁 116。

❺❽　張西堂：《顏習齋學譜》（臺北：明文書局，1994 年 3 月），頁 177。

然劉聲木（1878－1959）《萇楚齋續筆》以為「絕世不祀」云云，實非方氏本意也，其說云：

> 平江李次青方伯元度論駁之，所言誠是。但侍郎書中，又有云「泰伯無子，伯魚早喪，況吾兄子姓甚殷，固知所陳理弱情鄙，不足移有道」云云，是侍郎早已自言理弱情鄙，並非顛撲不破之理，在當時不過勸慰之一語，雖有語病，已自言之，固未嘗堅護己見也。❺❾

考雍正七年（1729），謝濟世（1684－1751）因詆程朱獲罪，而李塨卒於雍正十年（1732），離謝案不遠，故方苞此語，或為保至友名節也。❻⓪方氏遺文〈與黃培山書〉是其證，其說云：

> 告歸五年，求一好經書識名義者，與之共學，竟未見其人。……愚為先忠烈斷事公建專祠，左廡有小屋三間，將以「敦崇」名堂。痛世教之衰，皆由人心偷苟，不知敦厚以崇禮。必能行三年期功之喪，復寢之期一如《禮經》，有無與兄弟共之，不私妻子，始粗具「敦崇」之意，而比類以成其行。七友四人，曰劉捷古堂、張自超彝嘆、王源昆繩、李塨剛主，為「敦崇堂四友」，及門則寧化雷鋐、桂林陳仁、黃明毅，可與於斯。❻❶

方氏此時已近八旬，且為未刊之稿，當無隱諱，故與李塨之誼，當無疑問。吳孟復（1918－）先生依此論方氏為顏、李信徒，〈方望溪先生遺集序〉云：

> 李塨撰〈王昆繩（源）墓誌銘〉，謂「顏先生（元）之學由王而傳，由方而廣」，是李塨亦視望溪為顏、李之傳人也。而世之論者，因望溪于顏、李之

❺❾　劉聲木：《萇楚齋五筆》（臺北：世界書局，1960 年 11 月影印民國十八年刊《直介堂叢刻》本），卷 10，「蠡縣李剛主」條，頁 12 上。

❻⓪　同註❷❾，頁 31－32。

❻❶　方苞撰，徐天祥、陳蕾點校：《方望溪遺集》（合肥：黃山書社，1990 年 12 月），頁 65。

排斥程、朱，頗有爭議，因疑其晚年異趨。今觀此集中〈與黃培山書〉，……劉、張是生死患難之友，王、李為學術道義之交，望溪之與顏、李始終無間，於此可知，耳食者之讕言，不攻自破矣。竊嘗考之，顏、元之學以經世致用為旨，以「農樂兵農」為重，以知行合一為歸。……此集中，〈與顧用方〉、〈與德濟齋〉、〈答陳可齋〉、〈與執政〉、〈與蔡太守諸書〉，言河工，言救荒，言保甲，言屯田與設防，……雖使顏、李為之，未必能以到此，是豈空談唐虞三代之理學家所能望其萬一哉？其言皆顏、李所欲言，其心亦即顏、李之用心，其與顏、李異者，只在於不排程、朱耳，即《年譜》所謂與李塨論格物不合者也。朱子言格物窮理，兼重讀書，而顏、李強調「做中學」，以讀書為玩物喪志，僅就此一節言之，朱子所見，實勝於顏，顏先生之說，雖出矯枉，實亦過正。望溪則以為「古之人教且學也，內以事其身心，而外以備天下之用，二者皆人道之實也」（〈與某書〉）夫禮樂兵農，豈有不讀書而能通其學、濟其用者哉？且望溪以顏先生與朱子，如子游、子夏，并為孔子之徒，其不排程、朱，而亦未嘗菲薄顏、李，尤為較然明白也。㉒

吳孟復先生之說，發前人所未發，允為方苞之學一大開展也。然此說實有三事待審：一者，考方氏之〈與李剛主書〉、〈李剛主墓誌銘〉，皆七旬前所就，㉓雖信程、朱，亦不辭顏、李，吳氏所謂「子夏、子游，并為孔子之徒」云云，皆於此時期也。然方氏告歸後，其於道學之虛矯，王學之篤行，多有體悟，〈重建陽明祠堂記〉即斥偽學云：

　　自余有聞見，百數十年間，北方真儒，死而不朽者三人：曰定興鹿太常、容

㉒　《方·望溪遺集》，頁 2—3。

㉓　此說襲周中明先生《桐城派研究》，頁 100。惟周先生以為方氏信程、朱而兼采顏、李，於望溪三十至六十歲前後，實有誤也，〈與李剛主書〉作於恕谷子習仁卒後，習仁卒於康熙六十年（李塨〈長子習仁行狀〉），方苞時年五十四，〈李剛主墓誌銘〉當作於李氏卒後，考剛主卒於雍正十年，時望溪已六十五，故記其論於七十以前。

城孫徵君、睢州湯文正，其學皆以陽明王氏為宗。鄙儒膚學，或勦程、朱之緒言，漫詆陽明，以釣聲名而逐勢利。……若口誦程、朱而斯取所求，乃孔子所謂失其本心，與穿窬為類者，陽明氏之徒且羞與為伍。❻

由上文可知，方氏晚年即未必以程、朱為宗，大抵致力於「真儒」者，方氏多推宗之，即「但申己說，不必辨程、朱」耳。此說李塨〈復惲皋聞書〉堪為篤論，其說云：

即如方子靈皋，文行踔越，非志溫飽者，且於塨敬愛特甚，知顏先生之學不為不深，然且依違曰「但申己說，不必辨程、朱」，揆其意，似諺所謂受恩深者即為家者，則下可知也。❻

李氏此言，雖譴方氏之學，實明方氏之治學根柢，乃所謂「沾溉多方，不拘一格」是也。且程、朱、顏、李四家之學，乃「從入之途有別」，其推源聖學則一也，方氏以「經世」、「衛聖」為準的，則四家之別於方氏為一也。二者，吳先生以方氏多言實業，雖顏、李不能及云云，實屬牽強。蓋欲用於世者，皆有現實之關懷，雖埋首故紙，亦不廢其事❻，非方、李為然也。三者，〈與黃培山書〉雖稱李塨之學，實贊其「敦崇」也，於方氏影響或深或淺，實難確定。案二人論學，除格物外，以《禮》學一門為最，方、李二人《文集》，皆未明言其治《禮》影響，而「儀功」之事，二人則同也。案方氏晚年習禮，多以「實行」為踐禮之法，程崟〈儀禮析疑序〉即述其事云：

---

❻　《方望溪文集》，卷14，頁201。

❻　《恕谷後集》，卷5，頁7上。

❻　漆永祥先生《乾嘉考據學》以為乾嘉學術除文獻考證外，亦承襲了「經世」思想，其書第九章〈論乾嘉考據學得失（上）〉云：「清初學者，大倡經世致用，明道救世，其意有二，一在於博通經史，學以致用；一在於救國救民，反清復明，至乾嘉時期，學者繼承了前者而棄置了後者，此亦時勢使然。」詳漆永祥：《乾嘉考據學研究》（北京：中國社會科學院，1998年12月），頁282－283。

惟《儀禮》雖時與朋友生徒講論，而未嘗筆之書，以少苦難讀倍誦，恐不能比類以盡其義。又世所傳《注疏》及元敖繼公《集說》二書，故承修《三禮》時，特奏出祕府《永樂大典》錄取宋元人解說十餘種，並膚淺無足觀。國朝惟濟陽張爾歧、安溪李邦卿，各有刪定《注疏》，間附以己意，發明甚少。先生大懼是經精蘊未盡開闡，而閉晦以終古也，七十以後，晨興必端坐，誦經記本文，設為身履其地，即其事者，而求昔聖人所以制為此禮、設為此儀之意。雖疾病偃臥，猶仰而思焉。其有心得，乃稍稍筆記。至乾隆七年，得告歸里，治是經者，凡三周矣。先生治諸經，皆得海內宿學通人與之往復議論。至還山，而平生故舊無一存者，生徒散在四方，惟雲臺山人翁荃止園（荃）尚存，而病已篤，不能復問辨。荃春秋買棹侍函丈，時舉是經疑義命思索，終不能得，然而發其復，荃讀禮後所扣質尤多，每有剖析，輒心喻其然，而怪前儒何以習而不察也。自有先生之說，然後聖人之察於人倫而運用天理者，雖婦人孺子聞之，亦梨（齧）然有當於心。**❻❼**

　　翁荃（止園）《禮》說如何，今已不知其詳**❻❽**，惟方氏晚年之治《儀禮》多為自得，當不誤也。又顏、李之學，以著述為恥，習齋《禮》學論述，僅《禮文手鈔》，語若札記，無以深考。李塨《禮》學之書，亦僅《學禮》、《學射錄》二書，雖出入《禮經》，實多設為今禮，多若今日行儀範本之類也。如《學禮》卷二〈昏禮〉「納采」下云：

---

❻❼ 方苞：《儀禮析疑》（清康熙至嘉慶間刻《抗希堂十六種》本），卷首，頁1下一頁2下。

❻❽ 翁荃其人，劉聲木《桐城文學源流考》未著錄，蓋師友不入其倫也。據楊廷福、楊同甫編《清人室名別稱字號索引》著錄云：「翁荃，江寧人，字蘭友，號止園。」其集似未傳，今清人云「翁荃」著述傳世者，僅《光緒饒平府志》一書，王紹曾先生《清史藝文志拾遺・史部・方志類》據朱士嘉《中國地方志綜錄》著錄云：「《光緒饒平府志》二十五卷，劉抃原本，惠登甲增修，黃德容，翁荃增纂，光緒九年增刊本，1963年廣東省中山圖書館油印本。」然時代已晚，似非方氏舊遊也。詳王紹曾：《清史藝文志拾遺》（北京：中華書局，2000年9月），頁836。

〈士昏禮〉「下達使者，往女嘉納采」，下達者，行媒也。行媒以後，可知
名矣，必用一士人納采，以問者事重也，今雖有媒妁，猶煩親家往求，即此
意也。⓺

卷五〈士相見禮〉「士見於大夫，終辭其贄」亦云：

> 今儀無不回拜者惟尊，於卑或不固請見。⓻

至於《學射錄》所記，乃教人扣矢、製弓之術也，與《儀禮》之〈鄉射〉、
〈大射〉實無關聯。然方氏治《禮經》，多未襲其說乎？亦不得而詳也。考顏、李
之學者，雖習講儀功，然少撰述，李塨雖退而為書，其文多經刪汰，已非全帙，張
舜徽（1911－1992）《清儒學記》即云：

> 李恕谷學術醇正，不是一個貪多騖博，喜以文字自見的人。《恕谷後集》十
> 三卷，是他的文集，經過自己認真刪定而保存下來的一部分著作。是集卷
> 首，有門人閻鎬一序，稱恕谷「自康熙四十二年以前，為文規效歐、蘇，悉
> 棄置之，而惟存後焉者，故以後集名書」。據此可知恕谷四十四以前的文
> 章，都由自己汰除了，可以想見他對自己要求的嚴格和選存文辭的審慎。即
> 此十三卷本，也不是一次刊出的，閻鎬所寫序文，題雍正四年，是集即由他
> 編定，祇十卷，時恕谷已六十八歲，後來才續刻三卷。⓽

從以上三者可知，方、李二家，雖互許其學，論《禮》則各異面目也。蓋顏、李推
宗「周公六藝」之意，勉人習術業以進德成聖，方氏亦主德業，然其學自經術始，

⓺ 李塨：《學禮》（臺北：廣文書局，1989 年 11 月民國十二年四存學會彙刊《顏李叢書》
　　本），卷 2，頁 1 上。

⓻ 同前註，卷 5，頁 11 下。

⓽ 張舜徽：《清儒學記》（濟南：齊魯書社，1990 年 4 月），頁 110。

以辨經析義為衛聖之法，此即二家之大別也。

參、方苞《儀禮析疑》疑經思想及解經方法析論

一、《儀禮析疑》疑經思想析論

　　《儀禮》一書，經文簡奧，前儒多信其為周制，方苞亦信其為聖人垂範之典。然〈喪服〉一篇，經、傳所記即互異耳，雖周曲阿護，義仍難安。方氏之疑《儀禮》者，亦由此發。然疑《儀禮》止於傳，於經則全無侮辭，名為「疑經」，實乃「尊經」，殆所謂以「不疑」為「疑」者也。

　　考後人議方氏之侮經者，多以方氏深疑，凡義有依違，輒以王莽、劉歆改竄，嚴元照即譏云：

> 〈喪服〉經傳，最為《禮經》之精詣，方氏說之則殊無難，凡所不解，悉歸罪於王莽、劉歆，以為二人所改竄也，而鄭《注》、賈《疏》不足言矣，予嘗謂毛氏之侮經，罪過于毛大可。[72]

案：嚴評全氏此碑，語多激切，甚有「靈皋之說《儀禮》，可謂經之蟊」[73]之論，此乃文人墨餘，實不足道。然所謂「罪過于毛大可（奇齡）」云云，則堪玩味。考清初辨偽之學，乃擺落宋學，正其改易，所謂「出於聖人者，還諸聖人」耳[74]，其辨《周禮》最著者，當推毛奇齡（1623－1716）。毛氏《經問》亦疑《三禮》，然西河之「疑」，實與方氏之「疑」不同。方氏之所持論，不外「周公之典」、「子駿竄亂」二端，而西河《經問》之疑，乃辨三書為晚出之典，而非周公之書也。其說云：

---

[72]　嚴元照之說，出於嚴氏評校本《鮚埼亭集內外編》卷十七〈前桐城侍郎方公神道碑銘〉，原稿藏上海圖書館，此條轉引自全祖望撰，謝國楨、朱鑄禹等彙注：《全祖望集彙校集注》（上海：上海古籍出版社，2000年12月），頁310－311。

[73]　同前註，頁309。

[74]　林師慶彰：《清初的群經辨偽學》（臺北：文津出版社，1990年3月），頁432。

《周禮》為周末之書，故孔子引經與春秋諸大夫引經以及東遷以後混一，以
前凡諸子百家引經並無一字及此書者，如孔子言吾學《周禮》，及韓宣子聘
魯所云《周禮》盡在魯，皆非此書。……第《周禮》不明，《禮記》雜篇皆
戰國以後儒所作，而《儀禮》、《周禮》則又在衰周之際，《呂覽》之前，
故諸經說禮皆無可據。而漢世註經，必雜引《三禮》以為言，此亦大不得已
之事，原非此聖人不刊之典也。若或又謂是書出於漢孝成之世，係漢人所
作，并非周人，則不然。按〈漢志〉六國魏文侯時曾以樂書賜樂工竇公，至
孝文時獻其書，即此書之〈大宗伯〉、〈大司樂〉章也。桓譚《新語》亦云
竇公一百八十歲，則六國之末，已有其書，其為周人作而非漢人，又可知
耳。❼

毛氏之說，去方氏堅信《三禮》為聖人所著，不惜造莽、歆竄跡以衛經之說甚遠。
又西河《周禮問》論《周官》始獻於武帝朝，歆縱能偽竄《周禮》，然不可能偽
「獻王獻書」、「更生校書」之事。其論云：

> 《七略》今不傳，固無可考。然歆能偽造《周禮》，不能偽造《周禮》出處
> 蹤跡，以欺當世。假使河間獻王不獻《周禮》，成帝不詔向校理《周禮》，
> 歆可造此諸事，以欺同朝諸儒臣乎？且〈景十三王傳〉云獻王所獻，皆古文
> 先秦舊書，《周官》、《尚書》、《禮記》、《孟子》、《老子》之屬，皆
> 經傳說記，言有經即有傳與說記也，此必非歆可預造其語者。❼

而方氏所謂讀《漢書‧王莽傳》，知子駿竄《周禮》以附莽事者，毛氏持論，亦有
不同。《周禮問》云：

❼　〔清〕毛奇齡：《經問》（臺北：藝文印書館，1986 年 5 月影印《皇清經解》本），卷
　　163，頁 1 上－2 上。

❼　毛奇齡：《周禮問》（清康熙間李塨刊《西河全集》本），卷 1，頁 2 上－下。

〈莽傳〉明云平帝四年，徵天下通一經，教授十一人以上，及有《逸禮》、《古書》、《周官》、《爾雅》諸書，能通知其意者，皆詣公車。則在平帝未崩，莽母未死以前，顯行《周官》，著于令甲。而謂《周官》之偽始於居攝，則〈莽傳〉且未終讀，何況他耶！⓮

綜上所述，可知方、毛二氏「疑」說，乃同名而異實也。西河排詆偽「典」以尊聖，方氏別竄「章」以崇儒，然其「疑」者何也？即嚴氏所斥方「莽、歆」之事也。方氏此說，見〈書考定儀禮喪服後〉一文，其說云：

> 余少讀《儀禮》，即疑非卜氏所手訂，乃一再傳後門人記述，而間雜以己意者，而於經文則未敢置疑焉。惟尊同者不降，時憪然不得於余心。乃試取傳之云爾者剟而去之，而傳之文無復舛複支離而不可通曉者。更取經之云爾者剟而去之，而經之義無不即乎人心，然後知是亦歆所增竄也。蓋喪服之有厭（壓）降，見於子思、孟子之書。惟尊同不降，則秦、周以前載籍，更無及此者，而於莽之過禮竭情以待鳳疾，及稱供養太皇太后，義不得服功顯君，事尤切近，故假是以為比類焉。嗚呼！先王制禮，有跡若相違而理歸於一者，以物之各異，而所以為則者，無不同也。尊同而不降，物之則無是也，曾是可厚誣先聖而終蔽人心之同然者乎？夫莽誦六藝以文奸言，其於《易》、《春秋》閒有稱引，皆自為之說而謬其指。《書》之《傳》、《詩》之《序》雖有假託，而經文則未嘗增易焉，然則公孫祿所謂顛倒《五經》，使說士疑惑者，〈喪服〉經傳之文尤顯見於當時，而為老師宿儒所指斥者歟？（時《周官》始出，《戴記》尚未列於學官。）⓯

所謂「莽、歆增竄〈服傳〉」者，方氏自述出於《漢書‧王莽傳》，《儀禮析疑》卷十一〈喪服〉篇亦云：

⓮　同前註，卷1，頁4下－5上。
⓯　《方望溪文集》，卷1，頁12－13。

《儀禮》十七篇，自漢、唐以來，皆以為完書。余幼讀〈喪服傳〉，至「尊
同則不降覺」，反之於心，實不能安，而無以詘之。及見《漢書·王莽
傳》，居攝踐阼稱〈明堂位〉以定其儀，而二戴所述皆無是篇，乃知為莽、
歆所偽造，故當時不敢顯布其書。至東漢馬融，始與呂氏〈月令〉並增入
《禮記》也。厥後治《周官》，凡為後儒所指摘病民盡利、悖情逆禮者，皆
若為莽之亂政，開其端兆。……蓋謂經文乃周、孔所定，不敢置疑，不知
莽、歆欲竄傳記，即先增益經文以合之，且有全造經文者，今取經記傳內涉
於尊同則不降者，一一薙芟，則傳之辭意間涉膚淺，而經之所列則皆天理人
情之自然，是乃程、朱所為辨正，然心理皆同，後之君子當深究之。❼❾

方氏以經、傳當離而不合，而傳之與經不合者，皆劉歆所竄也。然其所謂「增益經
文」、「全造經文」，實為無據。考西漢經師習《儀禮》，〈喪服〉經傳或分或
合，其誦習教授，隨鈔隨記，故有「刊削改寫之跡」，有「鉤識刪點之記」，有
「一篇三本之並存」。❽⓿考一九五七年甘肅武威縣出土之漢簡本《儀禮》，其武威
甲本、乙本即〈服傳〉，丙本即〈喪服經記〉。❽❶據陳夢家（1911－1966）考證，
武威漢簡本《儀禮》當為慶（普）氏禮，墓主為經師教官。案慶氏得立博士，在漢
元帝甘露二年（B.C 52）之前，三本鈔摹。雖不同時，然絕非成於莽後也。陳氏論
其年代云：

> 甲、乙本〈服傳〉完全相同，甲本屬於其它六篇（案：據《簡本》外題，即
> 〈士相見之禮第三〉、〈特牲第十〉、〈少牢第十一〉、〈有司第十二〉、
> 〈燕禮第十三〉、〈泰射第十四〉）相聯的一部，乙本是單本的，這可能是
> 墓主先已獲得之本，乙本當在其前。慶氏是宣帝（B.C 73－B.C 50）時人，
> 因此這些本子應當尚在其後，但諸本應是墓主生時所有而隨後入葬的，故最

---

❼❾　《儀禮析疑》，卷 11，頁 1 上－2 下。

❽⓿　陳夢家：《漢簡》（北京：中華書局，1962 年 6 月），頁 52。

❽❶　同前註，頁 10。

遲下限為入葬之年。此夫婦合葬既有王莽時泉布，而夫婦死亡前後已無法通推定，則最早下葬於王莽時，也大約即在此時，因為同出日忌背面有有主人所寫河平（B.C 28－B.C 25）某年諸文字弟子出穀五千餘斛，則其人當在成帝時，其亡故不能更在王莽以後。竹簡丙本〈喪服〉未附傳文，這個本子最早，其鈔寫年代不晚於木簡本，他似應早於木簡，較為合理，其他八篇，它們應是西漢中期傳用之本，而其鈔繕年代可能於西漢晚期。[82]

考方氏之疑《儀禮》之說，與其議《周禮》為莽、歆竄亂諸條，實持一論耳，此空文孤證，當難為據。或云：方氏辨經，何陋至此？除方氏崇聖過堅、學力未逮外，考方氏從遊京師時，辨偽諸家，或已謝世，或南居蘇、浙[83]，其受影響或有限也。方氏劉歆竄經、傳之說，雖不合於歷史事實，然觀其文，可知其「疑經」，止於後人記、傳，於「經」之本，一無動搖，其尊於聖人之治經立場，實無疑義，後人「侮經」之譏，實未得其義也。

二、方苞《儀禮析疑》解經方法析論

《儀禮析疑》之體例，乃先列經文，後核其誤。其所訂正，以不易經文為本，若遇前人注疏有異說者，則析疑之。其采他說，僅鄭玄（127－200）《注》、賈公彥（？－？）《疏》、敖繼公（？－？）《集說》。若經文或無疑義者，則不加解說。於前人經說，則略有刪節。如《儀禮析疑》卷八〈聘禮〉「賓奉束錦以請覿」條云：

---

[82] 同前註，頁 52。案：陳夢家先生之年代推定大抵不誤，王師關仕（1938－）《儀禮漢簡本考證》亦同其說，惟三本之次，與是否為慶氏禮，則有異說，蓋王氏以為「乙本〈服傳〉為甲本〈服傳〉之底本」，「丙本〈喪服〉經蓋古文」，復「極近今本」，而乙本〈服傳〉乃「經記傳相次條屬合篇而刪省者」。即「同今本經記傳相繫，而刪之也，未必為作傳時並行刪記之《禮服傳》，亦未足以指其為慶氏學」。詳王師關仕：《儀禮漢簡本考證》（臺北：臺灣學生書局，1975 年 11 月），頁 144－145。

[83] 林師慶彰：〈毛奇齡、李塨與清初的經書辨偽活動〉，《清代經學研究論集》（臺北：中央研究院中國文哲研究所，2002 年 8 月），頁 35。

《疏》引《春秋傳》公會晉師於瓦，證晉卿乃從君見主君法非也。經書「會晉師」，則君不在師中明矣。傳亦無君在之，文為可曲證。⑧

案：此條賈《疏》原文云：

> 卿執羔，大夫執雁，彼見天子法，從朝臣而見，得有羔，若諸侯相朝，其臣從君，亦得執羔見主君可知。……案定公八年經書「范獻子執羔，趙簡子、中行文子接執雁」，《左傳》云「范獻子執羔，趙簡子，中行文子皆執雁」，亦是從君見，主君法也。⑧

從上文可知，《儀禮析疑》之釋經者，實未詳列儀節、名物也，多有以一事以證注疏之例。茲舉數端以明《析疑》解經之法：

(一)辨析儀節，多以《周禮》之義：

考《儀禮析疑》辨析儀節，主證以史與他經，而方氏於《周禮》用力最深，故多有以《周官》之例以證成其說者，茲舉二例以述其要：

1. 《儀禮析疑》卷二〈士昏禮〉「採納用雁」條云：

> 採納、問名，本一事也。媒妁通言而未見女之父母，故使人執贄以請示，已見採擇。俟受雁後問名，以漸而進也。鴻雁性難馴，且非時非地不可必得，昏禮及大夫所執皆舒雁耳，蓋取其潔白而安舒。⑧

蓋納采用雁者，於《春秋》、《左氏》所載，已多有不同，方氏推而想之，遂以「雁」為「舒雁」（案：鵝也。）案：方氏之說，似襲《周禮·春官·大宗伯》

---

⑧　《儀禮析疑》，卷8，頁14下。

⑧　〔漢〕鄭玄注，〔唐〕賈公彥疏：《儀禮注疏》（臺北縣：藝文印書館，1965年影印清嘉慶江西南昌府學刊《十三經注疏》本），卷21，頁2下－3上。

⑧　《儀禮析疑》，卷2，頁1下－2上。

「孤執皮帛，卿執羔，大夫執雁，士執雉，庶人執鶩（家鴨），工商執雞」[87]之說，進而推斷〈士昏禮〉非用鴻雁，乃用鵝也。《周官析疑》卷十七「卿執羔，大夫執雁，士執鳩」條亦云：

> 雁非家禽，不得時又不可畜，蓋舒雁也，取其安舒而潔白。膳夫受摯以為膳，皆恒用之物可知矣。[88]

案：方說簡短，僅以一證，殆辨鄭《注》、賈《疏》之說耳。鄭《注》云：「用雁為摯者，取其順陰陽往來。」未詳所執，賈《疏》申之，以雁乃鴻雁，其說云：

> 順陰陽往來者，雁木（疑當作「本」）落南翔，冰泮北徂，夫為陽，婦為陰，今用雁者，亦取婦人從夫之義，是以昏禮用焉。[89]

考賈《疏》以雁當乃野產之說，殆取鄭《注》所謂「雁木落南翔」以順夫婦之德也，辭費而義迂。方氏雖無多方引證，然其說確有根據。王引之（1766－1834）《經義述聞》卷十〈納采用雁〉條可證，其說云：

> 〈士昏禮·記〉曰「摯不用死」，……是雁乃生者。鴻雁野鳥，不可生服，得之則死。……而〈記〉曰「摯不用死」，則非鴻雁可知。〈士相見禮〉曰「摯，冬用雉，夏用腒」，是四時皆有執摯之禮。鴻雁孟春北去，秋仲始來，夏月無雁之時，下大夫將何以為摯乎？〈曲禮〉曰「獻鳥者但拂其首，畜鳥者則勿拂也」，……而〈士相見禮〉但云飾之以布，維之以索，而無拂

---

[87] 〔漢〕鄭玄注，〔唐〕賈公彥疏：《周禮注疏》（臺北：藝文印書館，1965 年影印清嘉慶江西南昌府學刊《十三經注疏》本），卷 18，頁 23 上。

[88] 《周官析疑》，卷 17，頁 17 下－18 上。

[89] 《儀禮注疏》，卷 4，頁 2 上。

首之文，則其為畜鳥明矣。《爾雅》云：「舒雁，鵝。」鵝亦雁之屬也。❾⓿

鴻雁難馴，故以形近之鵝代替，方氏《析疑》雖無王引之《經義述聞》之引證詳明，然其以「義」立說，亦不離事實也。

　　2.《儀禮析疑》卷五〈鄉射〉「無介」條云：

> 註謂略於序賓，則賓長三人皆得受獻，而獨略於介，何義乎？雖難與合耦，則大夫雖眾，皆與士為耦，介必學士之越其曹者，乃不得儕於群士而與大夫耦乎？蓋〈大射〉、〈鄉射〉、〈公食大夫〉、〈燕禮〉皆有賓無介，有介者獨鄉飲酒耳。五州之中，道行德藝相次比者必有數人，故立賓及介，而介之禮亞於賓，俾眾觀感而益自矜奮焉。若州長習射，則立賓以與主人行禮而倡眾耦足矣，無所用介。〈鄉射〉無介則黨正之正齒位可知，〈大射〉、〈燕射〉則有位者皆在列，賢者眾多，不可以賓介盡之，〈公食大夫〉則異國之臣，惟正客當此盛禮。而介不與禮，以義起各有所當耳。❾⓵

方氏之說，乃申鄭「介者，賓之輔。」❾⓶之義也，賈《疏》亦云：

> 鄉飲酒之禮，有介一人以輔賓，此無介者，主於射，序賓之禮略，故無介以輔賓也。❾⓷

案：諸說皆因〈鄉飲酒〉「主人就先生而謀賓介」與〈鄉射〉有賓「無介」而起

---

❾⓿　〔清〕王引之：《經義述聞》（臺北：臺灣中華書局，1990 年 3 月《四部備要本》），卷10，頁 7 上。

❾⓵　《儀禮析疑》，卷 5，頁 2 下－3 上。

❾⓶　鄭注此節云：「雖先飲酒，主於射也，其序賓之禮略。」又《儀禮·士冠禮》「擯者請期」，鄭《注》亦云：「擯者，有司佐禮，在主人曰擯，在客曰介。」又《禮記·少儀注》亦云：「介，賓之輔也。」

❾⓷　《儀禮注疏》，卷 11，頁 2 下。

義，賈說以〈鄉射〉禮主於射，故射之飲無介。蓋介者，據敖繼公《集說》云：

> 將與其鄉人飲酒，乃與眾賓之中，謀其最賢者為賓，其次者為介，謀謂商度
> 其孰優也，必就先生謀之者，不敢擅自可否去取，且示有所尊也。❹

可知賈、敖皆就儀之詳略而解之，惟〈鄉飲酒〉、〈鄉射〉確含《周禮》正齒位、
擇賢能之義，故方氏《析疑》卷四〈鄉射禮〉「先生就先生而謀賓介者」乃就
「謀」之微旨發議，其說殆述《周禮·地官·鄉大夫》「三年大比」之法，其論
云：

> 先生，鄉之致仕而教於黨庠州序者也。《周官·黨正》「書德行道藝，而州
> 長考之」，以贊鄉大夫廢興，其法必二十五家之塾，歲升其秀民于黨，而庠
> 之師聚教焉，是黨正所憑以書其德行道藝，而待州長之考者也，序之師則時
> 會而問試省察焉，是州長所憑以考其德行道藝而贊鄉大夫之興者也，故三年
> 大比，鄉大夫就之而謀賓介，即《周官》所謂「使民興賢，出使長之，使民
> 興能，入使治之也，古者官得其人，而事無不治，皆由於此。」❺

案：此節明方氏欲以《周官》定《三禮》「大比」之異說，且不以《儀禮》為然，
如《周官集注》卷三〈鄉師〉「若國之大比，則攷教察辭，稽器展事，以昭誅賞」
條亦云：

> 此大比群吏之治攷教，乃攷其教之行否，如教行於二十五家，然後閭胥為得
> 其職，若三年大比，興賢能，考德行道藝，則鄉大夫之職也，察視吏言事，

---

❹　〔元〕敖繼公：《儀禮集說》（臺北：臺灣商務印書館，1983 年 2 月影印文淵閣《四庫全
書》本），卷 4，頁 1 下。

❺　《儀禮析疑》，卷 4，頁 3 上－4 上。

察其情實。❾⑥

《周官析疑》卷十四〈遂大夫〉「三歲大比，則興甿，明其有功者，屬其地治者」
條亦云：

> 稽夫家畜產，以及政令徵比治訟之事，自遂人、遂師、遂大夫以及縣正、鄙
> 師、酇長，每職必列，不厭其複，而興甿止於遂大夫職一見之，簡校賓興之
> 法，無一及焉，何也，政令徵比治訟之事，自遂大夫以下，群吏所掌，與鄉
> 有同異，故每職必列之，興賢之典，一同於六鄉，覆列之則贅矣，故第言率
> 其吏以興甿。而知一準於六鄉也。❾⑦

案：〈鄉飲酒〉、〈鄉師〉、〈遂大夫〉所謂「大比」者，義實有別，方氏皆以
「考其德行道藝」者準之，且以舉禮之時皆「歲終」，不免自信，與諸家經說多有
不同，如賈《疏》云：

> 凡飲酒之禮，其名有四。案：此賓賢能，謂之〈鄉飲酒〉一也。又案：〈鄉
> 飲酒義〉云：「六十者坐，五十者立侍」，是黨正飲酒，亦謂之鄉飲酒，二
> 也。〈鄉射〉州長春、秋習射於州序，先行鄉飲酒，亦謂之鄉飲酒，三也。
> 案：〈鄉飲酒義〉又有鄉大夫飲國中賢者，用鄉飲酒，四也。❾⑧

張爾歧（1612－1677）《儀禮鄭注句讀》亦云：

> 《疏》言鄉飲有四，此篇所載，三年大比，賓賢之禮也，常以正月行之，將
> 射而飲，下篇（案：指〈鄉射禮〉）所列是也，於春秋行之，黨正正齒位，

---

❾⑥　《周官析疑》，卷 3，頁 43 下。
❾⑦　同前註，卷 14，頁 20 上－下。
❾⑧　《儀禮注疏》，卷 8，頁 1 上－下。

於夏冬蠟祭，鄉大夫飲國中賢者，則無常時。❾❾

案：方氏之失者，蓋「欲通而迂」者也，蓋經書之名物，多同名而異實，拘之一端，必疏而多謬，方氏多發新說，而中者寡，亦由於此。

　㈡辨析名物多本「人情」，不以考證為宗：

　《儀禮析疑》卷十三〈既夕禮〉「薦車，直東榮」條云：

　　薦車馬，宜事相連而分舉之，何也？昏夜惟車可陳，馬則宜質明薦也。直東榮乃柩車之位也。❿❿❿

〈既夕禮〉經云：「薦車，直東榮，北輈。」⓫鄭《注》云：「薦，進也。進車者，象生時將行陳駕也，今時謂之魂車。」⓬賈《疏》以魂車者，乃「鄭舉漢法況之，以其神靈在焉，故謂之魂車也」。⓭考鄭玄漢禮「薦車」者，兩《漢書》均未見，「魂車」云云，僅見於丁孚《漢儀》，其說云：

　　永平七年（64），陰太后崩，晏駕詔曰：「柩將發於殿，群臣百官陪位，黃門鼓吹三通，鳴鐘鼓，天子舉哀。女侍史官三百人皆著素，參以白素，引棺挽歌，下殿就車，黃門宦者引以出宮省。太后魂車，鸞路，青羽蓋，駟馬，龍旂九旒，前有方相，鳳皇車，大將軍妻參乘，太僕妻御，（女騎夾轂）悉道。公卿百官如天子郊鹵簿儀。」後和熹鄧后葬，案以為儀，自此皆降損於

---

❾❾　〔清〕張爾歧：《儀禮鄭注句讀》（臺北：學海出版社，1981 年 9 月影印清乾隆八年黃叔琳重刊本），12 卷 4，頁 1 上。

❿❿❿　《儀禮析疑》，卷 13，頁 8 下。

⓫　《儀禮注疏》，卷 38，頁 7 上。

⓬　同前註，卷 38，頁 7 上。

⓭　同前註，卷 38，頁 7 上。

前事也。⑩

胡培翬（1782－1849）《儀禮正義》亦以柩車承其尸、魂車狀其生也：

> 云薦，進也。《爾雅‧釋詁》文曰：「進車者，象生時將行陳駕也。」今時
> 謂之魂車者，案車即不記乘車、道車、薦車也。以生時將行陳駕，故進此車
> 於庭而陳之，像生時也。此車平日所乘，靈魂憑之，故謂之魂車。蓋漢時有
> 此名也。蔡氏德晉云：「敖氏謂此即為遣車，非也。遣車乃是載遣奠之包牲
> 者，即〈檀弓〉所云塗車也。今案〈雜記〉注云：『大夫以上乃有遣車。』
> 則士無也。此所薦之三車，殆〈曲禮〉所謂祥車耳。非遣車，亦非載柩之
> 車，即下記遂匠納車于階間之車，所謂蜃車也。⑩

案：揆之經義，則蔡說是，薦車當為祥車。⑩〈曲禮〉云「祥車曠左」，孔穎達
《疏》云：「祥，猶言吉也，吉車為平車所乘也，死葬時因為魂車。鬼神尚吉，故
葬，魂乘吉車也。」祥車既為葬時死者靈魂所乘，或有如死者生前所乘也。則天
子、諸侯當為路車、大夫為墨車、士為棧車。方苞於此不察，斷為柩車，實誤也。
然漢制貴者，柩或載輼輬，與《儀禮》所述，實已不同也，如《漢書‧霍光傳》
云：

> 光薨，上及皇太后親臨光喪。太中大夫任宣與侍御史五人持節護喪事，賜金
> 錢、繒絮，繡被百領。衣五十篋，璧珠璣玉衣，梓宮（案：棺也）、便房、
> 黃腸題湊各一具，樅木外臧椁十五具。東園溫明，皆如乘輿制度。載光尸柩

---

⑩　案：見今本《後漢書》司馬彪補《後漢書志》卷六〈禮儀下〉李賢注所引，詳〔南朝宋〕范
　　曄撰，〔唐〕李賢注：《後漢書》（臺北：鼎文書局，1979 年 1 月），志 6，頁 3151。

⑩　〔清〕胡培翬：《儀禮正義》（北京：中華書局，1998 年 1 月），卷 29，頁 428。

⑩　詳曾永義先生：《儀禮車馬考》（臺北：臺灣中華書局，1971 年 9 月），頁 17。

以轀輬車，黃屋左纛，發材官輕車北軍五校士軍陳至茂陵，以送其葬。❿

下顏師古《注》云：

> 文穎曰：「轀輬車，如今喪車也。」孟康曰：「如衣車有窗牖，閉之則溫，開之則涼，故名之轀輬車也。」臣瓚曰：「秦始皇道崩，祕其事，載以轀輬車，百官奏事如故，此不得是車類也。案杜延年奏，載霍光柩以輬車，駕大廐白虎駒，以轀車駕大廐白鹿駒為倅。」師古曰：「轀輬本安車也，可以臥息。後因載喪，飾以柳翣，故遂為喪車耳。轀者密閉，輬者旁開窗牖，各別一乘，隨事為名。後人既專以載喪，又去其一，總為藩飾，而合二名呼之耳。倅，副也，音千內反。」❽

《漢書‧孔光傳》亦記云：

> 光年七十，元始五年薨。莽白太后，使九卿策贈以太師博山侯印綬，賜乘輿祕器，金錢雜帛。少府供張，諫大夫持節與謁者二人使護喪事，博士護行禮。太后亦遣中謁者持節視喪。公卿百官會弔送葬。載以乘輿轀輬及副各一乘。❾

案：漢制「棺已盛尸為柩者，柩上書死者之官職姓名」❿，則霍光柩之所承實如生也，而其車必有副，此或禮制改易，或身分尊卑，實已不得而詳也。

(三)禮文釋物難詳者，或以今禮定之：

《儀禮析疑》卷一〈士冠禮〉「緇帶，爵韠。緇布冠缺項，青組纓屬于缺。緇

---

❿ 〔東漢〕班固撰，〔唐〕顏師古注：《漢書》（臺北：鼎文書局，1979 年 1 月），卷 68，頁 2948。

❽ 同前註，卷 68，頁 2948。

❾ 同前註，卷 81，頁 3364。

❿ 楊樹達：《漢代婚喪禮俗考》（上海：上海古籍出版社，2000 年 12 月），頁 71。

纚廣終幅」條云：

> 下經「賓受緇布冠，右手執項，左手執前則缺項」，即謂緇布冠候，當項處
> 缺之，敖氏謂以緇布一條圍冠為缺項，別以一物貫之兩相，又以緌屬，皆非
> 也，既有紒以束髮，無為又以緇布圍冠，據經文乃以青組為緌，後屬缺項，
> 而前繫於兩項，以結于頤下耳，今幽燕士大夫燕居之冠，後多兩歧，以組屬
> 之，以便或卷或高或垂而下，閭巷間人則出入皆冠之，疑上古緇布冠類
> 此。[111]

方說「缺項」者，實勇於造說也，《四庫全書總目·儀禮析疑提要》即斥云：

> 不知鄭氏讀「缺」為「頍」，固為改字，而別注云「項中有纙」，《疏》謂
> 兩頭皆為纙，別繩穿纙中結之。《廣韻》訓纙為缺，《類篇》曰「纙，結
> 也」，則鄭之此注，大可依據，明是缺項有布為之結，然後加纙。敖繼公說
> 猶有未詳，芭則去敖氏更遠矣。[112]

考缺項究屬何物，自古聚訟，尚無定見。依鄭《注》及胡培翬《正義》，「缺項」
乃緇布冠之附，蓋用以固冠也。殆緇布冠者，無笄以固冠，復無緌可繫冠，故以缺
項固之也。缺項之二端各有一結，結中各穿一繩，惟結繩時需繫於項後髮際。方氏
之誤，殆「紒以束髮，無為又以緇布圍冠」一條，案鄭《注》云：「紒，結髮，古
文紒作結。」又〈士冠〉加緇布冠前，即施櫛、纚，是加前纚髮也，若依方說，
是以黑繒為緌也，實屬不倫，《經》云「賓加冠於冠者之首，由贊者卒」，鄭
《注》：「卒，為設缺項，結緌也。」是先加緇布冠，且「缺項僅為緇布冠設之，
他冠爵弁、皮弁毋需用」者[113]，是緇布冠無緌，缺項為固冠又一證也。

---

[111]　《儀禮析疑》，卷1，頁9上一下。

[112]　《四庫全書總目》，卷20，頁25上一下。

[113]　王師關仕：《儀禮服飾考辨》（臺北：文史哲出版社，1979年3月），頁10。

肆、結　論

綜上所述，可知方氏之《儀禮》之學，略有以下四點特色：

一、方氏思想，乃力主經世，與顏、李之旨歸，貌異實同：前儒之以為方氏斥顏、李者，已辨於前，蓋有心經世者，皆同於此，唯其學問入手門徑不同也。

二、方氏經學，雖沾溉多方，然其《儀禮》之學，多為自得：方氏雖云漢、宋兼采，然實未脫宋學本色也，然設身體行，於經義亦有創見。

三、方氏辨經，雖遍及經、史，實「不疑」為「疑」，與清初諸家多有不同，蓋方氏其人，自康熙四十五年（1706）後，方居京城，時辨偽之風已息，故方氏所據，實學術主流之程、朱宋學也，其人自康熙五十二年（1713）遇赦，即長居京師，供職三禮館❶，自垂暮方返故里，壯年論交之友，復多亡故，故於辨偽一道，不免固陋，實未與時俱進也。

四、方氏治《禮》，雖云廣博，實源於《周禮》：方氏說《儀禮》若有與《周禮》關連者，不免遷合其說，殆方氏治經，從《周禮》出，即以聖典經世也，雖多回穴，然欲會通聖人微旨之心，亦不可掩矣。

總而論之，欲考文人治經者，不可偏執其文，即以方氏論《禮》而論，其文集多宏論汎說，經述則多謹慎持平，故欲曉其學，必自其經著始，苟能如此，方不致人云亦云，於先賢之學，方有公允之論矣。

---

❶ 因本文研究範圍以方苞為主，故乾隆朝纂修之《欽定三禮義疏》，未在本文深究範圍，其纂修過程詳附錄〈《欽定儀禮義疏》析論〉一文。

經 學 研 究 論 叢
第 十 三 輯　頁207～240
臺灣學生書局　2006 年 3 月

論《孟子》

梁啟超遺稿、湯仁澤*標校

孟子略傳

　　孟子名軻，鄒人（鄒為春秋邾國，今山東鄒縣）。蓋生於周烈王時，當周平王東遷後三百八十餘年，孔子卒後九十餘年，秦始皇併天下前百五十餘年，民國紀年前二千二百八十餘年（萬斯同〈孟子生卒年月辨〉定為生於烈王四年己酉，但所據之書不甚古，今不敢武斷，但舉約數耳）。其時七雄並立，而泗上十二小侯尚存。孟子所嘗游居之國，在七雄中曰梁、曰齊，在小侯中曰鄒、曰魯、曰宋、曰滕、曰薛、曰任。

　　孟子受業於子思之門人，而私淑孔子（「受業子思之門人」，據《史記・孟荀列傳》。而《漢書・藝文志》本注云：「子思弟子。」趙岐《孟子注・序》亦云：「長師孔子之孫子思。」後人遂有謂《史記》「門人」之「人」字為衍文者。崔述《孟子事實錄》云：孔子之卒，下至孟子游齊、燕人畔時，一百六十六年矣。伯魚之卒，在顏淵前，則孔子卒時，子思尚不下十歲。而孟子去齊後，居鄒、之宋、之薛、之滕，復游魯而後歸老，則孟子在齊時，亦不過六十歲耳。即令子思享年八十，距孟子之生尚三十餘年，孟子何由受業於子思乎？孟子曰：予未得為孔子徒也，予私淑諸人也。若親受業子思，必當明言其人，以見其傳之者同，何得但云人己乎。孟子之學深遠，恐不僅得之於一人，如孔子之無常師者然，故但云「私淑諸

---

*　湯仁澤，上海社會科學院歷史研究所研究員。

人」耳）。其於古聖人，最樂道堯、舜、文王、伊尹、伯夷、柳下惠，而所願學，終在孔子。孔子卒後，儒分為八（據《韓非子‧顯學篇》）。

　　鄒、魯學者，多斷斷於禮容之末節而不見其大，惟子思述家學以作《中庸》，上探本於性與天道，而下及經綸天下之大經，孟子受其傳而光大之，儒學一新焉（孟子雖非親受業子思，然其得子思之傳則無疑，合《中庸》、《孟子》兩書讀之可見也。《荀子‧非十二子篇》以子思、孟子連舉而並攻之，謂案飾其辭而祇敬之曰：「此真先君子之言也，子思倡之，孟軻和之。」觀此可知孟子之學所出也）。

　　以為人所以能宏道者，由其有良知良能，故言性善。此善性當務自得而有諸己，故言存養。此善性當博極其量，故言擴充。其教人在先立乎其大者，則其小者不能奪。故與曾子一派，專務致謹於容貌辭氣顏色之間者有異；與子夏一派，專講進退應對之節、傳章句之文者亦有異。其示人入道之途有二：曰狂，曰狷。狂者進取，故勇於自任，以聖人為必可學，以天下事為必可為；狷者有所不為，故尚名節，峻崖岸，不屑不潔，終未嘗枉道以徇乎人也。時商鞅方以法術功利之說致秦於富強（商鞅入秦時，孟子約十一、二歲。商鞅見殺時，孟子約三十四、五歲），而蘇秦、張儀、公孫衍之流，復以縱橫游說人主，勢焱傾天下（蘇秦合縱時，孟子約四十歲。孟子游梁時，公孫衍、張儀皆先後相梁），而諸國數交戰無寧歲（齊梁桂陵之戰，孟子約二十歲。齊梁馬陵之戰，秦梁岸門之戰，孟子約三十二、三歲。梁楚襄陵之戰，孟子約五十歲。六國合兵擯秦至函谷，孟子約五十五歲。齊滅燕，燕畔齊，孟子約六十歲。秦楚丹陽之戰，孟子約六十一歲。楚滅越時，孟子約四十歲。❶趙滅中山時，孟子約八十歲），孟子深嫉之。故其論政也，以懷利為大禁，以保民為要義。而非攻寢兵之說，尤三致意焉。指善戰陣工聚斂者為民賊，斥縱人橫人為妾婦之道。然其理想之政治固在統一，特謂欲求統一，當以仁政而不以戰耳。

　　欲行其道，乃見諸侯，年逾五十始游梁。時梁惠王數敗於軍旅，卑禮厚幣以招賢者，孟子因至焉。以仁義語惠王，不能用也。居三歲，惠王卒，襄王立，孟子去梁。時齊宣王新即位，招致賢士於稷下，孟子往焉。由梁返鄒，由鄒之任，之平

---

❶　「四十」，疑為「七十」之誤。

陸，乃入齊（約五十四、五歲），仕齊為客卿。中間以母喪，歸葬於魯（約五十六、七歲）。既終喪，魯侯欲禮而用之，以沮不果。復至齊。既而齊伐燕，取之。孟子勸宣王存燕，不聽，燕人果畔，宣王慚焉。孟子致為臣而去，年已六十矣。

　　孟子陳義既高，不為時主所悅，又以道自重，不肯下人，故難進易退。所至之國，未嘗有所終三年淹。既去齊，返鄒，過宋，滕文公為世子，就見焉。文公嗣立（其年不可考），孟子游滕，為制井田。然滕壤地褊小，終不能大有為，孟子亦遂歸老於鄒。與其弟子萬章之徒序詩書、述仲尼之意，作《孟子》七篇（此據《史記》本傳文也。趙岐《孟子題詞》則以七篇為孟子所自著。今考其書，於時君皆舉其諡，其中梁惠王、齊宣王固先孟子卒，若魯平公、鄒穆公、梁襄王、滕文公之類，未必皆先孟子卒。疑此書由孟子發凡起例，而弟子寫定之，《史記》之言當矣。書中諸弟子，惟萬章、公孫丑二人不稱子，或即由二子寫定耶）。其弟子之著者，曰萬章、曰公孫丑、曰樂正子（名充）、曰公都子、曰屋廬子（名連）、曰徐辟、曰陳臻、曰充虞、曰陳代、曰彭更、曰咸邱蒙、曰桃應。

　　並時學者相與上下議論者，曰告子（失其名，其人能先孟子不動心，言性又多合於孔子，蓋儒家一大師也），曰宋牼（《荀子・非十二子篇》以墨翟、宋鈃並舉，《莊子・天下篇》以宋鈃、尹文並舉，鈃即牼也，蓋當時墨學大師，孟子稱以先生，亦甚敬之矣），曰淳于髡（髡，《史記》以入〈滑稽傳〉。然〈孟子荀卿傳〉亦載其名，蓋齊稷下先生之有名者，其與孟子論名實，殆亦通名家言也），曰許行（許行不見它書，觀本書述其言論，蓋農家者流之祖，淵源出於墨家，亦當時一大家也），曰白圭（《史記・貨殖列傳》稱白圭樂觀時變，蓋最古之生計學家。其與孟子言治水，亦一工學家矣）。其宗旨行誼，為書中所稱述者，曰墨翟，曰楊朱（楊朱為道家別派，除本書外，惟《列子》徵引其學說特詳），曰公明儀（公明儀，〈祭義〉鄭《注》謂為曾子弟子，〈檀弓〉孔《疏》謂為子張弟子），曰公明高（公明高疑即公羊高），曰陳仲子（《荀子・非十二子篇》以陳仲、史鰌並舉，蓋亦自成一學派者），曰子莫（子莫不見它書，本書稱其執楊、墨之中，當是一大師），曰陳良（陳良不見他書，據本書知為南方一大儒）。其時楊朱、墨翟之言盈天下，孟子辭而闢之，世人多疑為好辯，孟子自謂不得已也。

　　孟子卒於周赧王中葉，年蓋八十以上焉（萬斯同引《孟氏世譜》，謂孟子卒於

赧王二十六年壬申，年八十四。雖他無確據，然孟子必甚老壽無疑。書中有齊楚伐宋語，事在赧王二十八年，則孟子之卒，或更在後也）。

其書，《史記》作七篇，與今本正同。《漢書·藝文志》作十一篇，蓋所傳更有外書四篇云（趙岐《題辭》云：「七篇，二百六十一章，三萬四千六百八十五字。又有外書四篇，其文不能宏深，似非孟子本真也。」）漢孝文時，與《論語》、《孝經》、《爾雅》同置博士，未幾俱罷（見趙岐《題辭》）。而後漢程曾、鄭玄、趙岐、高誘、劉熙皆為之章句。今岐書獨傳（程曾作《孟子章句》，見《後漢書·儒林傳》。曾，章帝時人，蓋注《孟子》之最先者。高誘正《孟子章句》，見誘所為《呂氏春秋注·序》。鄭玄、劉熙注，皆見《隋書·經籍志》）。

孟子之教育主義

性善論

性，孔子蓋罕言焉。故子貢曰：「夫子之言性與天道，不可得而聞也。」《論語》記孔子言性者惟一章，則曰：「性相近也，習相遠也。」僅言相近，於其善否不著辭焉（《易·象傳》云：「乾道變化，各正性命。」《易·繫辭傳》云：「成性存之，道義之門。」皆孔子之言也，亦未嘗言善否。〈繫辭傳〉又云：「一陰一陽之謂道，繼之者善也，成之者性也。」則以善與性對舉，而性為後起）。

蓋謂道德在實踐，不必多為玄遠之談也。而受其學者，必欲進而研求道德之本質與其動機，此亦人類向上心所必至，而學者所當有事矣。於是，子思作《中庸》，始以道之大原推本於天性，故曰：「天命之謂性，率性之謂道，修道之謂教。」又曰：「惟天下至誠，為能盡其性；能盡其性，則能盡人之性；能盡人之性，則能盡物之性。」雖未顯言其善，而善意寓焉矣。

孟子之學，出於子思，其特標性善為進德關鍵，則《中庸》之教也。

> 孟子道性善，言必稱堯舜。（〈滕文公〉上）

此孟子一生論學大宗旨，特於此揭明之。其「言必稱堯、舜」者，孟子謂「人皆可

以為堯、舜」（〈告子〉下），又言「堯、舜與人同耳」（〈離婁〉下），蓋以堯、舜為最高人格之標準，必稱堯、舜，正所以申性善之義也。

> 君子所性，仁義禮智根於心。（〈盡心〉上）

> 人之所不學而能者，其良能也；所不慮而知者，其良知也。孩提之童，無不知愛其親也；及其長也，無不知敬其兄也。親親，仁也；敬長，義也。（〈盡心〉上）

> 惻隱之心，人皆有之；羞惡之心，人皆有之；恭敬之心，人皆有之；是非之心，人皆有之。惻隱之心，仁也；羞惡之心，義也；恭敬之心，禮也；是非之心，智也。仁義禮智，非由外鑠我也，我固有之也。（〈告子〉上）

> 惻隱之心，仁之端也；羞惡之心，義之端也；辭讓之心，禮之端也；是非之心，智之端也。人之有是四端也，猶其有是四體也。有是四端而自謂不能者，自賊者也。（〈公孫丑〉上）

> 所以謂之皆有不忍人之心者，今人乍見孺子將入於井，皆有怵惕惻隱之心。非所以內交於孺子之父母也，非所以要譽於鄉黨朋友也，非惡其聲而然也。（〈公孫丑〉上）

> 蓋上世嘗有不葬其親者，其親死，則舉而委之於壑。他日過之，狐狸食之，蠅蚋姑嘬之。其顙有泚，睨而不視。其泚也，非為人泚，中心達於面目，蓋歸反虆梩而掩之。掩之誠是也。（〈滕文公〉上）

讀此可知孟子所謂善者，仁義禮智也。所謂性者，生而固有，非由外鑠。所謂不慮而知之良知，不學而能之良能是也。乍見入井而怵惕，過視委壑而顙泚，此二節皆舉常情之必然者以立證。「非所以納交」云云，「非為人泚」云云，即「非由外

鑠，我固有之」之注腳也，亦即「不學而知、不慮而能」之注腳也。

> 《詩》曰：「天生烝民，有物有則。民之秉夷，好是懿德。」孔子曰：「為
> 此詩者，其知道乎！故有物必有則，民之秉夷也，故好是懿德。」（〈告
> 子〉上）

此引《詩》而證明人之善性受之自天，即《中庸》「天命之謂性」之義也，故又云
「此天之所以與我者」（〈告子〉下）。前文言我固有而非外鑠，其言尚似局於我
之一身，此更推原人性共同之所自出，以完其說也。

> 故凡同類者，舉相似也。何獨至於人而疑之？聖人與我同類者。（中略）故
> 曰：口之於味也，有同耆焉；耳之於聲也，有同聽焉；目之於色也，有同美
> 焉。至於心，獨無所同然乎？心之所同然者，何也？謂理也，義也。聖人先
> 得我心之所同然耳。（〈告子〉上）

此極力發明人類有共通性。性既非吾一人所獨，而為全人類之所共，則人類所具之
德，吾固當具之；人類所能之事，吾固當能之。人類中既產聖賢，則人類之本質能
產聖賢甚明。吾既為人類之一，則吾亦能為聖賢甚明。此立言之本意也。

> 萬物皆備於我矣。反身而誠，樂莫大焉。（〈盡心〉上）

此性善之圓滿義，亦即《孟子》全書最精到之語也。昔佛初起於菩提樹下，穆然四
顧曰：「異哉，一切眾生皆有佛性。」既而又曰：「天上地下，唯我獨尊。」此兩
語者，驟視若不相容，不知佛性即我也。一切眾生，皆從佛性中流出，還歸於佛
性，所謂「萬物皆備於我」也。惟其如是，故唯我獨尊也，我即佛性，佛性即我之
義。佛教經論中言之綦詳，今不具引。

至孟子「萬物備我」之義，所謂「我」者，必非指此七尺之恆幹甚明，此恆幹
至龐陋至浢灖，何以能容萬物，備我者亦備於我心而已。我心非他，即人類同然之

心也，即天之所以與我之心也，亦即佛典所云眾生之心也。是故雖我也，而與物同體，與天同體也。然則不云「我備於萬物」，不云「萬物備於天」，而必云「萬物備於我」者，何也？宇宙萬有之現象，皆由我識想分別而得名，苟無我，則天與萬物且不成安立也。昔法人笛卡兒，以懷疑哲學聞，其言謂一切萬有之存否，皆不能無疑，惟必有我存，斯無可疑。何也？若疑我不存，則能疑之主體既先亡矣。若萬物則皆我心體中所函之象，而我之心體，則超乎此七尺恆幹之上（此恆幹亦萬物之一也），與萬物為一體，與天為一體，因其為我意識所體認，則名之曰「我」，故曰「萬物皆備於我」也。我意識能體認真我，則萬物立備矣，故曰：「反身而誠，樂莫大焉。」《中庸》曰「惟天下至誠，為能盡其性；能盡其性，則能盡人之性」，何以故？以吾性即人性故，所謂「心之所同然」也。又曰「能盡其性，則能盡物之性」，何以故？以人性外無物性故（一切眾生皆有佛性，即此義），所謂「萬物皆備於我」也。此實千聖真傳，同條共貫之第一義，孟子直揭以示人，群儒之所莫能及也。

> 公都子曰：「告子曰：『性無善無不善也。』或曰：『性可以為善，可以為不善。是故文、武興，則民好善；幽、厲興，則民好暴。』或曰：『有性善，有性不善。是故以堯為君而有象，以瞽瞍為父而有舜。』今曰性善，然則彼皆非與？」孟子曰：「乃若其情，則可以為善矣，乃所謂善也。若夫為不善，非才之罪也。」（〈告子〉上）

　　今古論性，幾成聚訟，綜其要旨，可得五家：孟子言性善，其一也；荀子言性惡，其二也（《荀子‧性惡篇》云：「人之性惡也，其善者，偽也。」楊注云：「偽，人為也。」）；告子言性無善無不善，其三也（公都子所舉三說，其第二說，性可以為善，可以為不善，實與第一說告子之指同。蓋性既無善無不善，自然可以為善可以為不善也）；世子等言性有善有不善，其四也（世子名碩，周人，蓋與孟子相先後，其說見《論衡‧本性篇》。彼文又言宓子賤漆雕開公孫尼子之徒，論性略與世子同也。又漢揚雄言性善惡混，即本世子說）；此文公都子所引或人言有性善有性不善，其五也（有性善有性不善，與性有善有不善異。彼言凡人之性，

皆含有善不善兩質。此言某甲之性善、某乙之性不善也。王充《論衡》所主張及唐韓愈之性有三品，皆此第五說也）。

　　此五說者若甚相反，以吾觀之，皆是也（惟後兩說稍涉粗淺）。欲明此義，仍不得不旁證諸佛典。《大乘起信論》云：「摩訶衍者（譯言大乘），有二種，一法、二義。法者，謂眾生心，是心則攝一切世間出世間法，依於此心，顯示摩訶衍義。何以故，是心真如相，即示摩訶衍體故。是心生滅因緣相，能示摩訶衍自體相用故。」又云：「依一心法有二種門，一者心真如門，二者心生滅門。是二種門皆各總攝一切法，此義云何，以是二門不相離故。」以彼義相印證，則告子所謂無善無不善者，蓋指此眾生心，即所謂一心法也。此一心法超絕對待，不能加以善不善之名。孔子所謂性即指此，故只能概括其辭，曰性相近也。

　　然依此一心法能開二種門，故可以為善可以為不善也，孔子則言習相遠也（《楞伽經》、《大乘起信論》皆極言熏習義）。孟子言性善者，指真如相，即一心法下所開之心真如門也。荀子所謂性惡者，指生滅因緣相，即一心法下所開之心生滅門也（小注：《起信論》又云：「以不違一法界故，心不相應，忽然念起，名為無明。」又云：「世間一切境界，皆依眾生無明妄心而得住持。」此無明為生滅相所依。荀子所謂性惡指此）。

　　兩俱得謂之性者，以是二門各總攝一切法，是二門不相離故。不寧惟是，生滅門所顯示之體相用，千狀萬態，故謂性有善有不善可也，謂有性善有性不善亦可也（有性善有性不善之說，最粗淺不完。信如所言，則此性不善之人與聖賢非同類矣，與孔子說相戾。此性不善之人必無佛性矣，與佛說相戾）。譬猶數人閉眸捫象，各道象形，謂所道為象全體固不可，謂所道為非象體亦不可。各明一義，俱有所當，所謂萬物並育而不相害，道並行而不相悖也。

　　若必欲品第其優劣，則告子所說，與孔子合，義最圓融（無善不善指性之體，可以為善不善，指性之用）。孟子指真如為性，所以勸向上，其義精。荀子指無明為性，所以警墮落，其義切。然而當有辨者，告子所云無善無不善，以釋心體，誠甚當矣。然告子所下性字之定義，則曰「生之謂性」，又曰「食色，性也」，是其陳義已全落生滅門。既落生滅門，則有對待，而無善無不善之說不能成立矣，故為孟子所難而幾無以自完也。

　　然其言仁內義外，則固優於孟子。孟子以仁義禮智為善，以人性具此四端，故謂之性善。使孟子專言仁或專言仁智，則其說應顛撲不破（孔子專言仁，有時以仁智對舉。其以仁義兩者對舉，又以仁義禮智四者並舉，則自孟子也）。

　　蓋孟子所謂性，指真如相。真如渾然，物我同體，仁之德具焉；真如有本覺，智之德具焉。此二者誠無始以秉即固有之，謂為天之所以與我者可也。若義與禮，則是生滅因緣相中分別比較所立之名，若以之與仁智並列，而謂皆與有生俱來，則其說決不能自完。

　　孟子屢言惻隱、羞惡、辭讓、是非之心，人皆有之，而其所舉顯證，惟惻隱一端耳。以下三端，皆未舉證，恐欲舉亦正不易也。

　　以吾論之，惻隱之心，為人所固有，此無待言。次則是非之心亦然。一事物當前，吾人對之自有一番審量判斷，或以為是，或以為非，此盡人所同也。然其所是非者，為合於禮義，抑不合於禮義，則甚難言。此非獨因吾人之智識有高下也，蓋禮義之本質，先自不定，常隨時隨地而有異同。例如婦人夫死改醮，在泰西為常事，中國則謂之不義矣。男子置妾，在中國為常事，泰西則謂之不義矣。東方之復仇，西方之決鬥，在古代皆謂之義，今若有之，則觸刑網矣。此義之無定也。例如褐襲之衣，古之為大禮盛服（今泰西猶然）。今若袒胸而赴宴會，必共詫為非禮矣。西人相見，抱腰接吻，行於廣眾之中，我國有此，必大詫為非禮矣。野蠻部落之祭禮，有例須以其長子為犧牲者，自文明人觀之，其殘忍殆不可思議，然彼固以為不如此則非禮矣。此禮之無定矣。

　　夫其本質先自無定，烏從於人性中求之，且既指各人分形受氣者以為性，則已是生滅門中之事，其不能有善而無惡，甚章章矣。此所以不免為後人所議也（司馬溫公《性辯》云：「孟子以為仁義禮智皆出乎性，不知暴慢貪惑亦出乎性也。」王荊公《原性》云：「孟子以惻隱之心人皆有之，因謂人性無不仁。如其說也，必也怨毒忿戾之心人皆無之，然後可以言人之性無不善，而人果無之乎？」此皆駁孟說之最有力者）。

　　荀子性惡說，自宋以後，大為世儒詬病，其「真善者偽」一語，尤所集矢。實則「偽」字以「人為」為本訓，謂進善須用人力耳。即玉不琢不成器之義，曷嘗悖理？眾生心中之無明生滅相，本自無始以來即有之，指之為性，未嘗不可。況緟

孟、荀告諸子論性之言，皆就各人賦形受氣後立論，則性惡之說，毋寧較近真。孟子固言「逸居而無教，則近於禽獸矣」（〈滕文公〉上），非謂其中有惡耶？惟荀子特標性惡為義，則一似性中絕無善質，此其偏而不圓，乃更甚於孟子。

荀子言善由人為，苟本惡則何以加以人力即能為善耶？要之若言性之體，則無善無惡；若言性之相，則有善有惡；若為性之用，則可以為善可以為惡。此孔、佛一致之說，孟、荀則各明一義，不必相非也。

宋儒必欲揚孟抑荀，而說有所不得圓，則謂有義理之性，有氣質之性。義理之性純善，氣質之性善惡雜。其本旨雖在申孟，然終不能屈荀，且已全降服於告子之說矣。其實則全採佛典教義，特避其名耳。

中國名學不發達，最為學術進步之障。如孟子所謂性，荀子所謂性，告子所謂性，乃至宋儒所謂性，其實並非同物（或雖同物而其外延內苞之量不同）。若能各賦以一名，各人於其所研究之對象，下一定義而立一範圍，則爭辯或遂息，或所辯更深入而精到。今同用性之一名，而所指不同，故雖辯而末由折衷也。

又如孟子既言性，又言情（「乃若其情則可又言以為善矣」；又，「是豈人之情也哉」），又言才（「若夫為不善，非才之罪也」；又，「非天之降才爾殊也」），又言心（「至於心獨無所同然乎」；又「此之謂失其本心」），又言命（「性也，有命焉，君子不謂性也，命也；有性焉，君子不謂命也」），又言氣（「平旦之氣」、「浩然之氣」）。所謂情、才、心、命、氣等，其與性是一是二，界說殊不明瞭，皆由不講名學，故壁壘不精嚴。中國一切學術，皆受此病，所以遠遜印度，而近不競於泰西也。

孟、荀言性，皆所以樹教育主義之根柢。孟言性善，故其教法在發揮本能；荀言性惡，故其教化在變化氣質。二者各有所長，而孟子尤能先立乎其大矣。

※　　　　　※　　　　　※

孟子發揮本能之教，其次序亦有可尋者，第一立志，第二操存，第三長養，第四擴充也。

孟子既昌言性善，然世間惡人甚多，確為不可掩之事實，故學者疑焉。孟子則以為此惡者非性也，乃習也。〈牛山〉一章（〈告子〉上）最暢斯旨：濯濯未嘗有

才，非山之性，斧斤牛羊使然耳。違禽獸不遠，非人之性，且畫桔亡使然耳。斧斤牛羊，且畫桔亡，皆後起者，外鑠者，其非性明甚。然伐之旦旦，桔之反覆，則所以習之者深矣，習深則幾成第二之性，不察者即指此為性焉。然觀雨露所潤，非無萌蘖，平旦夜氣，好惡近人，則雖習於惡，而本性之善，終未嘗息。孟子蓋謂惟此為性，其習焉而幾成第二性者，實非性也（荀子言性惡，則以為善者非性也，乃習也。故其言曰：「化師法積禮義者為君子，縱性情安恣睢者為小人。」〔〈性惡篇〉〕曰「縱」曰「安」，是率其本性也；曰「化」曰「積」，則習而成第二之性也）。

環境影響於人生者至大。牛山何以濯濯，以其郊於大國，受環境之害也。孟子又曰：「富歲子弟多賴（阮氏元云：賴猶懶也），凶歲子弟多暴，非天之降才爾殊也，其所以陷溺其心者然也。」（〈告子〉上）此就時間之環境言也。空間之環境則亦然，熱帶及腴壤之民多賴（《史記‧貨殖傳》云：楚越之地，地勢饒，食無饑饉之患，以故皆窳偷生無積聚而多貧。今世熱帶之國民，無一能富強者），寒帶及瘠土之民多暴（生計太蹙，非為暴烈之競爭，則不能自存，故寒帶及磽薄之山谷，常有食人族；喪亂之世，圍城之中，往往易子而食，折骸而爨，亦同此理），皆環境之影響使然也。

孟子舉此證，意謂前後本此一人，何以過富歲則懶，遇凶歲則暴，以明懶暴生於環境，於本性無與也。然吾以為以此為性善之證，不如以此為性可以為善、可以為不善之證也。因環境而生習，因習復造環境，富歲凶歲，本一時偶起之現象，然既因富歲而產多懶之子弟，懶既成習，則歲不富而亦懶矣。既因凶歲而產多暴之子弟，暴既成習，則歲不凶而亦暴矣。懶者既多，則不懶者亦習而懶；暴者既多，則不暴者亦習而暴。於是，懶暴由個人而及於社會，如病之有傳染也。懶者之子孫恆懶，暴者之子孫恆暴。於是，懶暴由今日而及於將來，如病之有遺傳也。夫天下無完全之環境，甲種環境，能生甲種惡習；反之，乙種環境，復生乙種惡習。人人各有其惡習，惡習既成，則其與性相去幾何，故荀子逕指為性惡也。

性雖善而可以習於不善，如何而始能免於不善？曰惟修養。性雖惡而可以習於善，如何而能進於善？曰惟修養。故孟、荀言性雖相反，而其歸本於修養一也。《易傳》曰：「天下同歸而殊途，一致而百慮」，《中庸》曰：「萬物並育而不相害，道並行而不相悖」，此之謂也。

　　孟、荀之注重修養也同，其修養下手之方法則不同也。以比佛法，荀子則小乘法也，漸教也；孟子則大乘法也，頓教也。《孟子》全書教人修養者千言萬語，可以兩言蔽之，曰：「先立乎其大者，則其小者不能奪也。」（〈告子〉上）故真能率孟子之教者，大徹大悟，一了百了。本無次第之可言，惟如何然後能立乎其大，則孟子提挈三義焉：曰立志，曰存養，曰擴充。

　　「王子墊問曰：『士何事？』孟子曰：『尚志。』」（〈盡心〉上）尚志者，謂高尚其志也。人類之能進步，以其有向上心，不以現狀自滿足，而常求加進，此其所以異於禽獸也。志一立則肌膚筋骸皆挺舉，而神明自發皇。而不然者，則奄奄若陳死人，更復者何事，直一齊放倒耳。故孟子首以此教學者也。

　　孟子曰：「羿之教人射，必志於彀，學者亦必志於彀。」（〈告子〉上）彀之為用有二：一曰求中程，二曰求到達。學者立志亦然，當懸一鵠以為衡，而求其必至。然則其鵠維何，孟子之教，則志為聖人而已。其言曰：「聖人與我同類者。」（〈告子〉上）又曰：「堯、舜與人同耳。」（〈離婁〉下）又曰：「人皆可以為堯、舜。」（〈告子〉下）又引成覸謂齊景公曰：「彼，丈夫也；我，丈夫也，吾何畏彼哉？」引顏淵曰：「舜，何人也？予，何人也？有為者亦若是。」引公明儀曰：「文王，我師也，周公豈欺我哉？」（〈滕文公〉上）又曰：「舜，人也；我，亦人也。舜為法於天下，可傳於後世，我猶未免為鄉人也，是則可憂也。」（〈離婁〉下）人莫患乎甘伍於流俗，以多自證，以同自慰，如是必逐漸墮落，日沉埋於卑濁凡下而不能自拔。縱稍有寸獲，亦必沾沾自憙，驕溢而不能復進矣，所謂器小易盈也。孟子教學者刻刻以堯、舜、文王自比較，更無絲毫躲閃之餘地，亦永無躊躇滿足之一日，此師子頻呻龍象蹴踏氣象也。

　　立志之法，莫妙於懸一所崇拜之古人以為模範。如該撒常自比亞歷山大，拿破崙常自比該撒，揚雄常自比司馬相如，蘇軾常自比白居易。皆刻意模範，而所成就亦略相等，或且過之。事功文章之末且有然，況於學道乎。孟子所自懸以為彀者，則孔子也。故曰：「乃所願則學孔子也。」（〈公孫丑〉上）又曰：「由孔子而來至於今，百有餘歲。去聖人之世，若此其未遠也；近聖人之居，若此其甚也。」（〈盡心〉下）此孟子自言其志也。

　　語以向上，則謙讓未遑，此之謂志行薄弱，而墮落之徵兆也。孟子訶之曰：

「自暴者，不可與有言也。自棄者，不可與有為也。言非禮義，謂之自暴也；吾身不能居仁由義，謂之自棄也。」（〈離婁〉上）又曰：「有是四端而自謂不能者，自賊者也。」（〈公孫丑〉上）又曰：「是不為也，非不能也。」（〈梁惠王〉上）皆大聲疾呼，喚起吾人之自覺心，使自知吾身力量之偉大，未有志焉而不能至者，要在學者毅然發心直下承當而已。

「聞伯夷之風者，頑夫廉，懦夫有立志；聞柳下惠之風者，鄙夫寬，薄夫敦。奮乎百世之上，百世之下聞者莫不興起也。」（〈盡心〉下）此孟子教人以模範古人之法。「待文王而後興者，凡民也。若夫豪傑之士，雖無文王猶興。」（〈盡心〉上）此孟子教人以不依傍古人之法，要之皆立志之助也。

荀子之教尊他力，故言假物（〈勸學篇〉云：「假輿馬者，非利足也，而致千里；假舟楫者，非能水也，而絕江河。君子生非異也，善假於物也。」）重得師（〈修身篇〉云：「莫要得師。」又云：「師云而云，則是知若師也。」又云：「不是師法而好自用，譬之猶以盲辨色，以聾辨聲，捨亂妄無為也。」）此與其性惡之旨相一貫。蓋性既惡，則非藉他力不能以矯正也。孟子言性善，故尊自力，其言曰「萬物皆備於我」（〈盡心〉下）；曰「反求諸己而已矣」（〈公孫丑〉上）；曰「行有不得者，皆反求諸己」（〈離婁〉上）。孟子常教人學聖人，然又曰「聖人先得我心之所同然耳」（〈告子〉上），是自師吾心，即所以師聖人也。故曰：「夫道若大路然，豈難知哉？人病不求耳。子歸而求之，有餘師。」（〈告子〉下）

孟子曰：「君子深造之以道，欲其自得之也。自得之，則居之安；居之安，則資之深；資之深，則取諸左右逢其源。」（〈離婁〉下）自得者，純恃自力之謂，聖賢師友，能示我以為學之法，不能代我為學。能引我志於道，不能代我入道。故曰：「梓匠輪輿，能與人規矩，不能使人巧。」（〈盡心〉下）又曰：「君子引而不發，躍如也。中道而立，能者從之。」（〈盡心〉上）此孟子教育之方法也。泰西舊教育主義近荀子，其新教育主義近孟子。

孔子曰：「仁遠乎哉？我欲仁，斯仁至矣！」（《論語》）子思曰：「誠者自成也，而道自道也。」（《中庸》此皆自力之教也。佛法亦言自修自證。而不然者，雖有多聞，猶聞說食，已不能飽也。學問者，父子兄弟不能以相代者也；人格

者，父子兄弟不能以相易者也。

　　持自力之教者，必以凡人皆有自由意志為前提。有自由意志，然後善惡惟我自擇，然後善惡之責任始有所歸也（持定命之說者，則必謂人類無自由意志然後可。蓋一切皆有立乎人類之上者以宰制之，人類不過如一機器，受宰制者之指揮而動，不復能自由也。持極端性惡之論，其結果亦必至使人不能負善惡之責任。蓋吾性既本惡，則為惡乃生理上心理上當然之事，謂之有罪，毋乃冤乎）。故孟子於人之不以自力求向上者，訶之曰自暴，曰自棄，曰自賊（俱見前）。又曰：「人必自侮，然後人侮之；家必自毀，然後人毀之；國必自伐，然後人伐之。」又曰：「天作孽，猶可違；自作孽，不可活。」（〈離婁〉上）又曰：「禍福無不自己求之者。」（〈公孫丑〉上）蓋謂本可以自由為善，而甘於為不善，故責任無可逭也，其發明自我本位之義，至深切矣。

　　曰立志，曰自力，皆導人以嚮學而已。學之所當有事者究何如？孟子教人以第一義，則曰「存養」，所謂「存真心，養其性」是也（〈盡心〉上）。蓋性本善，能常存其善性使勿失，常養其善性使日長，斯人格具矣。孟子曰：「人之所以異於禽獸者幾希，庶民去之，君子存之。」（〈離婁〉下）所以異於禽獸者何？即人格其物也（《孟子》書中言禽獸凡五：本文，其一也；「逸居而無教則近於禽獸」〔〈滕文公〉上〕，其二也；「如此，則與禽獸奚擇哉？於禽獸又何難焉」〔〈離婁〉下〕，其三也；「則其違禽獸不遠矣。人見其禽獸也，而以為未嘗有才焉」〔〈告子〉上〕，其四也；「無父無君，是禽獸也」〔〈滕文公〉下〕，其五也）。孟子於〈牛山〉之章更詳說之曰：「人所以放其良心者，猶斧斤之於木也，旦旦而伐之，可以為美乎？其日夜之所息，平旦之氣，其好惡與人相近也者幾希，則其旦晝之所為，有梏亡之矣。梏之反覆，則其夜氣不足以存。夜氣不足以存，則其違禽獸不遠矣。」（〈告子〉上）此其義最精微，亦最簡易。言其精微，則平旦夜氣，通於神明，學者可以此為修養之根焉；言其簡易，則學者試思人之所以異於禽獸者為何為何，就此體認之而保存之，斯已足矣。孟子之教，則凡以喚起人類之自覺心而已（董仲舒言「人當自知貴於萬物」，亦即此義）。

　　人類之生，合神明、軀幹兩部分而成。軀幹者，人與禽獸所同有也，飢而思食，勞而思息，寒暑趨避，牝牡交感，凡生理衝動之作用，人無一焉能異於禽獸者

也。乃至群處而嬉樂，失侶而慘愁，觸逆而忼怒，遇害而凶懼，凡心理感受之作用，人亦無以大異於禽獸者也。人之所以異於禽獸者，惟此神明，能審量焉，別擇焉，能比推焉，擴充焉，此禽獸所決不能也。然神明寓於軀幹之中，常受軀幹之牽縛，牽縛深而神明之作用殆息。此作用息，則幾與禽獸無擇矣，何也？禽獸惟有生理之衝動與心理之受感，全不能以自身意志為選擇發動，如曰，吾當如是，吾當不如是；吾欲如是，吾欲不如是；吾必如是，吾必不如是，此皆非禽獸所能也，而人能之，故異於禽獸也。質言之，則人類有自由意志，而禽獸無之也。今為軀幹所束縛而失其意志之自由，為其所不當為，欲其所不當欲。（〈盡心〉上云：「無為其所不為，無欲其所不欲，如此而已矣。」）神明不復自主，而成為軀幹之奴隸（孟子「梏亡」二字極精，謂受桎梏而亡也），則試問與禽獸果復何擇者？故孟子曰「人見其禽獸也」，又曰「於禽獸又何難焉」。蓋此人格一喪，則非惟近於禽獸，真是禽獸耳。此孟子一針見血之言也。

然此神明者，雖為軀幹所牽縛，而究未嘗泯滅也。故孟子字之曰「失」（「此之謂失其本心」；又，「捨則失之」），曰「喪」（「賢者能勿喪耳」），曰「放」（「其所以放其良心者」；又，「有放心而不知求」），曰「亡」（「有梏亡之矣」），皆一時迷失之謂。曰「害」（「無以小害大，無以賤害貴」；又，「以直養而無害」），曰「梏」（「有梏亡之矣」，「梏之反覆」），曰「陷溺」（「其所以陷溺其心者然也」），皆一時失其自由之謂。此如一家主人，或外出，或以故不能治事，則奴隸猖披焉，然主人資格自在，一旦赫然復守其舍，則軀幹遂不得不戢戢聽命矣。故孟子惟標舉一「存」字：「人之所以異於禽獸者，君子存之」；「君子所以異於人者，亦以其存心而已」（〈離婁〉下）。《孟子》全書言「存」者如下：「存其心，養其性，所以事天也」（〈盡心〉上）；「人之所以異於禽獸者幾希，君子存之」（〈離婁〉下）；「君子所以異於人者，以其存心也。君子以仁存心，以禮存心」（〈離婁〉下）；「雖存乎人者，豈無仁義之心哉？」「梏之反覆，則其夜氣不足以存」（〈告子〉上）；「『操則存，捨則亡；出入無時，無知其鄉』，其心之謂與」❷（〈告子〉上）。

---

❷ 「其心」，應為「惟心」。本書引文，除涉及文意者，一般不改、不注。

「大人者，不失其赤子之心也」（〈離婁〉下）；「非獨賢者有是心也，人皆有之，賢者能勿喪耳」（〈告子〉上）。不失也，勿喪也，即存也。「學問之道無他，求其放心而已」（〈告子〉上）；「求則得之，捨則失之，是求有益於得者也，求在我者也」（〈盡心〉上）。求也者，取已失、已喪、已放、已亡者而復之也。

「能存則自得之矣，自得之則資之深，居之安」（〈離婁〉下）。「能存則有諸己矣，有諸己之謂信」（〈盡心〉下）。千言萬語，歸於自覺而已。宋儒者使人日在其側而問者，曰：主人翁常惺惺否？所以自覺也。明儒有問求放心者，答以汝心現在，亦促其自覺也。禪宗一棒一喝，皆使之反諸己而自覺也。此等法門，濫用之則流於玩弄光景，善用之則入道之坦途也。

孟子以「存」「養」並舉（〈盡心〉上）。蓋存與養相屬，不養則不能久存也。人一日不兩食則飢餓，豈惟口腹有飢餓，智識亦有飢餓，道德亦有飢餓。一日廢學問，而智識之飢餓立見矣；一日廢修養，而道德之飢餓立見矣。孟子曰：「苟得其養，無物不長；苟失其養，無物不消」（〈告子〉上），又曰：「豈惟口腹有飢渴之害，人心亦皆有害」（〈盡心〉上）。

孟子曰：「拱把之桐梓，人苟欲生之，皆知所以養之者。至於身（身指我之全體，非專指軀幹也），而不知所以養之者，豈愛身不若桐梓哉？弗思甚也。」（〈告子〉上）夫養者，自養也，人亦孰不知自養，然要當視其所養者為何。孟子曰：「所以考其善不善者，豈有他哉？於己取之而已矣。體有貴賤，有小大。無以小害大，無以賤害貴。養其小者為小人，養其大者為大人。……養其一指，而失其肩背而不知也，則為狼疾人也。……為其養小失大也。」（〈告子〉上）所提小體大體之義至切明矣，以一指比肩背，則一指小而肩背大；以軀幹比神明，則軀幹小而神明大。夫軀幹與神明，宜並養者也，然兩者時有衝突焉。孟子並非責人以勿養小體，而謂必以不養小失大為範圍，故曰：「以直養而無害」（〈公孫丑〉上）。無害云者，即無以小害大、無以賤害貴也。遇神明與軀幹利害相衝突時，必毋或徇軀幹之欲而墮其神明，君子與庶民之異在此也，人與禽獸之異即亦在此也。

所謂神明與軀幹利害之衝突何如？孟子曰：「生，亦我所欲也；義，亦我所欲也。二者不可得兼，捨生而取義者也。生亦我所欲，所欲有甚於生者，故不為苟得

也。死亦我所惡，所惡有甚於死者，故患有所不避也。如使人之所欲莫甚於生，則凡可以得生者，何不用也？使人之所惡莫甚於死者，則凡可以避患者，何不為也？」（〈告子〉上）所謂「二者不可得兼」，即神明與軀幹利害相衝突之時也，其衝突之甚，乃至神明與軀幹不能並存。此等境遇，本非人世間所常有，吾儕或終身不一遇焉，萬一遇之，則勢必須捨其一乃能取其一，孰取孰捨，即人禽所攸分也。禽獸所欲無更甚於生，所惡無更甚於死。人決不然，然捨彼而取此則為人，捨此而取彼，遂禽獸矣。孰捨孰取，視平日所養何如耳，此養大體、養小體之義也。

神明與軀幹不能並存，非事所恆有也。神明與軀幹之苦樂，因衝突而互為消長，此則吾儕日日遇之，刻刻遇之。常人徇其軀幹之樂，而不恤其神明之苦者，比比然也，〈魚我所欲〉章下半（〈告子〉上），專明此義。行路乞人，寧死不屑受呼蹴之食，此證明性善之旨，以見小體、大體之辨，本非甚難也。萬鍾受否，無關生死，取捨權衡，宜若甚易，而反不爾者，乃在區區宮室之美，妻妾之奉，所識窮乏者得我而已。此以見軀幹易為神明之累，以小害大，以賤害貴，盈天下之人，其日日所蹈者率皆如是，而不自知其已達禽獸不遠也。孟子一則曰「於我何加焉」，再則曰「是亦不可以已爭」。此一喝，足使人三日耳聾矣。

大體小體之孰貴孰賤，本非難知，然人曷為皆貴其所賤而賤其所貴？學者當由何術以矯正之？孟子乃於公都子之問答暢明其義焉。「公都子曰：『鈞是人也，或為大人，或為小人，何也？』孟子曰：『從其小體為小人，從其大體為大人。』曰：『鈞是人也，或從其大體，或從其小體，何也？』曰：『耳目之官，不思而蔽於物，物交物，則引之而已矣。心之官則思，思則得之，不思則不得也。此天之所以與我者，先立乎其大者，則其小者不能奪也，此為大人而已矣。』」（〈告子〉上）此章特標物與我之辨，最足發人深省。「物交物」云云，上「物」字指耳目所接之物，佛說自六塵以至山河大地，常人所共指為物者此也；下「物」字即指耳目及軀幹之全部，佛說自六根以至六識，常人則不指此為物而指為我，不知此確為物而非我也。就其至淺者言之，如人之髮齒爪甲，當其麗於我身，共指為我也（楊朱為我，拔一毛而利天下不為，謂一毛為我之體也）。及其脫落，則麼麼一物而已，此軀幹之全部，與髮齒爪甲何異？

今世生理學大明，稍涉其樊者，共知吾全身筋骨血肉皆歷若干時一蛻變，全非

其故矣。然而猶執此為我而終不悟也，既認此物為我，則罄吾之智能以養之。凡人終日所營營者，舍養此耳目口體外更有何事。因養此耳目口體，於是乎有宮室之美、妻妾之奉，寢假而宮室妻妾，且成為我之一部，如是認賊作子，展轉相引以至無窮。孟子喝破之曰「是物交物而已」，曰「是於我何加焉」。明乎此義，然後知我前此所為營營齪齪者，皆為物役。自今以往，我當恢復我之自主權，我將對於一切物而宣告獨立，不復為之奴隸。我但一作此念，而一切物已戢戢聽命，無復能披猖矣。故曰「思則得之也」，故曰「先立乎其大者，則小者不能奪也」，此孟子之霹靂手段也。

　　飽乎仁義，令聞廣譽施於身，先立乎其大者也。不願膏粱，不願文繡，則其小者不能奪也（〈告子〉上〈欲貴者〉章）。在彼者皆我所不為，在我者皆古之道，先立乎其大者也。說大人則藐之，則其小者不能奪也（〈盡心〉下〈說大人〉章）。所欲有甚於生，所惡有甚於死，先立乎其大者也。故不為苟得，故患有所不避，則其小者不能奪也（〈告子〉上〈魚我所欲〉章）。窮不失義，達不離道，先立乎其大者也。人知之亦囂囂，人不知亦囂囂，則其小者不能奪也（〈盡心〉上〈謂宋句踐〉章）。居天下之廣居，立天下之正位，行天道之大道，先立乎其大者也。富貴不能淫，貧賤不能移，威武不能屈，則其小者不能奪也（〈滕文公〉下〈景春曰〉章）。仁義禮智根於心，見於面，盎於背，施於四體，先立乎其大者也。雖大行不加焉，雖窮居不損焉，則其小者不能奪也（〈盡心〉上〈廣土眾民〉章）。伊尹以斯道覺斯民，自任以天下之重，先立乎其大者也。祿之以天下弗顧，繫馬千駟弗視，則其小者不能奪也（〈萬章〉上〈伊尹以割烹要湯〉章）。柳下惠進不隱賢必以其道，先立乎其大者也。袒裼裸裎焉能浼我，則其小者不能奪也（〈萬章〉下〈伯夷目不視惡色〉章）。孔子出於其類，拔乎其萃，由百世之後等百世之王莫之能違，先立乎其大者也。可以仕而仕，可以止而止，可以久而久，可以速而速，則其小者不能奪也（〈公孫丑〉上〈不動心〉章）。孟子善養浩然之氣，先立乎其大者也。四十不動心，則其小者不能奪也（同上）。「孔子登東山而小魯，登泰山而小天下。故觀於海者難為水，游於聖人之門者難為言」（〈盡心〉上）。獨立泰華之巔，豈屑與培塿競高？揚帆渤澥之表，寧復與潢污較廣？人雖饕餮，未有與小兒爭餅者也。家擁金穴，則不至為一錢而行劫矣。此寧待勉強，小

大之量相懸，熟視且無覩也，覩且無焉，奪更何有？

「不能三年之喪，而緦、小功之察；放飯流歠，而問無齒決，此之謂不知務」（〈盡心〉上）。此言不立乎其大，則雖兢兢於小，無益也。「好名之人，能讓千乘之國，苟非其人，簞食豆羹見於色」（〈盡心〉下）。「以其小者信其大者，奚可哉？」（〈盡心〉上）此言大不立，則小者終不足恃也。「原泉混混，不舍晝夜，盈科而後進，放乎四海，有本者如是，是之取耳。苟為無本，七八月之間雨集，溝澮皆盈，其涸也，可立而待也」（〈離婁〉下）。「本者何，立乎其大也。苟為無本，則小者能奪也。寧死不受呼蹴之食，為宮室妻妾所識窮乏而受萬鍾」（〈告子〉上〈魚我所欲〉章）。無本故也。

大既立則小不能奪，固也。然必無以小害大，夫然後大乃能立，故孟子又曰：「養心莫善於寡欲。其為人也寡欲，雖有不存焉者寡矣；其為人也多欲，雖有存焉者寡矣」（〈盡心〉下）。蓋多欲之結果，非至以小害大、養小失大焉不止也。故佛教歸結於覺悟，而謹始於戒律也。然何以能寡欲，仍在務立其大。蓋所欲有大者遠者，則流俗人之所欲，已不復覺其可欲矣。荀子專主以禮樂節制人耳目口體之欲，其法甚穩密。由孟子觀之，終不免頭痛灸頭、腳痛灸腳也。

孟子言寡欲不言無欲。無欲者出世間法也，寡欲者世間法也。孟子言世間法不言出世間法也，故曰：「無為其所不為，無欲其所不欲，如此而已矣。」（〈盡心〉上）

孟子曰「我善養吾浩然之氣」，此自道得力處也。公孫丑問何謂「浩然之氣」？答曰「難言」，其體難言也。佛說真如體離言說相離文字相也。又曰：「其為氣也，至大至剛，以直養而無害，則塞乎天地之間」，此言其相也。又曰：「其為氣也，配義與道，無是，餒也」，此言其用也。又曰「是集義所生者，非義襲而取之也。行有不慊於心，則餒矣」，又曰「必有事焉，而勿忘，勿助長也」❸，此言養之之法也（〈公孫丑〉上〈不動心〉章）。此章在全書中號稱難讀，吾欲以《易・象傳》中「天行健，君子以自強不息」之義釋之：浩氣者，人性中陽剛發揚之德也。人類之所以能向上，恆恃此，缺焉則餒，餒則無復自信力，而墮落隨之

---

❸ 《孟子》作「有事焉，而勿正心勿忘，勿助長也」。

矣。此氣本人性所同具，曷為或強或弱，或有或無？則以有害之者，害之奈何，為其所不為，欲其所不欲，日受良心之責備，則雖欲不餒焉不得也。氣之為物，易衰而易竭者也，餒而再振，其難倍蓰焉。養之之法，惟在自強，自強則能制伏小體，不為物引（《老子》曰：「自勝之為強」），而不慊於心之行可免矣。「仰不愧於天，俯不怍於人」（〈盡心〉上），「行一不義，殺一不辜，而得天下，不為也」（〈公孫丑〉上〈不動心〉章），信如是則何不慊之有，何餒之有？集義者，常以道義自律，所以增長其自強力也。而其所以能直養者尤在不息，必有事焉而勿忘，不息之義也。非常常提挈抖擻，則神明必有時而衰惰。衰惰則不強而餒矣（此自覺與自強之關係也）。然則曷為戒助長「其進銳者，其退速」（〈盡心〉上）。助長之結果，必至息也。

不動心之一境界，學者所以自衛也，然茲事談何容易。無所養於平日，則臨境必失其自由，即強制於一時，然歷久仍喪其所守。孟子養氣，全是從本原處下工夫，以與前北宮黝、孟施舍、告子等所用之方法比較，彼等皆隨事為臨時抵抗者也，孟子則無事持不斷致力而臨事之抵抗反無所用也。譬諸攝生治病，北宮黝、孟施舍以峻劑攻治，告子戒食不出戶，以防外邪之襲，孟子則中氣充盈，病自不能侵也。所謂大立而小不能奪，其本領全在是。

「夫仁，亦在乎熟之而已矣」（〈告子〉上）。如何而能熟？惟勿忘能之，惟不息能之。

「一日暴之，十日寒之，未有能生者也」，此教人貞固有恆之法。不專心致志則不得也，此教人精力集中之法（〈告子〉上）。精力集中，孔子所謂敬事也，必如此然後神明之作用乃生，無論為求學、為治事，皆事半功倍，然要非貞之以恆焉不可耳。

深造自得，以至於左右逢源（〈離婁〉下），「理義之悅我心，猶芻豢之悅我口」（〈告子〉上），此學問興味之說也。人能以學問為一種嗜欲，為一種興味，則日進而不自知矣。故孔子曰「學而時習之，不亦說乎」，又曰「知之者不如好之者，好之者不如樂之者」。乃知宋賢之教，猶不免以學問為桎梏，非善教者也。

孟子之言存養，大略如是。存養者求自得而勿失也。然非此而已足也，其大作用則在擴充。孟子以惻隱、羞惡、辭讓、是非之心，為仁義禮智之端。端也者，始

基云爾，非謂即此已具其全體也，故曰：「凡有四端於我者，知皆擴而充之矣，若火之始然，泉之始達。苟能充之，足以保四海。」此言四端力量之偉大也。其下即繼之曰「苟不充之，不足以事父母」，此言僅有四端之不可恃也（〈公孫丑〉上〈不忍人之心〉章）。此就個人修養方面立論。又曰「人皆有不忍人之心。先王有不忍人之心，斯有不忍人之政矣」（同上），又曰「古之人所以大過人者無他焉，善推其所為而已矣」，「故推恩足以保四海，不推恩無以保妻子」（〈梁惠王〉上〈齊桓、晉文〉章）。此就政治方面立論，兩者義同一貫，實孟子立教之眼目也。

孟子言良知良能，而其用在達於天下（〈盡心〉上〈良能〉章）。「達」之義云何？孟子釋之曰：「人皆有所不忍，達於其所忍，仁也；人皆有所不為，達於其所為，義也。」（〈盡心〉下）雖窮凶極惡之人，忍於族黨，忍於朋友，忍於兄弟，而於父母妻子，終必有所不忍。能舉其所不忍者，而達之於其所忍之兄弟朋友族黨焉，則仁矣。常人不忍於家之索而忍於天下之溺，能舉其所不忍者而達於其所忍焉，則益仁矣。持世法者不忍於殺人而忍於肉食，若更舉其所不忍者而達於其所忍焉，則益仁矣。以所不為達於所為，義亦同此。故曰「人能充無欲害人之心，而仁不可勝用也；人能充無穿窬之心，而義不可勝用也；人能充無受爾汝之實，無所往而不為義也」（同上），此擴充之說也。

以擴充為教，此因勢而利導之，善之善者也。吾名之曰發揮本能之教，亦曰盡性之教。所謂「充類至義之盡」是也（〈萬章〉下〈交際〉章）。簡人當孩提時，智識材力道德能有幾，何以閱數十年，遂能變為聖賢豪傑？社會當草昧時，文物制度能有幾，何以閱數千年，乃遂光華燦爛與日月齊耀也？無他，擴而充之而已。故自修養者務發揮自己之本能，教人者務發揮人之本能，為國民教育者務發揮國民之本能，如斯而已矣。

孟子之教人也，其於門弟子之問答，引申觸類，引而彌長，無待論矣。其對於未聞道者，如許行之徒陳相，因其知百工之事不可耕且為，遂進之使明並耕之非（〈滕文公〉上〈有為神農之言〉章）。墨者夷之，因彼葬其親厚，遂進之以生物一本之義（〈滕文公〉上〈墨者夷之〉章）。以曹交之執袴，因其知徐行後長者，則曰是即可以為堯、舜矣（〈告子〉下〈曹交〉章）。以齊宣王之驕侈，因其不忍一牛之觳觫，則曰是即可以保民而王矣（〈梁惠王〉上〈齊桓、晉文〉章）。乃至

因鴻雁麋鹿而導之以與民偕樂（〈梁惠王〉上〈立於沼上〉章），因鍾鼓羽旄而導之以與百姓同樂（〈梁惠王〉下〈莊暴〉章）。好色則曰與百姓同之，好貨則曰與百姓同之（〈梁惠王〉下〈明堂〉章）。好勇則曰王請大之，一怒而安天下之民（〈梁惠王〉下〈交鄰國〉章）。無他，擴充而已矣。

　　山徑蹊間，介然成路，擴充也（〈盡心〉下〈謂高子〉章）。原泉混混，不舍晝夜，擴充也（〈離婁〉下〈水哉水哉〉章）。掘井九仞，而務及泉，擴充也（〈盡心〉上〈有為者〉章）。城門之軌，非兩馬之力，擴充也（〈盡心〉下〈禹之聲〉章）。登東山而小魯，登泰山而小天下，擴充也（〈盡心〉上〈登東山〉章）。養氣由於集義，擴充也（〈公孫丑〉上〈不動心〉章）。知天由於盡心，擴充也（〈盡心〉上〈盡心〉章）。反約由於博學詳說，擴充也（〈離婁〉下〈博學〉章）。大任由於增益不能，擴充也（〈告子〉下〈舜發畎畝〉章）。以友天下之善士為未足，又尚論古之人，擴充也（〈萬章〉下〈一鄉善士〉章）。擴充之時義大矣哉。

　　可欲之謂善，有諸己之謂信，充實之謂美。可欲者，悅心之義理也；有諸己者，深造而自得之也；充實者，擴而充之也。能擴充而學問之能事畢矣。更進焉，則充實而有光輝之謂大，大而化之之謂聖，聖也不可知之之謂神，皆重擴充以擴充而已（〈盡心〉下〈浩生不害〉章）。

　　鄉愿自以為是而不可以入道，曰惟不擴充故（〈盡心〉下〈孔子在陳〉章）。且晝梏亡則夜氣不足以存，曰惟不擴充故（〈告子〉上〈牛山〉章）。不擴充則必並其所固有者而失之，所謂苟失其養無物不消也。仁者以其所愛及其所不愛，擴充也。不仁者以其所不愛及其所愛，擴之反也（〈盡心〉下〈梁惠王〉章）。擴充之反，則與禽獸無擇矣。孟子曰：「於不可已而已者，無所不已。於所厚者薄，無所不薄也」（〈盡心〉上）。又曰：「為機變之巧者，無所用恥焉，不恥不若人，何若人有？」（〈盡心〉上）

　　立志、存養、擴充三者，學之所以成始而成終也。然因各人氣質不齊，故入道之途亦異。而孟子所最獎勵者，則狂也，狷也。孟子於全書之卒章，述道統之淵源，而其前一章論狂狷與鄉愿之異，蓋謂能任道者必狂狷其人也。孟子何取乎狂狷？孟子述孔子之言曰：「孔子『不得中道而與之，必也狂狷乎！狂者進取，狷者

有所不為也。』」後釋之曰：「孔子豈不欲中道哉？不可必得，故思其次也。」其釋狂之義，則曰：「其志嘐嘐然，曰：『古之人，古之人。』夷考其行，而不掩者焉也。」其釋狷之義，則曰不屑不潔。其與狂狷最相反者曰鄉愿。孟子述孔子言曰：「過我門而不我室，我不憾焉者，其惟鄉愿乎！鄉愿，德之賊也。」孟子進而釋鄉愿之義曰：「非之無舉也，刺之無刺也，同乎流俗，合乎污世，居之似忠信，行之似廉潔，眾皆悅之，自以為是，而不可與入堯、舜之道。」又述鄉愿詆狂者之言曰：「何以是嘐嘐也！言不顧行，行不顧言，則曰古之人、古之人。」其詆狷者之言曰：「行何為踽踽涼涼？生斯世也，為斯世也，善斯可矣。」孟子總評鄉愿之性質曰「閹然媚於世」，而斷之曰「德之賊」（〈盡心〉下〈孔子在陳〉章）。讀此而狂狷之價值可識矣。必狂然後能向上，進取也，古之人、古之人也，皆所以向上也。必狷然後能自衛，不屑不潔也，有所不為也，皆所以自衛也。狂狷各得中行之一體（中道，《論語》作中行），合之即成中行。不狂不狷而欲自托於中行，則為鄉愿而已。凡《孟子》書中，教人以發揚志氣、堅信自力者，皆狂者之言也；凡《孟子》書中，教人以砥礪廉隅峻守名節者，皆狷者之言也。故學孟子之學，從狂狷入焉可耳。

　　孟子於孔子之外，最尊伯夷、伊尹。孔子中行也，伯夷近於狷者也，伊尹近於狂者也。伯夷目不視惡色，耳不聽惡聲，非其君不事，非其友不友。治則進，亂則退，橫政之所出，橫民之所止，不忍居也。不立於惡人之朝，不與惡人言，思與鄉人處，如以朝衣朝冠坐於塗炭。其冠不正，望望然去之，若將浼焉（〈公孫丑〉上〈伯夷〉章、〈萬章〉下〈伯夷〉章），是不屑不潔之極則也，是矙然有所不為也，是踽踽涼涼也。然治則進，亂則退，其進取之氣則不盛焉，故曰狷之流也。伊尹曰：「何事非君？何使非民？」治亦進，亂亦進。思天下之民有匹夫匹婦不被其澤者，若已推而納諸溝中，進取之極則也。湯使人以幣聘之，囂囂然曰：「吾何以湯之聘幣為哉？我豈若處畎畝之中，猶是以樂堯、舜之道哉？」既而幡然改曰：「吾豈若使是君為堯、舜之君哉？吾豈若使是民為堯、舜之民哉？」所謂其志嘐嘐然則曰：「古之人，古之人也。」曰：「天之生斯民也，使先知覺後知，使先覺覺後覺也。予，天民之先覺者也；予將以斯道覺斯民也。非予覺之而誰也？」其嘐嘐之氣象如見也。然而五就湯，五就桀，其於不屑不潔，蓋不立嚴格焉（〈萬章〉上

〈伊尹割烹〉章、〈萬章〉下〈伯夷〉章）。故曰：狂之流也，由狂入聖，可以為聖之任；由狷入聖，可以為聖之清。孟子之尊伯夷、伊尹，即孟子之獎狂狷也。

狂者進取，由狂入聖，聖之任。孟子最進取者也，孟子最能任者也，故孟子亦狂者也。前所述立志諸條，其語氣皆所謂嘐嘐然古之人古之人也，管仲、晏子，則以為「不足為」（〈公孫丑〉上〈當路於齊〉章）；游、夏、顏、閔，則曰「姑舍是」，伯夷、伊尹，則曰「不同道」，而必以願學孔子自程（〈公孫丑〉上〈加齊卿相〉章）。正人心，息邪說，則曰「以承三聖」（〈滕文公〉下〈好辯〉章）；三宿出晝，則曰「王如用予，則豈徒齊民安，天下之民舉安」（〈公孫丑〉下〈尹士〉章）；論興王名世，則曰「如欲平治天下，當今之世，舍我其誰」（〈公孫丑〉下〈充虞〉章）？皆一種嘐嘐進取氣象也。

狂者之弊，在自信力太過，故往往夷考其行，而不掩焉，所以非中道也。然人若無自信力，則無復進取，而世運之進化，或幾乎息矣，雖太過猶愈於已，故孔子思之。

狷者不屑不潔，由狷入聖，聖之清。孟子最不屑不潔者也，孟子最能清者也，故孟子亦狷者也。故不肯枉尺而直尋也（〈滕文公〉下〈陳代〉章），不肯以道而殉人也（〈盡心〉上〈天下有道〉章），不肯辱己以正天下，而曰「歸潔其身」也（〈萬章〉上〈伊尹割烹〉章）。以順為正，則斥之曰「妾婦之道」（〈滕文公〉下〈景春〉章）；自鬻以成，則斷之曰「鄉黨自好者不為」（〈萬章〉上〈百里奚〉章）；求富貴利達，則比之「墦間乞食」（〈離婁〉下〈齊人有一妻一妾〉章）；大人巍巍，則藐之為「我所不為」（〈盡心〉下〈說大人〉章）；色厲內荏，以言餂人，則擬諸「穿窬之盜」（〈盡心〉下〈人皆有所不忍〉章）；不由其道而仕，則等諸「鑽穴隙之道」（〈滕文公〉下〈周霄〉章）。凡此皆不屑不潔也，皆有所不為也。故其結果每至於踽踽涼也，此狷者氣象也。

孟子曰「無為其所不為」（〈盡心〉上），又曰「人有不為也，然後可以有為」（〈離婁〉下）。人而無所不為，則凶人也，惡人也，與禽獸無擇也。然則欲全人格以異於禽獸，其必自有所不為始矣。孔子曰「君子之道，譬則坊歟」（《禮記・坊記》）。宋儒曰「名節者，道之蕃籬」（偶忘何人語）。坊也，蕃籬也，皆所以自衛也。故《孟子》一書，言砥礪名節者最多（〈公孫丑〉上〈孟子將朝王〉

章、〈致為臣而歸〉章、〈滕文公〉下〈陳代〉章、〈景春〉章、〈周霄〉章、〈不見諸侯何義〉章、〈離婁〉上〈男女授受〉章、〈孟子謂樂正子〉章、〈離婁〉下〈齊人有一妻一妾〉章、〈萬章〉上〈伊尹割烹〉章、〈孔子於衛〉章、〈百里奚〉章、〈萬章〉下〈敢問不見諸侯何義〉章、〈告子〉上〈魚我所欲〉章、〈有天爵者〉章、〈欲貴者〉章、〈盡心〉上〈人不可以無恥〉章、〈恥之於人大矣〉章、〈古之賢王〉章、〈謂宋句踐〉章、〈以道殉身〉章、〈盡心〉下〈人皆有所不忍〉章、〈說大人〉章），皆以嚴格自律，無一毫可以寬假，狷之至也。

人不可不進取，而進取必須以有所不為為界，孟子是也。孟子苟非進取，則何必僕僕於梁、齊、滕、宋之郊，曰與時主俗士為緣。孟子蓋熱血磅人也，誦〈去齊〉諸章（〈公孫丑〉下〈尹士〉章、〈充虞〉章）所言而可知也。然而終不肯小有所枉以求合焉，所謂無為其所不為也。為目的而不擇手段，孟子所決不許也。《易·文言傳》曰「樂則行之，憂則違之，確乎其不可拔」，孟子有焉。

伊尹自任以天下之重，可謂其志嚜嚜矣。然而非其道也，祿之以天下弗顧也，繫馬千駟弗視也。非其道也，一介不以與人，一介不以取諸人（見前）。其不屑不潔為何如也。孟子言當今之世舍我其誰（見前），又言非其道則一簞食不可受於人（〈滕文公〉下〈彭更〉章），故孟子一伊尹也。

柳下惠之和，孟子屢道之。然又曰，柳下惠不以三公易其介（〈盡心〉上），然則柳下惠亦狷者也。不然，則由由然與之偕，援而止之而止（〈公孫丑〉上〈伯夷〉章），抑何以異於鄉愿乎？

聞伯夷之風者，頑夫廉，懦夫有立志。聞柳下惠之風者，鄙夫寬，薄夫敦（〈萬章〉下〈伯夷〉章、〈盡心〉下〈聖人百世之師〉章）。此語孟子再三反覆道之。蓋天下風氣之壞，則頑、懦、鄙、薄四者盡之矣。惟廉、立、寬、敦可以救之，故曰「聖人百世之師」也。

鄉愿何以謂之賊？以其閹然媚於世而已，以其同乎流俗合乎污世而已。或疑孔、孟此言為過，則胡廣、馮道果何人者？故《中庸》曰：「小人之中庸也，小人而無忌憚也。」學者若不從狂狷兩路立腳，則雖學問日多，閱歷日深，其結果必至眾皆悅之，自以為是，然卻已陷於賊而不自知也。

其在學派，則狂者偏於理想，狷者偏於實踐。其在政派，則狂者偏於改進，狷者偏於保守。二者如車之有兩輪、鳥之有雙翼焉，缺一不可也。狂然後有元氣，狷然後有正氣。無元氣則不能發揚，無正氣則不能強立。

孟子教人修養之途徑，大略具是矣。讀此則知後儒專提主敬主靜等法門者，或專以窮理格物為事者，或專務禮容節文之末者，皆不免偏至。孟子惟先立乎其大者，不騖枝葉。孟子言必有事焉，不貪寂靜也。

孟子極言教育為人生之一種責任。其言曰：「中也養不中，才也養不才，故人樂有賢父兄也。如使中也棄不中，才也棄不才，則賢不肖之相去，其間不能以寸」（〈離婁〉下）。又兩引伊尹之言曰：「天之生斯民也，使先知覺後知，使先覺覺後覺也。予，天民之先覺者也；予將以斯道覺斯民也。非予覺之而誰也？」（〈萬章〉上〈伊尹割烹〉章、〈萬章〉下〈伯夷〉章）。教育之要旨，曰養曰覺。養屬道德方面，覺屬知識方面（覺者，覺也、學也。學也者，效也）。先輩有養人覺人之義務，後輩有受養受覺、自養自覺之義務。社會文明所以能聯屬不斷，緝熙光明者，全恃此也。故曰：「得天下英才而教育之，三樂也。」（〈盡心〉上）

「大舜，有大焉，善與人同，舍己從人，樂取於人以為善，取諸人以為善」，「是與人為善者也。故君子莫大乎與人為善」（〈公孫丑〉上〈子路〉章）。與人為善，教育者之事也；取人為善，受教育者之事也。常能取人為善，則受教育豈有止境，而亦何常師之有。故曰「夫苟好善，則四海之內，皆得輕千里而來告之以善」（〈告子〉下〈樂正子〉章），此自力教育之妙用也。

取人為善，莫如尚友，故曰：「一鄉之善士，斯友一鄉之善士；一國之善士，斯友一國之善士；天下之善士，斯友天下之善士。以友天下之善士為未足，又尚論古之人，誦其詩，讀其書，不知其人可乎？是以論其世也，是尚友也。」（〈萬章〉下）蓋人類之能進化，全由其富於相熏習性。故一人所發明之新道德新智識，不轉瞬而可以成為公眾所共有。然能否均霑此共有物，則在乎人之自取自受而已。其能受之量彌大，則其所受之量亦彌大。故以友自廣，自一鄉一國而遠及於天下古人也。

《孟子》一書，言智識教育，較為簡略。蓋書中推論事理，廣涉各方面，是即所以增長人智識，不必顯以智育為揭櫫也。然孟子教學者，並不以積蓄智識為入道

之法門，此則誠其宗旨之一端。孟子曰：「所惡於智者，為其鑿也。如智者若禹之行水也，則無惡於智矣。禹之行水也，行其所無事也。如智者亦行其所無事，則智亦大矣。」（〈離婁〉下）如何始能行所無事而得智，孟子未嘗明言，至其惡穿鑿，則固為騖智識者一良藥耳。何也，穿鑿者必橫一成見以附會之，實智識之障也。

孟子又曰「天之高也，星辰之遠也，苟求其故，千歲之日至，可坐而致也。」（〈離婁〉下）此孟子教人以求智識之方法。蓋所用者為純粹演繹法，謂當據一原理原則以推諸各事物，故曰：「則故而已矣。」（同上）然若何乃能求得其故？吾所認為故者是否正確，如何而始能得正確？此當求諸歸納法。而孟子未言之，蓋歸納研究法之不發達，實我國古今學者通病，匪獨孟子矣。

孟子曰「人之有德、慧、術、智者，恆存乎疢疾。獨孤臣孽子，其操心也危，其慮患也深，故達」（〈盡心〉上），此言智慧純從閱歷磨練得來。此又孟子智育之一大法門也。

〈舜發畎畝〉一章，最能發揚人之志氣，此大醫王之海潮音也。其言曰：「故天將降大任於是人也，必先苦其心志，勞其筋骨，餓其體膚，空乏其身，行拂亂其所為，所以動心忍性，增益其所不能。人恆過，然後能改；困於心，衡於慮，然後發；徵於色，發於聲，然後喻。入則無法家拂士，出則無敵國外患者，國恆亡。然後知生於憂患而死於安樂也。」（〈告子〉下）嗚呼！普天下之人，處困境，遭患難坎坷，不得志，顛沛無所告訴者；與夫憂國憂天下，悲觀絕望者，讀此其可以盡人而奮興矣。將受大任者，苦心志，勞筋骨，餓體膚，空乏其身，則既甚矣。猶以為未足，加之以行拂亂其所為。拂亂所為云者，凡行為之結果，無一焉不與所希望相反。人生到此，真乃心摧氣盡，蓋神明之苦痛，無量無極矣。殊不知非至於此極，則曷由動心忍性，增益其所不能，多一分之坎坷顛沛，則動忍增益加一分之量。轗軻顛沛至乎其極，即動忍增益至乎其極者也。故孟子復申言之曰：能過然後能改，困於心，衡於慮，然後發。凡以證明前此所云云，並非聊相慰藉之言。蓋大人物之成就，其第一要素在意志堅強，其第二要素在思慮周密。然此種境界，非此心經幾許操練，決不能至也。困心衡慮，即操練此心之學校也。此種學校，可遇而不可求。人終身不能得入學之機會者，比比然矣，今而遇之，則是天之所以厚我者

至矣，謂宜惟喜感激，利用此極難得之境遇以自玉於成。信能如此，則雖緣執業之異趨與夫才器之異量，而成就有不同，要其必有所成則一也。而不然者，一遇挫折，則頹然自放，譬諸行路然，崎嶇當前，望崖而返，前途雖有萬里坦途，末由涉矣。此所謂志行薄弱，而暴殄天賜也。

非惟個人為然也，即國家亦有然。孟子曰「天下之生久矣，一治一亂」（〈滕文公〉下〈好辯〉章），吾嚮者嘗疑此言為過，謂天下竟可有一治而永不亂之國。由今觀之，寧有是耶！世運之進化，非為直線而常為螺旋形。當其在進化途中，波折固所不免。當此波折之時，能有一種新空氣新力量，蛻變前此之腐氣惰力而與之代興，此國家所以能與天地長久也。豈惟國家，即人類社會之全體亦莫不然。全世界形勢最混雜時代，全世界思想最渾沌、最煩悶時代，是即新思想將發生，新制度將建設之時代也。故曰「生於憂患」也。人亦於憂患中求生而已。而不然者，富歲子弟多賴，世祿之家鮮克由禮，個人之死於安樂也。「天之方蹶，無然泄泄」（〈離婁〉上〈離婁〉章），「安其危而利其菑，樂其所以亡者」（〈離婁〉上〈不仁者〉章），國家之死於安樂也。

〈降大任〉章，教人以處逆境之方法，至深切矣。此種關於人生一段落之遭際，惟自強其意力可以處之。至於一時一事偶然之拂逆，孟子教人處之之法，尤甚簡便。其言曰：「愛人不親，反其仁；治人不治，反其智；禮人不答，反其敬。行有不得者，皆反求諸己。」（〈離婁〉上）又曰：「仁者如射：射者正己而後發；發而不中，不怨勝己者，反求諸己而已矣。」（〈公孫丑〉上）又曰：「有人於此，其待我以橫逆，則君子必自反也：我必不仁也，必無禮也，此物奚宜至哉？」（〈離婁〉下）此實自平其心最妙之法，狠怒怨毒，人類相處之大害也。然此大抵皆觸發於一時，剎那頃，當此一剎那頃而能節制之，則遂不發矣。孟子教人以自反，即將此剎那頃按下也，故曰：「強恕而行，求仁莫近焉。」（〈盡心〉上）

孟子所標舉，有一義焉。若與其根本宗旨相衝突者，則言命是已。孟子曰「莫非命也，順受其正」，又曰「求之有道，得之有命」（俱〈盡心〉上），又曰「莫之為而為者，天也；莫之致而至者，命也」（〈萬章〉上），又曰「君子行法以俟命而已」（〈盡心〉下），又曰「行，或使之；止，或尼之。行止，非人所能也。吾之不遇魯侯，天也」（〈梁惠王〉下），又曰「夫天未欲平治天下也」（〈公孫

丑〉下）。書中言，類此者尚甚多。凡此皆謂我身以外，尚有一物焉為最高之主宰，而我之境遇，恆受其支配。此即所謂宿命說也。

中國古代宿命說有兩派：其一，謂宿命由天帝所定。天帝者，一種之人格神，而其威權無上，非人所能抗，孟子所謂「天未欲平治天下」云云是也。商、周間之宗教思想，純屬此派，而儒家繼承之。其二，謂宿命由自然之運所演成，其為物雖非必有意識，然人類之意識，迄不能勝之，孟子所謂「莫之為而為，莫之致而至」云云是也。道家之哲學思想，純屬此派，而儒家亦兼采之。此兩派思想，蓋彌漫於我數千年之思想界，占莫大勢力，其昌言與之反抗者，惟墨子一人而已。然墨子「非命」而復言「天志」，則已自相衝突也（參觀《墨子‧非命篇》、〈天志篇〉）。

在歐洲哲學，則宿命說與自由意志說最不相容。蓋既信有宿命，則所謂萬物備我，所謂自力萬能者，其說將不能成立。人若過信宿命，必且委心任運，處順境將軌安不復進取，處逆境將頹喪而不能自振。如是則世運之進化，不幾息耶。故就表面上觀之，孟子學說中之此一點，實與其全體學說相矛盾。且不啻取其全體學說而毀棄之，此無容為諱者也。然進而求之，則並行不悖之理，又可得言焉。

吾以為命也者，佛教業力之說也。佛教不言宿命而言宿業，業也者，非別有一人格神焉能造之，亦非自然之運能造之，實眾生所自造也。然眾生既造此業，則必受其報，業與報緊相連屬，絲毫不容假借者也。若此者，名之曰因果律。因必有果，絲毫不容假借者也。於是乎人類之境遇，乃至其行為、其意志，自有一部分不能不受業報之束縛。若此者，吾中國思想家謂之曰命。

業有自業，有共業。自業演為眾生之個體，眾生各自食其報。共業演為國土，演為宇宙（佛說通謂之器世間），全國土、全宇宙之眾生同食其報。吾國思想家，名前者為個人之運命，名後者為國家之運命（國運）、世界之運命（世運）。此種運命，就目前觀之，確為一種不可抗力。如人壽充其量不過百年，終必有死，欲以吾力逃之，所不能也。如世界恆一治而一亂，有光明之一面，隨即有黑暗之一面，欲以吾力抹殺之，所不能也。

不深探其本，則或以為有一人格神焉為之主持，或以為自然之運，莫之為而為，莫之致而至。孟子言命，其果曾深探其本與否？吾不敢言，然而其言曰「殀壽

不貳，修身以俟之，所以立命也」，又曰「順其道而死者，正命也；桎梏死者，非正命也」，「故知命者，不立乎巖牆之下」（俱〈盡心〉上），又曰「命也，有性焉，君子不謂命也」（〈盡心〉下）。曰正命，曰立命，曰不謂命，則孟子非認命為絕對不可抗明矣。依佛教所說，業也者，自力所造也。自力所造，惟還以自力能轉移之。過去之自業未盡，則吾一身含其業報，宜也。今宜如何？則更求所以造善良之自業而已，此世間法也。出世間法，則惟有不復造業。過去之共業未盡，則吾所處之國土、之世界食其業報，宜也。今宜如何？則更求所以造善良之共業而已。孟子所謂立命者，是否作如此解說，吾不敢言，然孟子必有見於此，則吾敢言也。故其言曰：「天作孽，猶可違；自作孽，不可活。」又曰：「禍福無不自己求之者。」（〈公孫丑〉上）

　　宿命之說，有時固可以懈人進取之志，然亦可以息人營求奔競之心。孟子曰「孔子進以禮，退以義；得之不得，曰有命」（〈萬章〉下），又曰「求之有道，得之有命，是求無益於得者也，求在外者也」。此皆為舉世營營逐逐之徒，下頂門一針者。孔、孟言命，其作用大半在是。

　　盡其道而死者正命也。真知命者必不為苟得，真知命者必患有所不避，故曰：「志士不忘在溝壑，勇士不忘喪其元。」（〈滕文公〉下）

　　孟子最尊改過，故曰「人恆過而後能改」（〈告子〉下），又曰「過也，如日月之食焉，人皆見之，及其更也，人皆仰之」（〈公孫丑〉下），又曰「雖有惡人，齋戒沐浴，則可以祀上帝」（〈離婁〉下）。此亦與其性善之旨相一貫，雖有陷溺，雖有梏亡，一旦覺悟，則善體固在。故有過非所患，改之而已。此亦孟子善誘學者之一端也。

後　記

湯志鈞

　　論《孟子》遺稿，梁啟超撰，手蹟，共一百三十二葉，每葉八行，金糕紙，色略黃，每葉長三十點五厘米，寬二十二厘米。前有〈孟子略傳〉，凡八葉，後為〈孟子之教育主義〉，《飲冰室合集》未載。

〈孟子略傳〉綜述孟子生平、弟子、著作、傳授，末謂：

其書《史記》作七篇，與今本正同。《漢書・藝文志》作十一篇，蓋所傳更有八書四篇云。（趙岐《題辭》云：「七篇二百六十一章，三萬四千六百八十五字。又有《外書》四篇，其文不能宏深，似非孟子本真也。」）漢孝文時，與《論語》、《孝經》、《爾雅》同置博士，未幾俱罷（見趙岐《題辭》）。而後漢程曾、鄭玄、趙岐、高誘、劉熙皆為之章句，今岐書獨存。程曾作《孟子章句》，見《後漢書・儒林傳》。曾，章帝時人，蓋注《孟子》之最先者。高誘正《孟子章句》，見誘所為《呂氏春秋注・序》。鄭玄、劉熙注，皆見《隋書・經籍志》。

〈孟子之教育主義〉首為「性善論」，謂「性，孔子蓋罕言焉」，「孟、荀言性，皆所以樹教育主義之根柢。孟言性善，故其教法為發揮本能；荀言性惡，故其教法在變化氣質。二者各有所長，而孟子尤能先立其大矣」。

又謂：孟子既言性，又言情，又言才，又言心，又言命，又言氣，「所謂情、才、心、命、氣等，其與性是一是二，界說殊不明瞭。」「中國一切學術，孟子皆昌言性善，然世間惡人甚多，確為不可掩之事實，故學者疑焉。孟子則以為此惡者非性也，乃習也。」

梁啟超早年在湖南時務學堂講學，曾講《孟子》，惜無專章。《飲冰室合集》惟《先秦政治思想史》、《古書真偽及其年代》間有關涉《孟子》的言論。但前者主要談《孟子》「政治論」和「唯心主義傾向」及其「保民」、「仁政」等等；後者只是簡述《孟子・外篇》四篇之為偽作。而此書側重發揮《孟子》的教育思想，具有學術價值。

此外，《要錄解題及其讀法》也僅有〈孟子之編纂者及其篇數〉、〈孟子之內容及其價值〉、〈讀孟子法〉、〈孟子之注釋及其關係書〉數節，論述也較簡略。這樣，論《孟子》遺稿的刊發，對探尋梁啟超對孟子的評介，無疑是有幫助的。

這份手稿，是李建先生於一九八三年複印見贈的，第一葉〈孟子略傳〉下有梁啟超印章，字跡也確係梁氏手筆，似未最後定稿。據李建先生告知，他原名何士

通，是何擎一之子。何擎一，又名何澄一、何澄意、何天柱，廣東香山（今中山）人，光緒末科秀才，長期追隨康、梁，「以入門弟子相待」，曾為康、梁經辦廣智書局，一九五七年病逝。

　　李建先生在四十年代初到北京師範大學肄業，後久離家鄉。一九五六年，他母親羅婉如到武漢看他，把這份手稿交給他。他還專門調訊過手稿的來源，說：

> 我的姊姊何悅雅、姐夫洪源、哥哥何士寬長期和父親一起生活，他（她）們都說此遺稿是梁啟超送給父親的，估計是歐遊回來即他晚年的作品。遺稿前後的紅色印章「梁啟超印」，竟與父親遺物中的這個印章相同。推測因父親是梁啟超的秘書，嘗掌管梁的印章。從各方面分析，此遺稿確是梁啟超的親筆手書著作。由於我多年放在皮箱中，雖未研究，但做為父親遺物，十分珍視，包裹保存良好。

　　查何擎一追隨康、梁多年，主持上海廣智書局，最早出版的《飲冰室文集》，就是廣智書局出版的，有的還署編者「何擎一」名。如《飲冰室文集》壬寅集，編者「何擎一」，一九〇二年出版，梁啟超作序；《飲冰室文集》癸卯集，一九〇四年出版；《分類精校飲冰室文集》，一九〇五年出版；《飲冰室文集》，一九〇七年出版；《飲冰室文集》增訂本，何擎一編，一九一〇年出版。他對梁啟超著作的搜集、整理，是具有功力的。

　　多年前，李建先生把這份遺稿複印見贈，並囑推介發表。今由湯仁澤標校整理，交請《經學研究論叢》發表。

孟子略傳

孟子名軻，鄒人、鄒為春秋邾國、今山東鄒縣。蓋生於周烈王時，

當周平王東遷後三百八十餘年，孔子卒後九十

餘年、秦始皇并天下前百五十餘年、民國紀年前二千二百八十餘年（黑特七雄益主而泗上十二

小侯尚存、孟子而雲游展之國，主七雄中曰梁曰

齊，在小侯中曰鄒曰魯曰宋曰滕曰薛，曰任

孟子受業於子思之門人、而私淑孔子。受業子思之門人、校史記

維有楷已、一旦覺悟、則筆體固在、故吉凶成敗

患、貳而已、此亦孟子善譬其者之一端也、

經 學 研 究 論 叢
第 十 三 輯　　頁241～266
臺灣學生書局　　2006 年 3 月

朱熹詮釋《論語》過程中
所受謝良佐之影響

王淙德*

一、前　言

　　在朱熹（1130－1200）詮釋的《四書》中，我們可以看到他引用了諸多前儒的說法，依照陳鐵凡先生的考察統計，朱熹詮解《四書》時所援引諸儒之說的數量有：《大學章句》四家、《論語集注》三十五家、《孟子集注》三十四家、《中庸章句》九家，若去其重複，則共有五十七家。❶唐君毅先生曾在《中國文化之精神價值》一書中言：「辨章學術，考鏡源流之功，所以屬於目錄學者，以一著作之內容恆為多方面之綜合，其內容不辨章，則不知也。考源流者，亦以個人之學術，必須隸屬於民族學術文化之生命，乃見其精神之所在、價值之所在。」❷依此考察朱熹《四書集注》的精神與價值，乃在於其對前儒作多方面之綜合闡述與學術文化的延續，故欲見其精神與價值，當辨其學術之內涵，並考究其學術之淵源。換言之，考辨前儒對朱熹詮釋《四書》的影響，不管是內容上或思想上，都能更彰顯朱熹《四書集注》在學術文化上承先啟後的重要性。

　　而如果以朱熹的《論語集注》一書來探討的話，其中謝良佐（1050－1103）的

---

*　王淙德，國立臺北大學古典文獻學研究所碩士。
❶　見陳鐵凡著：〈四書章句集注考源〉，《孔孟學報》第 4 期（1962 年 9 月），頁 245－248。
❷　見唐君毅著：《中國文化之精神價值》（臺北：正中書局，2000 年 10 月），頁 19。

著作與思想對朱熹的影響可說是相當重要的一家。朱熹在對《論語》的詮解中多處引用謝良佐的說法，雖然所引謝氏之說的份量不算最多，但是值得注意的是朱熹曾校定《上蔡語錄》❸一書，並於此書的〈後序〉中讚揚其「篤志力行，於從遊諸公間所見最為超越」。❹其在〈德安府應城縣上蔡謝先生祠記〉中又云：「熹自少時，妄意為學，即賴先生之言以發其趣。」❺又於《朱子語類》中言：「某少時為學，十六歲便好理學，十七歲便有如今學者見識。後得謝顯道《論語》，甚喜，乃熟讀。……至此，自見所得處甚約，只是一兩句上，卻日夜就此一兩句上用意玩味，胸中自是洒落。」❻由上述言論可知朱熹年少時的思想啟蒙即得自謝良佐，而在往後朱熹的書信與言論中每每稱引謝良佐如何如何說，加上從朱熹的《論語或問》❼一書中來看，其對謝良佐詮解《論語》有相當多的認同與讚許，雖然其中亦不乏嚴厲的批判與討論，不過從這些意見中，不難看出朱熹詮釋《論語》時思想上所受謝良佐之影響。因此本文試著從朱熹詮釋《論語》的過程，以其去取的意見與結果，來看謝良佐對於朱熹的影響。

二、謝良佐及其著作《論語說》

根據《宋史》❽及《宋元學案》❾記載，謝良佐，字顯道，壽春上蔡人。與楊

---

❸　見〔宋〕朱熹編：《上蔡語錄》（京都：中文出版社，1985 年《和刻影印近世漢籍叢刊》）。

❹　同前註，頁 89。

❺　見朱熹著：《晦庵朱文公文集》，收入《朱子全書》（上海：上海古籍出版社、合肥：安徽教育出版社聯合出版，2002 年 12 月），頁 3793。

❻　見〔宋〕黎靖德編：《朱子語類》（北京：中華書局，1999 年 6 月），頁 2783。

❼　朱熹著：《論語或問》，《朱子全書》。

❽　「謝良佐，字顯道，壽春上蔡人，與游酢、呂大臨、楊時在程門，號『四先生』。……良佐記問該贍，對人稱引前史，至不差一字。事有未徹，則顙有泚。與程頤別一年，復來見，問其所進，曰：『但去得一「矜」字爾。』頤喜，謂朱光庭曰：『是子力學，切問而近思者也。』所著《論語說》行於世。」見〔元〕托克托等著：《宋史》（臺北：臺灣商務印書館，1988 年 1 月），頁 5129。

❾　「謝良佐，字顯道，壽春上蔡人。明道知扶溝事，先生往從之。明道謂人曰：『此秀才展拓得開，將來可望！』元豐八年登進士第，歷仕州縣。宰德安之應城，胡文定以典學使者行

時、呂大臨、游酢同被稱為「程門四先生」。而在「四先生」之中，謝良佐更被推為第一，朱熹曾於《朱子語類》中說道：「上蔡高邁卓絕，言論宏肆，善開發人。」❿黃宗羲於《宋元學案》中言：「程門高弟，予竊以上蔡為第一。」⓫而全祖望也說：「洛學之魁皆推上蔡。」⓬可見得謝良佐之才確實得到許多人的讚許。

　　至於謝良佐所著的《論語說》，《宋史·藝文志》、《郡齋讀書志》、《直齋書錄解題》、《文獻通考》皆記十卷，明朱睦欅《萬卷堂書目》記為三卷，至焦竑《國史經籍志》時，已剩下二卷，換句話說，其書至明代已闕佚甚多。而朱彝尊的《經義考》所記的十卷數乃承自《宋史·藝文志》，不過標為「未見」，亦未見載於《四庫全書》之中，似乎至清代此書已然亡佚，不可復見。不過此書或許並未從世上消失，朱熹在完成《論語集注》之前，將當時所見各家對於《論語》的詮解收集起來，編成《論語精義》⓭，其中便有謝良佐的《論語》解說。先從書名的部分來看，《宋史》、《宋元學案》⓮中述其生平時都用《論語說》一名，但翻檢《郡齋讀書志》、《直齋書錄解題》、《文獻通考》等書，皆書「《論語解》」，爾後如《國史經籍志》、《經義考》也都沿用「《論語解》」一名。另外朱熹所編的《伊洛淵源錄·謝學士》⓯中，用的是《論語說》，而《朱子語類》中卻又有「上

部，不敢問以職事，先修後進禮見。入門，見吏卒植立庭中，如土木偶人，肅然起敬，遂問學焉。建中靖國初，上殿召對，徽宗與之語，有意用之。先生退而曰：『上意不誠。』乃求監局，得西京竹木場。或謂建中年號與德宗同，不佳，先生云：『恐亦不免一播遷！』坐口語下獄，廢為民。先生記問該瞻，稱引前史，至不差一字。凡事理會未透，其顙有泚，愧怖如此。與伊川別，一年復見，問其所進，曰：『但去得一「矜」字耳！』伊川曰：『何故？』曰：『點檢病痛，盡在此處。』伊川歎曰：『此所謂「切問而近思」者也。』有《論語說》行世。」見〔清〕黃宗羲撰，全祖望補訂：《增補宋元學案》（臺北：臺灣中華書局，1984 年 10 月，《四部備要》本）卷 24，頁 1。

❿　見《朱子語類》，頁 2562。

⓫　見《增補宋元學案》卷 24，頁 1。

⓬　同前註。

⓭　見朱熹著：《論語精義》，《朱子全書》。

⓮　〈上蔡學案〉中附有一篇《論語解·序》，名稱又有異。而《宋史·藝文志》中所載亦是《論語解》。

⓯　見朱熹著：《伊洛淵源錄》，《朱子全書》，頁 1039。

蔡《論語解》，言語極多」❶之語。根據這眾多的說法，謝良佐詮釋《論語》的著作似有兩書：即《論語說》與《論語解》，此二者究為一書或二書呢？我們可從朱熹的文集中找到相關的資料來說明。在《晦庵先生朱文公文集》卷三十〈答汪尚書〉中說：

> 至於「不居其聖」等說，則又有所疑，……上蔡於《語解》「好古敏求」章亦云「其言則不居，其意則不讓矣」，亦此意也。❶

又卷四十九〈答王子合〉：

> 「其鬼不神」，是老子語，謝氏《語解》所引，正與其《語錄》相表裡，不知如何見得優劣處？❶

此二處皆言《語解》，亦即《論語解》之簡稱。第一則所援引之「其言則不居，其意則不讓矣」，見於《論語精義·述而篇》中，其原文為「謝曰：『至於入聖域，則不論生知與學知之異。言我非生而知之云爾，其言則不居聖，其意則不讓矣。』」❶第二則所援引之「其鬼不神」，則見於《論語精義》〈為政篇〉中，其原文為「謝曰：『此一段立義雖異，而意則相循。陰陽交而有神，形氣離而有鬼。知此者為智，事此者為仁。推仁智之合者，可以制祀典。祀典之意，可者使人格之，不使人致死之。不可者使人遠之，不使人致生之。致生之，故其鬼神；致死之，故其鬼不神，則鬼神之情狀豈不昭昭乎！』」❶兩則稱《論語解》所引用的文句都可以在《論語精義》中找到。

至於言《論語說》者，在卷五十一〈答萬正淳〉中有言：

---

❶　見《朱子語類》，頁 442。

❶　見《晦庵朱文公文集》卷 30，頁 1294。

❶　同前註，頁 2251。

❶　見《論語精義》，頁 266。

❷　同前註，頁 96。

記得《論語說》中似有「當生者使人致生之，當死者使人致死之」，此卻有
理。㉑

此段下書有「小字」：

> 謝氏《論語說》曰：「陰陽交而有神，形氣離而有鬼。知此者為智，事此者
> 為仁。推仁智之合者可以制祀典。祀典之意，可者使人格之，不使人致死
> 之。不可者使人遠之，不使人致生之。致生之故其鬼神，致死之故其鬼不
> 神。」㉒

此段「小字」正與前言《論語精義》〈為政篇〉之文完全相同，換句話說，稱《論
語說》時所引用的文句，同樣可以在《論語精義》中找到。那麼我們便可以這樣推
論，其實《論語解》和《論語說》根本是同一書的不同名稱。而且從這個例子來
看，朱熹在《論語精義》所稱的「謝氏曰」，也就是現在被認為已經亡佚的謝良佐
《論語說》（或《論語解》）依照各篇的排列所拆解而成的。

三、朱熹《論語集注》引用謝良佐說法之分析

朱熹早年讀《論語》時，便曾對謝良佐的《論語說》下過很深的功夫，他在
《朱子語類》中言：

> 某少時為學，十六歲便好理學，十七歲便有如今學者見識。後得謝顯道《論
> 語》，甚喜，乃熟讀，先將朱筆抹出語意好處。又熟讀得趣，覺得朱抹處太
> 煩，再用墨筆抹出。又熟讀得趣，別用青筆抹出。又熟讀，得其要領，乃用
> 黃筆抹出。至此，自見所得處甚約，只是一兩句上，卻日夜就此一兩句上用

㉑　見《晦庵朱文公文集》，卷51，頁2393。
㉒　同前註，頁2393－2394。

意玩味，胸中自是洒落。㉓

從此可以知道謝良佐對於年少時的朱熹便已產生影響。另外，朱熹於《論孟精義·序》中言：

> 宋興百年，河洛之間有二程先生者出，然後斯道之傳有繼。……間嘗蒐輯條疏以附本章之次，既又取夫學之有同於先生者，與有得於先生者，若橫渠張公、若范氏、二呂氏、謝氏、游氏、楊氏、侯氏、尹氏，凡九家之說以附益之，名曰《論孟精義》，以備觀省。而同志之士，有欲從事於此者，亦不隱焉。㉔

在此雖然朱熹仍未明言「謝氏」之說即為謝良佐的《論語說》，不過依據上一節的論述，朱熹《論語集注》的確是引自於謝良佐的《論語說》。而且我們在《論語集注》中見到朱熹直接援引謝良佐的說法且標注為「謝氏曰」者有四十七處之多，但是在經過仔細的考察與比對之後，發現在《論語集注》中有多處明顯為謝良佐說法卻未標注「謝氏曰」者，這些未作標注的地方，有些是文句的援引，有些是根據謝良佐的說法加以發明引申，茲就此兩種引用方式加以討論。

㈠有標「謝氏曰」者

朱熹的《論語集注》中，將直接引用謝良佐說法的地方，標示為「謝氏曰」，然而在與《論語精義》作仔細的比對過程中，仍可發現朱熹的去取痕跡，換言之，除了整段完整的引用外，有些地方還有刪夷。而刪夷之處，是否有值得注意的觀念問題或者朱熹所不滿之處，可以留待後面討論。而這些完整引用的部分，正可說明朱熹對於謝良佐的認同。根據筆者的比對，「完整引用而無刪夷」者有十四章，「僅刪夷一、二句，餘則完整引用」者有六章，合計有二十章（見下表），換言之這是朱熹幾乎完全認同謝良佐說法的地方。

㉓　見《朱子語類》，頁 2783。
㉔　見《論語精義》，頁 11。

篇名	完整引用而無刪夷	僅刪夷一、二句，餘則完整引用
〈八佾〉		「子語魯大師樂章」
〈里仁〉	「仁者安仁章」、「君子之於天下章」	
〈雍也〉		「子謂子夏曰章」
〈述而〉	「子不語怪力亂神章」、「文莫吾猶人章」	
〈子罕〉	「吾未見好德如好色章」	
〈鄉黨〉	釋「立中門」	
〈子路〉	「定公問一言興邦章」、「葉公語孔子章」	
〈憲問〉	「公伯寮愬子路章」、「上好禮章」	
〈衛靈公〉	「君子求諸己章」	「子曰賜也章」
〈季氏〉	「君子有九思章」	「季氏將伐顓臾章」
〈微子〉		「逸民章」
〈子張〉	「君子有三變章」、「孟氏使陽膚為士師章」	「陳子禽謂子貢章」

除了這二十章之外，其他二十七章雖然多為只引用部分，甚或一、二句，但是亦有朱熹獨引用謝良佐說法而不用他人解說者，如〈述而〉「子食於有喪者之側」章，此章朱熹《論語集注》中於其他眾人的說法完全屏棄不用，只引了謝良佐「學者於此二者，可見聖人情性之正也。能識聖人之情性，然後可以學道」四句來輔助。㉕又如〈八佾〉「與其媚於奧」章，朱熹雖然也是部份引用，但唯獨引謝良佐的說法。㉖可見朱熹對於謝良佐之說其實有特別鍾愛之處。

㉕ 謝曰：「學者於此二者，可見聖人情性之正也。能識聖人之情性，然後可以學道。未嘗飽，臨喪哀也。是日哭則不歌，哭非為生者故也。聖人哀樂中節，未有終日之間其哀不變者，使其終日之間其哀不變，亦過而不化矣，蓋其他感物而樂亦有之，特不歌耳。」見《論語精義》，頁254。

㉖ 謝氏曰：「聖人之言，遜而不迫。使王孫賈而知此意，不為無益；使其不知，亦非所以取禍。」見朱熹著：《論語集注》，《朱子全書》，頁88。而謝良佐全說見於《論語精義》，

㈡未標「謝氏曰」者

朱熹引用謝良佐說法而未標「謝氏曰」者共有二十九處，各篇引用數量見下
表：

篇名	引用數
〈學而〉	「慎終追遠章」、「禮之用和為貴章」
〈八佾〉	「關雎樂而不淫章」
〈里仁〉	「子曰我未見好仁者章」
〈公冶長〉	「或問雍也章」、「子在陳章」
〈雍也〉	「伯牛有疾章」、「冉求曰非不說子之道章」、「子游為武城宰章」
〈述而〉	「默而識之章」
〈子罕〉	「子畏於匡」、「子疾病章」
〈鄉黨〉	「君子不以紺緅飾節」、「肉雖多不使勝食氣節」、「沽酒市脯不食節」、「廄焚子退朝節」
〈顏淵〉	「樊遲從遊於舞雩章」
〈子路〉	「葉公問政章」「子貢問士章」、「善人教民七年章」
〈憲問〉	「子問公叔文子章」
〈衛靈公〉	「群居終日章」、「君子義以為質章」、「巧言亂德章」
〈季氏〉	「陳亢問於伯魚章」
〈陽貨〉	「色厲而內荏章」、「子曰予欲無言章」
〈微子〉	「微子去之章」
〈堯曰〉	「不知命無以為君子章」

蓋就整個《論語集注》而言，此等份量實不足言，然而卻能見到朱熹所受之影響與

頁 116，謝曰：「知獲罪於天為無所禱，則知獲罪於人無所媚矣。王孫賈之意不過使孔子媚
己耳。在聖人之意，則曰『我寧媚於奧，直求福於天也。』其言則遜而不逼，止曰『不然，
獲罪於天無所禱也。』使王孫賈知此意，則不為無補；使王孫賈不知此意，則非以取禍。」

啟發，例如〈里仁〉「子曰我未見好仁者」章：

> 《論語精義》謝曰：「志至焉，氣次焉，使其操此心以往，則將天下之仁皆歸焉，故曰『我未見力不足者』。此道甚易行，聖人不敢以難待天下之人也，故曰『蓋有之矣』。然天下莫能行，聖人不敢以易待天下之人也，故曰『我未之見也』。」❷❼

> 《論語集注》：「蓋為仁在己，欲之則是，而志之所至，氣必至焉。故仁雖難能，而至之亦易也。」又「蓋人之氣質不同，故疑亦容或有此昏弱之甚，欲進而不能者，但我偶未之見耳。蓋不敢終以為易，而又歎人之莫肯用力於仁也。」❷❽

於此一章之解而言，朱熹「志之所至，氣必至焉」一語，明顯承自謝良佐之「志至焉，氣次焉」，此語於《論語精義》之中，未見他人使用。而此段難易之說，雖然朱熹以為謝良佐之說亦「程子之意也」❷❾，然其語「仁雖難能，而至之亦易也」與「此道甚易行」何異？而「蓋不敢終以為易」及「聖人不敢以易待天下之人也」二語，蓋亦無不同。此處最值得玩味的，便是朱熹在《論語或問》中對於此章的去取說明言之：「程子至矣。」❸❶可是看程子對此章之說「欲仁則仁斯至矣，不係乎力也。用力於仁者，固當有之，己未嘗見爾，豈敢謂天下無仁者也」，意雖無不同，然朱熹所使用的語句卻類似於謝良佐，可見朱熹對於謝良佐的說法有所偏愛。

　　又如〈雍也〉「冉求曰非不說子之道」章：

> 《論語精義》謝曰：「欲為而不能為，是之謂力不足。能為而不欲為，是之

---

❷❼　見《論語精義》，頁 142。
❷❽　見《論語集注》，頁 94。
❷❾　見《論語或問》，頁 681。
❸❶　同前註。

謂畫。」❸

《論語集注》：「力不足者，欲進而不能。畫者，能進而不欲。」❷

此處朱熹只改謝良佐之「為」字為「進」字，其稍有積極之意，然而承襲之跡清晰可見。

又如〈憲問〉「子問公叔文子」章：

《論語精義》謝曰：「公叔文子當時賢者，恐於聖人之事有未足耳。如公明賈之對，非禮義充溢於中，時措之宜者不能，故夫子謂豈其然乎？」❸

《論語集注》：「是以稱之或過，而以為不言、不笑、不取也。然此言也，非禮義充溢於中，得時措之宜者不能。文子雖賢，疑未及此，但君子與人為善，不欲正言其非也，故曰『其然，豈其然乎』，蓋疑之也。」❸

觀此章之解，朱熹稍顛倒文字並加以引申言之，足見援引謝良佐之跡，而且朱熹於《論語或問》中只言及蘇氏及吳氏之說「得之」❸，未見其對謝良佐之解有何見解，但卻於《論語集注》亦加以引用謝良佐「非禮義充溢於中，時措之宜者不能」之語，對於蘇氏❸與吳氏❸之說的引用卻不是那麼明顯。

---

❸ 見《論語精義》，頁 216。
❷ 見《論語集注》，頁 113。
❸ 見《論語精義》，頁 483。
❸ 見《論語集注》，頁 191。
❸ 見《論語或問》，頁 828。
❸ 蘇氏曰：「凡事之因物中有理者，人不知其有是也。飲食未嘗無五味也，而人不知者，以其適宜而中度也。飲食而知其有五味，必其過者也。此文子所以得不言、不笑、不取之名也。」見《論語或問》，頁 828。
❸ 吳氏曰：「文子請享靈公也，史鰍曰：『子富君貪，禍必及矣。』觀此，則文子之言豈能皆當，而其取豈能皆善？」見《論語或問》，頁 828。

　　以上所舉之三例，為其中在語句與意義上明顯承襲的部分。另外在其他的篇章中，尚有明顯引用其詞彙，且為他人所未言之者，如：

〈雍也〉「伯牛有疾」章：

　　　　《論語精義》謝曰：「自牖執其手，曰亡之，蓋夫子與之永訣之意。」❸

　　　　《論語集注》：「自牖執其手，蓋與之永訣也。」❸

〈子路〉「葉公問政」章：

　　　　《論語精義》謝曰：「被其澤則說，聞其風則來。」❹

　　　　《論語集注》：「被其澤則說，聞其風則來。然必近者說，而後遠者來也。」❹

〈子罕〉「子畏於匡」章：

　　　　《論語精義》謝曰：「道之顯者謂之文。」❹

　　　　《論語集注》：「道之顯者謂之文，蓋禮樂制度之謂。」❹

〈鄉黨〉「君子不以紺緅飾」節：

---

❸　見《論語精義》，頁 213。
❸　同前註，頁 112。
❹　見《論語精義》，頁 458。
❹　見《論語集注》，頁 183。
❹　見《論語精義》，頁 320。
❹　見《論語集注》，頁 140。

《論語精義》謝曰：「紅紫非正色，嫌于婦人女子之飾。」❹❹

《論語集注》：「紅紫，間色不正，且近於婦人女子之服也。」❹❺

〈鄉黨〉「沽酒市脯不食」節：

《論語精義》謝曰：「沽酒市脯不食，與康子餽藥不敢嘗同意。」❹❻

《論語集注》：「沽、市，皆買也。恐不精潔，或傷人，與不嘗康子之藥同意。」❹❼

〈鄉黨〉「廄焚子退朝」節：

《論語精義》謝曰：「馬非不愛也，恐傷人之意多，故捐情于此。」❹❽

《論語集注》：「非不愛馬，然恐傷人之意多，故未暇問。」❹❾

〈顏淵〉「樊遲從遊於舞雩」章：

《論語精義》謝曰：「先事後得，其心在事而不在苟得，故德以是崇，與先難後獲同意。」❺⓪

---

❹❹　見《論語精義》，頁 356。
❹❺　見《論語集注》，頁 150。
❹❻　見《論語精義》，頁 362。
❹❼　見《論語集注》，頁 152。
❹❽　見《論語精義》，頁 368。
❹❾　見《論語集注》，頁 153。
❺⓪　見《論語精義》，頁 436。

《論語集注》：「先事後得，猶言先難後獲也。」[51]

〈陽貨〉「子曰予欲無言」章：

《論語精義》謝曰：「故四時行焉，百物生焉，所謂吾無隱乎爾也。」[52]

《論語集注》：「愚按：此與前篇無隱之意相發，學者詳之。」[53]

儘管這些引用對朱熹來說，都有些許不滿與批評，但由此足見朱熹對謝良佐說法的不忍割捨。而從上面的論述來看，除了「完整引用而無刪夷」的部分外，朱熹都作了一定程度的修正與取捨，但是可以看到謝良佐的說法，的確是朱熹詮釋《論語》時極為重要的一環。

四、朱熹《論語集注》道德修養觀受謝良佐之影響分析

朱熹所引用謝良佐說法者，大致上可以歸納成兩個方面，一是謝良佐所言的工夫論，一是謝良佐以為觀聖人可以增進德行的觀念，此二者茲分別舉幾個例子來說明：

㈠工夫論

理學家除了發展出儒家的本體論，其實對於這些理論的實踐工夫也相當的重視。而修養的工夫其實便在日常生活處、在淺近處，謝良佐之《論語說》在朱熹看來，此類尋常修養工夫要比二程子所言的工夫綱領吸引人，所以在《論語集注》中稱引謝良佐之處，有不少便是這類親切而落實淺近的工夫論，茲舉幾個例子來說明：

[51] 見《論語集注》，頁 175。
[52] 見《論語精義》，頁 586。
[53] 見《論語集注》，頁 224。

〈學而〉「曾子曰吾日三省吾身」章：

　　《論語集注》謝氏曰：「諸子之學，皆出於聖人，其後愈遠而愈失其真。獨
　　曾子之學，專用心於內，故傳之無弊，觀於子思、孟子可見矣。惜乎！其嘉
　　言善行，不盡傳於世也。其幸存而未泯者，學者其可不盡心乎！」❺❹

儘管朱熹對於謝良佐解此章之「為人謀而不忠乎？與朋友交而不信乎？傳不習
乎？」三者表示出他的意見說：「皆失於太高而非事實，少有餘味。」❺❺不過對於
謝良佐推崇曾子「專用心於內，故傳之無弊」表示贊同，故朱熹引用他的話希望後
學者學習曾子的「專用心於內」其意甚明。
　　又〈雍也〉「子曰孟之反不伐」章：

　　《論語精義》謝氏曰：「人能操無欲上人心，人欲自滅，天理自明，大道其
　　必得之矣。然不知學者欲上人之心無時而忘，蓋亦未知所以擇術也。擇術之
　　要，莫大於不伐，久之，則凡可以矜己夸人者，皆為餘事矣。奔而殿，將入
　　門，策其馬，曰『非敢後也，馬不進也』，則其於不伐亦誠矣。後之學者，
　　無志於學則已，有志於學，師孟之反可也。」❺❻

　　《論語集注》謝氏曰：「人能操無欲上人之心，則人欲日消，天理日明，而
　　凡可以矜己夸人者，皆無足道矣。然不知學者欲上人之心無時而忘也，若孟
　　之反，可以為法矣。」❺❼

朱熹於《論語或問》中對范氏的說法「夫子之於人，苟有善必稱焉，取其合於理者

---

❺❹　見《論語集注》，頁 69。
❺❺　見《論語或問》，頁 619。
❺❻　見《論語精義》，頁 219。
❺❼　見《論語集注》，頁 114。

以教人，若孟之反可以為法矣」，表示：「范氏於此，復為得之，夫子之意，如是而已。」❺❽又稱善尹氏的說法：「尹氏辭約意盡，優於眾說，若更以『又為』乃則盡善矣。」❺❾且朱熹還認為謝良佐的說法「尤為過之」❻⓿，可是在《論語集注》中卻引用謝良佐的說法以解此章。筆者以為，朱熹引謝良佐之說的用意，是著眼於修養工夫上來說的，因為在《朱子語類》中朱熹評謝良佐此章的解說時表示：「謝氏說學者事甚緊切，於本文未密。」❻❶也就是說朱熹引謝良佐的說法時雖未必合於章旨，但是卻盡量以詳實的基礎修養工夫來提撕後學者，不作過高的詮解，以此章而言，「操無欲上人之心」、「無時而忘」此等說法便是修養工夫。以此來看朱熹所引用的「謝氏」說法似乎大有這樣的用意，茲再舉幾個例子來說明：

〈公冶長〉「巧言令色足恭」章：

> 《論語集注》謝氏曰：「二者之可恥，有甚於穿窬也。左丘明恥之，其所養可知矣。夫子自言『丘亦恥之』，蓋竊比老彭之意。又以深戒學者，使察乎此而立心以直也。」❻❷

此章諸說朱熹取謝良佐言，觀《論語精義》中伊川❻❸、范氏說❻❹、呂氏❻❺、楊氏❻❻

---

❺❽　見《論語或問》，頁 726。

❺❾　同前註。

❻⓿　見《論語或問》，頁 725－726。

❻❶　見《朱子語類》，頁 809。

❻❷　見《論語集注》，頁 107。

❻❸　「足恭，過恭也。左丘明，古之聞人。」見《論語精義》，頁 191。

❻❹　范曰：「巧言令色足恭者，外為諂也。匿怨而友其人者，內為詐也。言己與丘明同，所以顯丘明而率其不能者也。夫惟外不為諂，內不為詐，則不愧於天，不怍於人矣。」見《論語精義》，頁 191－192。

❻❺　呂曰：「二恥者，誠心之所不至，世不以為恥，惟左丘明者與聖人同心，此孔子所以取之。巧言令色足恭，謂外事於言色貌者也。」見《論語精義》，頁 192。

❻❻　楊曰：「恥是四者，於孔子為不足道，而曰『丘亦恥之』者，蓋示人以行，使學者知是四者之不可為，又以進丘明之善也。」見《論語精義》，頁 192。

等人之說，多是推聖人之意以明之，惟謝良佐之說以「立心以直」之語來告誡學者應當下這樣的修養工夫。

又〈顏淵〉「顏淵問仁」章：

《論語集注》謝氏曰：「克己須從性偏難克處克將去。」❻⑦

此章言「克己復禮」，不管在《論語或問》或《朱子語類》中都用了很長的篇幅在討論此一概念，而《論語集注》中此章亦引用了程子長篇的解說語，朱熹於其他諸說完全不稱引，獨獨引用了謝良佐的這一段話，蓋程子說了一個綱領「克盡己私」，而謝良佐則說了一個「從性偏難克處克將去」的著實步驟。

又〈雍也〉「季氏使閔子騫為費宰」章：

《論語集注》謝氏曰：「學者能少知內外之分，皆可以樂道而忘人之勢。」❻⑧

朱熹於此章引謝良佐之說，其立意可見於《朱子語類》中，他說：「謝氏說得也粗。某所以寫放這裏，也是可以警那懦底人。若是常常記得這樣在心下，則可以廉頑立懦不至倒了。」❻⑨又在《論語或問》中說：「謝氏之說，粗厲感奮，若不近聖賢氣象，而吾獨有取焉，亦以其足以立懦夫之志而已。」❼⓪換言之，朱熹對於謝良佐的說法雖然不盡滿意，但是謝良佐的「知內外之分」是比較能夠讓人有所遵行的工夫，不似其他人的說法「只略說個大綱」。❼①

㈡「觀聖人以進德」的觀念

在《二程遺書》中有言：「《論語》為書，傳道立言，深得聖人之學者矣。如

---

❻⑦　見《論語集注》，頁 167。

❻⑧　見《論語集注》，頁 112。

❻⑨　見《朱子語類》，頁 794。

❼⓪　見《論語或問》，頁 723。

❼①　「第八章五說，今取謝氏之說。伊川、范、楊、尹氏四說大率皆同，只略說大綱。」見《朱子語類》，頁 793。

〈鄉黨〉形容聖人，不知者豈能及是。」❼❷二程子教人看《論語》，讀聖人言、觀聖人行，為的是學作人、學作聖人，所以二程子說：「學者不學聖人則已，欲學之，須是熟玩聖人氣象，不可止於名上理會。如是，只是講論文字。」❼❸如此看來，拿聖人作為標準與學習的對象，是在理解文字之外的一項增進德行的工夫，而筆者以為朱熹在引用謝良佐之解說時，似乎有此意向，茲舉幾個例子來說明：

〈學而〉「夫子至於是邦」章：

《論語集注》謝氏曰：「學者觀於聖人威儀之間，亦可以進德矣。」❼❹

在《論語或問》中朱熹說：「大抵此章說之善者，莫逾於程子，而胡氏亦有所發明也。」的確我們可以看到《論語集注》中引用了程子（伊川）的說法❼❺，但隨後便又將謝良佐之說附上，蓋謝良佐告訴學者「觀於聖人威儀之間」也算是「進德」的工夫之一。

又〈述而〉「子食於有喪者之側」章：

《論語集注》謝氏曰：「學者於此二者，可見聖人情性之正也。能識聖人之情性，然後可以學道。」❼❻

朱熹以為此章之解「程子至矣，謝說亦善。」❼❼然於《論語集注》中獨引謝良佐的這幾句話來說明，主要是因為朱熹以為「聖人情性便是理」❼❽，正所謂「聖人不勉

---

❼❷　見朱熹輯：《二程遺書》第二，收入《二程全書》（臺北：臺灣中華書局，1986 年 8 月，《四部備要》本），頁 23。

❼❸　見朱熹輯：《二程外書》第十，收入《二程全書》，頁 11。

❼❹　見《論語集注》，頁 71。

❼❺　此處伊川的說法，朱熹並未標注。

❼❻　見《論語集注》，頁 122。

❼❼　見《論語或問》，頁 743。

❼❽　見《朱子語類》，頁 872。

而中，不思而得」㊆，不勉強而樂於循理，是故觀聖人的情性，便可以知「理」。
朱熹又說：「博文約禮，亦是要識得聖人情性。」㊗換句話說，除了學習文字、語
句的義理外，還要能得聖人的行止以學之，此正是增進德行的工夫、方為接近
「道」的基礎修養。

又〈述而〉「子不語怪力亂神」章：

> 《論語集注》謝氏曰：「聖人語常不語怪、語德不語力、語治不語亂、語人
> 不語神。」㊁

《論語或問》中，朱熹說：「程子、謝、尹得之矣。」㊂然而獨引謝良佐之說於
《論語集注》。觀程子（伊川）與尹焞之說，都只是說明怪是怪異、力是勇力、亂
是悖亂、神是鬼神，而聖人不告訴人這些事物，但是我們看謝良佐的說法，儘管是
從淺近來解讀此章，但程子曾言：「聖人之言恐不可以淺近看。佗曰聖人之言，自
有近處、自有深遠處。」㊃故聖人平時之言雖多關於「常、德、治、人」等的尋常
處，卻足以啟發學者效法聖人，於非理之正者不當言之，應循理而言、而行，此正
是體現朱熹用「觀聖人以增進德行」的概念來稱引謝良佐解說的作法。

又〈公冶長〉「子在陳」章：

> 《論語集注》：「夫子初心，欲行其道於天下，至是而知其終不用也。於是
> 始欲成就後學以傳道於來世，又不得中行之士而思其次，以為狂士志意高
> 遠，猶或可與進於道也。但恐其過中失正，而或陷於異端耳，故欲歸而裁之
> 也。」㊄

㊆ 見《二程遺書》第十八，頁4。
㊗ 見《朱子語類》，頁872。
㊁ 見《論語集注》，頁126。
㊂ 見《論語或問》，頁748。
㊃ 見《二程遺書》第十八，頁18。
㊄ 見《論語集注》，頁106。

此章朱熹之說解未標注誰言，然觀其意，實引申自謝良佐之說。[85]觀夫子初心欲行道於天下，不得退而求其次始傳其道，又不得中行之士，則亦求其狂士可進於道者而裁之。謝良佐形容聖人貌如此詳細，徹頭徹尾成一個事，學者觀此形容，亦能興起效法之心，不敢半途而廢，此於德行的增進確實有所助益。

又〈衛靈公〉「子曰賜也」章：

> 《論語集注》謝氏曰：「聖人之道大矣，人不能觀而盡識，宜其以為多學而識之也。然聖人豈務博者哉？如天之於眾形，匪物物刻而雕之也。故曰：『予一以貫之。』『德輶如毛，毛猶有倫。上天之載，無聲無臭。』至矣！」[86]

程子曾說：「不知天，則於人之愚智賢否有所不能知，雖知之，有所不盡。故思知人不可以不知天。」[87]謝良佐以為聖人如天，無言哉，無聲無臭，自有其秩序，而人不能只看聖人多學而識之，便只以務博者觀之，尚且有其「一以貫之」的態度。朱熹於此章引了謝良佐與尹焞二人之說，尹焞之說旨在分別曾子與子貢學力淺深之不同，而引謝良佐之說，便要使學者知聖人之行止如天般廣大，知聖人便可近於知天，近於知天則能進德識人。

五、朱熹對謝良佐詮釋《論語》的批評

朱熹對於謝良佐詮釋《論語》的批評，有許多是謝良佐在文意上有所偏頗或者未安、不切近，甚至不通，更多時候朱熹認為謝良佐的詮釋「失之過高」或「恐非

---

[85] 謝曰：「夫子嘗曰：『如有用我者，吾其為東周乎！』則其傳於門人，非夫子初心也。當是時，雖得天下英才而教育之，所樂不存焉，而況狂狷乎？及其鳳鳥不至，知其卒不用也，不復夢見周公也，將以其道傳之門人，豈不曰吾舍此其如來世何？此欲反魯時心也。當是時，雖不得中行，猶欲成就之，而況英才乎？此孟子所謂狂者又不可得，又思其次也。」見《論語精義》，頁189。

[86] 見《論語集注》，頁202－203。

[87] 見《二程遺書》第四，頁3。

聖人之意」。這些意見，的確成為後來朱熹不採用其說的原因。不過朱熹在整個詮
釋《論語》的過程中，對於謝良佐說法的弊病有一些具體的歸納，不單只是這種不
著邊際的批評罷了。如朱熹以為謝良佐對於「仁」的理解有著根本上的錯誤，亦即
所謂「以覺訓仁」之說，謝良佐釋〈子路〉「子曰剛毅木訥」章：

> 《論語精義》謝曰：「要之四事，皆心不縱恣者能之，故近於有所知覺。」[88]

> 《論語或問》其「四者本以質言，而仁非知覺可訓。」[89]

關於朱熹批評謝良佐「以覺訓仁」，牟宗三先生有極為精闢的論說。牟宗三先生認
為朱熹的批評不當，以為謝良佐的「覺」是「惻然有所覺之覺」，是「本體論的覺
情」，而非「認知論的取向的知覺」。[90]不過牟宗三先生有此論調，乃是以西方本
體論、認知論的角度來看待謝良佐的「覺」，從不同層次來論述，自然會以為朱熹
的批評不當。牟宗三先生所持的觀點，當時胡伯逢有相類似的說法出現，他說：

> 曰「心有知覺之謂仁」，此上蔡謝子之言也。此言固有病，切謂「心有知覺
> 謂之仁」此一語是謝先生傳道端的之語，以提省學者也，恐不可謂有病。夫
> 知覺亦有深淺，常人莫不知寒識煖、知飢識飽，若認此知覺為極至，則豈特
> 有病而已。伊川亦曰「覺不可以訓仁」，意亦猶是恐人專守著一箇「覺」字
> 耳，若夫謝子之意自有精神，若得其精神，則天地之用即我之用也，何病之
> 有。[91]

以此觀之，牟宗三先生之所謂「本體論的覺情」，即類似於「謝子精神」，換句話

---

[88]　見《論語精義》，頁 467。
[89]　見《論語或問》，頁 821。
[90]　見牟宗三著：《心體與性體》第三冊（臺北：正中書局，2001 年 3 月），頁 284−277。
[91]　見〔宋〕張栻著：《南軒集》（臺北：廣學社印書館，1975 年 6 月），卷 39，頁 720−
　　　721。

說，也就是與天地同用、與天地同體的覺。不過謝良佐的解說並不完整，只是承襲了明道先生的部分說法，因為謝良佐在作譬喻時，仍然沿用了一般的認知性的知覺來說明，這便導致了朱熹以及當時其他學者的批評，例如張栻在〈答胡伯逢〉中說：

> 謝上蔡之言固是要指其發見以省學者，然便斷殺知覺為仁，故切以為未免有病。伊川先生所謂「覺不可訓仁」者，正謂「仁者必覺，而覺不可以訓仁」。侯子師聖亦嘗及此矣。若夫今之學者囂囂然，自以為我知之者，只是弄精魂耳，烏能進乎實地哉，此又上蔡之罪人也。㊒

雖然「以覺訓仁」未必完全錯誤，但朱熹深怕後學者受到這樣說法的貽誤，所以提出這樣的批評。沿著「以覺訓仁」說下來，朱熹認為謝良佐「知仁」之說，亦停留在認知的境界，我們來看看朱熹如何批評：

> 《論語精義》謝曰：「如『恭寬信敏惠為仁』，若不知仁，則止知恭寬信敏惠而已。『克己復禮為仁』，若不知仁，則止知克己復禮而已。『出門如見大賓，使民如承大祭』，此特飭身而已，何以見其為仁？『仁者，其言也訒』，此特慎言而已，何以見其為仁？有子之論仁，蓋亦如此爾。為孝弟者近仁，然而孝弟非仁也。……蓋仁之道，古人猶難言之，其可言者止此而已。若實欲知仁，則在力行、自省，察吾事親從兄時此心如之何，知此心，則知仁矣。」㊓

> 《論語或問》：「蓋其平日論仁，嘗以活者為仁，死者為不仁，但能識此活物乃為知仁，而後可以加操存踐履之功；不能識此，則雖能躬行力踐，而終未足以為仁也。夫謂活者為仁，死者為不仁可矣，必識此然後可以為仁，則

㊒　同前註，頁 721。

㊓　見《論語精義》，頁 31。

其為說之誤也。其誤如此，故其於旁引四條者，皆有若不知仁，則但為某事而已之說，而又以孝弟特為近仁而非仁也。夫四條者，皆所以求仁之術，謂之非仁猶可也，若孝弟則固仁之發而最親者，如木之根、水之源，豈可謂根近木而非木，源近水而非水哉！……必如其說，則是方其事親從兄之際，又以一心察此一心，而求識夫活物，其所重者乃在乎活物，而不在乎父兄，其所以事而從之，特以求夫活物，而初非以為吾事之當然也。」❾❹

從這一段話來看，謝良佐的「知仁」與「知恭寬信敏惠」、「知克己復禮」確有不同，以牟宗三先生的說法推之，謝良佐所言即是「若沒有『本體論的覺情』以作為根本，其境界就只停留在『認知論的取向的知覺』而已」，不過朱熹認為「仁」豈有「知前行後」之分，又以「木之根、水之源」這樣的比方來非議其「為孝弟者近仁，然而孝弟非仁也」之語。❾❺其實朱熹會有這樣的批評，見下面的例子可能更清楚：

《論語精義》謝曰：「未能行而恐有聞，蓋以聞為餘事矣。夫勇於有行，豈必以遷善改過為美□歟！蓋道不如是，不足以有知也。蓋唯力行，然後可以知道，譬如目之於色，必待見而後知；口之於味，必待食而後知。未之能行，而曰吾知之矣，此聞也，非知也。」❾❻

《論語或問》：「蓋其說每以知為重而行為輕，故反以聖賢力行之意為知道之具，其亦誤矣。」❾❼

---

❾❹ 見《論語或問》，頁 614。
❾❺ 後來朱熹的《論語集注》中解此章時，引程子之說：「謂之行仁之本則可，謂是仁之本則不可」，蓋與其「孝弟則固仁之發而最親者，如木之根、水之源，豈可謂根近木而非木，源近水而非水哉！」之語稍有出入，反而與謝良佐之說相似。
❾❻ 見《論語精義》，頁 181。
❾❼ 見《論語或問》，頁 706。

謝良佐以「目之於色，必待見而後知；口之於味，必待食而後知」這種「認知論的取向的知覺」來作譬喻，便如之前所言，的確是受到朱熹及其他學者所詬病的。

　　朱熹對謝良佐的另一個批評就是認為他「語涉佛老」。蓋朱熹十五、六歲時，曾從道謙禪師習佛學❾❽，《朱子語類》中亦言：「某舊時亦要無所不學，禪、道、文章、《楚辭》、詩、兵法，事事要學，出入時無數文字，事事有兩冊。」❾❾到了二十四歲，見李侗於劍南，始知佛老之學為異端，遂棄佛老之學。❿因此朱熹深知佛老之弊，因此對於謝良佐解《論語》時所涉佛老之語甚為不滿。例如：

　　　　《論語精義》謝曰：「有所欲，不得所欲則不樂。回也心不與物交，故無所
　　　　欲，無不得其所欲，此所謂天下之至樂。於此將以求顏子之用心果何所在，
　　　　且不可得，而況改其樂歟？」⓫

　　　　《論語或問》：「謝氏心不與物交之說，求顏子用心所在而不可得之說，則
　　　　又流入於老、佛之門耳。」⓬

又如：

　　　　《論語精義》謝曰：「非樂疏食飲水也，蓋疏食飲水不足以害其樂。然則夫
　　　　子蓋無所樂也，無所樂，天下之至樂也。如此則視義富義貴，亦如浮雲，而
　　　　況不義乎？」⓭

---

❾❽　見束景南著：《朱熹年譜長編》（上海：華東師範大學出版社，2001 年 9 月），頁 87。
❾❾　見《朱子語類》，頁 2620。
❿　見《朱熹年譜長編》，頁 162－164。
⓫　見《論語精義》，頁 215。
⓬　見《論語或問》，頁 724。
⓭　見《論語精義》，頁 262。

朱熹對此的批評認為謝良佐「無所樂」一語，不合聖人之語，為「老佛之談」❿，
而朱熹引程子言「須知所樂者何事」且「不改其樂」，這才是儒家之語。

又如：

> 《論語精義》謝曰：「仁人之死生無擇也，志士於死生取義也。方其舍生取
> 義，外物亦不足以間之，故所成者仁。」⓯

朱熹對此亦以為「但曰死生無擇，則似以仁人之於死生，都無所擇，而聽其自然
耳」⓰，所以他認為又涉於佛老之意，蓋從儒家的觀點來看，死生乃人生大關，有
無工夫全在這一節上，即使害殺身，亦須能全其義理、仁德，所以朱熹對此聽任自
然的生命態度無法苟同。

朱熹對謝良佐的具體批評除了這三者外，又如「重內輕外之說」，我們一樣舉
幾個簡單的例子來說明：

> 《論語精義》謝曰：「在己養德亦如是，篤於親則仁心自興，故舊不遺則德
> 自厚。」⓱

又：

> 《論語精義》謝曰：「巧言則心馳於外，故亂德。」⓲

朱熹以為上則「養德之云偏於內」⓳，而以為下則謝氏所說為「自為巧言能亂己

⓴ 見《論語或問》，頁 747。
⓯ 見《論語精義》，頁 523。
⓰ 見《論語或問》，頁 851。
⓱ 見《論語精義》，頁 287。
⓲ 同前註，頁 536。
⓳ 見《論語或問》，頁 758。

德，是務內而略外之失」。❿蓋儒家兼重內聖外王，謝良佐之言則偏於內聖之學，未能全其仁心，故朱熹有此議論。

六、結　論

根據本文的論述，可以得到以下幾點結論：

㈠朱熹年少時即受到謝良佐《論語說》（或《論語解》）的啟發，雖然史志及其他相關目錄皆言謝良佐的《論語說》已亡佚或未見，但是拿朱熹的文集及相關資料來與《論語精義》相互比對，可以發現幾個相同之處，依此筆者推論《論語精義》中朱熹所收「謝曰」的說法即是謝良佐的《論語說》。

㈡在朱熹詮釋《論語》的過程中，鎔鑄了部分謝良佐的說法。雖然我們熟知朱熹思想源於二程子，然而對於程門弟子思想的吸納亦採取開放的態度。在《論語集注》中，朱熹引用謝良佐說法且標注「謝氏曰」的地方有四十七處，而未標注的地方也有二十九處。此等份量雖然就整部《論語集注》來說不多，而且在其他資料中常見朱熹對謝良佐之說有所批評，然而卻多處獨引謝良佐的說法來詮說引申，足見謝良佐之說深受朱熹的喜愛。

㈢朱熹對於謝良佐的襲取方式並非只有照單全收，在更多時候，朱熹同時採取批判的態度來看待謝良佐的東西，對於非儒家正統的思想言論或者不符合經典本意處，如「以覺訓仁」、「知仁」、「涉於佛老」、「重內輕外」等觀念，朱熹皆一一仔細篩選剔除，保留了其中醇正且足以發人省思的部分：「工夫論」與「觀聖人以進德」。由此可知朱熹在詮釋《論語》時，所接受謝良佐的影響便在於這些工夫之上，此外朱熹在引用謝良佐的說法時，所採取的意向，大多是從後學者處來考量，也就是說朱熹所詮釋的《論語》希望能讓後學者有一個可以遵循的修養方法，以便能增進德行，所以朱熹常常在考量運用誰的說法時，反而是沿用了謝良佐這種落於實踐面的修養工夫來立說。

---

❿　同前註，頁 857。

主要參考書目

朱子語類　〔宋〕黎靖德編　北京：中華書局　1999 年 6 月

朱子全書　〔宋〕朱熹著　上海：上海古籍出版社、合肥：安徽教育出版社聯合出
　　版　2002 年 12 月

二程全書　〔宋〕朱熹輯　臺北：臺灣中華書局　1986 年 8 月《四部備要》本

南軒集　〔宋〕張栻著　臺北：廣學社印書館　1975 年 6 月

郡齋讀書志　〔宋〕晁公武著　臺北：臺灣商務印書館　1978 年 1 月

直齋書錄解題　〔宋〕陳振孫著　臺北：臺灣商務印書館　1978 年 5 月

文獻通考　〔元〕馬端臨撰　杭州：浙江古籍出版社　2000 年 1 月

宋史　〔元〕脫脫等著　臺北：臺灣商務印書館　1988 年 1 月

經義考　〔清〕朱彝尊撰　北京：中華書局　1998 年 11 月

明代書目題跋叢刊　馮惠民、李萬健等選編　北京：書目文獻出版社　1994年1月

增補宋元學案　〔清〕黃宗羲撰，〔清〕全祖望補訂　臺北：臺灣中華書局　1984
　　年 10 月

朱陸學術考辨五種──朱子年譜　〔清〕王懋竑撰，周茶仙點校，吳長庚主編　南
　　昌：江西高校出版社　2000 年 10 月

朱熹年譜長編　束景南著　上海：華東師範大學出版社　2001 年 9 月

朱學論集　陳榮捷著　臺北：臺灣學生書局　1988 年 4 月

朱子哲學思想的發展與完成　劉述先著　臺北：臺灣學生書局　1995 年 8 月

心體與性體第三冊　牟宗三著　臺北：正中書局　2001 年 3 月

中日四書詮釋傳統初探　黃俊傑編　臺北：國立臺灣大學出版中心　2004 年 8 月

宋明理學史　侯外廬、邱漢生、張豈之主編　北京：人民出版社　1997 年 10 月

經 學 研 究 論 叢
第 十 三 輯　　頁267～278
臺灣學生書局　　2006 年 3 月

戴震論訓詁考據與比興之關係

陳明鎬*

　　討論考據訓詁對於文學的功用如何，首先從孔子提出「多識名物」的命題以來，這種命題不再是新的內容，但乾嘉時期，乾嘉學派中皖派領袖的戴震以考據的方法闡釋訓詁學問，有其新的解釋與具體的論證，表現考據學對文學有不同的解釋方法與學術特色。在乾嘉之間，戴震以訓詁考據的方法解經明道，因此主張「經之至者，道也；所以明道者，其詞也；所以成詞者，未有能外小學文字者也。由文字以通乎語言，由語言以通乎古聖賢之心志」。戴震考據訓詁之目的則在於「志乎聞道」❶，由此可見戴震在文藝或是學術方面皆表現這種考據學思想。尤其他在「以字通詞（辭），由詞通道」的旗幟下，對多識名物制數與文藝作品中的「比」、「興」之間關係，表達了自己獨特的見解，這是因為從訓詁考據的角度解釋「比」、「興」，所以其看法與人不同。他訓釋《詩經》的著作《毛詩補傳》中提出考經的見解，但從來沒有人詳細論述過這個問題，本文就在此有探討的價值與意義。

　　戴震（雍正元年　1724－乾隆四十二年　1777），字東原，又字慎修，休寧（今安徽）人，享年五十五歲。出身貧寒，年十餘歲，塾師授以《說文解字》，其後學於江永。年二十九，補縣學生。有族豪侵佔祖墳而訟之，族豪以財巴結縣令，乃脫

---

❶　前面引文與此段的引文皆出於〈古經解鈎沉序〉，《東原文集》，收入張岱年主編：《戴震全書》（合肥：黃山書社，1995 年），第 6 冊，卷 10，頁 378。

身逃至京城，當年三十二歲。入京結識了錢大昕、紀昀、王鳴盛、朱筠、王昶等，自是知名海內。三十五歲，南歸，當時官為淮鹽都轉運使盧見曾介紹戴震與惠棟相識，因此結交吳派領袖惠棟（1697－1758）於揚州。從此後戴震的學術思想轉變為主張以訓詁明古經，明古經則明義理──以文字通語言，由語言通聖賢之道，因而反宋儒空憑胸臆之理學。❷乾隆三十八年（五十一歲）以布衣充四庫編修官。乾隆四十年，會試不第，奉命與乙未貢士一起殿試，賜同進士出身，授翰林院庶吉士。著述頗夥，有《六書論》（已失傳）、《考工記圖注》、《爾雅文字考》、《屈原賦注》、《詩補傳》、《勾股割圓記》、《校水經注》、《孟子字義疏證》、《尚書義考》、《毛鄭詩考證》等，編為《戴東原集》十二卷。今人編《戴震文集》（臺北：華正書局，1974 年）、《戴震集》（上海：上海古籍出版社，1980年）、《戴震全書》（北京：清華大學出版社，1991 年；合肥：黃山書社，1995

---

❷ 乾隆二十二年（1757），戴震三十五歲，離京南下揚州。當時揚州都轉鹽運使盧見曾介紹戴震與惠棟相識於都轉鹽運使司署內，此年惠棟六十歲，而戴震年為三十五。盧見曾（1690－1768），字澹園，又字抱孫，號雅雨，又號道悅子，德州人。戴震在九年後寫〈題惠定宇先生授經圖〉時回想與惠棟相識的情景說：「前九年，震自京師南還，始覯先生於揚之都轉鹽運使司署內。先生執震之手言曰：『昔七友吳江沈冠雲嘗語余，休寧有戴某者，相與識之也久。冠雲蓋寔見子所著書。』震方心訝少時未定之見，不知何緣以入沈君目，而憾沈君之不及覯，益欣幸獲覯先生。」從上面引文中，可得知惠棟的亡友沈冠雲已經讀過戴震的著作。戴震結識惠棟，成為戴震學術思想的轉折點，其實戴震的學術淵源是如錢穆所講的「戴學從尊宋述朱起腳」（錢穆：《中國近三百年學術史》〔北京：商務印書館，1997 年〕，上冊，頁 353）。但結識惠棟後就更加尊信漢儒古訓，崇尚家法，因此反宋儒。章炳麟在《檢論·清儒》中已評述惠棟與戴震學術思想的一同。東原在〈題惠定宇先生授經圖〉，與東原為惠棟的弟子余蕭客序〈古經解鈎沉〉之文章中，可以發現其學術思想結識惠棟後轉變的證據，學者大致上贊同此說法，如錢穆《中國近三百年學術史》，頁 355－357、余英時《論戴震與章學誠》（北京：生活、讀書、新知三聯書店，2000 年，頁 188－201）、李開《戴震評傳》（南京：南京大學出版社，2001 年，頁 155－163）等。但有人提出不同的看法，如梁啟超《戴東原哲學》（收入《近代中國學術論叢》〔香港：崇文書店，1973 年〕，頁 194－195）與胡適《戴東原的哲學》（商務印書館，1927 年，頁 22－26）之文中，根據戴望《顏氏學記》，主張戴震游揚州後，接觸清初顏元、李塨之思想而反理學，但侯外盧與楊向奎等在《中國思想通史》中例證戴震的學術思想不溯源於顏、李。上面的兩種觀點各有其根據，但從戴震的學術活動看，比較直接受到惠棟的影響，而轉變他的思想。

年）。在戴震的文集中關於文章方面的論述不少，而且他的文論主張可以說代表考據學者的文章觀。相反，戴氏對詩歌創作的造詣不深，如朱庭珍說「閻百詩、惠定宇，……則經學考據之業，自足千秋，詩均不工矣」❸，沒有詩集傳世。

　　戴震對多識名物制數、小學、比興與聖人之道的關係表述有考據學特色的看法，尤其是對多識鳥獸蟲魚草木之名與「比」、「興」之意表達其互相關係和文字、古音、訓詁等考據學思想。文學的概念在先秦時代已經存在，孔子從學術意義上或是政治目的上說文學為尚用，其實用精神在《論語‧陽貨》中說得明確，又是言及文藝的認識作用，如「小子何莫學夫詩！詩可以興，可以觀，可以群，可以怨；邇之事父，遠之事君．多識於鳥獸草木之名」，文藝為政治社會服務，從吟詠性情之角度看，這也是興、觀、群、怨與溫柔敦厚、思無邪的詩教。又以文藝的認識作用說文藝可以助於知識廣博，這文學實用的觀念會導致「尚用經文，重道輕藝，而文學遂喪失其獨立性了」❹，從現在的文學觀念看，此說法忽略了文學的藝術性。但從其學術性或者政治觀可以瞭解孔子重現實實用的文藝觀。生於清代中期的戴震只能以考據追溯孔孟之道，認為考證名物制數不僅是治經之方法，又是助於現實社會，這算是現代的自然科學或社會科學。他是崇尚聖人之道，尊崇孔子的學術精神，因此從考據學角度談小學考據與名物制數、文藝，這一連串的考據方法都歸於得聖人之道的活動，他說：

> 至若經之難明，尚有若干事。誦〈堯典〉數行，至「乃命羲和」，不知恆星七政所以運行，則掩卷不能卒業。誦〈周南〉、〈召南〉，自〈關雎〉而往，不知古音，徒強以協韻，則齟齬失讀。誦古《禮經》，先〈士冠禮〉，不知古者宮室、衣服等制，則迷於其方，莫辨其用。不知古今地名沿革，則〈禹貢〉職方失其處所。不知少廣、旁要，則考工之器不能因文而推其制。不知鳥獸蟲魚草木之狀類名號，則比興之意乖。而字學、故訓、音聲未始相離，聲與音又經緯衡從宜辨。漢末孫叔然創立反語，厥後考經論韻悉用之。

❸　郭紹虞：《清詩話續編》（上海：上海古籍出版社，1999 年），頁 2351。
❹　郭紹虞：《中國文學批評史》（臺北：文史哲出版社，1990 年），頁 15。

釋氏之徒，從而習其法，因竊為己有，謂來自西域，儒者數典不能記憶也。
中土測天用勾股，今西人易名三角、八線，其三角即勾股，八線即綴術。然
而三角之法窮，必以勾股御之，用知勾股者，法之盡備，名之至當也。管、
呂言五聲十二律，宮位乎中，黃鍾之宮四寸五分，為起律之本。學者蔽於鍾
律失傳之後，不追溯未失傳之先，宜乎說之多鑿也。凡經之難明，右若干
事，儒者不宜忽置不講。僕欲究其本始，為之又十年，漸於經有所會通，然
後知聖人之道，如縣繩樹埶，毫釐不可有差。❺

站在文學作品的考證看，宋嚴羽在《滄浪詩話》中已有〈考證〉一篇，這僅是對詩
歌做校勘或辨偽，其與戴震在〈與是仲明論學書〉中說「由字以通其詞，由詞以通
其道」的考據學派思想截然不同，此如〈古經解鉤沈序〉中說的「知此學（訓詁考
據）之不僅在故訓，則以志乎聞道也」，就是說訓詁考據的目的是在於聞道。考證
詩歌之名物，戴震認為解經難明，因而從考據經驗中得出結論則由字通道的見解。
用字書（《爾雅》、《說文解字》等）或經典（儒家經書）或他書等書籍（即文人
的詩文集等）考證名物制數，如文字、音韻、天文、曆法、史地、律呂等，皆考證
後才能知道聖人之道。上面的序文中也是論及由古音至聖人之道的訓詁考據途徑，
其範疇如洪榜說「先生日夜孳孳，搜集比勘，凡天文、曆算、推步之法，測望之
方，宮室衣服之制，鳥獸、蟲魚、草木名狀，音和、聲限古今之殊，山川、疆域、
州鎮、郡縣相沿革之由，少廣、旁要之率，鍾實、管律之術，靡不悉心討索，知不
可以雷同剿說瞻涉皮傅」。❻戴震給段玉裁的書劄中說「僕自十七歲時，有志聞
道，謂非求之《六經》、孔、孟不得，非從學於字義、制度、名物，無由以通其語
言。為之三十餘年，灼然如古今治亂之源在是」❼，這是戴震從年輕時學習的過程
中覺悟的經驗認識論，他標舉以考據為學問的門徑一生不變，郭紹虞在《中國文學
批評史》中也說他在晚期由考據經驗的基礎下自以發明義理，就著《孟子字義疏

---

❺　〈與是仲明論學書〉，《東原文集》，卷 9，頁 371。

❻　〈戴先生行狀〉，《戴震全書》，第 7 冊，頁 5。

❼　〈與段茂堂第九札〉，《戴震全書》，第 6 冊，頁 541。

證》，所以戴震在〈與方希原書〉裡說的義理、考據、詞章三者合一。❽

　　戴震說「不知鳥獸蟲魚草木之狀類名號，則比興之意乖」，是從考釋者立場的看法說的。以考據解經，所以他說不知鳥獸蟲魚草木之狀類名號，經義即難明，也對後世傳訛，因此戴震要求治經者具備考據訓詁的學問，在〈與姚孝廉姬傳書〉中說「所謂十分之見，必徵之古而靡不條貫，合諸道而不留餘議，鉅細必究，本末兼察」❾，他要求的考據學的學問就是如引文說的「十分之見」。戴震對鳥獸蟲魚草木有考據的著作，其為《經雅》與《屈原賦注・通釋下》（書成於二十九歲），這兩本書成書年可能相差不久，比較兩書重覆的字就可以發現內容幾乎不差，例如「艾，《爾雅》謂之冰台，或謂之醫草」，對此條的解釋兩書相同。還有《經雅》「蕭，或謂之薌蒿，《爾雅》謂之萩」與《屈原賦注》「蕭，《爾雅》謂之萩，《禮注》謂之薌蒿」等也是相同。《經雅》考證的是《六經》中的鳥獸蟲魚草木，其體例是仿《爾雅》，因此取合二為《經雅》之名。《經雅》是一部未完成的手稿，全是辨草木鳥獸蟲魚之名，但從無人提及過它，其撰稿時間無法論定，從內容看大約是早期之作。❿戴震頗重規《爾雅》，在〈爾雅文字考序〉說「古古訓之書，其傳者莫先於《爾雅》」，他原先計劃著《爾雅文字考》說「考訂得失，折中前古，於《爾雅》七百九十一言，合之群經雅記，靡所扞格，姑俟諸異日」，但此計劃未完成。

　　戴震訓詁《詩》說「不知鳥獸蟲魚草木之狀類名號，則比興之意乖」，他解釋

---

❽　郭紹虞：〈戴震段玉裁之考據義理詞章合一說〉，《中國文學批評史》（臺北：文史哲出版社，1990 年），頁 882。

❾　《東原文集》，卷 9，頁 372。

❿　戴震在〈答江慎修先生論小學〉中舉《爾雅》之「杜甘，棠」「榆白，枌」等，已經在《經雅》中出現。按段玉裁的《年譜》，此序是戴震二十三歲時寫的考據文章。胡錦賢在〈戴震名物訓詁專著的新發現〉一文中，論定十七至二十七歲所記的。但戴震《杲溪詩補注》與〈毛詩補傳序〉亦採納了《經雅》的內容，〈毛詩補傳序〉是戴震三十一歲時寫的文，仍不知其確實的時間。洪榜《戴先生行狀》說「其學彌博而探指彌約，其資愈敏而持力愈堅，年二十餘而《五經》立矣」，戴震五十五歲正月十四日給段玉裁的書札中說「僕自十七歲時，有志聞道，謂求之《六經》，……為之三十餘年，灼然知古今治亂之源在是」，戴震此年五月卒。從此兩段文章判斷，《經雅》的寫作時間是大約十七歲至三十歲之間。

「比」、「興」有新義，與歷來文人的看法不同，說：

> 鄭司農云「比者，比方於物也；興者，託事於物」。蓋立言之體，有是三
> 者，非直賦其事，則或比方，或託物。賦直而比曲，比邇而興遠。興既會其
> 意矣，則何異於比。比如見其事矣，則何異於賦。……《易》曰「引而信
> 之，觸類而長之」，《詩》之比、興固如是，舉比以通賦與興，非創自是書
> 也。❶

戴震又在《毛詩補傳》中說：

> 風、雅、頌，作詩有此三體也。賦、比、興，詩之辭有此三義也。賦者，指
> 明而賦陳之也，如「窈窕淑女，君子好逑」，即賦也。比者，託事比擬，不
> 必明言而意自見也，如〈鴟鴞〉通篇為鳥言是也。興者，假物引端也，如
> 「關關雎鳩，在河之洲」之類是也。❷

現在學者對六義一般認為「風」、「雅」、「頌」為詩的文體，「賦」、「比」、
「興」是表現技巧，這也是類似孔穎達在《毛詩正義》的體用關係，孔氏說「賦、
比、興，是詩之所用，風、雅、頌，是詩之成形」。朱熹說「賦者，敷陳其事而直
言之者也。興者，先言他物以引起所詠之辭也。比者，以彼物比此物也」（《詩集
傳》卷一），朱熹的說法比較廣泛被接受。但歷來對此三者（賦、比、興）的見
解，如朱自清說「賦比興的意義，特別是比、興的意義，卻似乎纏夾得多；《詩集
傳》以後，纏夾得更利害，說《詩》的人你說妳的，我說我的，越說越糊塗」❸，
其實朱子之前有劉勰、鍾嶸、蕭統、皎然、孔穎達、成伯瑜、邵雍、王安石、王
令、程頤、程顥等皆有自己的見解。對「賦」、「比」、「興」，有人的說法是把

---

❶　〈詩比義述序〉，《東原文集》，卷 10，頁 379。
❷　〈毛詩補傳目錄〉，《戴震全書》，第 1 冊，頁 129。
❸　朱自清：《詩言志辨》（臺北：臺灣開明書店，1982 年），頁 49。

此三者歸於一類，但這種說法很罕見，如惠周惕在《詩說》言「毛公傳《詩》，獨言興，不言比、賦，以興兼比、賦也」❹，就是說「興」包含「比」、「賦」之意。清劉寶楠說「賦、比之義，皆包於興，故夫子止言興」❺，也認為「興」包含「比」、「賦」。戴震對「賦」、「比」、「興」的解釋與其他文人沒有大的出入，例如對「興」，程頤說「興者，興起其義」❻，有引起發端的意思。但戴震與別人不同的是「比」的作用與含義的界限。在上面說「舉比以通賦與興」，「比」包「賦」與「興」，將「比」的含義擴大解釋。但「比」的說法與鄭玄類似，鄭玄說「比，見今之失，不敢斥言，取比類以言之。興，見今之美，嫌於媚諛，取善事以喻勸之」❼，此「以喻勸之」的說法中已有比喻的意思，從這一點看戴震的「比」包「興」是有根據的，但鄭玄從創作主體道德內涵說「比」、「興」，與戴震只說修辭方面的內容是不同的。

　　戴震將「比」解釋為「比者，託事比擬，不必明言而意自見也，如〈鴟鴞〉通篇為鳥言是也」。〈鴟鴞〉是《詩經·豳風》中的一首，《毛詩序》說「周公救亂也。成王未知周公之志，公乃為詩以遺王，名之曰〈鴟鴞〉焉」，孔穎達《疏》：

> 〈鴟鴞〉詩者，周公所以救亂也。毛以為武王既崩，周公攝政，管、蔡之流言以毀周公，又導武庚與淮夷叛而作亂，將危周室，周公東征而滅之，以救周室之亂也。於是之時，成王仍惑管、蔡之言，未知周公之志，疑其將篡，心益不悅，故公乃作詩，言不得不誅管、蔡之意，以貽遺成王，名之曰〈鴟

---

❹ 轉引自吳時英：〈戴東原的詩學〉，《戴震全書》，第 7 冊，附錄二，頁 465。惠周惕，字元龍，一寧研溪，吳縣人，他是考據學吳派領袖惠棟的祖父。江藩《國朝漢學師承記》說：「研溪先生少傳家學，又從徐枋、汪琬游，工詩古文詞，……遍游四方，與當代名士交，秀水朱彝尊亟稱之，文名益著。」康熙辛未成進士，卒於密雲知縣，著有《易傳》、《春秋問》、《三禮問》、《詩說》《研溪詩文集》。

❺ 《論語正義》卷二十〈陽貨〉注「可以興」句，轉引自徐中玉主編：《意境、典型、比興編》（北京：中國社會科學出版社，1994 年），頁 224。

❻ 程頤：〈詩解〉，《伊川經說》，收入《二程集》（北京：中華書局，2002 年），卷 3。

❼ 〔漢〕鄭玄注，〔唐〕賈公彥疏：《周禮注疏》（北京：中華書局，1996 年），頁 796。

鴞〉焉。⑱

知道此故事之後，便會容易瞭解戴震說「〈鴟鴞〉通篇為鳥言」的看法。戴震說此
詩的寫作手法全是「鳥語」，他在《毛詩補傳》說「鴟鴞，……《說文》謂之鵂
鶹，晝瞑夜見，破鳥巢食其子」⑲，戴震是從這首詩的故事背景與鴟鴞鳥的天性會
破鳥巢食其子之相同性作解釋，以此表現手段為「比」，若從文學的角度看則有形
象性的比喻，自有合理性。對這首詩，王夫之也有解釋，他在〈鴟鴞〉篇考證「鴟
鴞」之後說「然則此為鴟鴞之自言」⑳，戴氏與王氏皆說此詩的表現手法為「鳥
語」。但有解詩之不同處，王夫之說：

> 且周公奉王以誅二叔，義也。若斥之以食母之鳥，詠歌而流傳之，是不仁
> 也。……故《孟子》曰：「管叔，兄也。周公通之過，不亦宜乎！」而何忍
> 以至不仁之妖鳥，比其兄哉！鄭氏以鴟鴞比周世臣之子孫以黨屬周公而得罪
> 者，於義極順。《集傳》以一鳥名之誤廢舊說，而陷周公于詛怨天倫之怨，
> 且以鳥巢比王室，鳥子比成王，殊失君臣之禮。王室而曰我室，王而曰我
> 子，又以恩勤自誇，尤為驕駔。自當從鄭《箋》七疑。㉑

王夫之考證《孟子》的這段話後，他認為周公殺死二叔而詠歌是不仁，不符合情
理，因此否定朱子說的鴟鴞鳥的天性食子，與作詩背景同一的看法，而是贊同鄭玄
的說法。在此戴震是採納朱子《詩集傳》的看法，朱子在《詩集傳》將《豳風·鴟
鴞》篇解釋為「比也，為鳥言自比也」，可見戴震在早期思想中採納朱子的看法，
並不完全否定宋儒，尤其在《毛詩補傳》中不難發現之。值得注意的是，他對
「比」與「興」的詮釋用於〈關雎〉篇時與他人不同，在上面引文《毛詩補傳》中

---

⑱　〔漢〕毛公傳，〔漢〕鄭玄箋，〔唐〕孔穎達等正義：《毛詩注疏》（北京：中華書局，
　　1996 年），頁 394。
⑲　《毛詩補傳》，《戴震全書》，第 1 冊，頁 332。
⑳　王夫之：《詩經稗疏》，《船山全書》（長沙：岳麓書社，1996 年），頁 104。
㉑　同前註，頁 105。

說「『窈窕淑女，君子好逑』，即賦也」，一般歷來學者說此首詩的表現手法即是「興」，但戴震解釋說「賦」的手法，這與他在《孟子字義疏證》中義理的觀念很符合，因為他說的「性之欲」、「民之情」皆是「自然之分理」，所以他不把〈關雎〉篇硬要合於詩教而解釋說「后妃之德」，因此說出此兩句是「賦」的表現。戴震從考據學思想說出解詩時對先儒的說法與後世解釋《詩》的說法提出意見，說：

> 今人於先儒之說不敢少異，而獨指聖賢「思無邪」之書為亂言邪辭。考其說之所據，以為如《春秋》書亂賊爾，存之可以識其國亂無政。《春秋》時諸國宴享所賦，多今人所淫亂之辭者。鄭六卿餞韓宣子於郊，賦其本國之淫詩，豈亦播其國亂無政乎？若曰賦詩斷章，則亦有當辨者。五倫之禮，本自相通，或朋友、兄弟、夫婦之詩，用之於君臣；或男女之詩，用之於好賢。然不可以小人之言加之君子，鄙褻之事誦之朝廷、接之賓客。以是斷之，變風止乎禮義，信矣。㉒

他評論後世解釋者對《詩》斷章取義誤解本意，而且強調不必固守先儒的說法，這就是《孟子字義疏證》中說的「以我之情絜人之情，而無不得其平是也」，以常情說鄭六卿飲酒賦詩，隨興所作，不可以國亂無政之意解詩。下面再看對「比」的看法，他說：

> 《易》曰「引而信之，觸類而長之」，《詩》之比、興固如是，舉比以通賦與興，非創自是書也。……。據比義言之，推而至於隸用一字，在六書假借，引喻以明，無非比也。賦者，比之實也；興者，比之推也。得比義，於興不待言，即賦之中，復有比義。㉓

在上面說比是「比如見其事」、「比者託事比擬」，這是在現實經驗的基礎上類推

㉒　《毛詩補傳目錄》，《戴震全書》，第 1 冊，頁 130。
㉓　〈詩比義述序〉，《東原文集》，卷 10，頁 380。

文學作品與事物的內在相通性，所以戴震對「興」說「興者，比之推也」，他認為「興」也是「比」的類推。通常這種類推是一種概念性的相通❷，文學作品中的形象與其他事物之間也能概念性的聯繫。歷來闡釋《詩經》，則「從文學形象出發，類推而及於非文學事物，這主要存在於文學作品的詮釋與欣賞中」❷，戴震也是用概念性的意義說明「比」的含義，但在《毛詩補傳》中，以考據方法闡釋《詩經》的名物制度。在「比」的範疇中，有「興」與「賦」，就是說「比」包「興」與「賦」，這種看法是與人迥異的。他把「比」以字假借的方法解釋為比喻，許慎《說文解字》說「假借者，本無其字，依聲託事」❷，因此戴震認為在「興」與「賦」中有「比」之意，他解釋說：

> 〈樛木〉之詩，先儒以為興，是葛藟但興福履爾。然以是詩為「后妃逮
> 下」，故眾妾稱願之，詩中無從知其為眾妾所作，徒因樛木下垂，葛藟上
> 蔓，喻后妃逮下、眾妾上附，非比而何？〈麟之趾〉，先儒亦以為興，然又
> 曰「於嗟麟兮」，歎美公子為麟也。麟喻公子，趾、定、角，喻公子振振仁
> 厚。於是歎麟即歎公子，非比而何？❷

在此例舉詩句解釋「興」與「比」的關係，可知對「比」與「興」，戴震與其他文人有不同看法。他對賦比興的解釋目的在不傅會鑿空，不憑臆為斷，所以舉例說，〈葛覃〉篇先儒以為「興」，但戴震以「葛葉萋萋，黃鳥飛鳴」之句說明「總謂之賦」。總之，他說「然則賦也、比也、興也，特作詩者之立言置辭，不出此三者；若強析之，反自亂其例」，可見要求解詩不能胸臆為斷。值得一提的是，戴震說

---

❷　參見朱光潛：《文藝心理學》（臺北：臺灣開明書店，1994 年），頁 4–5。朱光潛在此用西方的美學思想說明直覺、知覺、概念的差別，直覺是一種混沌的形象，沒有什麼意義，不能喚起從經驗中得來的聯想；知覺是由形象而知意義的知，但知的對象只是具體的個別事物，不能離開形象。概念是離開個別形象而想到抽象的意義。

❷　劉明今：《方法論》（上海：復旦大學出版社，2000 年），頁 260。

❷　〔漢〕許慎：《說文解字》（北京：中華書局，1983 年，）卷 15，頁 314。

❷　《毛詩補傳目錄》，《戴震全書》，第 1 冊，頁 129。

「比如見其事」，「比」不僅是以此物比彼物，也可以比喻事。這在朱子的看法中也有類似的說法，就是「朱熹對比的定義有兩個，一為『以彼物比此物』，二為『引物為況』。前者因見於《詩集傳》，故廣為人知，後者僅見於《朱子語類》，故較少受到注意。……它也可以是一件事物，或一種狀況」。❷朱子沒有以「引物為況」解釋《詩經》，但戴震就提出了「比如見其事」，而且解釋了詩句，可說繼朱子而有所發展。

　　以上探討了考據訓詁對文藝的作用。多識名物在文藝方面能助於解詩之本意，這也是考據訓詁的方法通詩人之志，可以說戴震以考據通聖人之道的考據學思想落實於文藝作品中「賦」、「比」、「興」解釋。在此強調戴震由考據學思想解釋文學作品中的「賦」、「比」、「興」，將比之作用和含義擴大解釋了，就是比包含「賦」與「興」。戴震這種見解與他人不同，而且從他考據學思想出發解釋《詩經》的具體作品時，也有其特色，因此研究戴震的訓詁考據與「比」、「興」之間的關係有其意義了。

---

❷　莫礪鋒：《朱熹文學研究》（南京：南京大學出版社，2000 年），頁 248。

經 學 研 究 論 叢
第 十 三 輯　頁279～280
臺灣學生書局　2006年3月

「湖湘學者的經學研究」學術研討會

編 輯 部

　　中央研究院中國文哲研究所經學文獻組執行的「晚清經學研究計畫」第二年度子計畫「湖湘學者的經學研究」，執行期間自九十二年一月一日起，至九十二年十二月三十一日止，計有一年，其間召開兩次學術研討會，時間及發表論文如下：

第一次研討會

　　第一次學術研討會於民國九十二年八月二十六日（星期二），假中央研究院中國文哲研究所二樓會議室舉行，發表論文六篇，出席學者及研究生五十餘人。議程如下：

◎第一場會議（莊雅州主持及評論）

　　程克雅：從湖湘到廣東：書院課藝在晚清經學傳述中的重要性

　　張政偉：王先謙《詩三家義集疏》對詩旨的擬定

◎第二場會議（夏長樸主持及評論）

　　丁亞傑：《翼教叢編》的經典觀

　　楊　菁：《翼教叢編》與湖南新舊派論爭

◎第三場會議（詹海雲主持及評論）

　　馮曉庭：王闓運的春秋學

　　盧鳴東：翼孔經世：蘇輿《春秋繁露義證》以禮證義述考

第二次研討會

　　第二次學術研討會於民國九十二年十一月二十四日（星期一），假中央研究院中國文哲研究所二樓會議室舉行，本次研討會與臺灣大學東亞文明研究中心合辦，發表論文六篇，出席學者及研究生五十餘人。議程如下：

◎**第一場會議（鄭吉雄主持及評論）**

　　李威熊：王先謙尊經翼教思想及其對經學之貢獻

　　楊濟襄：蘇輿《春秋繁露義證》「滅國」詞義論釋之商榷

◎**第二場會議（李威熊主持及評論）**

　　陳　致：商略古今，折衷漢宋──王先謙的今文詩學

　　魏怡昱：王闓運春秋學的解經特色及其時代意義

◎**第三場會議（楊晉龍主持及評論）**

　　朱漢民：晚清湘學的學術旨趣──以魏源、曾國藩為例

　　陳戍國：曾國藩與經學

經 學 研 究 論 叢
第 十 三 輯　頁281～282
臺灣學生書局　2006 年 3 月

「廣東學者的經學研究」學術研討會

編輯部

中央研究院中國文哲研究所經學文獻組執行的「晚清經學研究計畫」第三年度子計畫「廣東學者的經學研究」，執行期間自九十三年一月一日起，至九十三年十二月三十一日止，計有一年，其間召開兩次學術研討會，時間及發表論文如下：

第一次研討會

第一次學術研討會於民國九十三年六月二十九日（星期二），假中央研究院中國文哲研究所二樓會議室舉行，發表論文六篇，出席學者及研究生五十餘人。議程如下：

◎第一場會議（陳廖安主持及評論）

　　孫劍秋：論陳澧的易學研究

　　龔鵬程：《南海康先生口說》糾謬

◎第二場會議（鍾彩鈞主持及評論）

　　曹美秀：朱一新與康有為

　　吳銘能：專明學術以濟天下——陳澧經學發微

◎第三場會議（賀廣如主持及評論）

　　陳文采：康有為的《毛詩》辨偽學

　　張政偉：康有為《詩經說義》研究

第二次研討會

　　第二次學術研討會於民國九十三年十一月二十五日（星期四）、二十六日（星期五）兩日，假中央研究院中國文哲研究所二樓會議室舉行，發表論文十二篇，會後並進行一場專題演講，出席學者及研究生五十餘人。議程如下：

■93 年 11 月 25 日（星期四）
◎第一場會議（柴劍虹主持及評論）
　　胡楚生：陳澧《春秋》學析評
　　林子雄：《學海堂集》研究
◎第二場會議（張素卿主持及評論）
　　李緒柏：《東塾讀書記》與《東塾雜俎》
　　曹美秀：《漢儒通義》析論
◎第三場會議（鄭吉雄主持及評論）
　　張永義：從《東塾讀書記》看陳澧的「漢宋調和」論
　　程　潮：晚清廣東學者的經學研究

■93 年 11 月 26 日（星期五）
◎第四場會議（劉文強主持及評論）
　　林素英：康有為《大同書》與〈禮運〉的思想聯繫
　　陳廖安：鄒伯奇《春秋經傳日月考》述評
◎第五場會議（李紀祥主持及評論）
　　李宗桂：康有為《春秋董氏學》雜議
　　楊濟襄：康有為《春秋董氏學》對《公羊》學的擴充與新詮
　　丁亞傑：康有為《春秋董氏學》與蘇輿《春秋繁露義證》比較
◎第六場會議（詹海雲主持）
　　車行健：學海堂與今文經學在廣東的興起

經學研究論叢
第 十 三 輯　頁283～286
臺灣學生書局　2006 年 3 月

「浙江學者的經學研究」學術研討會

編輯部

中央研究院中國文哲研究所經學文獻組執行的「晚清經學研究計畫」第四年度子計畫「浙江學者的經學研究」，執行期間自九十四年一月一日起，至九十四年十二月三十一日止，計有一年，其間召開兩次學術研討會，時間及發表論文如下：

第一次研討會

第一次學術研討會於民國九十四年六月二十三日（星期四）、二十四日（星期五）兩日，假中央研究院中國文哲研究所二樓會議室舉行，發表論文十篇，出席學者及研究生五十餘人。議程如下：

■94 年 06 月 23 日（星期四）
◎第一場會議（鄭吉雄主持及評論）
　　郜積意：以《春秋》說《論語》──劉逢祿至戴望的《論語》學
　　楊濟襄：龔自珍《春秋》學的經世特質及理論架構
◎第二場會議（楊晉龍主持及評論）
　　曹美秀：「訓詁明則義理明」的反思──從朱一新對阮元的批評談起
　　吳仰湘：朱一新、康有為論學函劄考
◎第三場會議（李紀祥主持及評論）
　　胡楚生：發揮經義　取證史事──俞樾《達齋春秋論》析評

邱惠芬：俞曲園《詩經》學研究

■94 年 06 月 24 日（星期五）
◎第四場會議（張壽安主持及評論）

　　盧鳴東：緣情說禮：孫希旦禮學思想述評

　　葉純芳：孫詒讓的校勘成果──〈《周禮注疏》校記〉

◎第五場會議（曾昭旭主持及評論）

　　程克雅：黃以周〈論書院〉與「學校禮」考述

　　陳　致：嘉興李氏的經學研究

　　　　　　──從一個經學群體的出現來看乾嘉時期的學術轉型

第二次研討會

　　第二次學術研討會於民國九十四年十二月八日（星期四）、九日（星期五），假中央研究院中國文哲研究所二樓會議室舉行，發表論文十篇，出席學者及研究生五十餘人。

■94 年 12 月 08 日（星期四）
◎第一場會議（張麗珠主持及評論）

　　樂愛國：朱一新「漢宋兼采」的理學傾向

　　姚淦銘：王國維的經學研究方法論

◎第二場會議（楊晉龍主持及評論）

　　賴貴三：黃式三、黃以周父子易學初探

　　丁雲川：杭州晚清經學遺跡

◎第三場會議（林慶彰主持及評論）

　　陳東輝：詁經精舍與清代中後期浙江漢學

　　竹內弘行：陳虯〈治平三議〉考

■94 年 12 月 09 日（星期五）

◎第四場會議（楊貞德主持及評論）

　　程克雅：晚清浙學與「漢學」知識系譜

　　　　　　——以俞樾、黃以周、孫詒讓為主軸的探究

　　鄭卜五：戴望的公羊學探析

◎第五場會議（蔣秋華主持及評論）

　　陳廖安：黃炳垕《廛史麻準》述評

　　曹美秀：黃式三《尚書啟蒙》平議

經 學 研 究 論 叢
第 十 三 輯　頁287～292
臺灣學生書局　2006年3月

「第一屆經典系列：
經典與宗教學術研討會」綜述

鄭卜五*摘錄

　　高雄師範大學經學研究所於民國九十四年五月廿一日（星期六），假國立高雄師範大學和平校區行政大樓十樓會議室，舉辦「經典與宗教」學術研討會，是本所第一次舉辦的「經典系列學術研討會」活動，本次研討由高雄師範大學經學研究所主辦，高雄市經典文教學會、中華經典學會和百世教育基金會協辦。

　　本次研討會就「經典的詮釋」、「治經的方法」、「經學與宗教的關係」、「經典的傳承與影響」等議題，作為討論的方向。會議議程如下：

　　上午八時三十分由國立高雄師範大學文學院廖本瑞院長及經學研究所黃忠天所長共同主持開幕式。

第一場（08：40～10：00）：**主持人王賢德教授**

第一位發表者：鄭卜五〈六祖慧能《法寶壇經‧行由品》之詮釋探析〉。

　　此文從〈行由品〉的文本中，直接探索《法寶壇經》的核心思想，及文本中容易被模糊及被誤判的事件，作不同視角的「詮釋」觀照。

　　文中運用傅偉勳先生「創造性的詮釋學」理論，將〈行由品〉的內涵「意義」作「詮釋」的析論，來釐析慧能的佛法精要。此文依照傅偉勳先生所擬的「實謂」

---

*　鄭卜五，高雄師範大學經學研究所副教授。

層次、「意謂」層次、「蘊謂」層次、「當謂」層次及「必謂」層次，作為詮釋〈行由品〉的方法基礎，以闡明〈行由品〉中「直了成佛」、「善自護念」、「善自護持」的脈絡意義及蘊涵；「本心、見性、性、自性、本性、佛性」的「邏輯分析」；「開悟」、「大悟」、「徹悟」這三個命題的語言層次及實踐層次；並將傅偉勳先生引用哈伯瑪斯「批判詮釋學」所強調的「認識論意義」，來探索「凡所有相，皆是虛妄」及「自性」是自體圓滿純淨自然的「主體」。而以時間性的歷史效果對「上人」、「血氣心」、「得失心」、「賢者心」做分析，最後以〈行由品〉中最突出的思想「應無所住，而生其心」，作創造性思維的探索。

特約討論人：陳宏銘教授

第二位發表者：吳伯曜〈「三教合一」思想對晚明《四書》學的影響──以林兆恩《四書正義》為例〉。

　　此文認為：時代的思潮，往往會影響經學發展的內涵，以及學者的經典詮釋觀點。晚明的時代思潮，除了陽明心學之外，另一個是「三教合一」思想，然而晚明的《四書》學，則反映出這兩種的時代思潮，林兆恩的《四書正義》即是此類的作品。

　　此文認為：由於陽明心學強調普遍而內在的超越本體的存在，以及對佛道兩家思想抱持較開放、接納與肯定的態度，因此陽明心學對於「三教合一」思想的發展與傳播，產生很大的影響力與推動力。林兆恩受到陽明心學以及「三教合一」思潮的影響，其《四書正義》或藉《四書》詮釋以宣揚「三教合一」的觀點；或由「三教教義一致」的觀點以詮釋《四書》、會通三教，充分反映了「三教合一」的思想。《四書正義》除了揭示三教思想的共同與互通之處外，也展現了對於《四書》進行某些創造性詮釋的可能。從《四書正義》的這些詮釋當中，也可以看出詮釋者的生命體驗與生命態度。

特約討論人：楊晉龍教授

第二場（10：20～12：10）：主持人方俊吉

第一位發表者：鄭志明〈佛教經典的胚胎生命觀〉。

　　此文主要是以《佛為阿難說處胎會》為依據，參酌《佛說胞胎經》，再以《佛說入胎藏會》作為補充。此文認為：佛教的因緣果報思想不是一種宿命觀，而是著重在還觀自性的精進修行，也可以說是一種優生學或全生教育，教導父母在未懷孕之前，要不斷注入慈悲、智慧等因緣，提昇自己的心靈品質與身體健康，來招感相應的生命入胎，也可算是一種胎前教育。佛教對胚胎生命的重視，不只是來自於宗教性的信仰理念與終極關懷，也有著類似科學的存有觀察，重視在受胎剎那的神識教育，要求在入胎、住胎與出胎時都能不失正念，清楚明白成就人身的修行目的。

特約討論人：劉滌凡

第二位發表者：林安梧〈「道」、「經典」與「詮釋」：我對經典詮釋的一些基本理解〉

　　本論文旨在經由林教授過去十數年來的詮釋學探源，進一步釐清「道」、「經典」與「詮釋」三者的關係。林教授首先，從王船山人性史哲學，到熊十力體用哲學，而開啟「道言論」，並點出「存有三態論」。再者，對《人文學方法論：詮釋的存有學探源》做一概括回顧，並聚焦於「道、意、象、構、言」與「存有三態論」的關係。

　　之後，林教授回顧了近百年來「格義」與「逆格義」的相關問題，釐清其限制，並冀求其新的開展。從而檢討了話語的交涉問題，經由具體的例示，對於古典話語、現代學術話語、日常生活話語，展開深層反思。最後林教授則指出「道」、「經典」與「人」三者是「兩端而一致」的，並以「半聽半看半矇矓，一葉一花一天風，山下出泉源滾滾；雲上雷端草木從」以為結語。

　　特約討論人：徐漢昌教授

第三位發表者：蕭登福〈宋後儒家經籍及修身法門的宗教化與道教化〉

　　此文認為：儒家戒怪力亂神，道教談修仙長生；兩者截然不同。但儒家的特色在重禮而好祭祀，祭祀與鬼神離不開關係，鬼神與神仙說又是一體的。正因為在祭神上，儒家和道教有共同點，所以儒生和方士便自然的被結合在一起。儒生、方士的相結合，在秦世已然。到了漢代，伏生、董仲舒、京房等儒者以術數說經，讖緯學者引術數及鬼神預言入經義；東漢應劭《風俗通義・怪神卷之九》記載董仲舒、

到伯夷以儒家的經書治鬼驅邪，將儒經道經化。從漢而下，儒、道二教相結合的情形，幾乎歷代皆有。南北朝時《南史・卷七十五・隱逸上・顧歡傳》載齊・顧歡以《孝經》治療魅病。梁・僧佑《弘明集》載晉宋至齊，時人華夷之辯，儒家逐漸被人拿來和佛、道二教並論，開始出現三教鼎立的局面。宋世以後，儒家誠意正心之學，更與道經《太上感應篇》、《太微仙君功過格》的修善方法結合在一起，同樣成為帝王輔政治國的教化工具，並且形成了儒家的誠意正心等內聖外王之說，即是宗教的修仙長生之法門；於是生為忠臣孝子，死後即是仙官冥吏。儒家的修身和宗教的修仙，被混而為一。

特約討論人：黃忠天教授

第三場（13：30～14：50）：主持人周虎林教授

第一位發表者：李宗定〈從《老子想爾注》論道教老學詮釋系統之建立〉

　　此文認為：中國文化中的儒、釋、道三教，學界向來較重視儒、釋之研究，道的部分也多以老莊為對象，而視道教為一混雜原始信仰及巫術的民間宗教。這個觀念在近來道教學者的努力下漸有改變，唯其中蘊藏著道家與道教之分的問題，仍爭議不斷，解決問題的關鍵，當在經典的注釋詮釋。道教經卷繁浩，且牽涉關聯複雜，要釐清道教思想，當以道教發展初期為觀察重點。而道教除尊奉老子及《道德經》，其教義亦多本於《老子》，道教如何透過對《老子》的吸收而發展出屬於道教自身的思想系統，道教發展初期的《老子想爾注》便是一部重要的解題鑰匙。

　　此文試圖以《老子想爾注》為對象，針對其注釋方法與內容，梳理出道教在形成其教義之初與老子的關係，並藉以討論道教注老系統發源時的詮釋視角及對後世老子詮釋學的影響。

特約討論人：林安梧教授

第二位發表者：釋慧靜〈《臨濟錄》「無位真人」思想發展之探討〉

　　此文認為：中國禪宗的歷史演進中，發展至唐五代時已逐漸有五宗之勢，其中又以臨濟、雲門較為興盛。臨濟宗到宋代之時，更分衍出黃龍、楊岐二派。至此，由達摩西來所傳之禪宗，在中國形成「五家七宗」。

　　宗派流傳至今者，則多為南嶽、馬祖一系之臨濟宗，故宗門有所謂「臨濟兒孫滿天下」之說。而臨濟祖師唯一流傳下來的一本語錄--《臨濟錄》，正是臨濟宗這一脈宗派所能依止之唯一典籍，語錄中的「無位真人」，更是《臨濟錄》「修證思想」中最重要之處。

　　此文以《臨濟錄》中「無位真人」之思想，作為主要研究方向，並依此一思想找尋佛教，乃至儒、道經典中與「無位真人」思想相關之典籍，以探究《臨濟錄》「無位真人」的思想脈絡與發展。

特約討論人：鄭志明教授

第四場（15：10～17：00）：主持人蔡崇名教授

第一位發表者：傅正玲〈試探《六祖壇經》的經典化模式〉

　　此文認為：在佛教經典中，佛陀說法的記錄，才能稱為「經」，佛陀入滅後，弟子阿難將佛陀在不同時空因緣，對不同根基的眾生所說的教法，一一講述，因而佛經開首以「如是我聞」一句起始，如錢穆先生所說：「依佛門慣例，佛之金口說法始稱『經』，菩薩們的祖述則稱『論』」。但慧能的語錄以「經」名，錢穆先生乃認為這「是佛門中一變例，而且是一大大的變例。」

　　此文認為：《六祖壇經》全稱《六祖大師法寶壇經》，敦煌本的全稱則為《南宗頓教最上大乘摩訶般若波羅蜜經六祖慧能大師於韶州大梵寺施法壇經》，乃慧能到韶州大梵寺說法，由弟子法海輯錄整理而成，在大藏經中，中國僧眾的語錄、著述或稱「論」、或稱「集」、或是「錄」，唯一列入經部的，也唯此一家而已。

特約討論人：康義勇教授

第二位發表者：劉文強〈《左傳》中的「祝、史」〉

　　此文認為：「《左傳》中常見「祝、史」連用，祝職祈福，史職陳辭。二者往往「矯舉而祭」，史尤多虛美淫辭，故特為人詬病。間有無私者，實為少數特例。然此本其職責，無所謂自主性。且國君貴族欲之，焉避害。唯祝雖德位俱高於史，然世無良祝，但傳良史，蓋史之幸也。」

特約討論人：馮時教授

第三位發表者：陳致宏〈《左傳》歷史敘事與宗教人文化--以禍福降獲為例〉

　　此文認為：今日欲理解先秦特定歷史條件下，人們對自身存在狀況所反映出的宗教觀念，只能藉由現存的文字敘事資料中來探討，而《左傳》以歷史敘事方式，保留許多先秦宗教觀念與民間信仰的資料，正是探討春秋宗教人文化過程的重要材料。《左傳》本身歷史敘事的性質，亦在宗教人文化過程中扮演著傳承與轉化的功能。此文由歷史敘事角度切入，說明《左傳》歷史敘事在宗教人文化過程中之功能與意義，進而以《左傳》中所載禍福降獲相關資料為討論對象，析論《左傳》歷史敘事中宗教人文化之現象及歷史敘事之人文詮釋。

特約討論人：蔡根祥教授

閉幕式（17：00～17：20）由經學研究所黃忠天所長及百世文教基金會王百世董事長共同主持。

經 學 研 究 論 叢
第 十 三 輯　　頁293～394
臺灣學生書局　　2006 年 3 月

出版資訊

一、本專欄收國內外最新出版,有關經學和經學人物之相關專著。惟舊籍重印或再
　　版書,則不予收入。

二、各提要略依經學總論、周易、尚書、詩經、三禮、三傳、四書、孝經、爾雅、
　　讖緯、經學人物等之順序排列。

三、提要前之目錄項,分別依書名、作譯者、出版地、出版者、頁數(冊數)、出
　　版年月等項排列。

四、各提要以簡介各書之內容為主,如有所評論,僅代表作者之意見。

五、歡迎各界人士提供與本專欄性質相符之著作,以便推介,來書請寄臺北市和平
　　東路一段 198 號臺灣學生書局經學研究論叢編輯部收。

《群經總義著述考(一)》(上冊)、(下冊)

《群經總義著述考(一)》(上)、(下)　季旭昇編著　臺北　國立編譯館主編
鼎文圖書公司　1273頁　2003 年 3 月

　　《十三經著述考》為十三經注疏六大整理工作成果之一,接續《十三經論著目
錄》,並以其書為基礎,對十三經注疏論著資料作一收集、整理工作。本書即為
《十三經著述考》所屬之《群經總義著述考(一)》,收錄上起先秦,下迄清代有
關「群經總義」之論著,並加以考證。全書上、下冊共分為「一般著錄」、「小學
部分」、「石經部分」、「注疏部分」、「緯書部分」五類,每類皆按時代先後著
錄資料。所收資料先按書名(或篇名)、卷次、亡佚情形、編撰時代及作者等項著
錄基本資料,再於其下收錄相關資料;相關資料包括作者簡介、序跋例言、提要解
題、考證評論等,按時代先後排列,並於文末注明出處。間作按語,說明其卷數、
著錄、傳本等相關問題。書後並附有參考書目。本書之特色,除了對論著資料作詳

細著錄之外，並且將相關資料匯集，按時代先後排列；在著錄存佚方面，依傳世情形，注明存、佚、未見、殘等情形，有助於了解每書之存佚情形。內容豐富，考證詳實，便於檢索利用，為研究「群經總義」必備之參考用書。

　　季旭昇，1953 年生，臺灣臺中人。國立臺灣師範大學國文研究所博士，現為國立臺灣師範大學國文系教授。專長為古文字學、中國文字、考古。著有《金文單字引得》、《金文學研究書目》、《詩經古義新證》等書。　　　　　　　（楊志圜）

《周易著述考（一）》

《周易著述考（一）》 黃尚信編著　臺北　國立編譯館主編　鼎文圖書公司
上、下冊　1479頁　2002 年 12 月

　　本書為《十三經著述考》所屬之《周易著述考（一）》，主要依據《周易論著目錄》，收錄先秦至民國八十一年（1992）間，中外學者有關《周易》之論著，並加以考證。全書上、下冊共分為「古籍」、「近人論著」、「海外之易經論著及研究」三類，每類皆按時代先後著錄資料：「古籍」，又分為「經本」、「叢編」、「注傳輯說」、「各卦分述」、「其他」五小類；「近人論著」，又分為「通論之屬」、「各卦傳分論」、「論述譯注」、「卦象與占筮」、「學術思想」、「易學史研究」、「易緯圖書」七小類；「海外之易經論著及研究」，又分為「概述」、「韓國」、「日本」、「歐美各國」四小類。所收資料先按書名（或篇名）、卷次、亡佚情形、編撰時代及作者等項著錄基本資料，再於其下收錄相關資料；相關資料包括著錄情形、序跋、提要等，按時代先後排列，並於文末注明出處。間作按語，說明其傳本或加以考證。書後並附有參考書目。本書之特色，除了對論著資料作詳細著錄之外，並且將相關資料匯集，按時代先後排列；在著錄存佚方面，依傳世情形，注明存、闕、佚、輯、未見等情形，有助於了解每書之存佚情形。內容豐富，考證詳實，便於檢索利用，為研究《周易》必備之參考用書。

　　黃尚信，中國文化大學文學博士。，現為暨南大學中國文學系副教授。專長為唐宋學術思想與文學。著有《鍾嶸詩論研究》、《李群玉詩集校注》、《黃梨洲經世之學研究》等書。　　　　　　　　　　　　　　　　　　　（楊志圜）

《尚書著述考（一）》

《尚書著述考（一）》　許錟輝編著　臺北　國立編譯館主編　鼎文圖書公司
　1342 頁　2003 年 10 月

　　本書為《十三經著述考》所屬之《尚書著述考（一）》，收錄上起先秦，下迄
近世有關《尚書》之論著，並加以考證。全書共分為「白文」、「總論」、「分
論」、「書序」、「音義」、「圖譜」、「逸書」、「書緯」、「外國人著述」九
類，每類皆按時代先後著錄資料；且專書置於前，單篇論文次之。所收資料先按書
名（或篇名）、卷次、亡佚情形、編撰時代及作者等項著錄基本資料，再於其下收
錄相關資料；相關資料包括作者簡介、序跋例言、提要解題、考證評論等，按時代
先後排列，並於文末注明出處。間作按語，說明其名稱、卷數、歸類等相關問題。
書後並附有參考書目。本書之特色，除了對論著資料作詳細著錄之外，並且將相關
資料匯集，按時代先後排列；在著錄存佚方面，依傳世情形，注明存、未見、闕、
輯、佚等情形，有助於了解每書之存佚情形。內容豐富，考證詳實，便於檢索利
用，為研究《尚書》必備之參考用書。

　　許錟輝，1934 年生，國立臺灣師範大學國文研究所博士、國家文學博士。現
為東吳大學兼任教授。專長為文字學、古文字學、尚書。著有《說文解字重文諧聲
考》、《說文重文形體考》、《文字學簡編‧基礎篇》等書。　　　　　　（楊志園）

《詩經著述考（一）》

《詩經著述考（一）》　周何編著　臺北　國立編譯館主編　鼎文圖書公司　上、
　下冊　1298 頁　2004 年 3 月

　　本書為《十三經著述考》所屬之《詩經著述考（一）》，主要依據《詩經論著
目錄》，收錄先秦至民國八十一年（1992）間，中外學者有關《詩經》之論著，並
加以考證。全書上、下冊共分為「詩經」、「通論」、「基本問題」、「注釋、翻
譯」、「國風研究」、「大小雅研究」、「三頌研究」、「語言文字研究」、「札
記」、「通考」、「板本校勘」、「詩經研究史」、「敦煌詩經殘卷」、「詩經在
外國」、「叢書、論文集」十五類，每類皆按時代先後著錄資料。所收資料按書

名、卷數、作者、著錄、存佚情況、傳本、考證等項著錄。考證內容包括作者簡
介、序跋例言、提要解題、考證評論，並於文末注明出處。間作按語，說明其卷
數、存佚、著錄、傳本異同等相關問題。書末附有參考書目。本書之特色，除了對
論著資料作詳細著錄之外，並且將相關資料匯集，按時代先後排列；在著錄存佚方
面，依傳世情形，注明存、未見、闕、輯、佚等情形，有助於了解每書之存佚情
形。內容豐富，考證詳實，便於檢索利用，為研究《詩經》必備之參考用書。

　　周何（1932－2003），江蘇鎮江人。國立臺灣師範大學國家文學博士，前國立
臺灣師範大學文學院院長、國文研究所教授。主編《漢字根莖乳表稿》、《國學導
讀叢編》、《國語活用辭典》、《標點十三經注疏》等書。著有《中國訓詁學》、
《春秋穀梁傳傳授源流考》、《新譯春秋穀梁傳》等書。　　　　　　（楊志遠）

《三禮總義著述考（一）》

《三禮總義著述考（一）》　劉兆祐編著　臺北　國立編譯館主編　鼎文圖書公司
633頁　2003年7月

　　本書為《十三經著述考》所屬之《三禮總義著述考（一）》，收錄上起先秦，
下迄近世有關「三禮總義」之論著，並加以考證。全書共分為「通論之屬」、「三
禮合論之屬」、「制度名物之屬」、「圖之屬」、「序跋、題記之屬」、「目錄版
本引得之屬」六類，每類皆按時代先後著錄資料；且專書置於前，單篇論文次之，
外國文章再次之。所收資料先按書名（或篇名）、卷次、亡佚情形、編撰時代及作
者等項著錄基本資料，再於其下收錄相關資料；相關資料包括作者簡介、序跋例
言、提要解題、考證評論等，按時代先後排列，並於文末注明出處。間作按語，說
明其卷數、著錄、傳本等相關問題。書後並附有參考書目。本書之特色，除了對論
著資料作詳細著錄之外，並且將相關資料匯集，按時代先後排列；在著錄存佚方
面，依傳世情形，注明存、殘、未見、輯、佚等情形，有助於了解每書之存佚情
形。內容豐富，考證詳實，便於檢索利用，為研究「三禮總義」必備之參考用書。

　　劉兆祐，1936年生，臺灣師範大學國文研究所博士，國家文學博士。現為文
化大學中國文學研究所所長暨中國文學系文學組、文藝創作組主任。專長為文字
學、文獻學、目錄版本學。著有《晁公武及其郡齋讀書志》、《宋史藝文志史部佚

籍考》、《四庫著錄元人別集提要補正》、《中國的古文字》、《認識古籍版刻與
藏書家》、《中國目錄學》、《治學方法》等書。　　　　　　　　　（楊志遠）

《周禮著述考（一）》

《周禮著述考（一）》　劉兆祐編著　臺北　國立編譯館主編　鼎文圖書公司
1037 頁　2003 年 10 月

　　本書為《十三經著述考》所屬之《周禮著述考（一）》，收錄上起先秦，下迄
近世有關《周禮》之論著，並加以考證。全書共分為「正文之屬」、「傳說之
屬」、「專著之屬」、「圖之屬」四類，每類皆按時代先後著錄資料；且專書置於
前，單篇論文次之，外國文章再次之。所收資料先按書名（或篇名）、卷次、亡佚
情形、編撰時代及作者等項著錄基本資料，再於其下收錄相關資料；相關資料包括
作者簡介、序跋例言、提要解題、考證評論等，按時代先後排列，並於文末注明出
處。間作按語，說明其卷數、著錄、傳本等相關問題。書後並附有參考書目。本書
之特色，除了對論著資料作詳細著錄之外，並且將相關資料匯集，按時代先後排
列；在著錄存佚方面，依傳世情形，注明存、殘、未見、輯、佚等情形，有助於了
解每書之存佚情形。內容豐富，考證詳實，便於檢索利用，為研究《周禮》必備之
參考用書。　　　　　　　　　　　　　　　　　　　　　　　　　　（楊志遠）

《儀禮著述考（一）》

《儀禮著述考（一）》　劉兆祐編著　臺北　國立編譯館主編　鼎文圖書公司
884 頁　2003 年 11 月

　　本書為《十三經著述考》所屬之《儀禮著述考（一）》，收錄上起先秦，下迄
近世有關《儀禮》之論著，並加以考證。全書共分為「正文之屬」、「傳說之
屬」、「專著之屬」、「分篇研究之屬」、「逸禮之屬」、「文字音義之屬」、
「圖之屬」、「序跋、題記之屬」、「目錄版本引得之屬」九類，每類皆按時代先
後著錄資料；且專書置於前，單篇論文次之，外國文章再次之。所收資料先按書名
（或篇名）、卷次、亡佚情形、編撰時代及作者等項著錄基本資料，再於其下收錄
相關資料；相關資料包括作者簡介、序跋例言、提要解題、考證評論等，按時代先

後排列，並於文末注明出處。間作按語，說明其卷數、著錄、傳本等相關問題。書後並附有參考書目。本書之特色，除了對論著資料作詳細著錄之外，並且將相關資料匯集，按時代先後排列；在著錄存佚方面，依傳世情形，注明存、殘、未見、輯、佚等情形，有助於了解每書之存佚情形。內容豐富，考證詳實，便於檢索利用，為研究《儀禮》必備之參考用書。　　　　　　　　　　　　　　（楊志遠）

《禮記著述考（一）》

《禮記著述考（一）》　黃俊郎編著　臺北　國立編譯館主編　鼎文圖書公司
　903頁　2003年1月

　　本書為《十三經著述考》所屬之《禮記著述考（一）》，收錄上起先秦，下迄清代有關《禮記》之論著，並加以考證。全書分為「全文考釋」及「分篇考釋」兩類，每類皆按時代先後著錄資料。分篇考釋中，編者將〈大學〉、〈中庸〉二篇列入，所持理由為〈大學〉、〈中庸〉二篇雖從朱熹時始將與《論語》、《孟子》並稱為《四書》，然十三經中沒有列為單目，故仍歸入《禮記》中。所收資料先按書名（或篇名）、卷次、亡佚情形、編撰時代及作者等項著錄基本資料，再於其下收錄相關資料；相關資料包括作者生平、序跋、題記、提要、評語等，按時代先後排列，並於文末注明出處。間作按語，說明其名稱、卷數、傳本異同等相關問題。書後並附有參考書目。本書之特色，除了對論著資料作詳細著錄之外，並且將相關資料匯集，按時代先後排列；在著錄存佚方面，依傳世情形，注明存、佚、未見、輯等情形，有助於了解每書之存佚情形。內容豐富，考證詳實，便於檢索利用，為研究《禮記》必備之參考用書。

　　黃俊郎，現為政治大學教授。專長為中國思想史、禮記、史記、魏晉玄學。著有《子游學案》、《餘杭學記》、《小戴禮記之喪禮理論研究》、《禮儀之邦的寶典──禮記》、《應用文》等書。　　　　　　　　　　　　　　（楊志遠）

《春秋總義著述考（一）》

《春秋總義著述考（一）》　周何編著　臺北　國立編譯館主編　鼎文圖書公司
上、下冊　1925頁　2004年3月

　　本書為《十三經著述考》所屬之《春秋總義著述考（一）》，主要依據《春秋
總義論著目錄》，收錄先秦至民國八十一年（1992）間中外學者有關「春秋總義」
之論著，並加以考證。全書上、下冊共分「春秋本文」、「通論要義」、「傳解訓
詁」、「義例書法」、「專題論著」、「歲時曆朔」、「名字世族」、「地名考
釋」、「圖譜表志」、「書目校勘」、「輯存佚文」、「序跋題辭」、「提要敘
錄」、「相關著述」、「其他」十五類，每類皆按時代先後著錄資料。所收資料按
書名、卷數、作者、著錄、存佚情況、傳本、考證等項著錄。考證內容包括作者簡
介、序跋例言、提要解題、考證評論，並於文末注明出處。間作按語，說明其卷
數、存佚、著錄、傳本異同等相關問題。書末附有參考書目。本書之特色，除了對
論著資料作詳細著錄之外，並且將相關資料匯集，按時代先後排列；在著錄存佚方
面，依傳世情形，注明存、未見、輯、佚、闕等情形，有助於了解每書之存佚情
形。內容豐富，考證詳實，便於檢索利用，為研究「春秋總義」必備之參考用書。

（楊志遠）

《左傳著述考（一）》

《左傳著述考（一）》　李啓原編著　臺北　國立編譯館主編　鼎文圖書公司
556頁　2003年11月

　　本書為《十三經著述考》所屬之《左傳著述考（一）》，主要依據《左傳論著
目錄》，收錄先秦至民國八十一年（1992）間中外學者有關《左傳》之論著，並加
以考證。全書分為「通論」、「注釋、原文、評點、校勘、精選」、「十二公分
論」、「分類」、「左傳研究史」、「輯佚」、「序跋、提要」七類，每類皆按時
代先後著錄資料。所收資料先按書名（或篇名）、卷次、亡佚情形、編撰時代及作
者等項著錄基本資料，再於其下收錄相關資料；相關資料包括作者生平、題記提
要、著錄等，按時代先後排列，並於文末注明出處。間作按語，說明歷代圖書著錄

情形。書末附有參考書目。本書之特色，除了對論著資料作詳細著錄之外，並且將相關資料匯集，按時代先後排列；在著錄存佚方面，依傳世情形，注明存、闕、輯、佚、未見等情形，有助於了解每書之存佚情形。內容豐富，考證詳實，便於檢索利用，為研究《左傳》必備之參考用書。

　　李啟原，湖南資興人。國立師範學院研究所碩士，陸軍軍官學校通識教育中心教授，著有〈《春秋》書遷釋〉、〈陽明心即理學說與朱熹的淵源〉等。

（楊志團）

《春秋公羊傳著述考（一）》

《春秋公羊傳著述考（一）》　周何編著　臺北　國立編譯館主編　鼎文圖書公司
411頁　2003年6月

　　本書為《十三經著述考》所屬之《春秋公羊傳著述考（一）》，主要依據《春秋公羊傳論著目錄》，收錄先秦至民國八十一年（1992）間中外學者有關《春秋公羊傳》之論著，並加以考證。全書分為「本文」、「傳解」、「義例」、「專論」、「校勘」、「序跋」、「提要」、「輯佚」、「相關著述」九類，每類皆按時代先後著錄資料。所收資料按書名、卷數、作者、著錄、存佚情況、傳本、考證等項著錄。考證內容包括作者簡介、序跋例言、提要解題、考證評論，並於文末注明出處。間作按語，說明其卷數、存佚、著錄、傳本異同等相關問題。書末附有參考書目。本書之特色，除了對論著資料作詳細著錄之外，並且將相關資料匯集，按時代先後排列；在著錄存佚方面，依傳世情形，注明存、未見、輯、闕、佚等情形，有助於了解每書之存佚情形。內容豐富，考證詳實，便於檢索利用，為研究《春秋公羊傳》必備之參考用書。

（楊志團）

《春秋穀梁傳著述考（一）》

《春秋穀梁傳著述考（一）》　周何編著　臺北　國立編譯館主編　鼎文圖書公司
346頁　2003年7月

　　本書為《十三經著述考》所屬之《春秋穀梁傳著述考（一）》，主要依據《春秋穀梁傳論著目錄》，收錄先秦至民國八十一年（1992）間中外學者有關《春秋穀

梁傳》之論著，並加以考證。全書分為「本文」、「傳解」、「義例」、「專論」、「校勘」、「序跋」、「提要」、「輯佚」、「相關著述」等九類。每類皆按時代先後著錄資料。所收資料按書名、卷數、作者、著錄、存佚情況、傳本、考證等項著錄。考證內容包括作者簡介、序跋例言、提要解題、考證評論，並於文末注明出處。間作按語，說明其卷數、存佚、著錄、傳本異同、內容疑義及歧出等相關問題。書末附有參考書目。本書之特色，除了對論著資料作詳細著錄之外，並且將相關資料匯集，按時代先後排列；在著錄存佚方面，依傳世情形，注明存、未見、輯、闕、佚等情形，有助於了解每書之存佚情形。內容豐富，考證詳實，便於檢索利用，為研究《春秋穀梁傳》必備之參考用書。　　　　　　　　（楊志圖）

《四書總義著述考（一）》

《四書總義著述考（一）》　傅武光編著　臺北　國立編譯館主編　鼎文圖書公司 494 頁　2003 年 8 月

　　本書為《十三經著述考》所屬之《四書總義著述考（一）》，主要依據《四書總義論著目錄》，收錄先秦至民國八十一年（1992）間，中外學者有關「四書總義」之論著，並加以考證。全書分為「專書」及「單篇」兩大部分。專書部分，又細分為「正文類」、「目錄、索引類」、「音讀類」、「通論類」、「傳注類」、「考證類」、「圖像類」、「翻譯類」、「四書研究史類」、「叢書、論文集類」、「教材類」、「外國著述類」等十二類；單篇部分細分為「提要類」、「序跋類」、「評介類」、「論述類」等四類。每類皆按時代先後著錄資料。所收資料按書名、卷數、作者、著錄、存佚情況、傳本、考證等項著錄。考證內容包括作者簡介、序跋例言、提要解題、考證評論，並於文末注明出處。間作按語，說明其卷數、文句異同等相關問題。書末附有參考書目。本書之特色，除了對論著資料作詳細著錄之外，並且將相關資料匯集，按時代先後排列；在著錄存佚方面，依傳世情形，注明存、闕、輯、佚、未見等情形，有助於了解每書之存佚情形。內容豐富，考證詳實，便於檢索利用，為研究「四書總義」必備之參考用書。

　　傅武光，1944 年生，臺灣新竹人。國立臺灣師範大學國文研究所碩士、國家文學博士。現為國立臺灣師範大學國文系教授。專長為中國哲學與文學。著有《四

書學考》、《呂氏春秋與諸子之關係》、《孔孟老莊思想之平等精神》、《呂氏春秋導讀》、《韓非子導讀》等書。　　　　　　　　　　　　　　　　　（楊志團）

《論語著述考（一）》

《論語著述考（一）》　傅武光編著　臺北　國立編譯館主編　鼎文圖書公司
557頁　2003年11月

　　本書為《十三經著述考》所屬之《論語著述考（一）》，主要依據《論語論著目錄》，收錄先秦至民國八十一年（1992）間中外學者有關《論語》之論著，並加以考證。全書分為「專書」及「單篇」兩大部分。專書部分，又細分為「正文類」、「傳注類」、「通論類」、「類釋類」、「考證類」、「論述類」六類；單篇部分則於「論述類」下細分「札記」、「各篇研究」、「語言文字」、「分類研究」、「論語學研究史」五類。每類皆按時代先後著錄資料。所收資料先按書名、卷數、時代、作者、存佚情況等項著錄，再於其下作按語；按語包括對該書之名稱、卷數、作者、內容疑義、諸書著錄歧出、著錄之情況稍作說明。書末附有參考書目。本書之特色，除了對論著資料作詳細著錄之外，並且將相關資料匯集，按時代先後排列；在著錄存佚方面，依傳世情形，注明存、闕、輯存、佚、未見等情形，有助於了解每書之存佚情形。內容豐富，考證詳實，便於檢索利用，為研究《論語》必備之參考用書。　　　　　　　　　　　　　　　（楊志團）

《孟子著述考（一）》

《孟子著述考（一）》　鄭卜五編著　臺北　國立編譯館主編　鼎文圖書公司
629頁　2003年2月

　　本書為《十三經著述考》所屬之《孟子著述考（一）》，主要依據《孟子論著目錄》，收錄先秦至民國八十一年（1992）間中外學者有關《孟子》之論著，並加以考證。全書分為「專書」及「單篇」兩大部分。專書部分，又細分為「正文類」、「逸文類」、「孟子外書類」、「注解、語譯類」、「通論類」、「疑孟類」、「尊孟類」、「類釋類」、「音義類」、「圖解類」、「考證類」、「文法、修辭類」、「評文類」、「孟子學研究史類」、「孟子傳記類」、「孟子弟子

類」、「校勘類」、「輯佚類」「索引類」、「外譯類」等二十類；單篇部分細分為「序跋類」、「提要類」、「論述類」等三類。每類皆按時代先後著錄資料。所收資料先按書名（或篇名）、卷次、亡佚情形、編撰時代及作者等項著錄基本資料，再於其下收錄相關資料；相關資料包括作者生平、序跋、題記、提要、評語等，按時代先後排列，並於文末注明出處。間作按語，說明其著錄、傳本等相關問題。書後並附有參考書目。本書之特色，除了對論著資料作詳細著錄之外，並且將相關資料匯集，按時代先後排列；在著錄存佚方面，依傳世情形，注明存、闕、輯存、佚、未見等情形，有助於了解每書之存佚情形。內容豐富，考證詳實，便於檢索利用，為研究《孟子》必備之參考用書。

　　鄭卜五，高雄師範大學文學博士。現為高雄師範大學經學研究所教授。專長為春秋學、禮學、清代學術。著有《傅青主與其諸子學研究》、《凌曙公羊禮學研究》等書。　　　　　　　　　　　　　　　　　　　　　　　　（楊志剛）

《孝經著述考（一）》

《孝經著述考（一）》　汪中文編著　臺北　國立編譯館主編　鼎文圖書公司
422 頁　2003 年 12 月

　　本書為《十三經著述考》所屬之《孝經著述考（一）》，收錄清代以前有關《孝經》之論著，並加以考證。全書按作者時代先後著錄，作者闕者則以書名列之，共 398 本。所收資料先按書名（或篇名）、卷次、亡佚情形、編撰時代及作者等項著錄基本資料，再於其下收錄相關資料；相關資料包括作者生平、題記提要、提要、後人評論等，按時代先後排列，並於文末注明出處。間作按語，說明歷代圖書著錄情形。書末附有參考書目。本書之特色，除了對論著資料作詳細著錄之外，並且將相關資料匯集，按時代先後排列；在著錄存佚方面，依傳世情形，注明存、佚、未見、輯、存等情形，有助於了解每書之存佚情形。內容豐富，考證詳實，便於檢索利用，為研究《孝經》必備之參考用書。

　　汪中文，臺灣師範大學國文研究所博士，現為國立臺南大學中文學系教授。專長為文字學、三禮、三傳。著有《兩周官制論稿》、《西周冊命金文所見官制研究》等書，以及編有《青銅器銘文檢索》（與周何、季旭昇合編）、《金文總集與

殷周金文集成銘文器號對照表》（與季旭昇等合編）。　　　　　　　　（楊志盈）

《爾雅著述考（一）》

《爾雅著述考（一）》　汪中文編著　臺北　國立編譯館主編　鼎文圖書公司
384頁　2003年12月

　　本書為《十三經著述考》所屬之《爾雅著述考（一）》，收錄清代以前有關
《爾雅》之論著，並加以考證。全書按作者時代先後著錄，作者闕者則以書名列
之，共153本。所收資料先按書名（或篇名）、卷次、亡佚情形、編撰時代及作者
等項著錄基本資料，再於其下收錄相關資料；相關資料包括作者生平、題記提要、
提要、後人評論等，按時代先後排列，並於文末注明出處。間作按語，說明書籍存
佚情形。書末附有參考書目。本書之特色，除了對論著資料作詳細著錄之外，並且
將相關資料匯集，按時代先後排列；在著錄存佚方面，依傳世情形，注明存、佚、
末見、輯存等情形，有助於了解每書之存佚情形。內容豐富，考證詳實，便於檢索
利用，為研究《爾雅》必備之參考用書。　　　　　　　　　　　　　　（楊志盈）

《儒家經典詮釋方法》

《儒家經典詮釋方法》　李明輝編　臺北　喜馬拉雅研究發展基金會　396頁
2003年7月；臺北　國立臺灣大學出版中心　396頁　2004年6月

　　本書是「東亞近世儒學中的經典詮釋傳統」研究計畫與「中國文化經典的詮釋
傳統之研究」計畫之部分成果，此計畫自二○○○年陸續進行，先後在臺灣、大陸
等地舉行數場研討會，參與之學者包括兩岸三地及國外學者，共發表論文數十篇。
本書共收錄十四篇論文，皆涉及對儒家經典的詮釋方法，故輯為一冊出版。

　　這十四篇論文，依其性質，可分為「理論與背景」、「先秦儒家與經典詮
釋」、「傳統儒者解經方法及其現代轉折」三部分。「理論與背景」共收入五篇論
文，分別是劉述先〈哲學分析與詮釋：方法的反省〉；劉笑敢〈經典詮釋與體系建
構：中國哲學詮釋傳統的成熟與特點芻議〉；馮耀明〈經典詮釋與理論轉移：中國
哲學經典詮釋之三大變例〉；張鼎國〈經典詮釋與修辭學傳統：一個西方詮釋學爭
論的意義探討〉；景海峰〈儒家詮釋學的三個時代〉，皆是針對經典詮釋所作的論

述,或是檢討其方法論的預設與問題,或是探討其思想史的背景。「傳統儒者解經方法及其現代轉折」部分共收入三篇論文,第一篇是蔡振豐〈《論語》所隱含「述而不作」的詮釋面向〉;第二篇是黃俊傑〈孟子運用經典的脈絡及其解經方法〉;第三篇是陳昭瑛〈「通」與「儒」:荀子的通變觀與經典詮釋問題〉,三篇皆涉及先秦時期儒家的經典詮釋。第三部分是「傳統儒者解經方法及其現代轉折」,共收入六篇論文。分別是陳立勝〈朱子讀書法:詮釋與詮釋之外〉及〈王陽明「四句教」的三次辯難及其詮釋學義蘊〉兩篇;高瑞泉〈直覺與工具理性批判:梁漱冥對儒家經典的文化詮釋〉及〈試論熊十力的哲學創造與經典詮釋〉兩篇;劉笑敢〈「儒家不能以道家為忌」:試論牟宗三「以道釋儒」之詮釋學意義〉;鄭宗義〈論牟宗三的經典詮釋觀:以先秦道家為例〉,皆與宋明及現代儒者的解經方法有關。另外還附有中日人名索引、西方人名索引及概念索引三附錄,有助於讀者檢閱。

(鄭誼慧)

《文獻及語言知識與經典詮釋的關係》

《文獻及語言知識與經典詮釋的關係》 葉國良編 臺北 喜馬拉雅研究發展基金會 199頁 2003年12月;臺北 臺灣大學出版中心 199頁 2004年6月

此為「中國經典詮釋傳統研究計畫」成果之一,「閱讀」與「詮釋」彼此間有循環往復之相始終關係;不閱讀則無法進行詮釋;而不詮釋則無法發揮閱讀後的成果。而經典古籍由於經歷過時代的變遷與語言書寫習慣的改變,對於經典閱讀者而言,必須具備相關的條件。因此閱讀經典應該具備些什麼必要條件的問題,成為本書重點所在。本書共收入七篇論文,雖由不同專長的學者執筆,但其觀點是相近的,那便是合格的典籍閱讀者必須留意必要的文獻或語言知識,才適合從事經典詮釋的工作。

七篇論文分別是黃沛榮〈文獻整理與經典詮釋──以《易經》研究為例〉、王博〈早期出土文獻與經典詮釋的幾個問題〉、梅廣〈語言科學與經典詮釋〉、張光裕〈出土古文字材料與經典詮釋〉、楊秀芳〈聲韻學與經典詮釋之關係〉、張寶三〈字義訓詁與經典詮釋之關係〉、葉國良〈從名物制度之學看經典詮釋〉,分別由「文獻整理」、「早期出土文獻」、「語言科學」、「出土古文字材料」、「聲韻

學」、「字義訓詁」與「名物制度」等各方面，探討其與經典詮釋之間的密切關

係。　　　　　　　　　　　　　　　　　　　　　　　　　　　　　（鄭誼慧）

《從經學到美學：中國近代知識文論話語的嬗變》

《從經學到美學：中國近代知識文論話語的嬗變》　馬睿著　成都　四川民族出版

社　415頁　2002年7月

　　做為中國傳統學術代表之一的經學，與中國傳統文論有極為密切的關係。在最

初，以「六經」為對象的文學研究與經學本為一整體，後來文學研究獨立成為一個

專門性的研究，但在基本觀念上仍受有經學的影響，經學中關於《詩經》的闡釋，

形成傳統文論中的主要範疇與基本闡釋方式，並且延用至近代。而經學的每一次重

大變化，都與文論的變化相生相隨；如漢代經學與儒家文論的確立，魏晉經學的變

遷與文論的繁榮，宋明理學的興起與文統的建立，明代心學的興起及文學思潮的解

放，清代經學的興盛與傳統文論的總結；經學與文學間的關係，可由此得之。而使

用經學的話語來評斷文學，也成為文論的書寫習慣；在近代之前，並沒有學者提出

疑惑，認為文論應當有本身的話語。但是近代社會與學術的變化甚巨，西方學術的

進入對傳統學術觀念有很大的影響，不論在經學或文學上，都受到重大的刺激。而

經學與文學間的關係，也由原本的密不可分轉變為各自離析。受到西方文學與文學

觀的影響，當代的知識分子開始探討文論話語的問題。

　　本書以近代文論為研究重心；以人物及流派為論述之主軸，討論中國近代文論

的演變。全書共分七章，第一章〈儒學・經學・文論〉，論述三者之間的關係。第

二、三、四章分別就清代樸學、宋學、今文經學等三方面探究與近代文論的關係，

包括了文論、詞論等。第五章〈經學話語的裂變與邊緣的崛起〉，以近代小說理論

的興起與流變為主要討論重點。第六章〈美學話語的確立：王國維文論的理論歸

宿〉，第七章〈近代「文學」的多元定位〉，在近代的這段期間內，經學受到挑

戰，文學亦受到西方的影響。傳統文論中所襲用的經學方式與話語逐漸由改變，由

經學轉變到美學，並另外發見了以往經學話語所無法涵蓋的文學特挣，對後來的文

學發展有極深遠的影響。另外也揭示了知識話語對近代文論在價值取向、理論依據

和概念述語的選擇等方面產生的影響。　　　　　　　　　　　　　　（鄭誼慧）

《中國經學思想史》第一卷

《中國經學思想史》第一卷　姜廣輝主編　北京　中國社會科學出版社　740頁
　2003年9月

　　本書由姜廣輝主編，邀集王中江、王啟發、邢文、吳銳、張文修、張海晏、張踐、陳其泰、姜廣輝、浦衛忠和梁濤共撰，是目前海峽兩岸最多學者共撰，規模也較為完整的經學思想史著作。姜廣輝負責本書前言〈經學思想研究的新方向及其相關問題〉、緒論一〈重新認識儒家經典〉、緒論二〈傳統的詮釋與詮釋學的傳統〉、第一章〈論中國文化基因的形成〉、第二章〈思想的權威與權威的思想〉、第四章〈郭店楚簡與早期儒學〉、第五章〈孟子在經學發生史上的地位〉、第七章〈儒學是一種「意義的信仰」〉、第十一章〈「文王演《周易》」新說——兼談境遇與意義問題〉、第十六章〈古《詩序》的編連、釋讀與定位研究〉，姜廣輝對於出土文獻的論點並不足以代表出土文獻的所有觀點，這是讀本書時要注意的；此外，姜廣輝過度重視馬克思主義、說法立論資料不足，本書所有作者都有類似的問題，況且本書所參考資料多為大陸方面，所以臺灣學者的研究多被忽略，故本書說法固然值得參考，但卻不宜過分相信。張文修負責第三章〈孔子的生命主題及其對六經的闡釋〉。王中江負責第六章〈傳經與弘道：荀子的儒學定位〉、第二十三章〈德、力之爭的演變及「焚書坑儒」〉，對於先秦儒學的演變一洗新儒家以荀子為儒學別支的說法，肯定荀子傳經之地位，並詳細分析秦始王焚書坑儒的眾多內在原因，對於顧頡剛以為儒生多與術士同流而導致被坑殺的說法有補充，且更為精細。王啟發以禮學為主，故負責第八章〈禮的宗教胎記〉、第九章〈禮的道德意義〉和第十章〈禮與法的相涵與分立〉，禮出於宗教，蓋自周代人文化的發展中成熟，禮樂的目的在於人與人的關係、人與神的分際、人對鬼的追慕，所以禮雖出於宗教，其基本精神與核心卻是人，王啟發將禮在先秦的發展做了有系統而全面的分析。邢文負責第十二章〈卦序與易學的起源——易類簡帛的卦序意義〉和第十三章〈《左傳》、《國語》筮例的再認識〉，邢文專易學，目前以研究帛書易等出土文獻而有所建樹。吳銳負責第十四章〈《尚書》：從口傳歷史到成文歷史〉。張海晏負責第十五章〈「《詩》云」時代：先秦詩學〉。浦衛忠負責第十七章〈《春秋》與三

傳〉。陳其泰負責第十八章〈春秋公羊義〉。梁濤負責第十九章〈《論語》的集結
與早期儒學的價值觀〉、第二十章〈《大學》新解〉與第二十一章〈郭店楚簡與
《中庸》公案〉。張踐負責第二十二章〈先秦孝道觀的發展〉。本書由於規模較
大，所以關照的層面也較大；但作者不同，每個人的觀點、立場、領域自有其見
長，故本書時可作為入手經學者的入門書。

　　姜廣輝，1948 年 5 月生，黑龍江安達人，研究員。現為中國社會科學院歷史
研究所中國思想史研究室主任，《中國哲學》主編、《朱子學刊》主編，中國社會
科學院研究生院博士生導師。著有《顏李學派》、《理學與中國文化》、《走出理
學——清代思想發展的內在理路》等。　　　　　　　　　　　　　　　　（沈明謙）

《中國經學思想史》第二卷

《中國經學思想史》第二卷　姜廣輝主編　北京　中國社會科學出版社　801 頁
　2003 年 9 月

　　《中國經學思想史第一卷》只寫到秦代，第二卷是關於漢唐經學的撰著。本書
撰著人共十四名，分別是王啟發、王葆玹、王風、嚴正、張廣保、張文修、張海
晏、張踐、林忠軍、鄭任劍、陳其泰、姜廣輝、浦衛忠和謝保成。本書接續第一
卷，故章序亦承繼第一而來，第二十四章〈漢代經學的確立與演變〉由嚴正撰寫，
第三十六章〈鄭玄經學思想述評〉亦由嚴正負責。陳其泰專攻公羊學，第二十五章
〈董仲舒的春秋公羊學理論體系〉即由其撰寫。張踐負責第二十六章〈《孝經》的
形成及其歷史意義〉。第二十七章〈漢代齊、魯、韓、毛四家詩學〉由張海晏主
筆。姜廣輝負責第二十八章〈《尚書》今、古文真偽新證——戰國楚簡〈緇衣〉所
引古本《尚書》的資料價值〉和第四十四章〈政治的統一與經學的統一——孔穎達
與《五經正義》〉。王葆玹撰寫第二十九章〈禮類經記的各種傳本及其學派〉與第
三十九章〈今、古文經學之爭及其意義〉。第三十章〈政治經典與經典政治：《周
禮》與古代理想政治〉和三十七章〈鄭玄《三禮注》的思想史意義〉由王啟發負
責。林忠軍撰寫四章：第三十一章〈孟喜、京房的象數易學〉、第三十八章〈鄭玄
易學思想的特色〉、第四十章〈虞翻的象數易學〉和第四十五章〈李鼎祚與《周易
集解》〉。王風負責第三十二章〈劉歆與《周易》最高經典地位的確立〉。張廣保

負責第三十三章〈緯書對經書的闡釋〉與三十四章〈《白虎通義》制度化經學的主體思想〉。鄭任劍撰第三十五章〈何休的《春秋公羊解詁》〉。浦衛忠負責第四十一章〈杜預的《春秋經傳集解》〉。張文修為第四十二〈正始時期經學的玄學化〉與四十三章〈玄學為統領，漢學佛學為輔弼——皇侃的《論語集解義疏》〉主筆。謝保成撰寫第四十六章〈中唐啖助、趙匡、陸淳的春秋學〉。

　　本書的涵括面與第一卷相較起來有過之而無不及，但重要的是，關於臺灣方面的研究的成果欠缺，使得大陸學者擅勝於對原典的詮釋，至於對錯，尚有待商榷；但大陸學者援引出土文獻、以社會背景、時代思想來鋪排經學思想在各個時代不同學者心中的價值與詮釋角度，是值得臺灣青年學者去思考與學習的。畢竟思想的醞釀與塑造絕對不是閉門造車可以完成的，不同時代的經學思想與詮釋是透過內在深層的反省、繼承而加以推展的，如果只是就一人的思想說經學，則未免過於狹隘，本書的優點在於提供諸多視野與不同切入點，透過反省和蒐集不同資料來檢證，應當可以獲得更多與本書不同的詮釋與理解。　　　　　　　　　　　（沈明謙）

《兩漢經學與社會》

《兩漢經學與社會》　孫筱著　北京　中國社會科學出版社　370頁　2002年10月

　　本書由兩漢經學的時代特徵與作用入手，以探討漢代經學的發展。就作者安排章節觀之：第一章「新秩序與舊制度——兩漢經學興盛的歷史背景」中，作者提出學術發展的「內純致治法則」，以做為對學術史研究的思考方向。而對於整體漢代社會的狀況，作者認為漢代是具有鮮明二重性特徵的社會，此特徵也導致政體的二重性。如此二重性的交互影響，不但會呈現在社會意識之中，同時在經學上必然會有所反應。

　　第二章「傳統的文化與文化的傳統——兩漢經學的文化淵源」。文中除了對「經書」、「經學」二者詳加敘述外，對於經學與道家、法家、墨家、迷信以及陰陽五行間的關係皆做了一定程度的闡述。第三章「經學的傳承與經說」中，不但對於漢代《詩》、《書》、《禮》、《易》、《春秋》、《論語》與《孝經》等經書學術發展做詳細論述，各經傳承也以圖形表示，使讀者能更輕易地了解該經之流傳演變。第四章「通經致用下的漢代社會」則是整體性論述經學在漢代政治社會中所

產生的影響與變化。在文末「後記」中,作者認為就因漢代社會擁有鮮明的二重特徵,致使經學出現在面對公與私論述上的猶豫,在君本與民本解釋中的抵牾,以及在國家與社會選擇上的兩難,進而形成兩漢經學本身的特殊性。

　　作者孫筱曾師事歷史學家林甘泉和李祖德。早年致力於漢代「孝」和「孝道」的研究。此後十餘年間,他始終關注此一課題,並將研究範圍擴大到兩漢經學,並以《兩漢經學與社會》一書為其代表著作。　　　　　　　　　　　　　（宋維哲）

《漢賦與經學》

《漢賦與經學》　馮良方著　北京　中國社會科學出版社　377 頁　2004 年 8 月

　　漢賦,為中國文學史上一代之文學;而經學,在漢代同樣也有相當的進步與發展。然而,同為漢代文化兩大代表,其內在關係與聯繫卻甚少為人所觸及。

　　本書作者觀察到此一問題,便撰作此書以討論漢賦與經學的關係。作者由二者「同體共生」的關係入手,並「探討二者親和與悖離的現象及其本質」,以勾勒出兩者大致相同的發展軌跡。另外,作者也十分重視漢初以來政治、文化環境的轉變,對漢代作家所產生的影響。總結全書說法,作者自言:「在經學隆盛的時期,經學以其無與倫比的強勢地位規範、控制著漢賦,漢賦亦自覺或不自覺地接受了經學的規範、控制,雖然二者有時也有矛盾,但合一是主要的。」由此可見作者中心主體思想。

　　全書十一章,其分章如下:第一章:走向經學;第二章:賦家與經學家;第三章:漢賦文體源流辨析與經學;第四章:漢賦三體的盛衰與經學;第五章:漢賦的諷諫精神與經學的政治批判性;第六章:漢賦的頌美意識與經學的意識形態化;第七章:漢賦與經學的大一統觀念;第八章:漢賦與經學的聖王理想;第九章:漢賦與經學的禮樂理念;第十章:漢賦與經學的災異祥瑞說;第十一章:漢賦的轉型與經學的衰頹。書首有萬光治「序」及作者「引言」,書末則有「主要參考書目」及「後記」。

　　馮良方,任職於雲南大學人文學院。其主要研究方向為中國古代文學教學與研究、雲南古代詩詞、先秦兩漢之文學、經學與漢賦。發表研究論文約二十篇,出版《漢代經學要略》,編寫《中國文學史》,另主編《滿族:保山瓦房鄉水溝洼村》

一書。　　　　　　　　　　　　　　　　　　　　　　　（宋維哲）

《儒家經傳文化與史記》

《儒家經傳文化與史記》　陳桐生著　臺北　洪葉文化事業有限公司　529 頁
2002 年

　　司馬遷在《史記‧太史公自序》中將《史記》的學術宗旨概括為「厥協六經異傳，整齊百家雜語」，認為其學術使命，是要將此前分裂、對立、矛盾和歧異的經學、子學兩大範疇，整合成一個有系統的學術體系。本書所討論的即為《史記》「厥協六經異傳」的問題，探討《史記》對六經異傳學術思想的批判與吸取。「引論」及「後記」之外，全書篇目及內容大綱如下：

　　第一章：《史記》與《春秋》（上）。述明孔子作《春秋》說的歷史文化考察及今文經學與司馬遷的人生追求；第二章：《史記》與《春秋》（中）。本章集中討論《春秋公羊傳》，特別是董仲舒公羊學對《史記》的影響；第三章：《史記》與《春秋》（下）。提到《左傳》中的史官言行風範對司馬遷寫作當代史的影響。並舉例認證，司馬遷寫春秋時期的歷史，其史料絕大部分採自《左傳》，對春秋某些歷史事件的評價也採用了古文經說；第四章：《史記》與《周易》。從諸方證據論述孔子是否作《易傳》的問題，並從《易傳》與《史記》的宇宙觀、通變論、政治倫理觀、人生觀、學術觀，以及重時觀念、審微思想、謙退觀念、名小旨大等面向探討司馬遷理論與實際間的運用；第五章：《史記》與《尚書》。認為《尚書》對《史記》的影響不僅僅是史料或文字，也影響到司馬遷對上古時期諸多歷史事件的評價；第六章：《史記》與《詩經》。提出《詩經》對於《史記》的重要性，不只是吸收史料，《史記》的許多重要觀點，如慎始察微、重帝王婚姻倫理、重王道德治等，都與《詩》學有關。司馬遷對於文學批評的思想，基本上也來自於《詩》學。至於中國《詩》學研究上許多重要學案，如孔子刪《詩》說、「四始」說、〈關雎〉、〈鹿鳴〉刺詩說、〈商頌〉宋詩說、「兩言」說等等，都來自《史記》的記載。第七章：《史記》與《三禮》。本章討論《史記》與儒家禮學經傳的文化學術關係，認為禮學對《史記》的影響是多方面的，禮儀、制度之外，《禮記》所闡述的禮義思想也為司馬遷提供了豐富的理論營養；「結束語」：簡論《史記》

「厥協六經異傳」。作者認為，《史記》形成了以孔子作《春秋》說為理論基石、以王道德治為政治哲學、以終始循環為歷史哲學、以及時立功名為人生哲學，和以美刺諷諫為詩歌美學的學術思想體系。

　　陳桐生，1955 年 10 月生於安徽桐城。文學博士，現為湖北大學人文學院教授。主要研究領域為《詩經》、楚辭、《史記》和儒家經學，著有《中國史官文化與史記》等十種論著，並在海內外發表學術論文八十餘篇。　　　　　　（張穩蘋）

《朱熹經學與中國經學》

《朱熹經學與中國經學》　蔡方鹿著　北京　人民出版社　656頁　2004年4月

　　在中國的學術史中，朱熹佔有著重要地位；而在宋代理學中，他則為集大成者。然而落至經學史的範疇而論，其雖具有極大影響力，後代論述研究者亦多，但卻缺乏一整體系統之論著，將朱熹之經學觀及其與經學史的關聯性突顯而出。本書作者則立足於前人基礎，以及自身對中國經學、宋明理學、朱熹思想的長期研究，展開對朱熹經學思想以及與中國經學史聯繫之探究。

　　全書綱要如下：第一章：經與經學；第二章：儒家經典論要；第三章：經學歷史與經學派別；第四章：朱熹經學產生的時代背景和思想淵源；第五章：朱熹的「四書」學；第六章：朱熹的易學；第七章：朱熹的《詩經》學；第八章：朱熹的《尚書》學；第九章：朱熹的《禮》學；第十章：朱熹的《春秋》學；第十一章：朱熹的《孝經》學；第十二章：朱熹的經學特徵；第十三章：朱熹的經典詮釋學；第十四章：朱熹經學在中國經學、文化史上的地位和影響。另有「附錄：朱熹經學研究的回顧與展望」一文。書前有張岱年、張立文兩位先生之「序」，後有作者「後記」。

　　蔡方鹿，1951 年生，四川眉山人。現任四川師範大學政教學院、江西上饒師範學院「朱子學」等多校教授。著有《中華道統思想發展史》、《朱熹與中國文化》、《宋明理學心性論》、《儒學與中國文化》等二十多部學術專著，曾發表之學術論文則有一百八十餘篇。　　　　　　（宋維哲）

《樸學與清代社會》

《樸學與清代社會》　黃愛平著　石家莊　河北人民出版社　372頁　2003年1月

　　綜觀中國歷代學術的發展，每一學術思想的興起、流傳、衰頹、轉變，皆與當代社會、政治、經濟等現象有密切關聯，絕非超然於世俗之外而獨立發展。然而，由此通觀學術史與社會史之專論不多，且未成系列叢書。河北人民出版社針對此點，規劃一系列《中國傳統學術與社會叢書》，分別針對「先秦諸子」、「漢代經學」、「魏晉玄學」、「隋唐佛學」、「宋明理學」、「清代樸學」等五大專題，邀集專家學者對其做系統性論述，而《樸學與清代社會》一書，便為此系列叢書之一。

　　本書在學術史與社會史結合的前提下，運用大量文獻史料，探究清代樸學發生、發展及演變歷程。對於樸學與理學、實學、經世思潮、清代哲學、清代史學間的內在聯繫，以及與清廷政策和中西文化交流的外在影響，皆有專章論述。全書章節如下：第一章：理學的衰頹與實學的興起；第二章：實學的嬗變與樸學的發展；第三章：樸學的衰微與經世思潮的崛起；第四章：樸學與清廷文化政策；第五章：樸學與清代哲學；第六章：樸學與清代史學；第七章：樸學與中西文化交流。

　　書首有陳祖武先生「《中國傳統學術與社會叢書》序」一文，由錢穆先生《中國近三百年學術史》觀點出發，強調不能脫離實際社會而談社會思潮。書末則為作者之「後記」一文，論述其個人學思背景以及寫作歷程。

　　黃愛平，1955 年生，廣西桂林恭城人，歷史學博士。現為中國人民大學人文學院清史研究所教授，博士生導師。長期從事清史、學術史、思想文化史等教學研究工作，兼涉歷史文獻與古籍整理。著有《四庫全書纂修研究》、《清代學術與文化》、《阮元年譜》、《18 世紀的中國與世界‧思想文化卷》、《清代學術文化史論》等書。

（宋維哲）

《清代考據學研究》

《清代考據學研究》　郭康松著　武漢　崇文書局　307頁　2003 年 5 月

　　清代考據學在中國學術史上具有重要地位。除了學術傳承的淵源外，清代特殊

的歷史背景，也促使考據學有著長足發展。

　　而本書《清代考據學研究》，是在作者 1997 年所撰作之博士論文基礎上，修改擴充而成。對於前述考據學發展的兩大關鍵，作者從中國學術史觀點入手，指出明代中後期考據學已萌芽，並反駁梁啟超以清初考據學為啟蒙期的論斷。另又以大量史料為據，論證文字獄與清代考據學興盛沒有因果關係。此後，則由興盛原因、學術宗旨、治學精神、考據方法、學術規範、學術特點等面向，對清代考據學加以分析闡述。最後則針對批評清代考據學之論提出其個人之反批評。

　　全書共分九章，章節如下：一、清代考據學的起源；二、清代考據學與文字獄；三、清代考據學興盛的原因；四、清代考據學的學術宗旨；五、清代考據學的治學精神；六、清代考據學的考據方法；七、清代考據學的學術規範；八、清代考據學的學術特點；九、對清代考據學批評之批評。書首置「緒論」一篇，書末則有「餘論」、「主要參考文獻」與「後記」。

　　郭康松，1964 年生，湖北宜昌人。現任湖北大學文學院副院長。1998 年被評為湖北大學第二屆「十佳青年教師」。主要從事古籍整理、清代考據學、遼金文化史等研究，曾出版《偽書四種·太公兵法》一書。另曾於各個報刊雜誌上發表論文24 篇，並參與《爾雅詁林》、《爾雅詁林敘錄》、《漢語成語辭海》、《康熙詞典通解》、《古籍書名考釋詞典》等多部古籍、辭書的編纂工作。　　　　（宋維哲）

《翁方綱年譜》

《翁方綱年譜》　沈津著　臺北　中央研究院中國文哲研究所　552頁　2002年8月

　　翁方綱，字正三，號覃溪，一號蘇齋，順天大興人。雍正十一年（1733）生，卒於嘉慶二十三年（1818）年，年八十六歲。曾於纂修《四庫全書》時任校理官，為各書撰寫提要。翁氏於經學、詩學、金石考據、書法藝術及書誌學等皆有相當貢獻，其中尤以詩論「肌理說」以及金石譜錄書畫碑版之學較為突出。有《兩漢金石記》、《孔子廟堂碑唐本存字考》、《復初齋詩集》、《復初齋文集》等專著。

　　然翁氏之學雖宏富，其詩論、金石之學亦有見地，但多年來，卻未見詳細整理其生平，為其著作繫年之作。本書作者著眼此一學術空缺，在其師顧廷龍先生之提點下，著手蒐集翁氏資料以撰作年譜。

本譜據翁氏之《翁氏家事略記》、稿本《復初齋集》、《復初齋文集》、《復初齋詩集》、《復初齋集外文》、《復初齋集外詩》，以及翁氏手札、題跋、雜記等，做為年譜編纂根據。譜內體例則依年、月、日排列。全書目次為：「本譜」、「附錄」、「引用參考書目」。而「本譜」前，則有「翁方綱圖像」、「翁方綱手跡」、「出版說明」、「凡例」、「序」等相關資料，以供讀者參考。

沈津，1945年生，安徽合肥人。曾任上海圖書館特藏部主任，並於上海圖書館任職期間，追隨館長顧廷龍研習目錄版本之學。後任職於香港中文大學中國文化研究所、美國哈佛燕京圖書館，並擔任燕京圖書館善本書室主任。著有《美國哈佛大學哈佛燕京圖書館中文善本書志》、《書城挹翠錄》等專著，另有關於圖書文獻學之期刊論文數十篇。

（宋維哲）

《孫衣言孫詒讓父子年譜》

《孫衣言孫詒讓父子年譜》 孫延釗著 徐和雍、周立人整理 上海 上海社會科學院出版社 491頁 2003年7月

本書為《溫州文獻叢書》之一。作者孫延釗（1893－1983），又名孟晉，為孫詒讓第二子，浙江瑞安人。畢業於北京法政大學。其祖父孫衣言、父孫詒讓的年譜，成稿五十年來，並未付梓問世。1983年夏，杭州大學徐和雍等人探望高齡九十一歲的孫延釗，孫氏委託徐氏等人代為整理出版。

兩部年譜分別是《孫遜學公年譜》十卷、《孫徵君籀頎公年譜》八卷。兩譜的一個明顯特徵，幾乎每事每段都附有各種相關資料，如稟報、日記、信札、序跋、眉批、札記等，其中不少現僅見於譜稿，而不見於孫衣言、孫詒讓其他著作中，保存了大量寶貴的原始資料。

孫詒讓不僅是孫衣言的兒子，更是其學術繼承人，因此整理者以為兩譜「合則兩全，分則兩損」，故將二人年譜合併編輯，易名為《孫衣言孫詒讓父子年譜》，但畏不損及兩譜的原貌，凡經整理者合併、增刪處，均以加按語或加「＊」的方式標明。其次，兩譜徵引了大量原始資料，雖極為珍貴，卻又不符合年譜撰作的要求，因此整理者將其中長篇資料抽出作附錄，置於年譜之後。並對譜稿中主次不分、輕重失衡之處加以調整增刪，以求反映孫氏父子的基本面貌及主要業績。孫延

釦由於以兒孫身分撰寫，譜中多用家族稱呼，不同輩份的親屬對譜中人有不同稱謂，為使讀者產生不必要的混亂與誤會，整理者對這些稱謂都做了適當的改動。

原譜稿文句，孫氏僅以句逗標示，整理者改以新式標點符號；原編排為直書，改為橫書，凡引文皆以楷體字標示。對照原譜稿，可見整理者之用心，不過或是因原譜稿字跡不清，偶有標點錯誤或錯字的情形，如：同治十三年條，「《周官說》二冊，同治甲戌春得於敝肆」。「敝肆」應作「敝肆」；同條，「其邦布條自稱傅安按，疑即撰書者之姓名也」，「按」應移至下句首，為孫氏按語。原譜稿最後有孫氏「編餘綴述」，如記家藏書籍編目、玉海樓藏書、自家鈔本所用紙張，《周禮正義》鈔本用藍格十二行紙、《經微室所著書》鈔本用紅格十一行紙，及僱用鈔手抄《周禮正義》等事，整理者均未迻錄至整理本年譜中，殊為可惜。然此書的出版，實有益於研究孫氏父子學術者。　　　　　　　　　　　　　（葉純芳）

《龔自珍年譜考略》

《龔自珍年譜考略》　樊克政著　北京　商務印書館　735頁　2004年5月

　　龔自珍為清代中晚期傑出的學者，其研究領域遍及經學、史學、地理學、金石學、文字學、文獻學等方面，而詩古文詞之創作，尤對後世產生深遠的影響。龔氏年譜，已出版流傳者有四：一是吳昌綬所撰《定盦先生年譜》，刊於清光緒三十四年（1908）；一是黃守恆《定盦年譜稿本》（上海：時中書局《校訂定盦全集》附），刊於清宣統元年（1909）；三是王壽南《龔自珍年譜》，刊於《大陸雜誌》第十八卷第七至九期（1959）；四是郭延禮《龔自珍年譜》，一九八七年濟南齊魯書社出版。據本書作者言，以上四譜明顯不足之處有三：「一是沒有利用與龔自珍有關的家乘家譜類書籍，二是未能從龔自珍同時代人的詩、詞、文集中廣泛收集資料，三是未能深入鑽研龔自珍著作的多種版本，比較其異同，從中挖取可供利用的資料，並選取其中較好的版本，作為引用的依據」。因此廣徵舊籍，博采秘佚，重纂此書，並臚舉本書超越舊譜之特點有九：一、充分利用龔氏家世資料，如《龔氏家乘》（龔麗正輯）、《龔氏家譜》（龔自閎輯）、《豔雪軒隨記·家乘述聞》（龔守正撰）等。二、廣泛蒐取龔自珍同時代人的詩、詞、文集等資料。三、對舊譜、龔自珍詩文注本及有關論著所載龔自珍生平事跡每多辨證。四、對龔自珍作品

的撰寫時間頗有新解。五、收錄不少舊譜未載的自珍親友所撰,而與自珍有關的作品,並對其中未署明寫作時間者進行考證。六、考出多名舊譜及自珍詩文注本只知其姓而不知其名、或只知其字號而不知其名的自珍親戚與交游的名諱。七、補充許多與自珍相關,或具有參考價值的自珍家屬成員事跡,並對舊譜此類記載而有疏失者進行訂正。八、為自珍家屬、親戚與交游撰寫小傳或簡介。九、附帶訂正通行的王佩諍校本《龔自珍全集》中的訛文誤字。據此九項,本書堪稱年譜類撰作之新典範。

（黃智明）

《章太炎傳》

《章太炎傳》　許壽裳著　天津　百花文藝出版社　252 頁　2004 年 7 月

　　許壽裳在日本東京留學時,與魯迅兄弟、錢玄同、朱希祖等八人曾經到章太炎的寓所中上課,聽講語言文字學,與章太炎有師弟之情。章太炎去世後,許壽裳、魯迅等先後為章太炎做傳,而許氏所撰之《章炳麟》一書,體例謹嚴,文字雅潔;在諸多章氏傳記中,佔有極重要之地位。此書重印許氏 1946 年所出版《章炳麟》一書,改名為《章太炎傳》。全書共分四章,第一章為〈最近三百年來中國政治和學術的鳥瞰〉,對晚清到民初之社會背景做一敘述;第二章為〈革命元勳的章先生〉,對章太炎之生平有詳確之記載;第三章為〈國學大師的章先生〉,論析章太炎的學術貢獻;第四章為〈先生晚年的志行〉,記述章太炎晚年之言行。另收錄魯迅、許壽裳、左舜生、徐一士、曹聚仁等所撰之紀念文章,對章氏之生平,有更多方面之記述。

　　許壽裳,字季黻,號上遂,浙江紹興人。1883 年生,1902 年前往日本留學,與魯迅結為好友,交誼長達數十年。1909 年返國,擔任北京大學、中山大學等教授,後擔任國立北京高等女子師範學校校長、國立北京大學文理學院院長,和蔡元培關係密切。1946 年應邀來臺,擔任國立編譯館館長,後任臺灣大學中文系教授,1948 年遇害身亡。許氏所撰之《亡友魯迅印象記》、《我所認識的魯迅》為研究魯迅生平之重要資料。其文篤實自然,引證詳明,具有極高之價值。

（鄭誼慧）

《太炎先生》

《太炎先生》　金宏達著　北京　中國華僑出版社　284 頁　2003 年 9 月

　　章太炎，原名學乘，字枚叔；後改名炳麟、絳，學者稱為太炎先生，為近代著名學者。自民國以來，研究章氏學術不乏其人，為章氏生平作傳者亦有不少，但多限於魯迅等前人之記述。本書從當時之報刊記載、來往書信、時人著作等蒐集資料，對傳主的人生經歷，學術成就，革命業績，都有翔實的書寫。而此書最顯著之特色，在於對章氏人格養成之記述。其人格的養成，得力於杭州詁經精舍八年的苦讀。對此作者在書中有特別的強調：「仰慕太炎先生的人不能不重視這一點，他在此打下的不僅是作為學術大師的知識基礎，更值得注意的是，他接受了一種人格精神和作風的錘煉。沒有這種人格精神和作風，他成不了學術大師，也更成不了一位革命家。」以此角度勾寫出一代大家之性格精神，為此書之最大特色。

　　全書共分九章，分別記述章太炎少年研讀經學時期、主編《蘇報》時期、東京時期、辛亥革命時期等各階段經歷，並附有大量的人物照片，為此書另一特色。然錯字略多，雖有校勘表，但仍有所遺誤，此為本書之微疵。　　　　　　　（鄭誼慧）

《劉師培年譜》

《劉師培年譜》　萬仕國編　揚州　廣陵書社　327 頁　2003 年 8 月

　　劉師培，字申叔，又名光漢，別號左盦，江蘇儀徵人。清光緒十年（1884）生，卒於民國八年（1919），年三十六歲。劉氏世代以經學名家，四世一經，名滿天下。而劉師培存世時間雖不長，但其幼承庭訓，勤勉好學；且於為學治經宏闊，兼及子史，旁涉小學，又能中西結合，經世致用，此皆使其撰作均足以傳世，並成為一代大家。

　　本書以劉師培為譜主，詳錄譜主生平事蹟。本年譜紀年以西曆為序，每年分「事略」及「著述」兩部分。「事略」主要記錄譜主生平，並兼及國內外大事。書中並收錄譜主相關生平傳記資料，以增加資料之全面性。「著述」則以刊發先後為序，並註明期刊名稱、期號、出版時間等相關資訊。

　　全書書首為徐復先生之「序」，對劉氏生平與成就有扼要說明。次為作者「凡

例」，詳述本譜寫作體例。正文共分三卷，卷次間以「1884－1906」、「1907－1908」、「1909－1919」等年代為區隔。正文後有五附錄：附錄一：「身後刊行之著述」；附錄二：「未刊手稿目錄」；附錄三：「周雁石《劉申叔未刊著述介詞》」；附錄四：「研究論著目錄」；附錄五：「儀徵劉氏世系表」。

　　萬仕國，安徽天長人，1962 年生於江蘇省儀徵。曾先後於儀徵市教師進修學校、儀徵市教育局、儀徵市財政局、中共儀徵市委政策研究室等單位任職，現任中共儀徵市委辦公室副主任、中共儀徵市委研究室主任、揚州市語言學會副秘書長。先後發表論文多篇。　　　　　　　　　　　　　　　　　　　　（宋維哲）

《近代經學與文學》

近代經學與文學　劉再華著　北京　東方出版社　412 頁　2004 年 11 月

　　本書正文七章，加上緒論和結語共為九部分。〈緒論：經學及其與文學的關聯〉在敘說中國歷史上文學與經學之間密不可分的結合，畢竟經學是文學的源頭，文學的批評與審視歷來多少都會與經學有所相關，不管是批評或承繼經學的觀點，經學與文學都隱約有著部分交集，像《詩經》與詩文，尤其是〈詩大序〉對後世的影響一直都是深而遠的。第一章〈今文經學家的文論〉介紹龔自珍和魏源等文學家兼今文學家的詩人，因為有著今文經學的思維，所以對古文開始反省與批判，並提出新的見解與思想；第二章〈古文經學家的文論〉以章太炎和劉師培為主軸，此二人因深受古文經學影響，對於《左傳》的文章與中國歷來古文自然有熟悉的情感，所以他們對於今文經學家的文論自然不以為然；第三章則是論說不同於今文經學家和古文經學家的兼採派：〈漢宋兼采與古今兼綜派經學家的文論〉。第四章〈漢宋之爭與桐城派的古文理論〉、第五章〈宋詩派的經學立場與詩歌理論〉和第七章〈經學的滲透與常州學派的詞學理論〉則就清代文學史上特殊的經學與文學結合的學者所形成的文學學派加以探討，桐城派的學者多是經學、文學兼學，宋詩派的人如厲鶚等，某種程度其實接受了宋學的思想與理論，常州詞派的張惠言本身就是經學家，在今古文經與漢宋學間出入，其實某些程度對於文學家的文風與文論也有部分甚至全盤的影響。結論〈經學的終結與文學的轉型〉在敘述近代脫離經學影響後的文學，其實更多程度地是自由而繁複地發展，並且擁有更多自我的特色和思想。

經學對文學雖然是源流與始祖，甚至某些時代經學主導文學的發展，但畢竟文學的生命是可以脫離經學而更為豐富的。

劉再華，1966 年 10 月生，湖南邵陽人。復旦大學中文博士，現任教於湖南大學文學院。主要研究中國古代文學，中國文學批評，已在《文學遺產》、《文獻》、《中國典籍與文化論叢》等刊物發表多篇論文，並參與編輯四種書籍。

（沈明謙）

《三綱六紀與社會整合
——由白虎通看漢代社會人倫關係》

《三綱六紀與社會整合——由白虎通看漢代社會人倫關係》　季乃禮著　北京　中國人民大學出版社　306 頁　2004 年 2 月

《白虎通》一書形成於漢章帝之時。書中一方面體現當時儒者對經學所產生的共識，另一方面也因章帝的「稱制臨決」，從而表現出最高統治者的思想。本書作者認同《白虎通》內容主要是以「禮名為綱，不以經義為區」的說法，因此便由中國傳統社會人倫關係準則之「三綱六紀」為論述綱要，通過《白虎通》一書以探討漢代的人倫關係。

透過全書八章的析論，作者提出「三鋼六紀」的兩大系統為「君統」與「宗統」，所體現的權力關係為「王權」和「父權」，而與此相應的維繫人倫關係的原則是「親親」與「尊尊」，而「親親」與「尊尊」又是通過擬宗法化的原則聯繫。因此，「王權」和「父權」、「親親」與「尊尊」，以及擬宗法化，便成為貫串全文的主要線索。

全書章節如下：第一章：擬宗法化——三綱六紀的現實基礎；第二章：關係網絡的權威基礎——天王關係；第三章：人倫之極——君臣關係；第四章：人倫之本——父子關係；第五章：人倫之始——夫婦關係；第六章：人倫之親——宗族；第七章：人倫之教——師生關係（附朋友關係）；第八章：結語。書首為作者「引言」，書末有「參考文獻」與「後記」。

季乃禮，山東人，1970 年生，南開大學歷史學博士。現任南開大學政治系副

教授。其研究方向以政治思想、政治心理為主，近來專注於當代西方政治心理學的政治思想研究。　　　　　　　　　　　　　　　　　　　　　（宋維哲）

《經學探研錄》

《經學探研錄》　楊天宇著　上海　上海古籍出版社　402頁　2004年11月

本書為楊天宇先生的經學論文結集，全書共收錄二十五篇。大部分是對外發表過的論文，全書以三禮學及三禮鄭《注》的研究為主，旁涉《周易》、《尚書》、《詩經》等經典以及秦漢禮俗與經學問題的研究。其主要篇目如下：

⑴談《易經》的成書時代與作者

⑵談漢代《今文尚書》的篇目

⑶鄭玄《注》《箋》中《詩》說矛盾原因考析

⑷淺談《詩經》與《詩經》學

⑸朱熹的《詩經》說與《毛詩序》

⑹西周郊天禮考辨二題

⑺秦漢郊禮初探

⑻略論漢代的三年喪

⑼略論漢代今古文經學的鬥爭與融合

⑽論王莽與今古文經學

⑾劉秀與經學

⑿關於《周禮》的書名、發現及其在漢代的流傳

⒀略述《周禮》的成書時代與真偽

⒁《周禮》的內容、行文特點及其史料價值

⒂略述中國古代的《周禮》學

⒃《周禮》之天帝觀考析

⒄《儀禮》的來源、編纂及其在漢代的流傳

⒅略述中國古代的《儀禮》學

⒆論《禮記》四十九篇的初本確為戴聖所編纂

⒇略述中國古代的《禮記》學

(21)略論「禮是鄭學」

(22)論鄭玄《三禮注》

(23)鄭玄校《儀禮》兼采今古文異文的五原則

(24)鄭玄校《周禮》從今書不從故書釋例

(25)鄭玄校《周禮》不從故書誤字考

後記

　　本書涉獵的領域相當廣泛，各篇論文的完成橫跨二十餘年光陰，部分問題的觀點或看法，前後可能有所不同。因此作者在書後特別說明，為保持歷史的原貌，並未將不同的觀點加以統一，讀者如在本書發現有觀點前後不一處，則以後出者為主。

　　楊天宇，1943 年 12 月生。1982 年 12 月獲河南師範大學歷史學碩士學位。鄭州大學歷史文化遺產保護研究中心副主任，鄭州大學歷史學院教授、博士生導師。主要著作尚有：《儀禮譯注》、《禮記譯注》、《詩經：樸素的歌聲》等，主編有《謀士傳》一書。　　　　　　　　　　　　　　　　　　　　　　　　（張穩蘋）

《周易外傳鏡銓》

《周易外傳鏡銓》　王夫之撰　陳玉森、陳憲猷注釋　北京　中華書局　1065 頁　2000 年 5 月

　　《周易外傳》一書為清朝王夫之早年的一部《易》學著作。在書中，王夫之表明了自己的哲學思想，包括有宇宙觀、人生觀、歷史觀、政治觀及對倫理道德、傳統文化的基本態度。「鏡銓」二字的意義，則是兩個注釋者對書中眾多的典故進行考索和解釋，對較為艱深的詞句也作了淺近的注解。

　　注釋者有意引用《周易內傳》來注解《外傳》，其試圖將兩書結合起來，以期讀者能對船山的《易》學思想融會貫通，並藉此使人了解船山《易》學的全貌。

　　王夫之的《周易外傳》從《易》學的基本原理出發，總結、批判了自漢以來的《易》學理論，他特別批判了道、釋二家的唯心主義、形而上的宇宙觀、人生觀及辺法論，澄清了他們對《易》理的歪曲。更進一步地，王夫之闡明了「氣」乃是宇宙的本源，宇宙萬物皆是由陰陽二氣相盪所致，且人物的生成變化均是「氣」的消

長變化，此乃《周易》中所謂的乾、坤，陰陽往來之義。在《易》學的理論基礎上，王夫之確立了陰陽并建的《易》學體系，且論證了氣化宇宙論的觀點，表現了他與宋明理學的關係。

《周易外傳》成書後流傳甚廣，版本眾多，陳玉森父子主要以中華書及岳麓書社的《船山全書》為底本，並參照了金陵刻本、守遺經書屋本及劉毓崧、馬宗霍、周調陽等人的校記，進行文字的處理及校釋。

本書共分為七卷，前四卷為對《周易》六十四卦的解釋；第五、六卷為〈繫辭〉上下的注解；第七卷則為〈說卦〉、〈序卦〉、〈雜卦〉三篇的解釋。本書最大的特色是陳玉森父子於注釋每一卦之後皆附有「本卦要義」，簡要的闡述王夫之於本卦所提出的要點。如於卷二〈坎〉卦之本卦要義中，說明王夫之於此卦中批判了老子思想，並提出了陰陽二氣運行的概念；卷三〈井〉卦之本卦要義中，則說明此為王夫之借以發揮治國安民的見解。　　　　　　　　　　　　（劉千惠）

《周易學說》

《周易學說》　馬振彪遺著　張善文整理　廣東　花城出版社　793 頁　2002 年
3 月

本書為馬振彪先生的《易》學遺稿，共有七大冊。馬振彪之父為馬其昶，以治西漢費氏《易》知名，其博採周秦以來注解《周易》之說，編纂成《周易費氏學》八卷。馬振彪繼承其父之學，遂欲增補《周易費氏學》的缺略，網羅古今《易》說，並旁徵博引，別裁體例，傾盡畢生心血，編纂成共七大冊的《周易學說》一書。

本書觀象玩辭，會通理義，遠承費直、王弼解《易》之說，並且融合經傳為一體。書中所引釋《易》之說，含蓋了自先秦至民國年間，共計二百餘家的說法，可與清朝李光地所撰的《周易折中》互見旨趣。書中所引錄的諸家說法，尤以清康熙以後的《易》學之說為多，其中某些論《易》的著述今已亡佚，幸賴此書才得以存一於千百。

本書本為馬振彪之末刊手稿，原本以墨筆行書寫成，故其中有加批加註者，更有附貼大小長短不一的各色簽條。張善文先生於整理手稿時，制定凡例，將原稿中

的編寫體例進行統一，並糾正原稿中錯訛衍說者；至於原稿引文部分，儘量查閱原出處進行校對，由此可見整理者的用心。

此外，整理者也將本書細分為八卷。本書原意是在增益《周易費氏學》一書，故於稿本中並未擬定書名，唯卷首有〈周易學說〉、〈易總易〉兩篇徵引舊說之文。今整理者查其內容，遂以《周易學說》作為書名，並分別將篇首兩篇文章之名改為〈易綱要〉和〈易總義〉。

本書的精華所在，乃在馬振彪的案語，由此處可顯見馬氏的《易》學主張。又因其師承所致，故書中常可見其引用劉沅、李士鉁、馬其昶之言。然殊為可惜者，書中所引用各家之言，僅列出各家的人名，並未標明採錄自何書，造成檢閱者覆核原文之不便。整理者張善文先生於書末附有「引用諸家書目名氏表」，然也只是列出書中所引用之人名，並未列出引錄自何書，甚為可惜。　　　　（劉千惠）

《周易會意》

《周易會意》　張漢著　成都　巴蜀書社　1204頁　2002年12月

張漢先生，曾出版《道論》、《易學啟門鍵》兩册注《易》之書，並發表過〈中國古代天文學是中國古代人文學的外衣〉、〈略論周易天人合一之旨〉、〈釋周易之三〉、〈論孔子的政治歸宿〉等篇文章。

本書「會意」二字，作者自言取自六書，表示作者的論述與古先聖哲的心意相會。作者以為卜筮算命是《周易》的掩飾外裝，其實《周易》主要是講天文與人文的關係，因此必須站在研究古代天文學的基礎上，才能理解《周易》的根本思想。

全書只分為五十一章，討論《周易》與古代政治的關係，並與天文學結合，試圖以天體運行的觀念解釋《周易》，以為在《周易》中已有「日心說」的天文觀念。作者在書中揭示《周易》運用大自然天體運行的規律來托譬「王霸亡」三級政事，形成「天人合一」的學說。作者認為行王道的君主有如太陽，其各級官僚則是組成太陽系的行星和衛星，其整體就組合成太陽系的主體。作者將「王霸亡」三級政事比擬為象形文的「日」字，中心點以太陽托譬天下為公的原始大同社會，外環是地球運行的軌道，托譬家天下的朝代。總而言之，作者以為《周易》為五經之首，儒學五經的內核是人文學，人文學論述「王霸亡」三級政治發展史。人文學的

外表是天文學，人文學藉此隱藏於天文學中。

　　作者認為《周易》的六十四卦是六十四個政治時事，三百八十四爻是王霸亡三才在六十四個時事中的應時適變策略，六十四卦象後的「象曰」稱大象，則是專為王者安排的總策略。也就是說，《易》以萬事告人，人因此遂知將來之事，提供了統治者治理天下的方法。

　　要而言之，本書作者以為《周易》統率儒學的五經，並始予後人指出建立大同社會的方向和具體施政步驟。作者認為儒、道兩家學說皆可與《周易》相通，而且《周易》以天文托譬人文，通過天體的自轉與公轉運行，論述「王霸亡」三級的政治社會發展史，談論三才的出發處與歸宿所。為政者可通過六十四卦來獲得治理天下的總策略，此為《周易》的功用所在。　　　　　　　　　　　　　　（劉千惠）

《周易他說》

《周易他說》　張抒聞（張書文）著　濟南　齊魯書社　302 頁　2004 年 1 月

　　首先，本書作者以為《周易》並非卜筮之書，那些曾被用於卜筮作用的書籍，早就因為缺少生命力而消失在歷史的洪流之中。作者認為《周易》全文乃是採取當時大家習慣使用的語句所寫出，故在敘說行為結果時，常會脫口說出吉或凶的習慣用語，因此所謂的卦爻辭，並非是占卜的結果。

　　本書所以取名為《周易他說》，乃是因為作者自認為不敢與古賢今哲的相關釋《易》著作相比拼，故決定另闢蹊徑，從別的角度來重新解釋《周易》。作者依據每一卦下的語言環境，把《周易》的原文轉換成通俗的白話陳述，以便了解《周易》的真實面目。

　　本書作者對於《周易》的解釋，乃是站在人生哲理的角度加以剖析，不承認《周易》為一本用於卜筮的書籍。如其解釋〈明夷〉卦辭的含意時，即言此卦的意思為「儘管光明在目前暫時被掩抑下去了，但是不可灰心喪氣，還是要艱苦卓絕地堅持下去，那才會創造一個有利的未來。」完全是從人生態度加以詮釋。但有時也因此造成望文生義，採證不足的情況。

　　本書依照六十四卦卦名順序進行闡釋，但只有針對卦辭及爻辭的部分加以詮釋，對於〈文言〉、〈說卦〉、〈序卦〉、〈雜卦〉等十翼皆未解釋，是對《周

易》本經進行詮解的書籍。篇末附有〈《左傳》裡的《易》筮〉一文，對於《左傳》中提到九例關於《易》筮的事全部列出，作者並對此提出解釋。其以為自《左傳》所載的筮例可知，所謂陰陽說以下的爻位、納甲等說法，均為後人所附會，在原始《周易》中並未有這些概念。　　　　　　　　　　　　　　　　　（劉千惠）

《周易與古代經濟》

《周易與古代經濟》　牛占珩著　成都　巴蜀書社　124 頁　2004 年 5 月

　　《周易》自成書後，向被奉為中國重要經典代表，備受各代學者重視；故其有關之研究論著不輟，累積不少研究成果。近幾年之《周易》研究，除了思想義理之探討外，其論點也廣伸到其他史學、科技、社會、文化等方面。此書即以「經濟」為立論點，論述《周易》與古代社會經濟的關係，以及易文化對古代經濟及經濟著作之影響，突顯出《周易》具有經國治世之實用價值，並為《周易》研究提供了新的角度。

　　全書內容包括《周易》中的經濟類象、《易經》卦爻辭中的社會經濟、《周易》與古代經濟政策、論《易大傳》的經濟思想等四篇相關論文；易學經濟著作《管子》、《焦氏易林》等述作，以及易學經濟著作選讀。另有《周易》經濟筮例一篇，對象數義學與古代經濟提供了新的解釋角度

　　作者牛占珩，山東濟南人，一九四二年生。山東師範大學中文系畢業，現為山東經濟學院教授。參與《中國歷代經濟名人志》之編撰，曾發表多篇學術論文。

　　　　　　　　　　　　　　　　　　　　　　　　　　　　　（鄭誼慧）

《阜陽漢簡周易研究》

《阜陽漢簡周易研究》　韓自強著　上海　上海古籍出版社　207頁　2004年7月

　　本書為作者根據 1977 年，安徽阜陽雙古堆西漢汝陰侯墓出土的竹簡進行研究，這批出土的竹簡包括有《蒼頡篇》、《詩經》、《周易》、《春秋事語》、《儒家者言》、《年表》、《刑德》、《日書》等十餘種書籍。本書主要是以《周易》為主，書末附有《儒家者言》及《春秋事語》兩書的研究成果。

　　本書首章為阜陽漢簡《周易》的照片及摹本，作者按照編號排列照片，照片旁

邊附有摹本，使研究者一目了然。第二章則為阜陽漢簡《周易》釋文，作者首先對漢簡的情形加以說明，解釋此次出土的《周易》竹片共有 752 片，計 3119 字，屬於經文者有 1110 字，屬於卜辭者有 2009 字，作者並與現今通行本《周易》進行對勘。之後作者再解釋釋文的體例，如其排列順序、用字等情況。此外，阜陽漢簡《周易》在卦、爻辭的後邊保存有許多卜問具體事項的卜辭，這些占卜事項吉凶的卜辭為今本和帛書所不見，其與卦、爻辭能夠相連的不多，故作者整理時按卜問事項歸類，如一片竹片上有卜問兩三件事者，則按先後卜問的事項編排。作者於釋文下面附有今本《周易》和馬王堆帛書《周易》相應的辭句，方便於讀者利用。

第三章為阜陽漢簡《周易》研究，作者對阜陽漢簡《周易》之研究成果皆見於此章。第一節為阜陽漢簡《周易》卦畫。作者系統性的闡釋《周易》由數字卦發展，逐漸轉變為符號卦的過程。其次，作者以為爻辭的出現，是《周易》吸收了栻占思想所產生的結果。第二節為阜陽漢簡《周易·卜辭》。作者先介紹阜陽漢簡《周易·卜辭》出土的情形，之後再介紹卜辭卜問的內容，並與《史記·龜策列傳》內容相呼應。其後，作者將卜辭釋文的結果列於後。第三節為阜陽漢簡《周易》異文。在本節中，作者於探討異文時，採用今本卦序，且為了便於讀者綜觀阜陽《周易》全貌，故將卦、爻辭釋文按編號錄出，並將今本《周易》、帛書《周易》、《經典釋文》和漢石經裡的異文排列出，便於讀者對照。

本書附錄一為「阜陽西漢汝陰侯墓一號木牘《儒家者言》章題」。作者首先列出《儒家者言》竹片之照片及摹本，之後列出《儒家者言》的釋文。其後為釋文考證部分，作者先介紹竹片出土時之情況及所載的內容，木牘的內容是記載孔子及其弟子的言行，因木牘並未標出書名，故姑且以《儒家者言》名之。作者其後按編號順序列出釋文結果，並於每條釋文之後附上作者於先秦和西漢時期著作中所找到的原文出處，此可見作者的用心。

本書附錄二為「阜陽西漢汝陰侯墓二號木牘《春秋事語》章題及相關竹簡」。首先為《春秋事語》的照片及摹本，之後列出木牘及相關竹簡的釋文。其後為二號木牘《春秋事語》章題及相關竹簡釋文考證。作者於前言中先介紹木牘出土時之狀況，之後再解釋木牘命名為《儒家者言》之原由，最後解釋釋文考證排列的體例。

在釋文考證方面，作者分為木牘及竹簡兩部分；於釋文後面，作者附上所檢核過的先秦、兩漢著作中的原文出處，便於研究者檢覆參考，足見作者的用心。

（劉千惠）

《周易經傳梳理與郭店楚簡思想新釋》

《周易經傳梳理與郭店楚簡思想新釋》　金春峰著　北京　中國言實出版社　192頁　2004 年 11 月

　　金春峰先生，曾任新加坡東亞哲學所高級研究員、中央研究院文哲所客座研究員、華梵大學東方人文思想研究所客座教授，現任佛光大學哲學所客座教授。其著有《漢代思想史》、《周官之成書及其反映的文化與時代新光》、《哲學：理性與信仰》、《朱熹哲學思想》、《「五四」後思想、人物論集》、《馮友蘭哲學生命歷程》等專著。

　　本書乃是植基於朱伯崑先生《易學哲學史》的方法論下所作之研究，旨在揭示有關「本義」的問題。作者認為帛書易學新材料的出土，雖然引起另一波易學研究高潮，然而對於《周易》「本義」的一些老問題，卻仍然眾說紛紜，未有定論。故本書題為「經傳梳理」，即是希望運用新出土的材料作為論據，對《周易》的老問題進行梳理工作。此外，作者對於郭店《老子》及儒簡《六德》、《忠信之道》、《成之聞之》、《性自命出》等篇，提出與目前學術界不同的幾點看法，因此題為「郭店楚簡思想新釋」。正因為「周易經傳梳理」與「郭店楚簡思想」之間具有內在關聯性，故對二者同時進行分析，以期相互參證。

　　本書共分十三章，首章闡述《周易》之編纂過程及其所展現的哲學觀念與倫理道德觀念。此外，作者對七個卦（漸、歸妹、蒙、屯、渙、睽、大過）提出新解，並認為八個經卦是經過自覺、精心地編纂而成。在另外二十四卦中，亦各有其中心主旨，卦形、卦名、卦象或卦爻辭之間，皆有其內在聯繫。

　　第二、三章對〈大象〉與〈小象〉的關係及〈大象〉成書的時代，提出新的看法，以為〈小象〉與〈象傳〉屬同一個思想體系，〈大象〉則是獨立成書，且成於〈象傳〉以前。其後又對〈大象〉及〈象傳〉之卦序提出說明，並以帛書《周易》為據。

　　第四～七章，針對帛書〈繫辭〉所反映之時代與文化提出說明，接著論述通行本〈繫辭〉之成書過程，最後對〈繫辭〉之哲學及倫理道德思想加以闡釋。

　　第八章針對《周易》卦序及〈序卦〉的成書時代與思想進行論述，其以為帛本卦序在通行本卦序之前，且非根據〈序卦〉排定，而是〈序卦〉是據通行本卦序所編寫而成，當作於戰國末年或漢初。

　　第九、十章則討論有關帛書之問題，先推斷《二三子問》、《要》的形成時間，以為此二篇皆為匯編性作品。《繆和》、《昭力》則是楚人講《易》，習《易》的著作，直承《二三子問》，且更為嚴謹。

　　第十一至十三章談論郭店楚簡的相關議題。首先討論《六德》、《忠信之道》、《成之聞之》三篇之思想特徵與成書年代。之後談論郭店楚簡《老子》的文史哲意義，且由此證明漢代帛書本、《河上公老子章句》本、嚴遵《道德指歸》本，並非直線相傳，而是各有所承。最後為作者閱讀郭店楚簡《性自命出》的札記，共紀錄七段短札式的論述。　　　　　　　　　　　　　（劉千惠）

《易圖考》

《易圖考》　李申著　北京　北京大學出版社　297頁　2001年2月

　　本書舊名《話說太極圖》，原採通俗講話形式寫成，後來改以學術考證方式撰成，並名為《易圖考》。本書著重於考辨易圖的價值與意義，主要提出兩個結論：一是考證出《周氏太極圖》不是來自道教，從而糾正了三百年來以訛傳訛的學術偏見；二是考證了《河圖》的源淵及其演變，揭示出當今一切「揭開《河圖》之祕」的說法都是無稽之談。

　　全書共五章，第一章「《周氏太極圖》源流考」，對《周氏太極圖》的源流作了詳細的考證，從最早提及《周氏太極圖》的朱震，一直到現代學術界的說法，均有相當精闢的論述。第二章「《陰陽魚太極圖》的由來」，先探討最初太極圖的形式，再對《陰陽魚太極圖》的由來、意義及評價作深入探討，並對當前學術界對《陰陽魚太極圖》的研究作了概括敘述。第三章「《河圖》、《洛書》源流考」，考察說明黑白點《河圖》、《洛書》不是先秦、漢、唐時人們所說的《河圖》、《洛書》，且秦漢時代的九宮數、五行生成數，以及阜陽出土占盤，均與《河

圖》、《洛書》無關，認為宋代學者利用這些數據作成黑白點陣，並名之為《河圖》、《洛書》是一種移花接木的方法。第四章「《先天圖》源流考」，對《先天圖》之問世、淵源，以及物理、性命之學與《先天圖》的關係作了詳細論述，認為言《先天圖》與《參同契》相合的說法是毫無根據的，並進而提出《先天圖》可能是邵雍為其新歷史哲學而作的論點；最後並概述當代對《先天圖》之尊重與批判，以呈現《先天圖》之價值所在。第五章「方士、道教與陳摶」，對方士與儒生、道教的關係，方術是一種世界現象，以及唐宋士大夫與丹道方術的關係等四個課題進行探討、研究，並對陳摶其人、其學稍加論述，認為《易》圖源於道教的說法是無法成立的。

　　李申，1946 年生，河南孟津人。1986 年畢業於中國社會科學院研究生院，獲哲學博士學位。曾任中國社會科學院世界宗教研究所研究員、儒教研究室主任。現為中國社會科學院研究生院博士導師。著有《中國古代哲學和自然科學》、《中國儒教史》、《道教本論》、《敦煌壇經合校》、《周易之河說解》等書。

（楊志剛）

《周易圖說總匯》

《周易圖說總匯》　李申、郭彧編纂　上海　華東師範大學出版社　2301 頁2004 年 4 月

　　所謂易圖，依據編纂者之見，共可分為二類，一類是《易》學著作中的圖象；另一類是其他著作中涉及《周易》卦象和《易》學命題的圖象。編纂者將此二類皆視為易圖，并收入書中。本書採錄了自先秦至清末數千種的圖書，從其中收集共四千餘幅易圖，涵蓋範圍甚廣，可供研究易圖者參考。

　　《易經》研究一向有兩個系統，一為研究卦爻象變化的符號系統；另一為解釋卦爻象之義的文字系統。在「聖人立象以盡意」的影響下，於易學史上發展成以圖象表達易理或事物變化法則的學理，此稱為「易圖學」。易圖學是象數易學的一個分支，其中最重要的圖式有《河圖》、《洛書》、《先天圖》、《後天圖》、《太極圖》等。這些圖式並不限於解釋《周易》經傳中的辭句，其富有深厚的哲理義涵，表現了中國古人運用形象思維和象數思維所表達的哲理和數學智慧。

　　有鑒於自古以來易圖的繁複，作者將這四千多幅易圖分為五大類。第一類是
《河圖》、《洛書》。編纂者按時代順序，自先秦、漢初時記載《河圖》、《洛
書》之說，一直排列到清朝學者對《河圖》、《洛書》之論；除此之外，作者於每
一時代之後，皆選錄當代論及《河圖》、《洛書》的重要研究，以資研究者參考利
用。如在「兩漢時代的《河圖》、《洛書》」一節，附有孔安國注《古文尚書・顧
命》、《古文尚書・洪範》、《論語・子罕》三篇文章中提及《河圖》、《洛書》
者。

　　第二類為《先天圖》。編纂者按照時代順序，自宋代《先天圖》介紹至清代
《先天圖》，其中一節列出宋代學者對卦變說的看法，最後一節則排入邵雍《觀物
篇》，因此篇與《先天圖》有密切關係，故纂者全文編入。

　　第三類為《太極圖》。首節為宋代《周氏太極圖》論及相關資料，附錄有先秦
及漢代談論天地生成論的相關資料。第二節為道教對《周氏太極圖》的改造等，附
錄有《上方大洞真元妙經品》、《上方大洞真元妙經圖》及張宇初的《太極釋》。
第三節為儒家對《周氏太極圖的尊崇和評論》；第四節為佛教與《周氏太極圖》；
第五節則為其他各式的《太極圖》；第六節為宋至清初諸儒太極觀；最後一節則為
河洛先天太極諸圖總目錄。

　　第四類為《卦變圖》。首節為歷代卦變圖，按時代先後順序排列；第二節為歷
代對於卦變之說，較為可惜者，乃編纂者為節省篇幅，多非整段援引原文，而是將
各人所論卦變文句，輯錄重編，故只摘其要者；第三節則為附錄卦變專論原文圖。

　　第五類為其他易圖類。編纂者將之又區分為圖解《周易》自身的、涉及其他領
域者、道教所創作的易圖三大類。第一類可分為解易卦象類、易學命題類、揲蓍之
法類；第二類則可分為易學天文圖類、易學數學類、易學律呂類、易學醫道類和翼
易玄虛洪範類；第三類則是依三種道教大型道書所排列，分別為《道藏》易圖、
《道藏輯要》易圖、《藏外道書》易圖。

　　本書雖名為「總匯」，為資料性的匯編，但對各種圖說的源流、內容和版本，
皆一一作了考證和解說，為研究易圖者提供了良善的資料考索。　　　　（劉千惠）

《易圖象與易詮釋》

《易圖象與易詮釋》　　鄭吉雄著　臺北　臺灣大學出版中心　398頁　2004年6月

　　本書為個人論文集。書中共收錄五篇論文，均為作者參與臺灣大學「東亞近世儒學中的經典詮釋傳統」研究計畫中，所負責之「中國近世儒者對《易經》的詮釋」此一子題研究成果集結。因此，五篇論文一論二十世紀《易》詮釋分期以及詮釋策略區分的問題；一述近世儒者高郵王氏父子的《易》學；其餘三者，則針對《易》圖作專書、專人、學派等多方面之詮解與研究。顯見該書雖為論文集結，但仍可見其鮮明之主題性。

　　全書五篇論文論題如下：〈從經典詮釋傳統論二十世紀《易》詮釋的分期與類型〉、〈《易圖明辨》與儒道之辨〉、〈論儒道《易》圖的類型與變異〉、〈周敦頤《太極圖》及其相關詮釋問題〉、〈高郵王氏父子對《周易》的詮釋〉。書前有「序」，對《易》圖之學、寫作緣起及各文主旨，均有簡明扼要之述論。另外，書末則列有「人物生卒年及索引」及「名詞索引」，以便讀者查閱。

　　鄭吉雄，廣東省中山縣人，臺灣大學中國文學博士。現任臺灣大學中國文學系教授、東亞文明研究中心專任研究員兼東亞文獻研究室召集人。其研究範圍以清代學術思想、《易》學、東亞經典詮釋為主。曾發表相關學術論文三十餘篇，另著有《王陽明——躬行實踐的儒者》、《清儒名著述評》等專著。　　　　　　　　（宋維哲）

《周易經傳十五講》

《周易經傳十五講》　　廖名春著　北京　北京大學出版社　364頁　2004年9月

　　《周易》，儒家經典，列於十三經之中。在其「經」、「傳」中，蘊涵著豐富思想內容，加以其中所存之卜筮功能，不但為《易》學開出「哲理易」與「數術易」兩大脈絡，更吸引歷代學人、民間人士分從兩大脈絡不斷加以探索。不論「哲理」或「數術」，《周易》中所論所言，囊括自然界中一切萬事萬物，因此其思想不但是儒家學說的重要核心，同時也是中國哲學基礎之一。

　　因其受歷代學者所重，自古迄今有關《周易》著作極多。而本書《周易經傳十五講》，亦為其中之一。本書之出版，列於《名家通識講座書系》中。書系編纂緣

起，在於以北京大學為首之大陸十多所重點大學，欲共同出版 100 種包涵文、史、哲、藝術、社會科學、自然科學等領域，定位在「通識」之書籍。而因此系列書籍欲作大學通識教育教材之用，故而書系中書籍皆編為「十五講」，以符合學期學習所需。

在此前提下，本書寫作便以導讀概述為主。書中分論卦畫、經、傳、義例、成書時間、性質等，以主題論述形式，使讀者能更無礙地契入《周易》世界。全書架構如下：第一講：緒論；第二講：八卦；第三講：六十四卦的卦畫；第四講：《周易》的卦爻辭（上經上）；第五講：《周易》的卦爻辭（上經下）；第六講：《周易》的卦爻辭（下經上）；第七講：《周易》的卦爻辭（下經下）；第八講：《周易》的義例；第九講：《周易》的成書與性質；第十講：《周易》的形成與特質；第十一講：《象傳》；第十二講：大、小《象傳》和《文言傳》；第十三講：《繫辭傳》；第十四講：《說卦傳》；第十五講：《序卦傳》與《雜卦傳》。書末附錄有《周易》經、傳全文，使學子、讀者於研讀時，便於隨時查閱原典。

廖明春，1956 年生，湖南武岡人。清華大學思想文化研究所教授。研究領域以先秦秦漢學術思想史以及出土簡帛為主，曾發表學術論文一百三十餘篇，著有《周易研究史》、《荀子新探》、《帛書〈易傳〉初探》、《新出土楚簡試論》、《《周易》經傳與易學史新論》等專論。　　　　　　　　　　　（宋維哲）

《中國哲學與易學
——朱伯崑先生八十壽慶紀念文集》

《中國哲學與易學——朱伯崑先生八十壽慶紀念文集》　王博主編　北京　北京大學出版社　497 頁　2004 年 4 月

朱伯崑先生，1923 年生，現任北京大學哲學系教授、東方國際易學研究院院長兼學術委員會主任、中國易學與科學研究會理事長。當代著名《易》學家。著有《易學哲學史》、《易學漫步》、《燕園耕耘錄：朱伯崑學術論集》等書，並主編有《國際易學研究》、《周易知識通覽》等。朱先生任教於北京大學哲學系多年，友朋與門生為賀八十高壽，故籌編此論文集。

　　本書篇次排列，依書末〈編者後記〉，是以作者年輩為序。共收錄四十一篇論文，分為「中國哲學」與「《易》學」兩類。「中國哲學」類在前，計有二十六篇，依序為：⑴王博〈朱伯崑先生學術年譜〉，⑵張立文〈論陸九淵的人學倫理學〉，⑶許抗生〈老子道家的管理思想及其現代價值〉，⑷劉長林〈楊上善論天道與人道〉，⑸蕭漢明〈魏源論《老子》為「救世之書」〉，⑹魏常海〈儒學與人間佛教〉，⑺李中華〈何承天儒學思想探微——兼論南北朝時期的儒佛關係〉，⑻李存山〈「天人合一」與中國哲學的實在論〉，⑼陳戰國〈無以人滅天，無以故滅命〉，⑽王守常〈虛妄分別辯——歐陽竟無與法尊的爭論〉，⑾王葆玹〈從周魯同時而亡的事件看今古文經學分流之起因〉，⑿李申〈「偽問題」與「舶來語」——中國人為什麼要穿「尺寸不合的衣衫」——讀葛兆光《穿一件尺寸不合的衣衫——關於中國哲學和儒教定義的爭論》有感〉，⒀劉笑敢〈《老子》二十三章散論〉，⒁陳來〈船山孟子說的功夫論〉，⒂張學智〈王夫之《孟子》釋論中的性與形〉，⒃胡軍〈賀麟的文化體用觀〉，⒄王宗昱〈儒家孝道和中國社會轉變〉，⒅王中江〈「範式」、「深度視點」與中國哲學「研究典範」〉，⒆白奚〈從孟子到程朱——儒家仁學的詮釋與歷史發展〉，⒇陳靜〈說《淮南子》的雜〉，(21)陳少峰〈儒商：價值觀與思想方法〉，(22)孫尚揚〈湯用彤對漢魏兩晉南北朝佛教思想脈絡的疏尋〉，(23)喬清舉〈略論中國古代德治思想的現代意義〉，(24)王博〈《太一生水》研究，(25)強昱〈本體考原〉，(26)楊立華〈玄學之外的可能：魏晉思想研究中的玄學話語？〉

　　文集後半大概屬於「《易》學」類，計有十五篇，依序為：⑴陳鼓應〈王弼道家易學詮釋〉，⑵董光璧〈為歷史和未來闡釋易科思維——賀伯崑先生八十壽辰〉，⑶王德有〈「醜老鴨」和先生心血——朱先生首屆碩士論文指導點滴〉，⑷鄭萬耕〈朱伯崑先生易學哲學研究的貢獻〉，⑸李存山〈現代易學之「不占」——讀朱伯崑先生的《易學哲學史》〉，⑹李存山〈易學史與中國哲學史——讀朱伯崑先生的《易學哲學史》〉，⑺趙敦華〈儒家道統與基督宗教的自然律〉，⑻張祥龍〈象、數與文字——《周易·經》、畢達哥拉斯學派及萊布尼茲對中西哲理思維方式的影響〉，⑼廖名春〈楚簡《周易·頤》卦試釋〉，⑽張其成〈義理學派論「象數」——重讀朱伯崑先生《易學哲學史》〉，⑾婁毅〈訓詁與義理：中國傳統釋義

學的兩難選擇——戴震的釋義理論及其所反映的問題〉，⑿楊慶中〈《周易》古經中的象辭體系及其哲學詮釋空間〉，⒀楊慶中〈朱伯崑先生《易學哲學史》述評〉，⒁王風〈試論程、朱《易》學之一脈相承〉，⒂朱清〈「對待」與「氣韻生動」——兼論中國古代文藝理論中的陰陽辯證法則〉。 　　（何淑蘋）

《象數易學研究》第三輯

《象數易學研究》第三輯　劉大鈞主編　成都　巴蜀書社　334頁　2003年3月

　　本書專門收錄今人象數《易》學研究成果之論文集。全書共計收錄論文十三篇，作者包括大陸、臺灣兩地學者。十二篇文章依序如下：(1)劉大鈞〈《大一生水》篇管窺〉，(2)季旭昇〈古文字中的易卦材料〉，(3)周立升〈京房象數易學探微〉，(4)林忠軍〈鄭玄易與兩漢易學思潮〉，(5)蕭漢明〈虞翻易學與《周易參同契》〉，(6)王新春〈也論虞氏易學的卦變說〉，(7)余敦康〈朱熹《周易本義》、《易學啟蒙》象數之學述評〉，(8)郭彧〈俞琰卦變說辨析〉，(9)羅熾〈方以智象數易學平議〉，⑽陳居淵〈論焦循易學的道德理想與社會理想〉，⑾賴貴三〈江都焦循手批《周易兼義》釋文（一）〉，⑿李尚信〈《序卦》卦序之建構及其思想〉。

　　歷代學者注解經書之作，以《易》類最為宏富，數量最為龐大，至於其間異同，則大抵可粗分象數、義理兩派。劉大鈞先生為山東大學易學與古代哲學研究中心主任，長期關注、推廣《易》學風氣的發展，尤其側重於象數研究，其學生如王新春、林忠軍諸人，均有象數學專著。劉先生又長期主編數種《易》學專門刊物，除季刊性質之《周易研究》外，《象數易學研究》則以叢刊方式，彙集討論象數《易》學之論文，如此既便於對象數《易》有興趣者研讀，也有推廣象數《易》學發展之功。 　　（何淑蘋）

《元典哲蘊》

《元典哲蘊》　劉大鈞主編　上海　上海古籍出版社　545頁　2004年12月

　　本書為2002年8月18日至22日，於山東青島所舉行「海峽兩岸易學與中國哲學研討會」之論文集。書前有主編劉大鈞先生「抵研群奧，煥往炳來——海峽兩岸易學與中國哲學研討會論文集・中國哲學卷序」一文，文中對本書來由有簡略交

代，並以七大主題對全書論文作一歸納概述。

　　於體例上，全書共收三十三篇論文，區分為九大主題。其詳目如下：「中國哲學與詮釋學」：魏長寶〈經典詮釋學與中國哲學研究的範式問題〉；「傳統文化與現代文明」：李晨陽〈儒家傳統面臨的五個挑戰〉、李翔海〈後現代視域中的現代新儒學〉、李錦全〈「全球化」與老子思想的當今價值〉、趙玲玲〈後現代主義與中國文化內在性承啟的省思〉；「經學研究」：江林昌〈試析上博簡《詩說》的編聯與結構〉、陳其泰〈春秋公羊學說體系的形成及其特徵〉、蔡方鹿〈朱熹經學產生的思想淵源〉；「諸子前哲學研究」：連劭名〈金文所見周代思想意識中的「命」〉；「儒家思想研究」：田文軍〈道德的中庸與倫理的中庸〉、羅明星〈論儒家道德的生存基礎──基於道德與歷史的分析〉、李景林〈孔子「述、作」之義與文化的繼承性〉、裴傳永〈「大同小康」之論非關孔子辨〉、郭沂〈子思弟子孟軻非孟子說〉、蒙培元〈從孟子的「仁民愛物說」看儒家的生態觀〉、佐藤貢悅〈荀子的群與國家理論再考〉、陳俊民〈學政不二，禮教為本──從張載關學獨特的致思路向看宋明理學之原型及其真精神〉、王杰〈十八世紀義理之學的確立與建構──以戴震思想為例〉；「道家思想研究」：丁原明〈道家哲學智慧的基本特點〉、李明珠〈道家超越智慧再發現〉、邵漢明〈道學研究中值得注意的幾個問題〉、胡孚琛〈新道學文化的八大支柱〉、張振東〈老子的道與西方神哲學比較〉、賴賢宗〈德國浪漫主義哲學的老子哲學詮釋及其影響〉、王中江〈老子治道歷史來源的一個探尋──以「垂拱之治」與「無為而治」的關聯為中心〉、張京華〈莊子哲學中的本體論思想〉、陳紹燕〈論列御寇〉；「佛教研究」：吳怡〈生命的心心相印──莊子、禪宗與中國生命轉化的哲學〉、洪修平〈儒佛道三教關係與中國佛教的發展〉、熊琬〈唯識的認識哲學──從《八識規矩頌》有關八識關係切入〉；「墨家思想研究」：朱傳棨〈論墨家進步的社會政治觀及其哲學基礎〉；「其他」：李宗桂〈中國文化名人與澳門──湯顯祖、吳漁山、屈大均合論〉、張艷國〈社會轉折關頭的正統心態──滿清皇室貴族復辟集團與尊孔關係探討〉。

　　本書所收雖非大會全數論文，但仍可就此細目，得知所論述者，擴及儒、釋、道、諸子等多重中國哲學領域，使本書全面性地展現學者們對中國哲學體系的新觀

點，更開啟閱讀者另一思考研究之方向。

　　劉大鈞，1943 年生，山東鄒平縣人。現任山東大學教授、博士生導師、北京大學兼職教授、北京大學太極文化研究所名譽所長、中國周易學會會長、山東大學易學與中國古代哲學研究中心主任、《周易研究》學刊主編、全國政協委員等職務。有《易傳全譯》、《大易集義》、《大易集說》、《象數易學研究》等專著。

（宋維哲）

《大易集奧》

《大易集奧》　劉大鈞主編　上海　上海古籍出版社　上、下冊　992頁　2004年 12 月

　　本書為 2002 年 8 月於青島舉辦的「海峽兩岸易學與中國哲學研討會」會議論文集，共收錄五十八篇論文，主要就易學與中國哲學的多個分題進行研究。共分為簡帛易研究、易學探微、易學研究方法論、易學體系與符號學研究、《周易》經傳研究、易學哲學研究、易學與中華人文精神、易學人物研究、易與儒釋道、易學與文字音韻、易學與自然科學、易經與術數等十二個分題，所收論文在各個分題均有相當深入的探討。

　　本書所收論文依序如下：上冊——簡帛易研究，湯一介〈釋「易，所以會天道、人道者也」〉；廖名春〈試論帛書《衷》的篇名和字數〉；朱淵清〈王家臺《歸藏》與《穆天子傳》〉。易學探微，劉大鈞〈《周易》「古義」考〉；任俊華、梁敢雄〈《歸藏》源流考——兼論秦簡《歸藏》兩種摘抄本的由來與命名〉。易學研究方法論，黃沛榮〈經典詮釋與文獻整理——以《易經》研究為例〉；周山〈《周易》詮釋鐘的若干問題思考〉；陳堅〈「易注」與中國傳統哲學中的注釋〉。易學體系與符號學研究，張立文〈《周易》與和合學〉；張斌峰〈試論《周易》研究的符號學轉向〉。《周易》經傳研究，俞懿嫻〈乾坤二解〉；馬恒君〈從〈中孚〉看古人覆卦觀象的方法〉；馮家金〈自《易經》體系結構看易大象「處世之道」〉；鄧立光〈《象傳》的思維特徵及道德意義〉；鄭吉雄〈20 世紀初《周易》經傳分離說的形成〉。易學哲學研究，程石泉〈「易」這個觀念〉；魏元珪〈《周易》的生命哲學與生存發展論——兼評西方知識形上學之偏差〉；施炎平

〈「經典周易哲學」的成因及其歷史地位〉；杜保瑞〈《周易》經傳的哲學知識學探究〉；吳根友〈《易傳》中的語言哲學思想探論——兼論儒、道、《易》的語言哲學思想之異同〉；王樹人〈《周易》的原創性及其思維特質〉；劉長林〈周易圓道與創新〉；施忠連〈論《周易》的創造觀念〉；陳良運〈易學思維之菰掇拾〉；陳炎〈中國的「陰陽」與西方的「因果」〉。下冊——易學與中華人文精神，黃玉順〈論《周易》與中國文化軸心期大轉型〉；梁韋弦〈傳統易學的人文精神〉；張廷榮〈新世紀學《易》之受用〉；申荷永〈《易經》與中國文化心理學〉；郭文夫〈創造的美學觀——中國大易：《周易》之美思〉。易學人物研究，周立升〈焦贛易學研究〉；劉玉建〈虞翻易學解釋學原則：震巽特變與權變〉；姜廣輝〈孔穎達《周易正義》的幾個理論觀點〉；舒大剛〈蘇軾《東坡易傳》特色小議〉；潘富恩、陳天林〈論呂東萊《易說》中的哲學思想〉；張其成〈張行成先天數學初探——再論中國數學派〉；呂紹綱〈程、朱解《易》比較〉；金周昌〈程、朱《周易》觀之分析與比較〉；陳贇〈《周易》與中國天人之學的模式——以船山易學為中心〉；賴貴三〈焦循《孟子正義》的哲學思想析論〉；陳居淵〈焦循《易圖略》的哲學方法論意義〉；高瑞泉〈易理詮釋與哲學創造：以熊十力為例〉；耿成鵬〈馬一浮易論〉。易與儒釋道，向世陵〈生生與守靜——易、儒、道「靜」論合說〉；林忠軍〈《易緯》宇宙觀與漢代儒道合流趨向〉；詹石窗〈道教符咒法術與易學關係的哲理探要〉；蓋建民〈《道養全書》易道融通思想發微〉；劉澤亮〈借易說禪：說不可說之說〉。易學與文字音韻，王寧、黨懷興〈《說文解字》與易學〉；金周生〈朱熹《周易本義》音韻資料研究〉。易學與自然科學，蕭漢明〈《周髀》「周公與商高對話篇」、「榮方與陳子對話篇」與《易·繫辭》〉；王俊龍、瞿永玲〈易卦數理形下解：先天卦序即自然數序列之數學證明——兼論現行易卦二進制解釋與傳統易學思想之抵牾及其化解〉；孔令宏〈《周易》象數與中國古代科學技術的關係略論〉；徐儀明〈試析明代醫易學極盛的過程與原因〉。易經與術數，張永堂〈朱熹與術數——兼論理學與命理學〉；朱冠華〈孔子眼中的卜筮〉；張頌之、楊春梅〈孔門預測學〉；彭賢〈榮格與《易經》〉。

　　劉大鈞，1943 年生，山東鄒平人。現為中國周易學會會長、山東大學易學與中國古代哲學研究中心主任、《周易研究》學刊主編、全國政協委員、山東大學教

授、博士生導師、北京大學兼職教授、北京大學太極文化研究所名譽所長。著有
《周易概論》、《周易古經白話解》、《周易傳文白話解》、《納甲筮法》、《易
經全譯》等書,校點整理《周易折中》,主編《大易集成》、《大易集要》、《大
易集述》、《象數易學研究》等大型論文集。   (楊志園)

《張載易學與道學:
以橫渠易說及正蒙爲主之探討》

《張載易學與道學:以橫渠易說及正蒙為主之探討》 胡元玲著 臺北 臺灣學生
書局 264頁 2004年8月

　　張載,宋代理學家,北宋五子之一,濂、洛、關、閩四學派中關學代表人物。
其學以易為宗,曾勉學者必至聖人而後已,不能以賢人為已足。著作以《正蒙》最
為著名,後人所探討者,也多從《正蒙》出發,以哲學之法研究其天道觀與氣論。
　　本書作者則以《正蒙》與《橫渠易說》為研究對象,綜合文獻、考據、哲學、
經學等方式以探討此二著作的關聯性及其內涵。義理內涵部分則先分述張載易學與
道學,最後再針對易、道二者合述分析。作者期望此多角度之探討,一方面能展現
張載完整的學術理路,另一方面能突破前人研究的侷限。
　　其內容章節如下:第一章:張載概述;第二章:《橫渠易說》與《正蒙》的文
獻考察;第三章:張載易學——《橫渠易說》解易新探;第四章:張載道學
(上):道體——《橫渠易說》、《正蒙》等著作通解;第五章:張載道學
(下):為學——《橫渠易說》、《正蒙》等著作通解;第六章:從易學至道學的
義理脈絡。書末除了有「結語」外,另有「附錄一:張載著作及版本考」、「附錄
二:《正蒙》注本考」,最後則以「後記」略述其撰文經過。
　　胡元玲,臺灣師範大學國文研究所碩士,北京大學中文系古文獻專業博士。主
要研究領域為中國思想史,所發表之論文,則含括宋明理學、文獻學、佛學、經學
等領域。   (宋維哲)

《周易本義導讀》

《周易本義導讀》　蕭漢明著　濟南　齊魯書社　287 頁　2003 年 10 月

　　蕭漢明，1940 年生，湖北孝感人。1982 年獲武漢大學哲學碩士。現為武漢大學哲學系教授。自 1982 年以來即從事中國哲學史的教學與研究工作，專長為易學、道家與中國古代自然哲學。著有《船山易學研究》、《陰陽大化與人生》、《易學與中國傳統醫學》等書。

　　朱熹《周易本義》十二卷，為山東大學「易學與中國古代哲學研究中心」從《四庫全書》和《續修四庫全書》中精選出歷來具有代表性的《易》學著作之一。該中心聘請學有所長的專家，對這些精選出來的《易》學專著進行古籍整理與研究工作。「整理」是指一般的文字句讀、校勘，目的是整理出具有一定權威性的《易》學版本；「研究」則是指作者對該著作的研究新成果，呈現在每本書前的的導言中。朱熹《周易本義》即由蕭漢明教授負責導讀及點校的工作。

　　本書分為兩個部分，分別為「導讀」和朱熹《周易本義》點校版本。「導讀」部分，分為四小節，一是「關於三聖作《易》與《易》之象數本源和筮占功用」，指出朱熹認為三聖所作之《易》有所區別，但存有一定聯繫；又朱氏將《易》視為卜筮之書，恢復了《易》的本來面貌，並提出畫前《易》為《易》之本源，將象數和義理融而為一。二是「朱熹的易學象數觀」，作者從太極、河圖洛書、先天圖、後天圖、卦變圖、漢代易學的諸種象數條例等六個部分對朱熹的易學象數觀作了詳細探究。三是「朱熹易學的義理思想」，作者認為朱氏易學基本義理思想為理與道屬形而上，而氣與物屬形而下，形上與形下不可分離，並通過其「理氣論上的『本原』、『稟賦』二重觀」、「道依於器的道器論」、「格物論與心性論」等論述而實現。四是「關於《周易本義》」，作者指出十二卷本《周易本義》有幾個特長：采用呂祖謙《古周易》，經傳分離，有利於理解經傳文辭本意，克服分經合傳造成的種種弊端；在注釋方面，注意經文與傳文的差異；注意到經傳的卜筮功能；注釋文字簡短，合於《周易》的易簡之理；注釋體例首重卦體、卦變與卦德，其次為卦象，凸顯了朱氏對「易」流行變化之義的闡發。

　　至於點校部分，是以四庫全書《原本周易本義》為底本。此刊本共十二卷，卷

末並附有〈周易五贊〉與〈筮儀〉二篇。校本則以武英殿本《周易本義》、曹寅刻本《朱子本義》、文淵閣四庫全書本《御纂周易折中》與《周易傳義附錄》為主。凡文中出現錯訛、脫漏、異文，均於校記中予以說明。　　　　　　　（楊志圍）

《周易・四書禪解》

《周易・四書禪解》　　（明）智旭著　施維、周建雄整理　成都　巴蜀書社　362頁　2004年3月

　　智旭（1599－1655），字素華，別號「八不道人」，晚號「藕益老人」。俗姓鍾，名際明，古吳木瀆（今江蘇吳縣）人。生於明萬曆二十七年（1599），清順治十二年（1655）時於靈峰寺圓寂。智旭大師早歲崇尚理學，堅斥佛老；後因閱讀《蓮池自知錄》、《竹窗隨筆》等書，改變其對佛教觀感，進而於天啟二年（1622）時剃度出家。其著作有《毗尼事義集要》、《梵室偶談》、《淨信堂集》等。

　　《周易・四書禪解》亦為智旭大師著作。就書名觀之，已呈現是以佛教觀點解讀儒學經典之作。全書體例分卷如下：《周易禪解》九卷，前置「自序」一文，以言著此禪解因由為「以禪入儒，務誘儒以知禪耳」。後則有「易解跋」，總結其解《易》之感；《四書禪解》，下分「論語點睛」（上、下）、「中庸直指」、「大學直指」以及「孟子擇乳」。前亦有「自序」，其言以「點睛」名《論語》，「開出世光明也」；以「直指」號《學》、《庸》，「談不二心源也」；以「擇乳」曰《孟子》，「飲其醇而存其水也」。

　　此本為施維、周建雄二人所整理，前有「編輯前言」一文，以明編輯之由。另於《四書禪解》「自序」後，則有印光大師於民國九年所撰之「重刻序」。「編輯前言」以及印光大師「序」均言「孟子擇乳」因兵燹而失傳，故於本書中無法得見，因此無法窺得智旭大師以禪解儒之全貌。　　　　　　　（宋維哲）

《周易集解》

《周易集解》　（唐）李鼎祚撰　李一忻點校　北京　九州出版社　上、下冊
1110頁　2003年2月

　　李鼎祚，〔唐〕資州人。官至秘書省著作郎。撰有《周易集解》一書，又名《李氏周易集解》、《李氏易傳》，為博采漢魏至唐初四十家易說之作，重在採擇象數學說，以注釋經傳易蘊，旨在「刊輔嗣之野文，補康成之逸象」。該書經傳以王弼本編次，稍異之處為將〈序卦傳〉散綴於六十四卦之首，取意於《毛詩》分冠〈小序〉於三百零五篇之例。為後人考索漢《易》象數學派的重要典籍。2003 年李一忻先生為了推動象數易學之研究，對《周易集解》進行點校工作。所採《周易集解》為《四庫全書》本，先列《周易集解》原文於前，再附李道平《周易集解纂疏》於後，將《周易集解》中所集易注有所疏漏處一一訂正；書前有李道平《周易集解纂疏·諸家說易凡例》，，為李氏對諸家說易歸納整理之作，分卦氣、消息、爻辰、升降、納甲、納十二支、六親、八宮卦、納甲應情、世月、二十四方位等十一部分進行論述，有裨於對《周易》專有名詞之認知。可供研究《周易集解》者作參考版本。

　　李一忻，1936 年生，山東濟南人。主要從事先秦哲學的研究，於易學有獨到的見解。著有《象數理論新探》、《周易古筮通解》、《納甲筮法講章》、《大易會意》等書，整理出版古代易學典籍《周易折中》、《皇極經世》、《梅花易數》等。現主要從事《周易》的國際學術交流工作，新譯德文版《易經》一部。

（楊志團）

《周易哲學演講錄》

《周易哲學演講錄》　牟宗三著　上海　華東師範大學出版社　126頁　2004年7月

　　本書由聯經出版社授權華東師範大學發行簡體字版。本書是牟宗三先生演講《周易》哲學的演講錄，由盧雪昆先生整理，臺北聯經出版公司發行繁體字版。前半二十一講為《周易》哲學，後半九講為《繫辭傳》哲學。前二十一講分別為：第一講〈《易傳》——儒家的玄思〉、第二講〈幾——采取最開始最具體最動態的觀

點看事件〉、第三講〈乾坤代表兩個基本原則：創生原則與終成原則〉、第四講
〈乾元之道（《乾·象傳》）〉、第五講〈《乾·象》的義理——儒家的道德形上
學〉、第六講〈先天而天弗違，後天而奉天時（《乾卦》卦辭、爻辭、《象傳》、
《文言》）〉、第七講〈道德實踐是法坤（《坤·象傳》）〉、第八講〈厚德載
物，直方大（《坤卦》爻辭、《象傳》、《文言》）〉、第九講〈《咸·象傳》、
《恆·象傳》、《賁·象傳》〉，以上探討《繫辭傳》以外的《易傳》哲學，牟先
生在此提出坤卦為終成原則而乾卦為創生原則，若二者不能相互協調以至於和諧，
則萬物將無法順利生長；表現在人世間，乾卦是道德的形上根據，而坤卦是道德的
形下實踐，惟有兩者互相配合以達到中和，方能貫徹人秉承自天的道德性善。第十
講〈在天成象，在地成形（《繫辭·上傳》第一章）〉、第十一講〈乾以易知，坤
以簡能（《繫辭·上傳》第一章）〉、第十二講〈儒家的智慧：超越而內在（《繫
辭·上傳》第四章）〉、第十三講〈一陰一陽之謂道（《繫辭·上傳》第五
章）〉、第十四講〈繼之者善也，成之者性也（《繫辭·上傳》第五章）〉、第十
五講〈然與所以然之三層解釋〉、第十六講〈成道：顯諸仁，藏諸用（《繫辭·上
傳》第五章）〉、第十七講〈中國式的自然哲學及西方 idealism 的三個系統〉、第
十八講〈「神」的兩種意義〉、第十九講〈圓而神，方以知（《繫辭·上傳》第十
一章）〉、第二十講〈知幾與盡神（《繫辭·上傳》第十二章）〉、第二十一講
〈和順於道德而理於義，窮理盡性以至於命（《說卦傳》）〉。

　　後半部則是專說《繫辭傳》：第一講〈乾知及良知三義〉，第二講〈易簡原
則：乾以易知，坤以簡能〉，第三講〈道德與知識，自律與他律，易簡與支離〉，
第四講〈三極之道（《繫辭·上傳》第二章）〉，第五講〈幽冥終始生死鬼神
（《繫辭·上傳》第三、四章）〉，第六講〈即用見體（《繫辭·上傳》第五
章）〉，第七講〈誠神寂感（《繫辭·上傳》第九、十章）〉，第八講〈成象效法
（《繫辭·上傳》第十一章）〉，第九講〈儒家的基本精神：承體起用（《繫辭·
上傳》第十一章）〉。　　　　　　　　　　　　　　　　　　　　　（沈明謙）

《清初易學》

《清初易學》　汪學群著　北京　商務印書館　669 頁　2004 年 11 月

　　本書是以研究清初學者如何注解《周易》或借釋《易》發揮己義為對象的專著。作者透過對清初諸儒解《易》或發揮義理著述的分析與研討，揭示清初易學的發展軌跡，及其學術特徵與貢獻。

　　本書研究的範疇主要在順治與康熙兩朝，即從順治元年（1644）至康熙六十一年（1722）近八十年間撰寫刊行的易著。取材主要以《四庫全書》所收書目為主，從中選擇十多位具有影響的易學家或易著。另外也挑選了《四庫全書存目叢書》、《續修四庫全書》之個別易著，進行綜合研究，相當程度代表了清初易學的主流。導論、結語及後記之外，其主要章目如下：

　　第一章：明遺的宋易學。探討孫奇逢、方以智、王夫之的易學；第二章：明遺的程朱易學。研究習包、張爾岐、錢澄之的易學；第三章：明遺對宋易圖書先天太極說的批評。代表學者為顧炎武、黃宗羲、黃宗炎；第四章：清廷的程朱易學。代表易著有《易經通注》、《日講易經解義》、《周易折中》；第五章：儒臣的程朱易學。研究張烈、陳夢雷、李光地的易學；第六章：儒臣對宋易圖書先天太極說的辨偽。此章則討論毛奇齡、胡渭、李塨的易學。

　　這六個篇章，又可以歸納為「政治傾向」以及「學術宗旨角度」兩部分來看。就「政治傾向」而論，本書前三章主講明遺的易學，也就是指生活在清初的明代遺民的易學。這些學者除孫奇逢外，其他大多生活在明萬曆中後期，清兵入主中原所帶來的國仇家恨使他們大都對清廷採取抵制與不合作的態度，其易學多藉以抒發亡國之恨，總結明亡的經驗教訓；第四章「清廷易學」代表的是清初官方的易學；後二章儒臣的易學，則是指儒臣個人的易學，這些學者大抵上沒有經歷政治上的動盪，因此大多與執政者採取合作的態度，開始仕清，雖然缺乏批判精神，但多能借《易》向當權者提供建設性的意見，落實通經致用。

　　就「學術宗旨角度」而言，則可分為「宋易學」、「程朱易學」、「批評與考辨宋易圖書先天太極說」三個部分。由於陸九淵和王守仁皆無詮解《周易》的系統性著作，因此程頤的《伊川易傳》、朱熹的《周易本義》，不僅影響宋明兩代，也

對清初易學產生了重大的影響。作者認為，清初易學無論是褒程朱還是貶程朱，都是以程朱易學來開展自己思想體系。即使是對宋易圖書先天太極說有所批評與考辨，對於義理等方面基本上還是傾向於肯定的。

　　本書在論述每一位易學家或易著時，首先概括其學術，其次標明宗旨，從學術的角度掌握其易學。作者並且相當重視文獻，從原典出發，運用可信的第一手材料作為分析的基礎，有助於讀者對清初易學進行全面而有系統的瞭解。

　　汪學群，1956 年生於北京，1984 年畢業於遼寧大學哲學系，北京大學哲學碩士，現任中國社會科學院歷史研究所研究員、科研處副處長、研究生院歷史系副主任。主要從事清代學術思想史方面的研究。著有：《王夫之易學——以清初學術為視角》、《錢穆學術思想評傳》、《清代文化志》（合著）、《錢穆評傳》（合著）、《中國文化史·清前期卷》（合著）等，另有學術論文四十餘篇。

（張穩蘋）

《易學與史學》

《易學與史學》　吳懷祺著　臺北　大展出版社　235 頁　2004 年 12 月

　　易學對中國史學的影響，早在先秦時期便已展現。本書由兩方面論述史學與易學間的關係，一是史家大多通《易》，從先秦時期的史官，漢代的司馬遷、班固，魏晉南北朝的范曄，唐代的劉知幾、宋代的歐陽修、司馬光、朱熹，明清兩代的王夫之、黃宗羲、顧炎武和章學誠等，不但是大史學家，同時也是開一代治易新路徑的大師。從他們的著作不只看出易學與史學的密切關係；在以史解易的過程中，顯示出其史學觀點。不但對促進了史學思想的演變，也對易學體系之形成有所貢獻。二是從學術史的角度對易學與史學的關係做了探討，認為二者的相互影響關係，可分為三種模式，即以史證易，以易說史及以易解史。在以史證易部分，乃是以歷史事實解說易理，說明易理的正確性。以易說史，則是將《周易》當作史料之一，從文獻學的角度來探查《周易》與史學的關係。而以易解史，則從史學家的立場出發，由《周易》中的思維方式對史學家認識歷史，研究歷史，不只對中國古代史學的發展演變有極深邃的影響，也形成了中國古代史學的獨有特色。

　　吳懷祺，安徽盧山人。北京師範大學歷史系碩士，現任北京師範大學史學研究

所教授。主要著作有《宋代史學思想史》、《中國史學思想史》；主編《中國史學思想通史》。

（鄭誼慧）

《周易校注》

《周易校注》　陳戌國著　長沙　岳麓書社　197 頁　2004 年 8 月

作者以為本書並非集注，也非匯校，而是於前人的注解中擇善而從，並於數十年與兩千餘年來傳世的《周易》眾文本中，擇其善本。但對於近世出土的《周易》，倘若其文字與今本《周易》有所差異，但在意義上實則無矛盾者，如竹書《周易》凡「三」皆作「晶」之類無影響字義解釋者，作者並未全部羅列。

在前言當中，作者認為應當將《周易》視為一部具有豐富思想（包括辨證法）的重要典籍。在成書時代上，作者以為《周易》當為先秦典籍；至於作者方面，陳戌國先生以為《周易》並非一人之作，而是先秦好幾個歷史階段的思想家先後貢獻智慧的結晶。在前言中，作者對於《周易》的相關研究先作一簡略說明，如古人研究的情形、近人從事研究時的角度、對《周易》「易」字的解釋、從《周易》中所反映的思想等等，作者都有概略性的介紹，但礙於篇幅，作者並未有詳盡的說明，較為遺憾。

本書受限於出版社對篇幅的限制，加以作者不以古今象數派為準則，故在注解時揚棄了「互體說」及「卦變說」。除此之外，本書在校注時，較為注意從《周易》中所反映出的禮制思想與禮儀制度。在各條注解中，作者儘量使用五十字以下的文字來作說明，除了引用前人解《易》之說外，作者多半以白話加以貫通說明，並於生難字詞下標以國際音標，以利讀者辨識。

本書的另一特點即是作者於全卦之首，先論述本卦要義，如於〈小畜〉卦中，先引《孔疏》之言，再說明此卦可與後面的〈大畜〉卦合觀，兩卦的內容則是與家庭的生活、生產（包括畜牧業）有關。殊為可惜的是，本書在注解上，有時受到馬克斯思想的影響，故在判斷注釋時常以聞一多等人為準，故帶有階級批判意識。如在解釋〈隨〉卦時，依據李鏡池的說法，以為〈隨〉卦所講的道理，是通過販賣奴隸、處理戰俘的事件所表述的。受此影響，作者有時在注解卦意時，反倒與原卦之意有所出入。

（劉千惠）

《易緯導讀》

《易緯導讀》　林忠軍著　濟南　齊魯書社　248 頁　2002 年 11 月

　　漢代之時，政治上急需更張改制，學術上齊學盛行，加之以今文經立於學官，在此情形下，「緯書」逐漸應運而生。而《易緯》，便是漢儒解釋《周易》的系列叢書，成書於象數易學風靡之時。此中包括《乾鑿度》、《乾坤鑿度》、《稽覽圖》、《辨終備》、《通卦驗》、《乾元序制記》、《是類謀》、《坤靈圖》等八種。雖然「緯書」及「讖緯」觀念之興衰，盡在漢代發展，往後則幾不復見，但其中仍存有許多古義，可供後是學者參看。再者，一個時代學術之興起，必與當於政治、社會、經濟等外在環境相關聯，而「緯書」成書即為最佳例證。

　　而為了要反應歷代易學發展全貌，在山東大學「易學與古代哲學研究中心」的「歷代易學名著整理與研究」計畫中，《易緯》的重新點校、研究，也包括在內。本書作者則基於上述學術認知，透過前導讀、後點校兩部分，進行對《易緯》全面梳理及介紹，以期給予《易緯》客觀之評介。

　　全書分為兩大部分，一為「導讀」，一為《易緯》全文點校。「導讀」部分細目如下：一、今文經興起與《易緯》的成書；二、《易緯》的興衰、著錄與輯佚；三、《易緯》的宇宙觀與漢代儒道合流趨向；四、《易緯》易之三義與鄭氏的解說；五、《易緯》爻辰說與鄭氏爻辰說；六、《易緯》偏於天道的卦氣說；七、《易緯》體現天道規律的易數說；八、《易緯》的價值及影響。書前有「總序」，書末有「點校後記」。前者對《易》學之源起、發展，本叢書之編纂等均有扼要說明；後者則清楚交代本書之句讀、校勘、注語所據版本，以使作者義理、考據之功均能完整呈現。

　　林忠軍，1960 年生，山東萊陽人。現為山東大學教授、博士生導師、易學與中國古代哲學研究中心專職研究人員。著有《易傳全譯》、《周易古經白話解》等著作。

（宋維哲）

《周易與莊子研究》

《周易與莊子研究》　聞一多撰　李定凱編校　成都　巴蜀書社　147 頁　2003
年 1 月

　　聞一多（1899－1946），在《周易》、《詩經》、《楚辭》、《莊子》、唐
詩、神話、古文字等諸多研究領域中，作了大量開創性的研究，取得豐碩成果，影
響後世深遠。聞氏著述，大多散見於多種報刊中，集結出版者甚少。聞氏去世後，
在朱自清主持下，將聞氏許多著述集結，編輯成《聞一多全集》一書。但因聞氏著
述數量眾多，且涉及領域廣泛，在閱讀與收集某類作品上頗難兩全。基於此，巴蜀
書社即擇取聞氏某些著述，以反映其獨特的治學門徑和方法；所擇取者，分別為
《周易》、《詩經》、《楚辭》、神話、唐詩人五個研究領域，各為一冊。餘者將
陸續出版。本書即為聞氏《周易》及《莊子》研究成果。前半部為《周易義證類
纂》，為聞氏對《周易》研究之心得；與一般《周易》研究稍異，其研究不主象
數，亦不涉義理，主要是為了勾稽古代社會史料而作。原有百餘條，經刪汰蕪雜，
僅存九十條。按「有關經濟事類」、「有關社會事類」、「有關心靈事類」、「餘
錄」等四類編排，每類之下又分若干小類；其中，聞氏運用許多經典文獻、鐘鼎銘
文據以論說，與勾稽古代史料之目的相合，亦可看出聞氏治學嚴謹及眼光獨到。後
半部為聞氏有關《莊子》之作，分別為〈莊子〉、〈莊子內篇校釋〉、〈道教的精
神〉三篇。　　　　　　　　　　　　　　　　　　　　　　　　　　　　（楊志圍）

《尚書新箋與上古文明》

《尚書新箋與上古文明》　錢宗武、杜純梓著　北京　北京大學出版社　338 頁
　2004 年 7 月

　　杜純梓，男，1952 年生。湖南廣播電視大學中文系。

　　內容主要是針對今文《尚書》，包括緒論、虞夏書新箋上古文明、商書新箋與
上古文明、周書新箋與上古文明，共 28 篇。其言新箋是因為作者經過對《尚書》
文本的研究，歸納了《尚書》的語法現象與語法型式，認為可以重新去解釋《尚
書》的語言現象與語言特點。

　　本書之特點在於注文之中加入語法解釋與定量分析。每段之後會有精簡扼要的一句話來概括段落大意，可使讀者方便掌握原文旨意。在每篇末附有一篇總結性的論述，包括文章分析及歷來對此篇章的主要討論議題。

　　錢宗武，男，1952 年 5 月生，江蘇省東臺市人，揚州大學文學院教授。主要學術成果：《今文尚書語言研究》、《今文尚書語法研究》、《尚書語法論稿》、《今古文尚書全譯》、《尚書入門》、《帝王政書尚書》、《尚書詞典》、《尚書新箋與上古文明》、《白話說苑》、《古代帝王詩詞解讀》、《漢語論叢》、《唐前傳奇箋釋》等 15 種，在《語言論叢》、《中國文學研究》、《中國語文》、《語文建設》、《辭書研究》、《古漢語研究》等書刊上發表學術論文百餘篇。

（簡逸光）

《尚書注訓》

《尚書注訓》　黃懷信著　濟南　齊魯書社　413 頁　2002 年 5 月

　　本書採用注、訓的方式。注，就是對原文詞句進行注解，主要採用傳統訓詁方式，明義為至，不作過多的考據與附會。另外注還包括校勘方面的內容。訓，取順的意思，將原文用今語順譯出來。強調與譯不同。譯是字對字的翻譯，訓是將原文本來所含有的意思全部順釋出來。

　　本書底本採用酪忍堂刊唐石經《尚書》本，分《虞書》、《夏書》、《商書》、《周書》四部分，每篇皆有題解、書序、本文、注、訓。而今知有篇名無內文的篇目亦列一章，題解說明原委。

　　內容除引用古人注疏之外，猶加入今人研究成果，如周秉鈞《尚書易解》、江灝、錢宗武《今古文尚書全譯》、顧寶全《尚書譯注》、張道勤《書經直解》、金景芳、呂紹綱《〈尚書・虞夏書〉新解》、劉起釪《尚書學史》等意見。

　　黃懷信，男，1951 年 12 月出生。西北大學中國古代史專業畢業，獲歷史學碩士學位。西北大學文博學院教授。主要研究方向：先秦兩漢歷史文獻、思想文獻及先秦史研究。主要研究論著：〈《孔叢子》的時代與作者〉、〈紂兵未倒戈考辯〉、〈利簋銘文再認識〉、〈逸周書彙校集注〉、〈逸周書校補注譯〉。

（簡逸光）

《尚書校注》

《尚書校注》　陳戍國撰　長沙　岳麓書社　208頁　2004年8月

　　陳戍國，湖南大學嶽麓書院中國文化研究所教授。著作有《中國禮制史》、《周易校注》、《禮記校注》、《詩經芻議》及點校〔清〕郭嵩燾著《禮記質疑》。

　　書前有作者所撰〈尚書校注序〉，本文部分為 59 篇原文校注，不分夏、商、周朝代，依次排列，末附錄徵引與參考主要書目。

　　每篇題名之下有題注，然後列經文與今注。這本書較大的特色是其除引用孔安國《傳》、孔穎達《正義》、蔡沈《書集傳》之外，更採用近代學者之研究成果，如曾運乾、陳夢家、顧頡剛、方孝岳、吳福熙、劉起釪、周秉鈞、王世舜、黃懷信、楊樹達、胡厚宣、陳邦懷、于省吾、及《夏商周斷代工程 1996－2000 年階段成果概要》等的說法。且其注文除有名詞字義、注音的解釋，他還附有一些的論證於其中。

（簡逸光）

《尚書譯注》

《尚書譯注》　李民、王健著　上海　上海古籍出版社　428頁　2000年10月

　　李民，河北省元氏人。1959 年開封師範院歷史系畢業，1962 年南開大學先秦史研究生畢業。1965 年到鄭州大學歷史系任教。現任鄭州大學殷商文化研究所所長、教授、博士生導師，復旦大學兼職教授。著有《尚書與古史研究》、《夏代文化》、《夏商史探索》、《古本竹書紀年譯注》、《殷商社會生活史》、《中華通史探索》等。學術論文有〈論鄭州的商代文化〉、〈南亳、北亳與西亳的糾葛〉等。

　　本書以阮元校刻《十三經注疏》本《尚書正義》為底本，按原書順序將 58 篇原文分虞夏書、商書、周書。每篇皆有原文、題注、注釋與譯文。凡用字以簡體字為主，若有妨礙原義時則使用繁體字，並於難字處附以漢語拼音或直音注音。

　　書前有作者寫的前言，簡明扼要的說明《尚書》名稱的嬗變、《尚書》名稱的涵義、源流、篇目及中心內容、還有關於《尚書》的辨偽及近人研究與近人譯注成果。

（簡逸光）

《今文尚書語法研究》

《今文尚書語法研究》 錢宗武著 北京 商務印書館 456頁 2004年10月

本書分十四章，第一章今文《尚書》的語法特點，第二章名詞、動詞、形容詞複音化的主要構詞法：語音學方法和句法學方法，第三章數量詞和數量表示法，第四章代詞的用法及其特點，第五章介詞的語法功能及其辨析，第六章連詞的類型、特點及其詞性界定，第七章語助詞的類型、語音特徵、語用特點及其歷時變化，第八章語氣詞的語用範圍和語用特徵，第九章嘆詞的類型特點及語音聯系，第十章判斷句的類型及其句法特點，第十一章被動句的類型及歷時比較研究的幾點結論，第十二章一般省略和特殊省略，第十三章雙賓語句型和雙賓語動詞的選擇，第十四章賓語前置的常見形式和非常見形式。

本書為錢宗武先生《尚書》語文研究系列的第三本著作，通過語法、詞法、句法研究，並參用金文材料及定量分析，為《尚書》研究提供一重要成果。

錢宗武，男，1952年5月生，江蘇省東臺市人，揚州大學文學院教授。主要學術成果：《今文尚書語言研究》、《今文尚書語法研究》、《尚書語法論稿》、《今古文尚書全譯》、《尚書入門》、《帝王政書尚書》、《尚書詞典》、《尚書新箋與上古文明》、《白話說苑》、《古代帝王詩詞解讀》、《漢語論叢》、《唐前傳奇箋釋》等15種，在《語言論叢》、《中國文學研究》、《中國語文》、《語文建設》、《辭書研究》、《古漢語研究》等書刊上發表學術論文百餘篇。

（簡逸光）

《尚書數據庫》

《尚書數據庫》 周文德、戴偉著 成都 巴蜀書社 359頁 2003年7月

本書將電腦處理技術與人文社會學科結合，從現代電腦處理技術，從語言學的角度，採用系統論與統計學的方法，將傳統典籍《尚書》研製成數據庫。

本書採用三本《尚書》作為輸入電腦的底本。有阮元校刻《十三經注疏》、孫星衍撰，陳抗、盛冬鈴點校《尚書今古文注疏》及李學勤主編《尚書注疏》。

內容：第一部分《尚書》字數統計表，將《尚書》每篇字數統計出來。第二部

分《尚書》字表，列出《尚書》使用過的文字。第三部分《尚書》字頻統計表，統計《尚書》使用單字的頻率。第四部分《尚書》全文逐字索引，將第三部分於《尚書》中出現的位置列出索引。第五部分《尚書》文本。第六部分《尚書》音序檢字表，即單字索引。

此書為語言學家、文學家、思想家和歷史學家，為研究中華文化以及從不同學科研治《尚書》的人，提供精確而有效的研究資料。

周文德，1964 年出生，四川省達縣人。1986 年畢業於四川師範大學中文系，獲學士學位，被分配到重慶師專工作。1987－1988 年在北京大學進修。1995 年任重慶師專教務處副處長。1997 年晉升副教授。1997 年考入四川大學碩士學位研究生。後繼攻讀四川大學歷史文化學院博士學位。　　　　　　　　　（簡逸光）

《詩經要籍集成》

《詩經要籍集成》　中國詩經學會編　北京　學苑出版社　全42冊　2002年12月

《詩經》是中國第一部詩歌總集，編成於春秋時期中葉，並被列為儒家經典之一，兩千多年以來，《詩經》一直影響著中國文學與經學的研究，從《詩經》而來的「詩言志」的傳統與「詩緣情」一直是中國文學的兩大抒情傳統主軸。

《詩經》還曾譯成多國文字，遠傳海外，例如本集成所收錄的韓國與日本著作。《詩經》在藝術創作經驗上給後世留下了寶貴的財富，《詩經》的創作方法體現出鮮明的現實主義，基本特徵是面向現實，從中概括形象，反映社會生活以及人們的思想感情。《詩經》是詩與音樂的結合，三百篇全是樂歌，歌辭（詩）配合樂曲歌唱。它的藝術技巧，突出的是那賦比興手法的始創。

大陸「中國詩經學會」集合許多學者出版第一部研究《詩經》的古籍集成──《詩經要籍集成》，從現存的五百餘種漢代到清代的《詩經》研究古籍中，精選出一百二十餘種，包括各家各派的名著，以充份反映「詩經學」的發展過程和基本面貌。這套集成精選的底本，多為善本、珍本，也有英國、日本等國家的海外珍藏本；為保持原貌，本書將採用影印的方式，並仿《四庫》體例，所收錄各書均分別撰寫提要。　　　　　　　　　（沈明謙）

《詩經要籍提要》

《詩經要籍提要》　夏傳才，董治安主編　北京　學苑出版社　463 頁　2004 年

　　《詩經要籍提要》是由中國詩經學會所編，參與撰稿人多達二十四人，主要是針對歷來中國研究《詩經》的專著，以淺近深入的方式介紹給學者或一般讀者。本書由大陸學者夏傳才和董治安主編，撰稿人分別是：王承略、左松超、向熹、牟玉亭、何慎怡、李蹊、宋開玉、林開甲、林慶彰、尚繼愚、胡長青、徐超、馬文大、唐子恒、馮浩菲、楊錦先，蔣秋華、趙沛霖、劉心明、劉保貞、劉毓慶和韓乃越二十四位學者，幾乎囊括了海峽兩岸研究《詩經》的主要學者。

　　本書以繁體寫成，避免了簡體字所造成的相關問題。由於歷來的《詩經》研究作品甚多，本書所針對亦是部分，不是全部；本書所選之斷代由漢代至民國，後赴韓國漢文《詩經》要籍存目，雖然並非全部，但對於瞭解《詩經》研究在中國歷代的發展與主要的書籍都收入本書，從本書中略可觀見《詩經》學在各代發展的重心與學者對《詩經》發問質疑的問題為何，以及採取詮釋、理解《詩經》的方法和切入點為何。因不同學者撰稿，提要長短優劣不一。

　　夏傳才，中國詩經學會會長、河北師範大學博士生導師，著有《詩經研究史概要》、《中國現代文學名篇選讀》、《詩經語言藝術》、《十三經概論》、《詩經語言藝術新編》、《中國古代文學名篇選讀》、《曹操集注》等多本重要著作。

　　董治安，一九五六年畢業於山東大學中國語言文學系，隨即留校從事先秦兩漢文學和中國古典文獻的教研工作，對經史子專書的研究有卓越成就，現兼任全國古籍整理出版規劃領導小組成員、全國高等院校古籍整理研究工作委員會委員、中國《詩經》學會副會長等。主要著作有《先秦文獻與先秦文學》、《古字通假會典》；主編有《兩漢全書》第一及第二冊、《經學要籍概述》等。　　　　（沈明謙）

《歷代詩經著述考（先秦－元代）》

《歷代詩經著述考（先秦－元代）》　劉毓慶著　北京　中華書局　398 頁　2002 年 5 月

　　中國《詩經》學之發展，已有兩千多年的歷史。在歷代研究名家輩出，學術內

容呈現從經學到文學的多樣變化下，錄存於古代史志、目錄中與《詩經》相關之著述，數量極多。然而，在缺乏系統的整理考述下，後代研究者難以從中得知現今存佚情形，致使《詩經》研究過程出現困難。

　　本書是為研究《詩經》學之工具書。作者根據歷代文獻記載，著錄明清以前《詩經》研究著作，並一一考其存佚。就其收錄數量觀之，先秦兩漢著述有 54 種、三國南北朝著述 110 種，隋唐五代著述 24 種、宋代著述 299 種、元代著述 77 種，共 564 種。對於現存者，作者於文中考證原作者、版本、內容等相關問題；對於已佚者，作者亦根據所能搜羅之資料，提出個人的說明與意見，此使讀者雖未能得見該書，但仍能一窺其樣貌。

　　全書書首為夏傳才教授「序」，次為作者「自序」，「自序」中對全書編纂體例有詳細說明。正文處共分「先秦兩漢詩經著述考」、「三國晉南北朝詩經著述考」、「隋唐五代詩經著述考」、「宋代詩經著述考」、「元代詩經著述考」等五大部分。書末附有「徵引書目」。

　　劉毓慶，山西省洪洞縣人，1954 年生。曾先後師從姚奠中與褚斌傑兩位先生學習先秦文學，現為山西大學教授。其研究領域以《詩經》學史和先秦文學與中國文化為主。曾著有《雅頌新考》、《古樸的文學》、《朦朧的文學》、《澤畔悲吟——屈原歷史峽谷中的永恆迴響》、《從經學到文學：明代詩經學史論》、《詩經百家別解考》等多本專著。　　　　　　　　　　　　　　　（宋維哲）

《詩經研究叢刊》　第四輯

詩經研究叢刊　第四輯　中國詩經學會編　北京　學苑出版社　285 頁　2003 年 1 月

　　本書共收錄 20 篇單篇論文與一篇由寇淑慧所編的〈21 世紀《詩經》研究論文索引〉。其中四篇是由臺灣學者執筆，分別是余培林討論《毛詩》標詩為興的〈《毛詩》標興之商兌〉，論及毛詩標興的地方對詩的理解與是否合宜，以及毛詩未標而後人錯入的標興；歐天發的〈從「藉」的觀點論《詩》興的多義性〉探討「興」體呈現的多義性，以及「藉」——假借與媒介的方式，將興從作詩的手法提升為一種更為繁複的的創作藝術；錢奕華的〈《詩經》「永言配命」探微〉則討論

所謂的「命」以及「配命」是配什麼命，在先周時期到周初的天命的內涵與意義；季旭昇的〈蓼莪三題〉則是對〈蓼莪〉一詩的些些看法。

其他有黃松毅〈從簡帛《五行》論《詩》之「興」〉從《五行》討論其引《詩》背後的「興法」與「興意」；袁長江〈鄭玄「比興」觀淺析〉則討論鄭玄箋《詩》對毛傳稱「比興」的贊同與否及對《詩經》「比興」的理解；蔣方〈試論《詩經》文本意義的歷史演化──兼論《毛詩正義》的文本意識〉從《詩》－毛傳－鄭箋－孔穎達正義的承傳與詮釋析論「文本」在透過不同時代的不同思想氛圍下所建構的文本象限所支撐出的文本意識，這一文本意識中有承繼、反省、批判與重構，而這種現象絕不是所謂「疏不破注」可以一言蔽之的；韓國李鐘武對王夫之二南論述所提出的分析：〈王夫之「二南」論淺析〉；李蹊從文學史發展的角度提出新的《詩經》文學發展脈絡：〈論《詩經》中的「文」與「賦」之關係〉；王政從文化觀點析論「琴瑟」在周代的特殊意義與《詩經》言「琴瑟」時的實質內涵：〈《詩經》與琴瑟之喻〉；吳賢哲〈詩樂教化與《詩經》〉與楊興華〈「鄭聲淫」考論〉合觀可以洞見所謂《詩經》為教化之本、「詩三百，一言以蔽之：思無邪」，為何會引來「鄭聲淫」等同「鄭詩淫」的辯論？其根本原因是源於朱熹的誤解與牽強，否則就必須如朱熹所言，鄭風是用做負面教材，但實際上卻不是，《詩經》之所以可以作為詩樂教化的教材，乃是在於它之「無邪」，而「鄭聲淫」很根本的是音樂上而非《詩經》內容的問題。

此外，李劍鋒的〈《古詩十九首》與《詩經》〉、繆軍的〈情以物遷，辭以情發〉、趙海菱的〈論賦在《詩經》敘事詩中的作用〉都是以文學發展的觀點去為《詩經》的源流定位，我們知道，《詩經》是詩體文學的始祖，其創作方式與形式、題裁都給後世詩歌很大的影響，不管是「詩言志」或「詩緣情」說法之間的爭議，或六體對於後世文學的直接間接影響，都非常值得去探討，這三篇論文從宏觀、微析等不同角度為《詩經》的文學思想與地位定焦，是以文學思想發展史的立場為《詩經》尋找確切的先河地位。楊愛姣的〈《詩經》中名詞作疊根的狀態形容詞探析〉以章法學的觀點分析《詩經》結構；王曉平〈宋學《詩經》研究的東漸〉、朱一清的〈《田間詩學》的求實創新精神〉與蔡若蓮〈遺風逸響兩千年〉則探論《詩經》學史的研究；王巍〈談《詩經》中的婚戀習俗〉從民俗愛情婚姻的觀

點探究《詩經》所傳遞的婚戀習俗。　　　　　　　　　　　　（沈明謙）

《詩經研究叢刊》　第五輯

詩經研究叢刊　第五輯　中國詩經學會編　北京　學苑出版社　305頁　2003年7月

　　本輯《詩經研究叢刊》共收十九篇文章，梁錫鋒的〈〈大武〉章數、章次考辨〉從文獻的角度分析〈大武〉究竟為多少章？以及《左傳》楚子言其有六，是六章加卒章為七章，還是應該以其成數來看？梁文認為確有七章，而七章配七德，每章都有特別涵義。馬銀琴〈周宣王時代的樂歌與詩文本結集〉則是一篇考證《詩經》中哪些篇章是周宣王時期的作品，而其中又可分為「藉農樂歌」、「樂享燕歌」、「賜命、頌德之歌」（這是兩類）、「征役之歌」、「怨刺之歌」六類。張劍〈關於《邶風·簡兮》的錯簡〉則認為《邶風·簡兮》實際上是錯簡，原本的詩文應該不是目前定本的樣貌。孫關龍〈《詩經》魚類考〉對《詩經》魚類做了全盤考察，發現二十四首詩中出現魚類五十七次，多達十多種魚，並核以文獻，說明此十多種魚即為今日我們所見的何種魚類。蔡若蓮的〈孔子論詩〉檢視《論語》中孔子論詩的狀況、內涵，試圖為孔子論詩作一明確說明。鄒然〈《四庫全書總目》《詩經》學著作評論述要〉針對《四庫全書總目》一百四十七部《詩經》學著作的提要做一整理，並對《總目》作者的《詩經》學史觀點作一評述。車行健〈詩人之意與聖人之志──歐陽修《詩本義》的本義觀及其對《詩經》本義的詮釋〉從歐陽修的《詩本義》出發，實際上是對歐陽修的《詩經》詮釋做出重新考察與定義，從時代背景與後人對歐陽修的評價多維架構出歐陽修對《詩經》的認知與創作《詩本義》的詮釋向度。陳敘〈雕菰樓《詩經》學〉介紹清代焦循的《詩經》學，焦循曾經手批十三經，對於十三經都曾提出自己的看法。張輝忠〈《詩經》中的仁義禮智信──從《左傳》中用歌《詩》或者奏《詩》代表言語談起〉以《左傳》中歌《詩》、奏《詩》的情景與對《詩》之詮釋，析論《左傳》中對《詩經》中的詩所賦予的內涵意義。吳全蘭〈巫風的餘韻──《國風》中的歌舞〉在說明《國風》中承繼早期巫歌的痕跡。寧宇〈朱熹接受《詩經》過程中的複雜現象〉從朱熹早期的論《詩經》，二度易稿《詩集傳》與創作〈詩序辯說〉，看出朱熹對《詩經》的解

釋、接受的心路歷程。程二行〈《邶風·新臺》之詩義與詩藝——兼論聞一多《詩新臺鴻字說》〉，由鄭玄以來談到聞一多，試圖重新詮釋〈新臺〉詩義與詩藝應如何呈現，以及前人解釋如何流於經學派的嚴峻，而忽略《詩經》也是一部文學作品，有其文藝的層面。林中明〈《詩經》與企業教育和科技創新〉是以企業、科技的角度看待《詩經》。王以憲〈論顧頡剛《詩經》研究的方法與貢獻〉認為顧頡剛以史學、考古的角度研究《詩經》，將《詩經》從繁瑣的考證文字中解放，進一步影響後來以後的古史辨派學者，如傅斯年與後來的學者；顧頡剛結合古文獻與出土文物，以全新的角度檢視《詩經》，使《詩經》不再受限於傳統注疏體系。林祥徵〈錢鍾書對《詩經》修辭學的拓展〉指出錢鍾書將《詩經》視為一部文學作品，進而分析其修辭、結構，並釐清當時創作詩歌的文句結構與修辭。吳少達〈民間戲曲的先聲——《召南·野有死麕》〉認為《召南·野有死麕》其實是一種有表演的詩戲，實為戲曲先聲。張旭曙〈朱熹「比興」論二題〉則認為朱熹在論「比興」時雜入理學家心物關係的見解。范學新〈也談許穆夫人及其詩〈載馳〉〉以為許穆夫人實為當時一名具叛逆性格又有自我主見的女性。方正己和索艷華合撰的〈〈卷耳〉又一解〉實際只是提出一些看法，若說有所新說，則見仁見智。　　　（沈明謙）

《詩經研究叢刊》　第六輯

《詩經研究叢刊》　第六輯　中國詩經學會編　北京　學苑出版社　308頁　2004年3月

　　本書係中國詩經學會編輯的專門性學術刊物，投稿者包括中國大陸、臺灣及日本、韓國等海外學者，對於《詩經》研究風氣的推動和研究水準的提升，頗有影響力。本叢刊第六輯共收錄二十篇文章，其中包括討論《孔子詩論》兩篇、「學術論壇」十一篇、「現代詩經學人」兩篇、「學術札記」五篇。詳目如下：(1)陳桐生〈《孔子詩論》說詩淵源考〉，(2)梁錫鋒〈從上博簡《孔子詩論》看鄭玄《綠衣·箋》改字之誤——兼論鄭玄箋《詩》改字致誤的原因〉，(3)趙沛霖〈20世紀《詩經》研究與文化人類學〉，(4)李蹊〈《詩經》的四言形式及其節奏的文化內涵〉，(5)馬銀琴〈春秋前期的《鄭風》和《齊風》〉，(6)譚德興〈試論程顥程頤的《詩》學思想〉，(7)鄒其昌〈「以《詩》說《詩》」與「以《序》解《詩》」——朱熹

《詩經》詮釋學美學基本研究原則之二〉，⑻徐志嘯〈論《詩經》的社會功用及其
多重價值〉，⑼徐送迎〈《詩經》情詩的反思〉，⑽王以憲〈論《詩經》的幽默藝
術〉，⑾樊樹云〈《詩經》與酒文化〉，⑿南基守、高載祺〈《毛詩品物圖考》所
見之草本植物考〉，⒀王曉平〈風雅與日本俳諧的結合〉，⒁林祥徵〈夏傳才先生
對現代《詩經》學的貢獻〉，⒂魯洪生〈重現明代《詩經》學的輝煌──讀劉毓慶
《從經學到文學》〉，⒃肖甫春〈《詩經》與雅言〉，⒄赫琳〈《詩經》「給予」
類三價動詞配位方式考察〉，⒅金文偉〈《詩經》的「說話」觀〉，⒆張玉聲〈從
詩騷到陶詩〉，⒇周東暉〈《詩經》應走進九年制義務教育教材〉。書末另有「學
術動態」十則，提供近期出版《詩經》新書等相關消息，提供讀者參考。

（何淑蘋）

《詩經研究叢刊》　第七輯

《詩經研究叢刊》　第七輯　中國詩經學會編　北京　學苑出版社　357 頁
2004 年 7 月

　　《詩經研究叢刊》為大陸地區出版之專門性學術刊物，對長期推動《詩經》研
究風氣有一定的影響力。本輯共計收文二十五篇，末附學術動態十則。論文篇目如
下：⑴潘嘯龍〈〈何人斯〉之本義與《孔子詩論》的評述〉，⑵黃震雲〈二《南》
寫作時地考〉，⑶韓高年〈西周開國典禮所用頌詩考〉，⑷張秀英〈漢前「詩義」
考索〉，⑸白長虹〈《毛詩正義》撰者及編撰時間考論〉，⑹鄒然〈王安石《詩》
說拾遺〉，⑺張思齊〈論王夫之關於《詩經》中的宗教特徵的思想〉，⑻張劍
〈〈載馳〉體式考辨〉，⑼張建軍〈《大雅·棫樸》、〈旱麓〉新證〉，⑽郭驥
〈〈崧高〉〈烝民〉體例分析〉，⑾殷光熹〈《詩經》中的田獵詩〉，⑿高玉玲
〈《詩經》情愛詩的審美意象與審美心理〉，⒀周筱娟〈《詩經》「者」字略
考〉，⒁徐剛〈論《詩經》的「中＋名詞」結構〉，⒂曾莉〈「為」的語法化與
「為動」雙賓語句〉，⒃楊子怡〈先秦用詩與中國文化的詩性思維〉，⒄葉勇
〈《毛傳》「父兼尊親之道」說〉，⒅盧燕麗〈《詩經》人物形象的文化史意
義〉，⒆謝明仁、周毅杰、梁穎稚、步蕾英、劉暉〈《詩經》等古籍中國古代居住
文化的現代解讀〉，⒇增野弘幸撰、李寅生譯〈略論《詩經》中「南畝」的意

義〉，(21)步蕾英〈談《詩經》所見西周土地制度〉，(22)李秀芳〈魏晉南北朝《詩經》學文獻特點述略〉，(23)樊樹雲〈從所用酒器探討〈卷耳〉等詩的創作年代〉，(24)蕭東海〈《大雅・生民》前三章神話解讀〉，(25)曹明賢〈《詩經》的愛國精神〉。要注意的是，「目錄」所列篇目有兩處訛誤，其一是第五篇〈《毛詩正義》撰者及編撰時間考論〉，「者」誤作「述」；其二是第七篇〈論王夫之關於《詩經》中的宗教特徵的思想〉，缺漏前一「的」字。希望編校者日後能仔細核對目錄與文中的篇目是否一致，儘量避免這類錯誤的發生。 （何淑蘋）

《詩經語文論集》

《詩經語文論集》 向熹著 成都 四川民族出版社 433頁 2002年7月

本書共有十七章，第一章〈前言〉是作者簡述目前《詩經》在全球的研究現狀。第二章〈《詩經》語言的性質〉乃就《詩經》的韻腳、用詞等各方面探討，並會聚歷代說法，取其最佳的說法。第三章〈《詩經》裏的複音詞〉是就《詩經》中的「單純複音詞」、「重言複音詞」和「複合複音詞」的不同用法探討之，此後有人根據向熹此說，作為研究佛典複音詞的用法。第四章〈《詩經》歧義的分析〉中，向熹指出，由於假借與語言的變化，使得《詩經》部分詞彙看似相同而其義分歧，或其詞不同而其義相似。第五章〈《詩經》與漢語的詞彙〉裏，向熹將《詩經》對後代詩文詞彙所造成的影響略加說明，並舉例說明現今我們所使用的成語或句子、句式乃承《詩經》而來。第六章〈《詩經》裏的異文〉與第七章〈《詩經》裏的通假字〉都在討論《詩經》文字的特殊現象，並舉證歷來研究的說法與總結其說。第八章〈《詩經》的通韵和合韵〉、第九章〈《詩經》注音雜說〉則專門討論《詩經》的聲韻問題以及後人研究《詩經》音的問題。第十章〈《毛詩傳》說〉、第十一章〈毛亨（附毛萇）〉、第十二章〈《說文》的引《詩》〉第十三章〈鄭玄〉則在探論《詩經》學最初形成的漢代，《詩經》是如何從四家詩演進成如今我們所見的《詩經》，以及毛詩最重要的三位功臣：毛亨、毛萇和鄭玄；以及許慎《說文》所看見不同於今本《詩經》的三家詩。第十四章〈讀朱熹的《詩集傳》〉和第十五章〈宋人筆記與《詩經》〉述論宋代《詩經》學的幾個問題和尚待開發的著眼點，以及宋代《詩經》學一些該注意的文獻資料。第十六章〈段玉裁與《詩

經》訓詁〉則詳盡述說了段玉裁總結清代《詩經》學的巨作：《說文解字注》（將許慎引詩的情形指出，並說明引的詩是那一家）、《毛詩故訓傳定本》、《毛詩小箋》、《詩經小學》和《六書音韻表》（根據《詩經》用韻劃分韻部）的內容和成就。第十七章為〈做出新成果迎接新世紀〉，是為後跋與說明未來《詩經》學可以發展的方向與內涵。

　　向熹，曾任教四川大學中文系、四川民族學院，著有《簡明漢語史》、《詩經語言研究》、《詩經譯注》，譯有《語言的歷史和民族的歷史》等多種著作。

（沈明謙）

《歷代詩經論說述評》

《歷代詩經論說述評》　馮浩菲著　北京　中華書局　402頁　2003年10月

　　《詩經》一書流傳迄今，不但位列《五經》之一，而歷代對《詩經》的研究論說更是多如繁星。然而後代學者雖有針對前人研究加以探討者，亦有如《詩經學史》般綜述《詩經》學發展者，然前者多為單點論述，後者則以史為綱，所論皆有所重，然卻未能對歷代論說做系統性評述。

　　而本書作者則以九大主題歸納歷代《詩經》論說。每一章節在依時代次序排列之後，作者均對各說做出評論，一方面符合書名「述評」之義，另一方面也顯現其個人於「詩經學」之觀點。

　　全書章節如下：一、關於詩的一般性問題；二、關於詩樂問題；三、關於六義；四、關於四始；五、關於《詩》史；六、關於《詩序》；七、關於《國風》；八、關於二《雅》；九、關於三《頌》。另外，書前有作者「序」以及「例言」，分別對撰述動機及全書體例做出說明。書末則有「引用書目」，書目排列則以年代為次，各代之中則依四部排列，每代書目均以《詩經》書目居首，以便讀者查檢。

　　馮浩菲，1942年生，甘肅甘谷人，歷史學博士。現為山東大學文史哲研究院古文獻研究室主任、教授，博士生導師。其研究領域以經學及文獻學為主，著有《毛詩訓詁研究》、《中國訓詁學》、《中國古籍整理體式研究》等專著。

（宋維哲）

《金石簡帛詩經研究》

《金石簡帛詩經研究》　于茀著　北京　北京大學出版社　248頁　2004年10月

　　自《詩經》傳世至今，致力於研究《詩經》之學者以及相關著述，已多不勝數；然而由出土文獻以探究《詩經》者，卻是相當罕見。而本書作者在浩如煙海的《詩經》著述中，注意到此一甚少為人所碰觸的領域，並選定《金石簡帛詩經研究》為其博士論文主題，以探討《詩經》在金石簡帛中的呈現。

　　全書共分上、下二篇。上篇為「金石簡帛與四家詩異文彙考」。本篇以《詩經》篇目為編排次第，對出土銅器銘文、簡帛書、漢石經之《詩經》文字與四家詩進行彙校，並錄出土文獻與四家詩異者，考其原委，兼及辨別鄭箋改字是非。內容分篇目、異文、考釋排列。其中考釋部分旨在辨析異文性質，對實質性異文深入考證，對文獻確切之異文作出結論。篇中漢石經魯詩採馬衡《漢石經集存》，阜陽漢簡則採阜陽漢簡整理組之《阜陽漢簡詩經》。

　　下篇為「上海博物館藏戰國楚簡詩論考釋」。所考釋之竹簡圖片均為上海古籍出版社 2001 年 11 月所刊佈者。在整理上，主要是針對整理者未釋或誤釋之處，或在刊佈後諸家存有異議者加以考釋。

　　上、下兩篇所引《毛詩》，皆以阮元所刻《十三經注疏》為本。兩篇之前均有一篇「凡例」，以說明該篇撰作方式。書首有傳道彬教授之「序」，書末則附有「參考文獻」與作者「後記」。　　　　　　　　　　　　　　　　　　　（宋維哲）

《一九七七年以來新出彝銘與詩經相關詞彙便檢》(一)

《一九七七年以來新出彝銘與詩經相關詞彙便檢》（一）　劉龍勳著　臺北　大安出版社　187頁　2001 年 8 月

　　《詩》三百篇，涵蓋西周初年以至春秋中葉（西元前十一世紀至前六世紀）五、六百年間的作品，其詞句語彙，多有後世不易通曉者。商周彝器的出土，適為《詩經》詞義訓詁的研究，提供重要的佐證。本書據《一九七七年以來新出商周彝器彙編》（一）之資料，擇其精華，汰其次要，凡與《詩經》相同的詞彙，即遴選《詩經》中有關之篇名及詩據，附於銘文之後，以供對照；至於銘文詞彙與《經

經》相關，但用字略有不同，則加注兩者不同之處，並附上《詩經》相關篇名及詩句，以便學術研究之檢索。末附筆畫索引，以《詩經》詞句為主，讀者可直接查閱相關之新出土彝器，頗便利用。　　　　　　　　　　　　　　　　　　（黃智明）

《上海博物館藏戰國楚竹書詩論解義》

《上海博物館藏戰國楚竹書詩論解義》　黃懷信著　北京　社會科學文獻出版社　328 頁　2004 年 8 月

　　《詩論》為上海博物館於 1994 年 5 月，自香港文物市場上所購回的一批戰國竹簡中的一部分。全篇共有完、殘竹簡 29 支，約有 1006 個字，論詩六十多篇，性質相當於一篇講《詩》學的講義或論文。竹簡的內容公佈於《上海博物館藏戰國楚竹書》第一冊中。

　　本書作者於前言中，論述關於《詩論》的種種問題。作者首先介紹竹簡的購回過程、竹簡的狀況，之後再敘說關於《詩論》於學界中所討論的問題。作者共分為十一大點，一為篇名問題；二為作者及成書時代問題；三為「孔子」還是「卜子」或「子上」的問題；四為與《詩序》的關係問題；五為留白問題；六為文字考釋；七為簡支的編聯與復原；八為孔子語與非孔子語的區分問題；九為斷句問題；十是解釋第一章「〈關雎〉之改」等七句是引文或作者語；十一是文義解讀。

　　前言之後為「編聯、補字及復原」一節。作者依《上海博物館藏戰國楚竹書（一）》的原文，將原簡歸納為五組，分為十三章。作者試圖依次補齊各簡所缺字數，并說明編聯理由，凡能補出之字，亦一并補出。本章第一小節為編聯、補字，作者先介紹每一竹簡的情況、原簡殘存的文字，之後再附按語解釋編聯、補字情況。第二小節為復原。作者依據前一節編聯、補字的情況加以整理，將復原結果依章排列於此。

　　本書除前言及編聯、補字和復原之外，以下共分為十三章，此為本書的第三部分。作者將《詩論》分為十三章，並於此部分作句解的工作。作者所使用的方法乃是先各以一字概括和歸納各篇的特點或要旨，且作為問題提出，然後分別予以解釋，最後再做總結。作者為了明確解釋，故將原文分解，且按篇解說。

　　在十三章的句解之後，有總訓釋一節。作者將前面為十三章所作之句解加以歸

納整合，用簡短文字說明各章大義，有如全書的總論，使讀者於此處對《詩論》有一總結性的認識。更便於讀者所利用者，乃是作者附加「各篇主旨及所論詩篇在今本的位置」一節，讀者可利用此處的整理，與今本《詩經》對應，便於理解二者間的關聯。

　　本書最後附有作者曾發表過關於《詩論》的相關文章，分別為〈《孔叢子‧記義》孔子詩論解義〉、〈詩本義與《詩論》、《詩序》──以〈關雎〉篇為例看《詩論》、《詩序》作者〉、〈「〈關雎〉之政」等七句非孔子詩論說〉，可供讀者於研究《詩論》時參考利用。　　　　　　　　　　　　　　（劉千惠）

《孔子詩論述學》

《孔子詩論述學》　劉信芳著　合肥　安徽大學出版社　324 頁　2002 年 11 月

　　上海博物館藏楚竹書於二〇〇一年首度公布後，立即引起廣大學者的注意和討論。其中展現孔子《詩》學觀的《孔子詩論》的出現，誠如本書作者所言，具備「填補了中國詩學史最重要的一環」、「最大特點是以儒家思想解《詩》」和「為《詩序》的進一步研究提供了契機」等三項意義（見書末〈跋〉，頁 296－300），成為了解先秦儒家《詩》學發展的寶貴文獻，因此受到學界的高度重視。本書作者即在總結前人研究的基礎上，就《詩論》涉及的相關問題加以論述，提出個人看法。

　　本書內容分為上、下編。上編包括：〈楚簡《詩論》所評風、雅、頌研究〉、〈《詩論》所評「童而偕」之詩研究〉、〈《詩論》所評詩歌表現手法研究〉、〈以楚簡解《詩論》〉、〈《詩論》考釋的意見分歧以及相關問題〉、〈孔子《詩論》與新世紀的學術走向──《詩論》研究述評〉。下編包括：〈詩論集解〉、〈楚簡《詩論》釋文校補〉、〈楚簡《詩論》苑丘考〉。書末附錄有八，依序為：⑴〈竹簡尺寸、契口位置登記表〉、⑵〈李學勤：《詩論》分章釋文〉、⑶〈各家分章簡序一覽表〉、⑷〈「孔子」合文〉、⑸〈《詩論》作者〉、⑹〈《詩論》與《詩序》〉、⑺〈《詩論》與四家《詩》〉、⑻〈資料輯錄〉。

　　劉信芳，1952 年生。安徽大學歷史系碩士。現任安徽大學歷史系教授。專研出土文獻。著有《包山楚簡解詁》、《子彈庫楚墓出土文獻研究》、《簡帛五行解

詁》、《荊門郭店竹簡老子解詁》等。　　　　　　　　　　　（何淑蘋）

《毛詩正義研究》

《毛詩正義》研究　田中和夫著　東京　白帝社　501頁　2003年2月

　　田中和夫，一九四七年生於日本福島縣。宮城學院女子大學學藝部教授。專研詩經學，曾多次赴中國參加「詩經國際研討會」。本書是田中教授近二十年研究《詩經》成果彙集而成。全書分四章，書後有索引，章目如下：

第一章　漢代詩經學

　　第一節　詩の興について

　　第二節　劉向《烈女傳》引詩考

　　第三節　鄭玄の詩經學

第二章　六朝、唐代詩經學

　　第一節　《文選》《玉臺新詠》に於ける「鄭衛の音」について

　　第二節　《毛詩正義》に於ける論證の意味するもの

　　第三節　《毛詩正義》中の虛詞「若然」の性格

　　第四節　《毛詩正義》に見られる問答体構成の論證形式

第三章　六朝、唐代詩經學

　　第一節　《毛詩正義》に於ける司馬遷《史記》の評價について

　　第二節　顏師古の詩經學

　　第三節　顏師古の詩經學　資料編

　　　　　　《漢書》顏師古注に於ける師古詩說

　　　　　　《匡謬正俗》に於ける詩經關連注解

第四章　附編

　　第一節　中古漢語否定副詞「無得」について

　　第二節　《古今和歌集》六義の原處について

　　第三節　《古今和歌集》に於ける六義說重視について

　　第四節　朱子の《詩經》解釋について

　　綜觀全書，大抵在討論漢至宋代的《詩經》學，論述《毛詩正義》的論文，僅

有二章第二、三、四節，三章一節而已。書名如改稱《漢唐詩經學研究》，更能與內容相符。雖有書名與內容不相符的缺點，但書中各論文考證精詳，頗能繼承大正、昭和間日本諸先賢的考證學風。 （林慶彰）

《朱熹詩經學研究》

《朱熹詩經學研究》 檀作文著 北京 學苑出版社 273頁 2004年9月

　　本書實際上是對朱熹的《詩集傳》進行分析與評價。有鑒於朱子之學的影響，作者從《詩序》、《毛傳》、《鄭箋》和唐代孔穎達的《毛詩正義》入手，自其中挖掘朱熹對《詩經》原始文本的看法與漢儒有何異同。接著綜覽宋人說《詩》的概貌（主要為朱熹以前的宋人專著，如歐陽脩、蘇轍等人），找尋《詩集傳》中，吸收多少同時代人的學術成果。自這些資料中，作者意圖找出朱熹於《詩集傳》中，究竟有何超越前人的看法，並進而影響後世。

　　本書共分為四大章，第一章為「朱熹詩經學釋義原則」；第二章為「朱熹對《詩經》文學性的認識（上）」；第三章是「朱熹對《詩經》文學性的認識（下）」；第四章則為「理學思想與朱熹詩經學之關係」。首章之前尚有綱要一節，作者於此提出「漢、宋詩經學的異同」之見，共歸納為四大點，以此作為本書的總綱。首先，作者以為漢、宋詩經學在對文本的闡釋上，前者為依《序》說詩，後者則是求詩本義。第二點，漢、宋詩經學對文本的性質認定上，前者以為《詩經》乃是「政治美刺詩」，後者則視《詩經》為「一般抒情詩」。第三點，漢、宋詩經學對賦、比、興之「興」的定義有所不同，前者自取義的角度來定義，以為「興」乃比附道德與政治；後者則從藝術修辭的角度來定義，未賦予比附色彩。第四點，漢、宋詩經學雖都重視《詩經》的教化作用，但著眼點有所不同，漢儒「以禮說詩」，重視其對個人行為的外在規範性作用；宋儒則重視其對個人內在情操的陶冶，提倡「養心勸懲」之說。

　　作者綜合研究朱熹的《詩集傳》後，以為其乃其宋代經史文章派與理學派的大成。在《詩集傳》中，朱熹不僅廣泛吸收宋人的成就，對於《毛詩》、《鄭箋》在字詞訓詁上的成果同樣加以吸收繼承，並不像朱熹自言的摒棄漢人舊說。儘管朱熹詩經學仍有缺漏之處，在名物訓詁上有所疏漏，甚至未能盡脫漢儒說《詩》之弊，

但朱熹一些說《詩》的原則仍具有指標作用，此為其書的價值所在。　　（劉千惠）

《朱熹詩經詮釋學美學研究》

《朱熹詩經詮釋學美學研究》　鄒其昌著　北京　商務印書館　245頁　2004年7月

　　朱熹《詩經集註》承先啟後，對後代《詩經》研究的影響不可說不深遠，而且數百年來被當作科舉考試的定本，其影響深入讀書士子與一般百姓的心中。近來針對朱熹《詩經》學的詮釋學研究有所增加並大有斬獲，可是系統的研究卻未有較好的成果呈現。鄒其昌的《朱熹詩經詮釋學美學研究》就是針對朱熹的著作，將關於《詩經》的論述檢理出來，並從中尋繹出結構，建立朱熹《詩經》詮釋學與美學的理論體系。導論〈詮釋與意義〉簡略說明「詮釋」與「文本」的關係，並介紹漢代到明清時期的《詩經》詮釋史。第一章〈《詩經》詮釋原則——以《詩》說《詩》〉分別就傳統對朱熹解《詩經》的方式：「以《序》（毛《序》）解《詩》」、「以《詩》說《詩》」的內涵加以分析；並釐清《詩》與史——春秋時期引《詩》賦《詩》的意義，和《詩》與「論」（教化）的關係。第二章〈《詩經》創作旨趣——感情道物〉分論朱熹對《詩經》創作旨趣的理解與詮釋：「感情道物」，以及「感情道物」和傳統「交感說」、「詩言志」、「興」的關係，還有朱熹如何透過「感情道物」建立「淫詩說」與區分淫詩。第三章〈《詩經》品賞方式——諷誦涵泳〉說明朱熹對《詩經》詮釋美學體系裡對「善讀」的重視；朱熹以為《詩經》必須透過諷誦然後去把握內中真意，才能算得上是「善讀」，相對的，「善讀」是對不同書都應該抱持的讀書與詮釋心態，唯有如此才能真正和經典融貫。第四章〈《詩經》審美品格——性情中和〉中，作者認為朱熹在詮釋《詩經》時，亦貫徹了他在四書中對理想人格——中和——在《詩經》詮釋美學中；朱子以為創作《詩經》者具備「性情中和」的條件，尤以「二南」的精神更是把握了「性情中和」的真諦，而禮樂正是陶冶性情的重要工具。

　　鄒其昌，湖北荊州人。武漢理工大學藝術與設計學院副教授，1997 年 7 月在湖南師範大學獲文學碩士學位，2002 年 6 月在武漢大學獲哲學博士，2004 年 1 月在清華大學從事藝術學博士後研究。主要從事中國美學、藝術學、詮釋學等領域的教學與研究。專著有《中國美學與藝術學探微》與相關論文 30 幾篇。　　（沈明謙）

《文木山房詩說箋證》

《文木山房詩說箋證》　（清）吳敬梓撰　周延良箋證　濟南　齊魯書社　203頁
2002年4月

　　清人吳敬梓因科舉不順遂，轉而放棄科舉，又因結交酒肉朋友，散盡家財，身後以一部描寫士紳舉子醜態的《儒林外史》，在清代小說史上佔上一席，並對清末民初的小說產生莫大影響。除此之外，他是個傳奇的士人舉子。清人筆記曾記載吳敬梓寫過一部對《詩經》的隨札《文木山房詩說》，但卻從沒在世人眼前出現過；1999年周陸興在上海圖書館發現舊籍，並考證為吳敬梓的《文木山房詩說》。吳敬梓的《詩說》創新少，沿襲多，但在某些觀點上卻捨棄舊說自道見解，如果對他的年代有些瞭解，我們可以發現《詩說》中亦表現了吳敬梓不隨俗說以立說的率性風格。吳敬梓所處的時代是以朱子學為科舉重心的時代，但本書對朱子之說實有褒有貶，有以為其說蓋粗陋難以令人接受之處，亦有心有戚戚之處；從《詩說》的文筆亦可以看出有《儒林外史》深刻而又富有批判力的精神存在。周延良為本書箋證，旁徵博引，令本書的內容更為瞻博可觀，並且解說詳細，對於吳敬梓說法難解之處更為之詳細解說、引證立論，使讀者更容易瞭解。

　　周延良，山東青島人，博士，現為天津師範大學古典文獻研究所教授、所長，天津師範大學中國古典文獻學資訊研究中心主任，《中國古典文獻學叢刊》主編。首都師範大學中國詩歌研究中心兼職研究員，日本廣島大學中國古典文學研究中心客座教授，香港中文大學中國文化研究所漢達古文獻資料庫《中國傳統類書電子資料庫首期研究計畫》聘約專家。　　　　　　　　　　　　　　　　（沈明謙）

《吳敬梓詩說研究》

《吳敬梓詩說研究》　周興陸著　上海　上海古籍出版社　270頁　2003年7月

　　吳敬梓，字敏軒，號文木老人，清安徽全椒人，以小說《儒林外史》聞名於世。除《儒林外史》外，吳敬梓亦精通經史之學，其《文木山房詩說》為其研究《詩經》學之重要著作。但自近代以來，學界皆以為此書亡佚不存，深以為憾。作者於1999年6月於上海圖書館發現《文木山房詩說》舊抄本，共三十六頁，一萬

餘字。此書之重新發現，對吳敬梓的《詩經》學研究與《儒林外史》研究上，均產生極大的影響。

此書是作者對《文木山房詩說》所作的論文集結，內容包括了發現吳敬梓《詩說》的情況、主要內容、思想精神等問題做一闡述；並對此書之編纂時間、與《儒林外史》之關係及吳敬梓之生平等亦有所考述。書後並附有上海圖書館所藏《文木山房詩說》之影印本，對欲研究《文木山房詩說》提供了莫大的助益。

（鄭誼慧）

《詩經研究》

《詩經研究》　孫作雲著　開封　河南大學出版社　476頁　2003年9月

孫作雲，字雨庵，遼寧省複縣西海村人。北京清華大學中文系畢業，從聞一多先生研習楚辭，對上古史用力甚勤。曾著有《天問研究》、《詩經與周代社會研究》等專著，並發表相關論文數十篇，為著名的民俗學家、民間文藝學家、歷史學家。

在《詩經》研究上，孫氏曾著有《詩經與周代社會研究》一書，以《詩經》為基礎，旁證其他材料，論述從《詩經》中所見的西周封建社會；考證周人在原始社會以熊為圖騰，探究周人的始祖誕生傳說。又用民俗學的方法去分析《詩經》中的戀歌，育上巳節祭祀高媒、祓禊的民間風俗有關。另外〈我國歷史上第一次農奴大起義——公元前842－前828年周京附近農奴反周厲王的戰爭及其影響，《詩經·大雅·桑柔》諸詩新解〉一文，證明了厲王奔彘，是我國歷史上第一次農奴大起義。這些研究都有獨到的見解，在現代《詩經》學史上，具有舉足輕重的地位。

孫作雲於1978年逝世，終年六十六歲。河南大學出版社將孫作雲生平相關著作集結出版為《孫作雲文集》，本書為第二卷《詩經研究》，除收錄原孫氏《詩經與周代社會研究》文章外，另收錄發表於其他學術刊物上有關《詩經》研究的論文。本書對《詩經》及上古史研究方面來說，貢獻極大。　　　　　　（鄭誼慧）

《詩經探索》

《詩經探索》　劉操南著　杭州　浙江大學出版社　317 頁　2003 年 8 月

　　本書為作者一生《詩經》研究成果集結，作者過世後，由其子女負責整理出版。全書共分上下兩編，以下分編介紹。

　　上編為專題考釋，以主題性方式探討《詩經》相關問題。首節「緒論」，對於《詩經》的形成背景、內容概要、孔子對《詩》的態度以及後代對《詩》的注釋等，皆做概略性敘述。「緒論」後，則有「《詩》三百篇的創作與累積考說」、「《詩》三百篇的結集與散佚考略」、「儀禮的《詩》探說」、「賓祭之《詩》與弦歌之《詩》考釋」、「孔子刪《詩》初探」、「孔子的《詩》教與《詩》學初探」、「試論《詩》的儲存、分類、成書及其傳授」、「《詩》所反映的廣闊的和深邃的社會現實」、「試論《詩》的卓越成就」、「《敦煌本毛詩傳箋校錄》疏証」等十一篇專題考釋。

　　下編為《詩經》內容分析，內容針對部分篇章之特殊問題加以論述。如：〈關雎〉之闡義、主題思想、「河」字解；〈葛覃〉釋義；〈桃夭〉、〈兔置〉闡義；〈公劉〉「酌之用匏」說；〈七月〉所詠的歷史社會現實釋證等等，共二十一篇。此雖非全面性闡釋《詩經》篇章，但仍能呈現作者自身對《詩經》研究的獨到見解。

　　書首有作者「前言」，書末則為作者學生應守岩所傳「附記」，文中附上作者與《詩經探索》有關之書信，以使讀者更能了解作者的想法以及寫作此書的努力。

　　劉操南（1917－1998），字肇薰，號冰弦，江蘇無錫人。生前曾任杭州大學古籍研究所教授、浙江省政協文史委員會副主任、浙江省詩詞學會副會長、浙江《水滸》學會會長、中國科學技術史學會會員等，也是大陸少數文理皆通的學者。其著作有《史記春秋十二諸侯史事輯証》、《古籍與科學》、《曆算求索》、《詩經探索》、《武松演義》、《水泊梁山》等書。　　　　　　　　　　　　（宋維哲）

《詩經民俗文化闡釋》

《詩經民俗文化闡釋》　王魏著　北京　商務印書館　355頁　2004年3月

　　《詩經》一書，不但是中國最早的詩歌總集，其文字中所描述歌詠的愛情、農作、狩獵、燕饗、祭祀等，更是先民時期民俗生活的真實反應。因此，有關《詩經》「民俗學」的探討，便成為相當重要的研究課題。

　　本書作者有感於此，不但對《詩經》文本反覆閱讀、整理與歸納，並與《尚書》、《左傳》、《禮記》等其他經典以及諸子百家之書相印證，最後撰成此書。全書章節安排如下：第一章：導論；第二章：伴隨物質文明的審美建造；第三章：交易和運輸民俗的展現；第四章：服飾美的追求；第五章：全新的飲食天地；第六章：風格各異的房屋建築造型；第七章：母體本能的美好呼喚；第八章：「入土為安」的喪葬模式；第九章：和諧融合的燕饗禮儀習俗；第十章：婚戀禮俗的文化內涵；第十一章：女性美的標準與追求；第十二章：廣在的神靈崇拜；第十三章：對祖先的敬仰與禮讚；第十四章：情趣豐富的歲時節日習俗；第十五章：豐富多彩的游藝習俗。而書末有「後記」一文，以說明其成書動機以及研究方法。

　　王魏，1945年生。遼寧大學文化傳播學院教授、中國韻文學會理事、遼寧省文學學會副會長兼秘書長。主要論著有《建安文學概論》、《建安文學研究史論》、《三曹評傳》、《建安七子論稿》、《曹氏父子與建安文學》、《魏晉南北朝文藝思想史》、《歷代詠物賦選》、《先秦文學作品譯注講析》、《兩漢文學作品譯注講析》、《魏晉南北朝作品譯注講析》、《曹子建集注》等。　　（宋維哲）

《詩經譯注》

《詩經譯注》　周振甫著　北京　中華書局　555頁　2002年7月

　　本書就《詩經》三百五篇，逐一譯注。全書體例，首列各篇詩文，旁加白話翻譯，次接詞語簡釋，次接各家詩說要旨。而所據以毛《傳》、鄭《箋》、朱子《詩集傳》、方玉潤《詩經原始》、王先謙《詩三家義集疏》為多。凡某詩，《毛詩序》與各家詩說相同，則首列〈詩序〉，後引某家之說，而以「又」字識其同。如〈召南・鵲巢〉「《毛詩序》：『〈鵲巢〉，夫人之德也。國君積德累功，以致爵

位。夫人起家而居有之，德如鳲鳩，乃可以配焉。』《箋》：『起家而居有之，謂嫁于諸侯也。夫人有均壹之德如鳲鳩，而後可以配國君。』又《詩三家義集疏》：『《齊詩》說：鵲以復至之月始作室家，鳲鳩因成事，天性如此也。』」倘《毛詩序》與各家詩說不同，則稱「某詩解釋有幾：一是某說，一是某說」。如〈周南・兔罝〉「這詩的解釋有二。一是《毛詩序》：『〈兔罝〉，后妃之化也。〈關雎〉之化行，則莫不好德，賢人眾多也。』二是《詩三家義集疏》：『韓說曰：殷紂之賢人退處山林，網禽獸而食之。文王舉閎夭、泰顛于置網之中。』二說較合。」然書中對各家詩說的批判，或者直指其誤，或者只引其說而不加論斷，蓋作者有意留待讀者參覈他注，自行評斷。 （黃智明）

《詩經疑難詞語辨析》

《詩經疑難詞語辨析》　楊合鳴著　武漢　崇文書局　275 頁　2002 年 5 月

　　《詩經》為中國最早的詩歌總集，由於時代遙遠，語言艱澀，讀者每有「詩無達詁」、「詩無通故」之浩嘆。本書就《詩經》中疑難詞語諸家訓釋不一者、欠明者、疑誤者，逐條予以闡釋訂定。所用之法有四：一、新定主題，如〈小雅・何人斯〉「維暴之云」，〈詩序〉「蘇公刺暴公」，然詩中無「蘇公」字樣，故「蘇公刺暴公」之說甚可疑。此詩與〈小雅・巧言〉「維王之邛」，〈大雅・大明〉「維德之明」句法正同，可知「暴」字當作前置賓語用為名詞「粗暴之語」。二、聯系語境，以為一詞雖具多義，但在具體語境中只有一個最確切的意義，只有仔細審辨上下文義，方能準確解釋某些詞語。三、通曉語法。四、讀破假借，以為當改詩中借字以還本字，方能怡然理順，不以辭害意。書末附錄論文數篇：〈略論《詩經》「有……其……」式〉，〈再論《詩經》「有……其……」式〉，〈《詩經》「名・是・動」式新考〉，〈《詩經》襯字式試論〉，〈黃侃《詩》學成就述評〉，〈《詩經》疊根詞皆為形容詞〉，〈《詩經》疊根詞略論〉，〈《詩經》加綴形容詞探析〉，不惟對《詩經》詞義研究提供論證，對於詞彙學、訓詁學研究也有參考作用。 （黃智明）

《詩經釋論》

《詩經釋論》　王延海著　瀋陽　遼寧大學出版社　448 頁　2001 年 5 月

　　本書原出版於 1993 年，而後因出版需要，故於 2001 年再版發行。作者於〈前言〉中提及，本書問世後，即成為遼寧省社會自學考試用書，以及中文本科生的選修教材。因此試觀本書，確有其教科書之模式。

　　在架構上，全書分為兩大章。首章為「《詩經》簡論」，下分：拉開中國文學的序幕、《詩經》誕生的原因、商周社會的形象史、璀璨的藝術明星、「焯乎如日月」與「哲匠縱橫，畢由斯閫」等綱目，由各個不同角度對《詩經》作全面性的介紹；次章為「《詩經》選譯」，分別對風、雅、頌中重要篇章進行注釋與簡析，並彙整歷代學者評注於文末，以供讀者參考。書後則另有附錄兩篇，一為「歷代《詩經》評論選輯」，將中國歷代由孔子以降之《詩經》評論排比而下；另一為「《詩經》參考書目」，羅列約百種之書目以供讀者檢擇閱讀。

　　而全書最特別者，在書末除了有作者之「後記」外，另有一篇「《詩經研究》自學綱要」。此因本書有教科書之性質，故將全書（尤其是第一章）做濃縮綱要性處理，使讀者能於閱畢全書後，再做一統整性複習，並能輕鬆應考《詩經》的考試。

　　王延海，山東日照人，遼寧大學中文系畢業。現為遼寧大學中文系教授，講授先秦文學、《詩經》研究、《楚辭》研究、文字訓詁等課程。著有《詩經今注今譯》、《楚辭釋論》、《楚辭新注集評》、《天問集校集釋》、《楚辭選注》、《論語選注》、《荀子譯注》等書。　　　　　　　　　　　　　　　　（宋維哲）

《詩經異讀》

《詩經異讀》　趙帆聲著　開封　河南大學出版社　497 頁　2002 年 1 月

　　《詩經》的讀音一直是《詩經》學史上爭論不休的議題。漢代毛傳、鄭箋都曾以當時的讀音為《詩經》音作讀，到了唐代，配合五經正義的出現，陸德明的《毛詩音義》幾乎是魏晉以來的《詩經》音研究的總結。但南宋朱熹開始全面以閩音為《詩經》重新譜音，歷經元明，乾嘉漢學始祖顧炎武批評朱熹譜音的粗糙並開了古

音研究的先鋒。但上古之音早已邈不可考，相關的問題雖然越出轉精，但卻始終在聲韻學的研究領域打轉，至於真假是非，倒也不知誰的答案確切。

　　本書作者從音韻學的角度分析《詩經》三百篇的音韻，並援引古人之說，試圖為《詩經》音韻尋繹出系統。本書特點在於作者除了參考前人對《詩經》音韻的分析外，還加入了拼音註明讀音，以方便讀者閱讀。《詩經》音韻究竟為何，從漢代以來一直爭論不休，近來的學者若沒有基本的音韻知識，根本沒有辦法讀懂典籍中的音，本書則將所有的字音標註，並深入分析前人學者的對錯，訂出正確的讀音。

　　趙帆聲，河南唐河人，1927 年出生。河南大學外語系教授，從事於英漢語音韻的教學與研究。撰有《英語語音釋疑》、《抱朴子外篇白話文譯注》、《古史音釋》等多本專著。　　　　　　　　　　　　　　　　　　　　　（沈明謙）

《詩經與楚辭》

《詩經與楚辭》　褚斌杰主編　北京　北京大學出版社　271頁　2002年11月

　　《詩經》，中國最早的詩歌總集，先秦時代北方中原地區文學、民風的代表；而《楚辭》，亦為同一時期的文學結晶，所代表者，是南方楚文化的展現。兩種文學雖分屬南北，但卻也先後開創中國文學史上不同典型的詩歌風貌，對後代詩文之風影響同樣深遠。

　　而本書編者便基於中國文學史上「風」、「騷」並立的傳統，與共同形成的影響力，將二者合編撰述，並以緒言加以合論，以作為大學文科中中國古典文學專題課程教材。希冀藉由二者的合編撰述，讓學子以及讀者能更清楚地區分二者風格。

　　全書共分上、下編，其章節安排如下：「上編：《詩經》」第一章：《詩經》的編集、流傳；第二章：《詩經》的分類；第三章：周民族史詩；第四章：農事詩；第五章：燕饗詩；第六章：戰爭繇役詩；第七章：卿大夫政治美刺詩；第八章：婚姻詩與愛情詩；第九章：《詩經》的文化精神；第十章：《詩經》的藝術型態；第十一章：《詩經》的歷史地位和影響。「下編：楚辭」第一章：「楚辭」的文體、傳播與集結；第二章：詩人屈原的時代與生平；第三章：宏偉壯麗的政治抒情詩——〈離騷〉；第四章：情理兼備的長篇詠史詩——〈天問〉；第五章：屈原的短篇抒情詩——〈九章〉；第六章：具有神話色彩和愛國內容的組詩——〈九

歌〉。另外，書前有「緒論──簡論『風』、『騷』傳統」一文，書末則有「後記」。

在本書各單元的撰寫者方面，《詩經》由魯洪生、趙敏俐二位分章撰寫，「楚辭」則由褚斌杰負責，而「緒論」則為褚斌杰、章必功二位共同撰寫。

褚斌杰，1933 年生，北京市人。現任北京大學中文系教授、博士生導師，中央電大主講教師，中國屈原學會會長，中國詩經學會副會長等。主要著作有《中國文學史綱要》、《白居易評傳》、《詩經全注》、《楚辭要論》、《中國古代神話》、《先秦、秦漢文學》等。　　　　　　　　　　　　　　　　　（宋維哲）

《詩經芻議》

《詩經芻議》　陳戍國著　長沙　岳麓書社　343 頁　1997 年 4 月

本書收十數年來作者犖《詩》讀《禮》心得之作十四篇。首篇〈論三家詩勝義及四家詩盛衰〉，在清人陳喬樅《三家詩遺說考》、王先謙《詩三家義集疏》等書的基礎上，論述齊魯韓三家說詩有勝於毛《傳》數項，並就三家詩本身的弊病，及毛《傳》、鄭《箋》之優點，與古籍流布的厄運等方向，闡述四家詩盛衰的原因。〈論以詩說禮──兼論以詩說詩〉一篇，以為創作於周代之《詩》三百篇，不可能不反映其時客觀存在之周禮，因主張對言禮之詩，以禮解說之。又以迴避言禮，實半世紀以來解《詩》之作不得要領之重要原因，因作〈說周代建旗賞馬賜贈絲帛之制與《詩·干旄》〉、〈說〈鄘風·載馳〉與〈小雅·車舝〉〉、〈說〈賓之初筵〉與〈行葦〉〉、〈說《詩經》之酒與飲酒禮〉、〈說〈臣工〉〈噫嘻〉〉五篇，論證《詩經》中言禮之詩的客觀性與以禮解詩之必要性。〈論詩三百篇形象類型及其審美意義──兼論詩三百開拓題材領域的重大貢獻〉一文，對整部《詩經》的題材領域與形象類型作全面總結，充分論定《詩三百》實中國文學重要源頭。〈說風詩之美〉、〈說〈二雅〉的政治抒情詩〉二篇，分論中國古代美學觀點在風詩中的表現，與〈二雅〉政治抒情詩在思想內容、藝術形式兩方面對往後中國文學之影響。「附錄」一篇，乃為郭晉稀《詩經蠡測》發凡起例，以為郭書特點有六：全局在胸、大處著眼，以聲韻明訓詁、定章句，由詞氣而推省文、定章次、揭本義，據出土古文字以明訓詁，於前賢成說擇善而從，組詩說。漢代大儒鄭康成遍釋群經，箋

《詩》在於注《禮》後，有注《禮》未密而說《詩》益密者。今陳著以禮解《詩》，蓋根本鄭氏之遺意與！

（黃智明）

《詩經與周文化考論》

《詩經與周文化考論》　張建軍著　濟南　齊魯書社　265 頁　2004 年 9 月

本書分上下兩編。上編為「詩經與周文化考論」。該編奠基於《詩經》、早周史和文化人類學三個領域，並以「以詩證史、以史證詩、詩史互證」三者為基礎研究法，讓《詩經》的「歷史文本」特質更能清楚呈現。全編章節如下：第一章：從氏族、部落到國家——〈公劉〉、〈綿〉考論；第二章：從公季歷到西伯昌——〈皇矣〉、〈大明〉與王季、文王史事考論；第三章：「勝殷遏劉，耆定爾功」——武王克商與周初〈大武〉考論；第四章：「周公東征，四國是遒」——〈思齊〉、〈破斧〉與周公攝政及東征史事考論；第五章：關於「史詩」問題的爭議與再思。

下編為「雅詩斷代新證」。作者認為《詩經》雅詩中反映了許多歷史事件，且能與其他歷史記載相互印證，因此是《詩經》中最有可能進行斷代的部分。故而全編由《詩經》大、小雅中十二首詩之詩意、詩旨，並配合前人之研究成果，對每首詩進行斷代考察。在考察法上，作者力求以內證、外證相結合，以使每首詩均能正確的解讀與斷代。全編章節分為：第一章：西周前期雅詩；第二章：西周中後期雅詩；第三章：東周雅詩。

書後附有附錄五篇，分別為：一、宗教、神話與史前社會權力結構變遷；二、《詩經》與原始造型藝術研究；三、〈九歌〉與先夏文化探索；四、《詩經·唐風》二則；五、後現代語境中的《莊子》。

張建軍，1969 年生，湖北襄樊人。蘇州大學博士。任山東藝術學院碩士研究生導師。著有《中國古代繪畫的觀念視野》。

（宋維哲）

《中國古代禮儀文明》

《中國古代禮儀文明》　彭林著　北京　中華書局　298 頁　2004 年 1 月

本書為作者在《文史知識》上有關禮的專題作品集結。全書共二十三章，以介

紹中國古禮為主。

　　全書前兩章分別為「禮是什麼」、「禮緣何而做」，主要概述禮的概念。三至五章為「禮的分類」、「禮的要素」以及「禮與樂」，分別介紹禮的基本內容。六、七、八三章則對中國傳統最重要的三本禮學經典《周禮》、《儀禮》、《禮記》做了詳細論述，此使讀者能先掌握文獻基礎，再進入禮之內容。

　　自第九章起至第二十二章，作者大篇幅詳述古代各種禮之特徵與內涵，所論述者分別為：冠禮、婚禮、士相見禮、鄉飲酒禮、射禮、燕禮、聘禮、喪服、士喪禮、既夕禮、士虞禮、釋奠禮、家禮等，在十四章中共說明十三種禮，可謂對中國古禮做一全面性論述。而最後一章跳脫古禮範疇，介紹「不見面的禮儀：書信」，以使讀者不但能閱讀、欣賞傳統書信格式，更能適時運用於個人之魚雁往返間。書首有作者「自序」一文，以說明其自身學禮、研究禮，以及撰作本書的緣起。

　　彭林，1949 年生，江蘇無錫人。曾任北京師範大學副教授、教授。現任清華大學歷史系教授、博士生導師、經學研究中心主任，兼任中國社科院古代文明研究中心客座研究員、國際儒學聯合會理事。其主要研究方向為中國古代學術思想史、歷史文獻學、三禮和禮樂文化，近年則以「郭店楚簡與戰國時代的禮學」和「清人的禮學研究」為重心。著作有《文物精品與文化中國》、《周禮主體思想與成書年代研究》、《古代朝鮮禮學叢稿》、《中國學在古代朝鮮的播遷》等書，並曾點校《儀禮注疏》、《禮經釋例》、《觀堂集林》等古籍文獻，發表論文百餘篇。

（宋維哲）

《先秦禮學》

《先秦禮學》　勾承益著　成都　巴蜀書社　409 頁　2002 年 9 月

　　「禮」，是藉由外在儀節形式，進而使行禮者於內心肯認人我、物我間的關係。「禮」在自有人類以來，便不斷地累積、形成。而在中華民族的歷史中，「禮」之形式、思想，則在先秦時代有大幅度進展。在此進展下，先秦學者，尤其是儒家之人，對「禮」的種種面向，有著極深刻的關懷與論述，進而形成「禮學」此一綜合性學術名稱。

　　本書作者於碩士時期在研讀十三經中打下禮學根基，進而於國外教授漢語時，

由外國學生提問中獲得對中華文化以及禮學的全新體認，最後在中國學生的學習中產生對文化根源的反省。經此三段歷程，作者決意強調國故思想，並結合自身「禮學」基礎，展開對「先秦禮學」的論述與研究。

書中章節次第如下：第一章：西周以前禮學的脈絡；第二章：西周和春秋時期的禮學；第三章：《詩經》與禮學；第四章：《左傳》的理學建樹；第五章：《國語》的禮學思想；第六章：先秦禮學的集大成──《禮記》；第七章：先秦諸子著作中的禮學思想。

勾承益，1955 年生，四川鹽亭人，四川大學歷史學博士。其長期從事中國傳統文化教學及研究工作，有《晚宋詩歌與社會》、《南郊神位的嬗變》等專論，另有《夢幻集》、《土地與情欲》、《雖然他們是無辜的》等譯著。　　　（宋維哲）

《中國禮制史──元明清卷》

《中國禮制史──元明清卷》　陳戍國著　長沙　湖南教育出版社　841 頁 2002 年 2 月

本書為作者《中國禮制史》系列第六冊。在本書之前，作者同以《中國禮制史》為名，先後出版《先秦卷》（原名：先秦禮制研究）、《秦漢卷》（原名：秦漢禮制研究）、《魏晉南北朝卷》（原名：魏晉南北朝禮制研究）、《隋唐五代卷》、《宋遼金夏卷》等五冊禮學系列專著。

全書承襲前五卷一貫寫作模式，從禮制角度勾勒元、明、清三朝政治經濟與思想文化概況，並綜合運用傳統文獻以及新出土之考古資料，加以吸收前人對此三朝禮制研究的成果，重新鋪排出元、明、清的禮制輪廓。

全書共分四章，章名如下：第一章：元代禮俗禮制；第二章：明代禮儀制度；第三章：清代禮儀禮制；第四章：餘論。書首有作者「自序」，書末則附有「徵引與參考書目」。最後則附「後記」一篇，對寫作《中國禮制史》先秦至清代共六卷一事，做一總述。其中雖提及應有「第七卷」之作，然語多保留，認為仍需多加研究，方可確立撰作「第七卷」的理論基礎。

陳戍國，多年來致力於「中國禮制史」之研究與撰作。其禮學方面著作除了《中國禮制史》共六卷外，並曾點校《周禮、儀禮、禮記》與《禮記質疑》等書；

禮學之外，另有《十子平議》、《詩經芻議》等著作。　　　　　　（宋維哲）

《儀禮‧喪服考論》

《儀禮‧喪服考論》　丁鼎著　北京　社會科學文獻出版社　338頁　2003年7月

　　禮是傳統社會生活之準則，《儀禮》成書極早，主在闡述古代士人階層之各項禮儀，故在三禮之中地位分外重要。而「治生死」的喪葬禮俗為古代禮制之重要內容，故在《儀禮》全書十七篇中，〈喪服〉所佔篇幅遠較其他為多。周代的喪服制度不但是喪葬禮俗中最重要的一部分，其喪服之質地樣式及喪期長短也反映出當時的社會制度及血緣關係，並對後世社會組織與文化觀念有顯著之影響。

　　本書共分八章，第一章〈緒論〉，說明《儀禮‧喪服》之思想內容及其在中國禮學上之價值，另還析論歷代以來對《儀禮‧喪服》之研究成果。第二章〈中國古代喪服制度的形成與確立〉，可分為兩部分。一是以現存可見之古代文獻為依據，論說我國喪服制度約起源於西周時期；而《儀禮》系統之喪服制度，則在春秋戰國時期形成確立。二是討論「三年之喪」之起源、形成、流變等情況，對於「三年之喪」之起源，有極為詳盡之論述。第三章〈《儀禮‧喪服》之經、傳、記述論〉，對《儀禮‧喪服》之經、傳、記等作者、撰述年代及歷代學者討論等皆有論述，並對之《儀禮‧喪服》之經、傳、記間的關係，做一完整的說明。第四章〈《儀禮‧喪服》服制考述〉，同樣分為兩部分。一是《儀禮‧喪服》服飾規定之基本內容，包括衰裳、首服、絰帶、鞋飾、杖等；另一是《儀禮‧喪服》所規定之五服制度，包括其服制、喪期、服喪對象。第五章〈《儀禮‧喪服》之服制原則及與有關服制義例〉，除了《禮記》所歸結出的原則外，另有後代學者從《儀禮‧喪服》中歸納出的服制義例。第六章〈《儀禮‧喪服》所反映的上古婚姻家庭制度〉，可分為三部分。從「姨」服重於「舅」服探討原始氏族社會的殘存遺俗；從「嫂叔無服」論述周人在婚禮制度上的確立；從親屬稱謂看上古婚姻之習俗。第七章〈《儀禮‧喪服》所體現的周代社會關係和倫理觀念〉，包括周代宗法制度、封建制度及倫理觀念。第八章〈《儀禮‧喪服》與其他先秦文獻所載喪服制度之比較研究〉，包括與《禮記》、《春秋經傳》、《墨子》及其他先秦文獻等比較，析論出與《儀禮‧喪服》所載不同之處。

本書作者對《儀禮・喪服》，除了傳統經學研究方法外，另運用文獻學與文化人類學的方法，系統深入地研究此篇，有助於瞭解古代宗法制度、社會倫理及禮儀風俗。所得出之研究成果，不但有助於禮學研究，也對古代的社會歷史及思想文化研究，有很大的貢獻。

（鄭誼慧）

《禮記圖典》

《禮記圖典》　周春才編繪　天津　百花文藝出版社　318 頁　2001 年 5 月

《禮記》為中國傳統經典之一。其原始的寫作目的，僅為對禮書的解釋與補充，但經過漢代學者的整理與歷代文人的闡揚，至唐代，已列為「九經」之一；到宋代，又被列入「十三經」之中，至此確立其學術經典之地位。在學術之外，《禮記》廣博富贍的內容論述，不但涵括中國古代社會的各個層面，對中國人之倫理觀、道德觀、人生觀、價值觀等同樣也產生深遠的影響。

然而，在社會的快速演進下，不但現今社會與傳統道德文化漸趨疏離，《禮記》中古樸的文字，深奧的內容，也讓一般社會大眾與年輕學子不願再碰觸這優美的傳統經典。為了使經典的傳承與宏揚能持續，本書作者繼《易經圖典》、《黃帝內經養生圖典》之後，在長年潛心研讀《禮記》的基礎上，精選其中較為重要或與現實生活貼近的內容，以深入淺出的文字及活潑生動的漫畫形式重新詮釋，使讀者們能以更輕鬆愉悅的心情一窺經典之堂奧。

全書章節如下：「曲禮」、「王制」、「禮運」、「學記」、「祭義」、「經解」、「仲尼燕居」、「儒行」、「月令」。書首有彭林教授之「序」，另有作者自撰之「引子」，將編繪之理念、《禮記》之說明以及「禮」之概念等作一論述，以為全書導言。

周春才，北京人，1957 年生，為專職畫家、作家。其長期致力於研究中國傳統文化，並以漫畫的手法將其普及，在市場上頗受好評。其著作於兩岸均有出版，主要作品有：《易經圖典》、《禮記圖典》、《論語圖典》、《黃帝內經養生圖典——素問篇》、《黃帝內經養生圖典——靈樞篇》、《中醫養生圖典》、《中醫藥食圖典》、《中醫經絡圖典》等。

（宋維哲）

《北朝禮制法系研究》

《北朝禮制法系研究》　李書吉著　北京　人民出版社　264頁　2002年3月

　　中華法系為世界五大法系之一，而中國法系之生成，自有其背景。中國之法令，與「禮制」有密不可分之關係。《周禮》所表述的時代是禮、法原始產生時期，春秋戰國至秦漢則是其禮、法基本分離的時代。魏、晉南北朝時期，法律分成南、北二系，南系以《儀禮》為特徵，但自魏晉傳至隋而斷；北系則禮、法結合，以《儀禮》與《周禮》互相配合，自成系統，並成為中華法系的主系，自後延續千餘年。

　　作者認為北朝禮法體系基礎之主要奠定為北魏孝文帝之漢化改革，自氏族社會過渡到封建社會，必須有法令施行為手段，故強化了律令的生成。而在基本觀念上，則是以孝親為主，以此做為思想基礎，並自後影響中國社會數千年。孝文帝所推行的改革，以「禮制」最為重要。其基本思想是以緣古托周為核心，以《周禮》為依據，施行各項禮儀改制。在祭祀上，廢除原本鮮卑族之西郊四祭和多神祭，依據周典定為圓丘正月祭，並突出圓丘大祭在北魏祭祀系統中的重要地位。在喪制上，重新實行了三年喪制；並改為舉行漢族禮儀。婚姻制度上，其改革則與姓氏改革同時進行，也在婚禮上採行了儒家禮制。巡狩、鄉飲、等制，更完全改變了原本游牧民族貴少賤老之習俗。孝文帝的禮制改革為北魏禮制建立起一個基本框架，其基本精神與內容被其後各朝所繼承，並成為中國禮制法令之基礎。　　　（鄭誼慧）

《周禮譯注》

《周禮譯注》　呂友仁譯注　鄭州　中州古籍出版社　646頁　2004年10月

　　本書以孫詒讓的《周禮正義》中的經文為底本。作者述及，採用孫氏《正義》，而不用較通行的阮元校勘本《周禮注疏》，是經過比較之後的選擇。作者認為，這樣做的直接好處是文通字順，可以少出一些校勘記。例如，《地官・鄉大夫》「各憲之於其所治」句，阮本作「各憲之於其所治之」，衍一「之」字。諸如此類者甚多，於此作者認為，如採用孫書，便無此問題。

　　此外，《周禮》經文中有不少古字，鄭玄在作注時，是採取經文古字仍其舊，

注文改作當時通行文字的作法。本書則予以單純化，將經文中的古字一律改為後人的通用字。並在譯注中採取先設一段「原文」，其後「注釋」，其後進行「譯文」的體例。「前言」則概述幾項《周禮》相關的基本問題，內容包括：一、有關《周禮》的名稱、作者及其成書時代；二、有關《周禮》的來歷、基本內容及其影響；三、《周禮》的主要注本；四、有關譯注的幾點說明。

有別於過去《周禮》注釋書的撰作方式，本書在譯注《冬官‧考工記》時，為方便讀者理解其中涉及的器物，特別根據戴震的《考工記圖》、程瑤田的《考工創物小記》、鄭珍的《輪輿私箋》，並參考阮元的《車制圖考》、焦循的《群經官室圖》、孫詒讓的《周禮正義》、王國維的《觀堂集林》、《文物》雜誌等書，由河南師範大學美術系學生協助繪製了三十四幅插圖，以輔佐瞭解《考工記》中重要的工藝文明。作者更針對全書製作〈《周禮》王畿千里示意圖〉，將《周禮》中複雜的地方制度以圖示方式簡要說明。

呂友仁，1939 年生，河南滎陽人。1962 年畢業於河南大學外語系，曾任中學外語教員多年。1981 年畢業於上海師範大學古籍整理研究所，獲碩士學位。為中國第一屆三年制古籍整理研究專業碩士研究生。曾任河南師範大學中文系籌備組第一副組長、中文系副主任、古籍整理研究所所長。現任社會發展學院教授、歷史文獻學碩士生導師，兼任中國歷史文獻研究會常務理事，研究方向為古籍整理和文獻學，在相關學術界具有一定影響。　　　　　　　　　　　　　　　（張穩蘋）

《禮記校注》

《禮記校注》　陳戍國撰　長沙　岳麓書社　520 頁　2004 年 5 月

作者於本書之序中，對於《禮記》的一些相關問題作了簡要式的敘述，如《禮記》的成書過程、自何時開始被納入五經之中等問題；此外，作者還引用了沈文倬〈略論禮典的實行和《儀禮》書本的撰作〉一文，將《禮記》分為禮、政、學三類。在序文當中，作者也對全書的體例作一說明，以利讀者使用。

因受限於出版社的篇幅，作者每條注解皆相當簡短，多不超過三十個字，故有時稍嫌簡略；且作者校注本書之目的並非為集注或匯注，故只於前人注《禮》之說中擇取適當者，並未將所有的異說加以羅列。在注解的文字上，作者除了引用前人

說法之外，其餘儘量皆以白話方式進行解釋，以求通俗。如在注解〈王制〉一篇中關於天子畿內畿外之制時，其注即言：「以上兩段，論天子畿外畿內建國之法，當然只能算是擬訂好了的政治建設的計劃。這個計劃與《周官‧職方氏》說的辦法多有不同，然而都在很大程度上只是未曾實現的政治藍圖。」由此注即可看出其注解的特色。

　　本書的一大特點為作者於每篇開頭即有一小段文字解說，闡明本篇的大意，甚至論述與本篇相關的問題。如在〈樂記〉之篇首，論述了〈樂記〉的作者，並討論了「記」的性質，最後並檢討〈樂記〉一篇究竟應屬禮、學、政三類中的何類等問題。藉由篇首之文可以歸納出作者對《禮記》一書相關問題的看法，相當可貴。此外，作者於篇首之文中，會羅列前人對本篇大旨的各種說法，最後再作一統一性的歸納，提出自己的見解。如在〈射義〉一篇中，列舉孔穎達、陸德明、王夫之、孫詒讓等人的議論，最後作者斷定關於〈射義〉一篇的大旨解說，應以《孔疏》與王夫之的《禮記章句》較好。

　　在今注中，作者會將生難字之音以國際音標注出，便於讀者利用。本書較為缺憾者，乃是作者於〈大學〉、〈中庸〉兩篇，僅列出原文而不加以注解。作者的解釋乃是朱子將此二篇歸入《四書》之中，故此處僅保存原文，維持小戴輯《禮記》的完整性；且作者以為此二篇已在《四書校注》一書中注解過，故沒有必要再重覆校注。此為本書作者於校注該書時的最大缺漏，甚為可惜。此外，作者受限於篇幅問題，未能引用新近出土的資料，也是其不足之處。　　　　　　　　（劉千惠）

《春秋考論》

《春秋考論》　姚曼波著　南京　江蘇古籍出版社　366 頁　2002 年 12 月

　　姚曼波，女，江蘇教育學院中文系教授。

　　本書旨在探索孔子作《春秋》的問題。其提出新的觀點有以下幾點。一、提出孔子所作的《春秋》，不是前人所說的《春秋經》，而是一部獨立的著作，是今之《左傳》的藍本。二、通過多方面的考證，初步探索了孔子《春秋》的原貌，是記載著弒君三十六，亡國五十二史實的類似紀事本末體的一部史學著作。三、指出左氏割裂孔子《春秋》，加入逐條解經語而形成編年體的史實。四、以史料為據，探

索了孔子筆削《春秋》之跡，揭示了孟子所說的「義則丘竊取之矣」的真實內涵，使歷代經學家窮究了兩千年而不明的春秋大義，揭去了神秘面紗。五、證明《左傳》全書史實記載詳實之國家，除了一小部分得自《國語》外，恰恰正是孔子遊歷之國，史料主要得自孔子的十四年的遊歷各國搜集的史記舊聞。

章節內容，第一章孔子作《春秋經》說質疑，第二章漢前典籍中的孔子《春秋》，第三章孔子《春秋》——《左傳》祖本考，第四章孔子筆削《春秋》考，第五章兩千年春秋學之迷誤。　　　　　　　　　　　　　　　　　　（簡逸光）

《春秋學史》

《春秋學史》　趙伯雄著　濟南　山東教育出版社　793 頁　2004 年 4 月

趙伯雄，1947 年生於天津。1988 年獲南開大學歷史學博士學位。後供職於南開大學古籍與文化研究所。1993 年任古籍所所長，1995 年晉升教授。現為博士生導師。學術興趣集中在古史、經學史及歷史文獻的考證研究方面。主要論著有：《周代國家形態研究》、《春秋學史》、《周禮註疏》、〈左傳無經之傳考〉、〈周禮胥徒考〉、〈荀子引詩考〉、〈論王弼易注〉、〈公羊左傳記事異同考〉等。

本書〈前言〉提到近代學科分類將《春秋》、三傳等著作歸在歷史類中，作者認為《春秋》應該是經學的一個分支，《春秋》不是史學，但它包含有史學的內容，故依此觀念建立《春秋學史》的寫作原則。內容詳細的對先秦至清代各朝的《春秋》學做清楚的介紹，從此可以見《春秋》學之傳承與發展，亦可見三傳在各朝代中與《春秋》的關係之親疏。

章節內容，第一章：先秦《春秋》學的形成與分化，第二章：兩漢《春秋》學（上），第三章：兩漢《春秋》學（下），第四章：魏晉南北朝時期的《春秋》學，第五章：隋唐五代時期的《春秋》學，第六章：宋元明《春秋》學（上），第七章：宋元明《春秋》學（下），第八章：清代《春秋》學（上），第九章：清代《春秋》學（下）。　　　　　　　　　　　　　　　　　　　　（簡逸光）

《左傳國策研究》

《左傳國策研究》　郭丹著　北京　人民文學出版社　295頁　2004年8月

　　郭丹教授，福建省龍岩市新羅區人，1949年12月生。1987年7月江西師範大學研究生畢業，獲碩士學位。1987年8月到福建師範大學中文系任教，現為福建師大文學院副院長、中文系主任、博士生導師。研究專業為先秦兩漢文學和中國古代文學批評。出版專著12種，古籍整理著作4種，發表學術論文數十篇。

　　本書的撰寫，雖有意識的欲從大文化背景和傳統的繼承與流變上來顯示《左傳》、《戰國策》的奧義，但主要還是從文學的角度切入，力圖對這兩部著作的文學內涵和文學魅力作比較詳盡的剖析和展示。在論述時，又特意選擇部分精彩的章節，加以闡發，引文入論，讀者亦可以由此作一番潛詠欣賞，直接體會原作的精華和藝術魅力。

　　章節內容：第一章：中國史學之發軔，第二章：大變革時代的歷史記錄，第三章：春秋人物畫卷，第四章：國之大事在祀與戎，第五章：文學的權威，第六章：縱橫之世與縱橫之書，第七章：《戰國策》的史料價值，第八章：眾士如雲唱大風，第九章：《戰國策》的文學成就，第十章：先秦史傳散文的文化內涵及其影響。（簡逸光）

《左傳譯注》

《左傳譯注》　李夢生撰　上海　上海古籍出版社　上、下冊　1399頁　1998年6月

　　本書三十卷，依魯國十二公順序編排。〈前言〉簡要說明《春秋》目的在勸惡揚善、提倡尊王攘夷。三傳之中，《左傳》記事尤詳，不僅是一部經書，又是一部史書，更是一本傑出的文學作品。

　　本書以《四部叢刊》影印的宋刻杜預注《春秋經傳集解》為底本，參校1936年世界書局據清武英殿本影印的《春秋三傳》。譯注部分主要參考楊伯峻《春秋左傳注》及沈玉成的譯本。

　　結構為先列經、傳，註文以附註方式隨附在經文後與傳文後。譯文則對一年內之經與傳作白話譯文。

（簡逸光）

《左傳謂語動詞研究》

《左傳謂語動詞研究》 張猛著 北京 語文出版社 208頁 2003年3月

本書依傳統句讀將《左傳》分為 39544 個自然語段，然後選出含有動詞性謂語的語段作為研究對象。根據語義、語法功能和組合關係，將《左傳》的謂語動詞劃分為八個小類：行為動詞、關係動詞、狀態動詞、趨止動詞、能願動詞、存在動詞、感知動詞和比類動詞。其中發現行為動詞與狀態動詞不僅有對立的關係，還存在互相轉化的關係。在進行有關的實例分析時，不僅從語義、語法功能、組合關係去考察，還將有關的詞放到漢語史的大背景下，考察它的來源和流變。

作者善用電腦統計，附錄《左傳》謂詞中的行為動詞音義表、《左傳》謂詞中的狀態動詞音義表、《左傳》所用字符、字頻表。皆可清楚得知任一謂詞於《左傳》文本中出現的次數。

張猛，字濟寬，1982 生，北京師範大學中文系本科畢業，獲文學學士學位。1985 北京師範大學中文系研究生畢業，獲文學碩士學位。1998 北京大學中文系漢語史博士研究生畢業，獲文學博士學位。發表過多篇論文，有〈《左傳》「非」字用法的幾個特點〉、〈動詞用法的被動與使動的對立規則和轉化規則〉、〈論先秦漢語中「門」的謂詞用法〉等等。 （簡逸光）

《左傳詳解詞典》

《左傳詳解詞典》 陳克炯著 鄭州 中州古籍出版社 1445頁 2004年9月

作者認為《左傳》中所使用的詞彙於先秦典籍中數量最大，有許多詞的首見義可以從中找到源頭，為此做一全面性整理，替研究上古漢語打下一個堅實的基礎。

詞典分前言、凡例、部首目錄、正文、附錄、索引、後記，七部分。在詞典的整理上有幾項特點，一、標注詞性。除名詞、代詞、數詞、量詞、動詞、形容詞、象聲詞、副詞、介詞、連詞、助詞、語氣詞、歎詞之外，新建狀態詞一類。二、收錄《左傳》全部單音詞和複音詞。三、每個詞都依現代（漢語拼音標注普通話標準音）、中古（依《廣韻》反切）、上古（依郭錫良《漢字古音手冊》標注上古韻部）三段注音。四、詞典採用楷書繁體字。 （簡逸光）

《左傳人物論稿》

《左傳人物論稿》　何新文著　北京　中國社會科學出版社　370頁　2004年
　10月

　　第一章緒言：《左傳》概論，討論《左傳》的名稱、作者、產生的時代背景、
體例、思想內容與流傳。第二章人的發現與文的新變，從《左傳》作者對人的認識
與以寫人為中心，說明其語言文學價值。第三章《左傳》寫人藝術總論，說明《左
傳》有獨到的寫人藝術成就，並此寫人的藝術對後來影響深遠。第四章《左傳》人
物形象系列論，對象包括周天子、霸主、明君、賢大夫、名臣、庸君昏主、佞臣讒
人、勇士、平民、女性、行人等。第五章《左傳》人物專論，對象有鄭莊公、晉文
公、秦穆公、楚靈王、子產、晏嬰、叔向、孔子。附錄《左傳》人物研究論著索引
（1949－2003）。

　　何新文，男，湖北通城縣人。1979年武漢師範學院中文系畢業，1982年畢業
於華中師範大學，獲文學碩士學位，現為湖北大學校學位委員會委員、文學院教
授。先後出版有《中國賦論史稿》、《辭賦散論》、《中國文學目錄學通論》等著
述；主編有《高等教育教學管理研究》等著述；另在《文學遺產》、《文獻》、
《社會科學戰線》等刊物發表學術論文60餘篇。　　　　　　　　　（簡逸光）

《春秋公羊學講疏》

《春秋公羊學講疏》　段熙仲著　南京　南京師範大學出版社　753頁　2002年
　11月

　　本書內容詳實且討論的專題都是《公羊》學重要的議題，如後記所言，考證精
核，立論審慎，內容詳實，體例嚴謹，不囿於經學門戶而多創見，借古刺今，古為
今用。內容如下：

　　第一編 導言：第一章 經傳注疏作述考略，第二章 《公羊春秋》授受源流，
第三章 兩漢三《傳》之爭立學官，第四章 《公羊》研究要籍舉隅。

　　第二編 比事：第一章 天時，第二章 天王，第三章 魯，第四章 二伯，第五
章 諸夏上，第六章 諸夏中，第七章 諸夏下，第八章 夷狄。

第三編　屬辭：第一章　述傳，第二章　述董，第三章　述何，第四章　異同，第五章　遠近，第六章　進退，第七章　詳略。

第四編　釋例：第一章　傳例，第二章　述何，第三章　時、月、日例，第四章　名例，第五章　刺、譏、貶、誅、絕例，第六章　何氏補例。

第五編　義：第一章　義，第二章　述董，第三章　大一統，第四章　建五始，第五章　通三統，第六章　張三世，第七章　異內外，第八章　善善惡惡，第九章　強幹弱枝。

第六編　餘論：第一章　《公羊》禮輯，第二章　《公羊》古義輯，第三章　總論。

段熙仲（1897－1987），安徽蕪湖人。在東南大學中文系讀書期間，師從胡小石、吳梅等著名學者，研治古代文學。擔任過中央大學師範學院國文系教授、南京師範學院中文系教授，直至 1986 年退休。主要研究成果為《水經注疏證》、《儀禮正義》二書的點校整理以及發表於《文史》、《文學遺產》、《中華文史論叢》等刊物的數十篇論文。　　　　　　　　　　　　　　　　　　　（簡逸光）

《春秋邦交研究》

《春秋邦交研究》　徐杰令著　北京　中國社會科學出版社　233頁　2004年4月

徐杰令，男，1962 年生，山東招遠人。就讀東北師範大學歷史系，1983 年獲學士學位，1995 年獲碩士學位。1997－2000 年師從於先秦史著名學者詹子慶先生攻讀博士學位。現為黑龍江大學歷史文化旅遊學院副教授。中國先秦史學會會員。在《文史哲》、《中國史研究動態》、《史學集刊》、《東北師大學報》、《求是學刊》等刊物發表論文 20 餘篇。

本書指出春秋時期的宗法制度瓦解，周室衰微，邦交思想的演進是循著重道德的作用，而趨向重現實的利益，由崇尚禮、信而趨向詐偽和計謀的軌跡發展。

章節內容：第一章為春秋邦交人員，包括討論邦交的機構、邦交人員的選拔與任用。第二章為春秋邦交禮儀，包括朝覲、聘問、會盟、饗燕等禮儀。第三章為春秋邦交思想與邦交藝術，第四章為影響邦交的幾個因素，包括人質、出奔、戰爭、聯婚。文末附有春秋諸侯婚姻一覽表。　　　　　　　　　　　　　　（簡逸光）

《論語趣讀》

《論語趣讀》　夏傳才著　石家莊　花山文藝出版社　389 頁　2000 年 8 月

　　《論語》一書，不但是儒家經典，更是許多中華民族子民所必讀之作。但隨著時光推移，社會轉變日益快速，以文言文撰述之《論語》，也不免與今人之思想、心靈產生距離。而海峽兩岸出版單位，雖早已出版數量繁多的古籍今注今譯之作，但常缺乏分析說解或主題論述，甚至在行文用語上仍顯艱澀，因此難以讓一般社會大眾，甚至是在學學生有意願親近。

　　對此，臺灣已有出版公司出版相關古籍新論，以供一般社會大眾及學生閱讀，如萬卷樓圖書公司所出版之《少年孟子》、《少年禮記》便是一例。而大陸花山文藝出版社，亦針對此點，計畫出版一套古代經典趣讀叢書。而其中《論語》一書，則由夏傳才先生執筆。

　　全書共分為八部分：「孔子其人其書」、「《論語》論學習」、「《論語》論天命鬼神」、「《論語》論仁」、「《論語》論品德修養」、「《論語》的政治思想」、「《論語》論教育」、「日常生活中的孔子」。作者以上述八項標題，對論語進行主題性論述。

　　為配合《論語「趣」讀》一名，作者除了在內容論述上力求簡明白話外，於小標題之設定，亦求鮮明有趣，如：「我童年讀《論語》的故事」、「真孔子和假孔子」、「別靠小聰明」、「指天賭咒」、「苛政猛於虎」、「孔子為什麼沒有女學生」等，以期能快速吸引讀者目光，進而引發閱讀的興趣。

　　書末有「後記」一文，說明作者對歷來尊孔與反孔的看法，以及寫作該書的旨趣。

　　夏傳才，1924 年生，安徽省亳縣人。曾任北京師範大學、河北天津師範學院、河北師範學院、四川師範大學等校教授。現擔任中國詩經學會會長、河北省詩詞和經學協會副會長。其主要從事中國古典文學研究。主要著作有《詩經研究史概要》、《詩經語言藝術》、《思無邪齋詩經論稿》、《曹操集注》、《曹丕集校注》、《十三經概論》、《中國古代文學理論名篇今譯》等。　　　　　（宋維哲）

《論語說解》

《論語說解》　么峻洲　濟南　齊魯書社　408 頁　2003 年 7 月

　　本書前有「序言」一文，此對其寫作動機有說明。在「序言」中，其強調《論語》、「尊孔」的重要性。並說明其名本書為「說解」，是希望能掌握並說解孔子原意，以呈現最貼近原典之詮解。

　　全文章節則依《論語》原次序安排。每章開頭均有導言，雖詳略不一，但仍能概括該章主旨作一說明與呈現。說解時則首列原文，次標「注釋」，再列「譯文」，末言「說解」。在說解時，其行文說明不拘一格，或解其本意，或申其意指，或引前人、時人所論以證，或引他書、史實以論，且時而對《論語》每則文字中的內在聯繫提出論述。作者以此多樣手法，呈現其對《論語》一書的理解。

　　么峻洲，1924 年生，河北豐南人。東北師範大學中文系畢業。其終身從事教育工作，退休後則致力於研究學習。著有《當代新儒學與當代新儒家》，譯有馬克思的《價值型態》與日本作家星新一的短篇小說。　　　　　　　　（宋維哲）

《論語易讀》

《論語易讀》　吳新城著　北京　中國社會科學出版社　361 頁　2003 年 7 月

　　《論語》一書流傳至今，其白話翻譯本已多不勝數。而本書作者，雖體認此一出版現象，但仍出版此《論語》白話讀本。其在「自序」一文中說明如下：一、孔子的話圓融廣大，後人即使意會完整，但卻難在口中或筆下將其說全。再者，對於《論語》的高度，是一人窮盡畢生之力也難完全參透，故而需集眾人之功加以研究。因此作者願在此殿堂中加一塊小小的瓦石以盡其心力；二、為求完整準確的覆述原文之意，作者在翻譯時，常越出原文框架，對事件和人物的背景做一定程度的鋪陳。三、在行文時，參考並摘錄前人的研究成果，一方面體現前人說法，另一方面藉選擇去取之法，以暗點作者個人之讀書心得。基於上述三項原由，作者仍決定出版該書，並取名《論語易讀》，以顯其寫作目的。

　　本書於「序言」後，有「例言」一文，此對其寫作動機、體例安排、寫作方法等有詳略不一的說明，以使讀者於閱讀前，便能對該書架構也一定程度掌握。主文

部份是依《論語》二十章次序排列，說解時則首列原文，次敘「解」文，再標「注」解，末言「參考」。原文處對生難字詞則注以漢語拼音及同音字，以明其讀法；「參考」則如前述所言，羅列前人或旁徵他書所論，以供讀者參考。如此安排，能使讀者在閱讀時掌握更多《論語》的相關資料，此對通讀《論語》，顯然有更大助益。

（宋維哲）

《論語辭典》

《論語辭典》　安作璋主編　上海　上海古籍出版社　370 頁　2004 年 7 月

有關《論語》辭典之編纂，在 2002 年時，就已有劉學林教授所主編之《十三經辭典・論語卷》的出版，並與《孝經卷》合為一冊。而由安作璋先生主編，由亓宏昌、劉淑賢、趙立綱、郭相圍、黃瑞琦等合作編寫，於 2004 年出版之《論語辭典》，則為第一本單獨出版之《論語》辭典。

本書首置「前言」一文，文中除了對全書編纂人員及背景做一簡明敘述外，更強調全書之編纂準則有五：一、共立目 3030 條，除了將《論語》中所有單字、複詞、篇名收錄外，並將部份源出《論語》的詞組、短語收錄於內，以力求收詞齊全完備；二、在釋義上以求切合《論語》原義，並做出比一般辭典更深刻詳細的解釋；三、吸收古今學者成果，並博採異說，以加強其科學性與學術性；四、客觀揭示孔門思想，使其符合孔子思想體系，並求不溢美、不貶低；五、統計數據力求準確，以為研究者提供準確數據。

次為「凡例」。凡例中依正文編寫順序與體例，分列「關於詞目」、「關於注音」、「關於釋義」、「關於舉例」、「其他」等五項以做說明。說解雖詳盡，但語意略有不明處，讀者於閱讀時恐較吃力。三為檢索方式。書中提供了「詞目筆劃檢索表」以及「音序檢字表」兩種檢索方式。而辭典之正文，則是依「詞目筆劃」順序排列。在正文之末，附有《論語》全文，以提供檢索者查閱之便。其經文是以 1973 年中華書局影印阮刻《十三經注疏》為底本，篇章次序則是以楊伯峻《論語譯注》為準。

安作璋，1927 年生，山東省曹縣人。山東師範大學、山東大學教授、博士生導師。著有《漢史初探》、《兩漢與西域關係史》、《秦漢農民戰爭史料彙編》、

《秦漢官制史稿》、《秦漢官吏法研究》、《班固評傳》、《漢高帝大傳》、《漢光武帝大傳》等書。並發表學術論文 80 餘篇。　　　　　　　（宋維哲）

《孔子倫理思想發微：現代生活語境中的論語解讀》

《孔子倫理思想發微：現代生活語境中的論語解讀》　王世明著　濟南　齊魯書社 497 頁　2004 年 9 月

　　本書為作者的博士論文。在標題中，其強調寫作中心主旨，在於「倫理思想」，而文中更標舉「仁」字作為孔子倫理思想核心，藉此展開全文論述，並試著與現代社會做理路上的聯繫。

　　其他學者在論述孔子思想時，常以「宇宙論」、「人生論」、「道德觀」等後出詞彙以論述其思想。作者則強調立足原典，就原典中之思想以凝煉出關鍵字眼，此方能顯豁其中心意旨。故而在標舉「仁」字後，再提出「孝、學、言、省、和、思、道」等八個基本範疇，以全面概括孔子的倫理思想。

　　另外在整體詮釋寫作上。就內容言，作者追求在觀點、角度上的創新，並能切合於現代社會；就敘述言，其希望擺脫「八股文」習氣，以深入淺出、平實自然、鮮活流暢的現代語句作為詮釋工具，以達成其「現代生活語境的《論語》解讀」的目的。

　　全書章節如下：第一章：導言——孔子倫理思想的現代闡發；第二章：「仁」學；第三章：「孝」道；第四章：「學」旨；第五章：「言」析；第六章：「省」身；第七章：「和」解；第八章：「思」辨；第九章：「道」義；第十章：結語——孔子倫理思想的不朽價值。另外，全書首置萬俊人先生的「微言大義者如斯——王世明《孔子倫理思想發微》小序」一文，此序文為手稿照相影印，更可見前輩對後輩提攜之情。

　　王世明，1955 年生，北京人。北京大學法學碩士，清華大學哲學博士。現於大陸中宣部機關工作。　　　　　　　　　　　　　　　　　（宋維哲）

《中日四書詮釋傳統初探》

《中日四書詮釋傳統初探》　黃俊傑編　臺北　臺灣大學出版中心　上、下冊
626頁　2004 年 8 月

　　本書為論文集。所收論文均為臺灣大學「東亞近世儒學中的經典詮釋傳統」研究計畫所舉行的研討會中，所發表的與中國和日本儒者的《四書》詮釋相關論著。

　　全書分上下兩冊，所收論文共有十九篇，析為四大主題，其主題、篇目及作者依序為：「理論與背景」：〈詮釋學與修辭學〉（洪漢鼎）、〈詮釋、修辭與論辯溝通〉（張鼎國）、〈Canonucal Comprehensiveness and Heretical Partiality〉（John B. Henderson）；「論語與孟子的詮釋」：〈何晏《論語集解》的思想特色及其定位〉（蔡振豐）、〈Making Sense: Wang Bi Commentary〉（Rudolf G. Wagner）、〈朱子對《論語・顏淵》「克己復禮」章的詮釋及其繼起爭議〉（張崑將）、〈元田永孚的「君德輔導」與論語解釋：關於《經筵論語進講錄》的考察〉（陶德民）、〈二程與朱子對「仁」的詮釋及其思想史意義〉（白奚）；「大學與中庸的詮釋」：〈善與至善：論朱子對《大學》闡釋的一個向度〉（郭曉東）、〈論朱子在對《中庸》的詮釋過程中受呂與叔的影響及其對呂氏的批評〉（郭曉東）、〈從朱子與陽明之《大學》疏解看中國的詮釋學〉（馮達文）、〈大鹽中齋的《大學》詮釋〉（荻生茂博）、〈貝原益軒對《大學》的詮釋〉（辻本雅史）；「朱子與宋明四書詮釋」：〈程頤與經典詮釋〉（黃勇）、〈閱讀與理解：朱子與施萊爾馬赫詮釋思想之比較〉（潘德榮）、〈朱子對理解之蔽的認識——兼論中西闡釋理論的一項本質區別〉（李清良）、〈明代書院與儒學詮釋的平民化〉（鄧洪波）、〈論袁宗道的《四書》詮釋〉（周群）、〈Classical Reasoning in Late Imperial Chinese Civil Examination Essays〉（Benjamin A. Elman）。

　　另外，書前有編者黃俊傑先生的「導言」，對全書十九篇論文均做了簡明的提要論述。書末則有「人名索引」，以方便讀者查詢。

　　黃俊傑，1946 年生，美國華盛頓大學（西雅圖）博士。現任臺灣大學歷史系教授、中央研究院中國文哲研究所合聘研究員。著有《孟學思想史論（卷一）》、《孟子》、《孟學思想史論（卷二）》、《大學通識教育的理念與實踐》、《臺灣

意識與臺灣文化》、《東亞儒學史的新視野》、《全球化時代大學通識教育的新挑戰》等專著。　　　　　　　　　　　　　　　　　　　　　　　（宋維哲）

《孟子快讀》

《孟子快讀》　方勇主編　上海　世紀出版集團、漢語大辭典出版社　444 頁　2003 年 12 月

　　《孟子》一書的白話譯本，在海峽兩岸亦有相當的出版量。而由方勇先生主編，李波、張瑾、陸文軍、閔麗丹、丁時華、葉蓓卿等六人撰文，漢語大辭典出版社所出版之《孟子快讀》，亦為譯本之一。

　　然該書為求與他書屬性區隔，捨棄傳統按《孟子》七章順序之編次法，將孟子一書思想條分縷析，整理出十九項主題，以作為本書章節。本書章節如下：一、仁者無敵；二、王者有道；三、尚德禮賢；四、得道多助；五、人皆堯舜；六、事天立命；七、一治一亂；八、捨生取義；九、仕由其道；十、懷義去利；十一、事親為大；十二、君臣有義；十三、居仁由義；十四、至正至剛；十五、君子之道；十六、周于德者；十七、言傳身教；十八、知人論世；十九、井田理想。

　　在每一章節中，編者首列原文，次標「注釋」，再敘「譯文」，將每一段《孟子》原文做簡明清晰之注譯。而在每一章節末尾，則針對該章主題做出詳盡「述評」，以使每章原文都能有更佳串聯，其旨趣亦能更加豁顯而出。

　　書中「前言」處，則對孟子生平、歷史地位升降、作者爭議、核心思想等，做了扼要闡述。而在版本的選用上，則清楚交代是以中華書局 1954 年版，1986 年 5 月北京第 5 次印刷《諸子集成》所收之《孟子正義》為底本，章節劃分也以此為據。而注釋及翻譯，則參考漢趙歧《孟子章句》、宋朱熹《孟子集注》、清焦循《孟子正義》和楊伯峻《孟子譯注》。顯見該書作者撰文均有所據。

　　方勇，1956 年生，浙江浦江人。曾任教於河北大學中文系，現任教於上海華東師範大學中文系。著作有《方鳳集輯校》、《莊子詮評》等著作。　　（宋維哲）

《中國雅學史》

《中國雅學史》　竇秀豔著　濟南　齊魯書社　424 頁　2007 年 9 月

「雅學」，是中國傳統語言文字學史上一門獨特的學術體系。其研究的對象是以《爾雅》為鼻祖而形成的一系列雅體著作，內容涵蓋了：一、增廣續補《爾雅》或其他雅體著作而產生的著作；二、仿照《爾雅》及其他雅體論述而產生的著作；三、針對《爾雅》以及前述兩項著作進行注解、注音、圖解、考辨、校勘、輯佚、釋例等整理研究的著作。

《爾雅》以降，累積至今約有數百部雅學文獻資料，作者根據這些資料，對雅學的產生及其發展的歷程，進行系統性的研究。首先，是將先秦至 1949 年的兩千多年雅學歷史，分為「《爾雅》的出現」、「雅學的形成」、「雅學的成熟」、「雅學的進一步發展和轉型」、「雅學的興盛」，以及「雅學由傳統向現代的轉變」等六個階段。作者以第一手文獻資料為基礎，對《爾雅》以及各個階段所出現的主要雅學著作，詳加探討論述。順序上是先廣雅之作，後仿雅之作，最後是雅書注釋研究之作，同一類著作則依照撰作的時間先後排序。

藉由這樣系統性的研究，作者發現雅學與各個時期的政治經濟文化的發展有其密切的關連，特別是經學、語言學以及自然科學的發展狀況，都成為影響和制約雅學發展的及其興衰的重要因素。因此，本書也對經學與經學的關係等問題、對不同歷史階段雅學發展的主要特點，進行了探討與總結。

竇秀豔，1968 年生於吉林通榆縣，1992 年東北師範大學本科畢業，繼又師從閻玉山先生學習漢語音韻，1995 年或文學碩士。2000 年考入山東大學古籍研究所（現文史哲研究院），師從馮浩菲先生學習中國訓詁學和古典文獻學，獲文學博士學位。現任青島大學文學院副教授，主要從事古代漢語、文獻學的教學和研究工作，發表論文二十餘篇。　　　　　　　　　　　　　　　　（張穩蘋）

《經學研究論叢》撰稿格式

本《論叢》爲方便編輯作業，謹訂下列撰稿格式：

一、章節使用符號，依一、㈠、1.、⑴……等順序表示。

二、使用新式標點，以 Word 全形標點符號表爲主。如刪節號爲……，書名號爲
《 》，篇名號爲〈 〉，書名和篇名連用時，以「‧」斷開。如《詩經‧小
雅‧鹿鳴》。

三、用語句所用括號，外括號用「 」表示，有內括號時，用『 』表示。

四、獨立引文，每行低三格。

五、論文之體例，請依下列格式：

　㈠人名生卒年

　　吳澄（1249－1333）

　㈡年代時間

　　1.正德戊寅十三年（1518）

　　2.西元 1999 年

　　3.民國八十九年十月十七日

　㈢古籍卷數

　　《王陽明全集》第二十六卷

六、注釋之體例，請依下列格式：

　㈠注釋號碼請用阿拉伯數字標示，如❶，❷，❸，……。

　㈡以隨頁註方式，採用 Word「插入」工具中之註腳表示。

　㈢引用古籍

　　1.古籍原刻本

　　　〔明〕梅鷟：《尙書考異》（清嘉慶十九年刊《平津館叢書》本），卷
　　　1，頁 4。

　　2.古籍影印本

〔明〕羅欽順：《整菴存稿》（臺北：臺灣商務印書館，1983 年影印清乾隆年間寫《文淵閣四庫全書》本，第 1261 冊），卷 5，頁 63。

㈣引用專書

王夢鷗：《禮記校證》（臺北：藝文印書館，1976 年 12 月），頁 102。

㈤引用論文

　1.期刊論文

屈萬里：〈宋人疑經的風氣〉，《大陸雜誌》第 29 卷第 3 期（1964 年 8 月），頁 23－25。

　2.論文集論文

侯外廬：〈吳澄的道統論與經學〉，林慶彰主編：《中國經學史論文選集》（臺北：文史哲出版社，1993 年 3 月），下冊，頁 293。

　3.學位論文

張以仁：《國語研究》（臺北：臺灣大學中國文學研究所碩士論文，1958 年），頁 201。

　4.報紙論文

丁邦新：〈國內漢學研究的方向和問題〉，《中央日報》，1988 年 4 月 2 日。

㈥再次徵引

　1.再次徵引時，可用簡單方式處理，如：

❶　程元敏：〈書疑考〉，《書目季刊》第 6 卷 3、4 期合刊（1971 年 6 月），頁 93。

❷　同前註。

❸　同前註，頁 98。

　2.如果再次徵引的註，不接續，可用下列方式表示：

❹　同註❶，頁 96。

七、投稿方式

㈠逕交或寄送（以下二處擇一）

　1.[106]　臺北市大安區和平東路一段 198 號

臺灣學生書局經學研究論叢編輯部

2. [115]　臺北市南港區研究院路二段 128 號

中央研究院中國文哲研究所清代經學研究室

3. 來稿請以電腦中文打字，並附上磁片。

(二)或以電子郵件寄送至以下位址：

lwenchon@pcmail.com.tw

請在「主旨」中註明「經學研究論叢投稿稿件」。

國家圖書館出版品預行編目資料

經學研究論叢・第十三輯

林慶彰主編.— 初版.—臺北市：臺灣學生，
2006[民 95]
面；公分

ISBN 978-957-15-1303-4 (平裝)

1. 經學 – 論文，講詞等

090.7　　　　　　　　　　　　　　　95006380

經學研究論叢・第十三輯 （全一冊）

主　編　者：林　　　慶　　　彰
責 任 編 輯：張　穩　蘋　・　黃　智　明
出　版　者：臺 灣 學 生 書 局 有 限 公 司
發　行　人：盧　　　保　　　宏
發　行　所：臺 灣 學 生 書 局 有 限 公 司
　　　　　　臺 北 市 和 平 東 路 一 段 一 九 八 號
　　　　　　郵 政 劃 撥 帳 號 0 0 0 2 4 6 6 8 號
　　　　　　電　話：(0 2) 2 3 6 3 4 1 5 6
　　　　　　傳　真：(0 2) 2 3 6 3 6 3 3 4
　　　　　　E-mail：student.book@msa.hinet.net
　　　　　　http：//www.studentbooks.com.tw

本書局登
記證字號：行政院新聞局局版北市業字第玖捌壹號

印　刷　所：宏 輝 彩 色 印 刷 公 司
　　　　　　中 和 市 永 和 路 三 六 三 巷 四 二 號
　　　　　　電　話：(0 2) 2 2 2 6 8 8 5 3

定價：平裝新臺幣四六〇元

西 元 二 〇 〇 六 年 三 月 初 版